Collection QA **compact**

De la même auteure

Jeunesse

La route de Chlifa, Éditions Québec Amérique, coll. Titan+, 1992, réédition 2010.

- **Prix littéraire du Gouverneur général 1993**
- **Prix 12/17 Brive-Montréal 1993**
- **Prix Alvine-Bélisle 1993**

Cassiopée, Éditions Québec Amérique, coll. QA Compact, 2002.

- **Livre préféré des jeunes de 12-17 ans au palmarès de Communication-Jeunesse 2003-2004**

Rouge poison, Éditions Québec Amérique, coll. Titan, 2000.

- **Prix du livre M. Christie 2001**

Les vélos n'ont pas d'états d'âme, Éditions Québec Amérique, coll. Titan, 1998.

- **Mention spéciale du jury – Prix Alvine-Bélisle**

L'homme du Cheshire, Éditions Québec Amérique, coll. Bilbo, 1990.

Cassiopée – L'été des baleines, Éditions Québec Amérique, coll. Titan, 1989.

Cassiopée – L'été polonais, Éditions Québec Amérique, coll. Titan, 1988.

- **Prix littéraire du Gouverneur général 1989**

Série Marion

Marion et le royaume d'Einomrah, Dominique et compagnie, 2009.

Marion et le Nouveau Monde, Dominique et compagnie, 2002.

- **Prix Québec / Wallonie-Bruxelles 2003**

Albums

Barbouillette !, Éditions Québec Amérique, 2011.

Cendrillon, Les 400 coups, 2000.

L'Affreux, Les 400 coups, 2000.

LA TROISIÈME LETTRE

Catalogage avant publication de Bibliothèque et Archives nationales du Québec et Bibliothèque et Archives Canada

Marineau, Michèle
La troisième lettre
(Collection QA compact)
Éd. originale: 2007.
Publ. à l'origine dans la coll.: Tous continents.
ISBN 978-2-7644-1311-1
I. Titre.
PS8576.A657T76 2011 C843'.54 C2011-941106-7
PS9576.A657T76 2011

Conseil des Arts du Canada Canada Council for the Arts

SODEC Québec

Nous reconnaissons l'aide financière du gouvernement du Canada par l'entremise du Fonds du livre du Canada pour nos activités d'édition.

Gouvernement du Québec – Programme de crédit d'impôt pour l'édition de livres – Gestion SODEC.

Les Éditions Québec Amérique bénéficient du programme de subvention globale du Conseil des Arts du Canada. Elles tiennent également à remercier la SODEC pour son appui financier.

Québec Amérique
329, rue de la Commune Ouest, 3e étage
Montréal (Québec) Canada H2Y 2E1
Téléphone: 514 499-3000, télécopieur: 514 499-3010

Dépôt légal : 3e trimestre 2011
Bibliothèque nationale du Québec
Bibliothèque nationale du Canada

Mise en pages : Andréa Joseph [PAGE EXPRESS]
Révision linguistique : Diane Martin
Direction artistique: Isabelle Lépine
Adaptation de la grille graphique: Nathalie Caron
Illustration de la couverture : Carl Pelletier

www.quebec-amerique.com

Imprimé au Canada

MICHÈLE MARINEAU

LA TROISIÈME LETTRE

Québec Amérique

À François

La vie n'est ni absurde ni pas absurde,
elle est ce que les gens en font.

Nancy Huston
Professeurs de désespoir

Prologue

And what's the world to any man
When no one speaks his name

The Old Bog Road
chanson traditionnelle irlandaise

New Waterford, en Nouvelle-Écosse
Samedi 19 mars

Le déclic se produit après les funérailles de Gordon MacIntosh, emporté à soixante-trois ans par un cancer du poumon.

La cérémonie terminée, Kathleen, la veuve de Gordon, a servi le goûter chez elle. À présent, tout le monde est parti, ou presque. Outre Kathleen, il ne reste plus que Mike Delaney, Tom Finnegan et Bernie Stevens. Les amis fidèles, qui ont accompagné Gordon jusqu'à la fin. Les camarades des bons et des moins bons jours — et des interminables soirées de *tarbish.* Des soirées au goût de bière et de nostalgie, où le *'bish* — ce jeu de cartes particulier à l'île du Cap-Breton qui s'apparente à la belote des Français — était surtout un prétexte pour évoquer, une fois encore, leur vie dans les mines de charbon de la région : le travail rude et les dangers, les remous des années soixante, l'explosion du puits numéro 26, la grève de 1981, la fermeture progressive des mines à partir de la fin des années quatre-vingt…

Tout comme le défunt, Mike Delaney, Tom Finnegan et Bernie Stevens sont d'anciens mineurs. Des hommes usés, vieillis prématurément, aux poumons malades — Finnegan sait déjà qu'il a un cancer, et les deux autres se doutent bien qu'ils vont recevoir un diagnostic semblable, un jour ou l'autre. Ce sont malgré tout des hommes dignes qui, à l'église puis au cimetière, se sont tenus bien droits pour rendre un dernier hommage à leur camarade.

Maintenant qu'ils se retrouvent entre eux, ils trinquent à la mémoire de Gordon — un homme honnête et travailleur — et rappellent, dans le plus grand désordre, des moments de sa vie — épisodes marquants ou anodins, souvenirs cocasses ou émouvants.

Kathleen a sorti l'album de photos, un vieil album de cuir marron aux coins usés.

« *Here we are on our wedding day! May 4th, 1963*… Gordon était tellement beau dans son costume neuf! Mais ses souliers étaient trop serrés. Les miens aussi, d'ailleurs. Toute la journée, on a souffert chacun de notre côté, sans se douter que l'autre avait les pieds en compote, lui aussi. Et on dansait, on dansait! Après, on s'est avoué tous les deux que c'était une vraie torture, mais qu'on se forçait pour ne pas décevoir l'autre… Quand on parlait de notre mariage, c'était toujours cette affaire de pieds qui revenait… »

Pour la première fois ce jour-là, Kathleen sourit, un sourire qui transforme ses traits bouffis par les pleurs, affaissés par la détresse et l'épuisement. On retrouve presque la Kathleen de la photo de mariage, la Kathleen radieuse d'il y a quarante-deux ans.

Viennent ensuite des photos de Kathleen enceinte.

« Ça a été tellement dur quand j'ai perdu le bébé et qu'on a su que je ne pourrais jamais en avoir… C'est à cette époque-là que Gordon a commencé à boire. Évidemment, ça ne s'est pas arrangé après son histoire avec Bigras. »

Elle prononce *Bigrass*, à l'anglaise, et le nom provoque une réaction instantanée.

« Bigrass… *Bigr…ass…hole*! » s'exclament les trois hommes présents.

C'est ce que Gordon répétait, toujours avec la même colère, la même rage impuissante, quand il avait un verre dans le nez.

L'histoire remonte à une vingtaine d'années. Le dénommé Bigras, un escroc doté d'un charme fou et d'un diabolique pouvoir de persuasion, a dépouillé Gordon et d'autres habitants de la région de plusieurs dizaines de milliers de dollars — la totalité de leurs économies, le plus souvent. Gordon, pour sa part, a perdu l'héritage qu'il tenait de son père, sa maison, son pick-up…

« *When Bigras disappeared*, il nous restait juste le linge qu'on avait sur le dos », précise Kathleen avec un soupir.

Mike Delaney et Bernie Stevens étaient dans la région, à l'époque, et ils connaissent bien cette histoire — Stevens a lui aussi perdu dix mille dollars dans l'aventure —, mais Tom Finnegan est arrivé au Cap-Breton il y a une douzaine d'années seulement. Il a souvent entendu Gordon maudire *Bigrasshole* et il sait que le trou de cul en question a ruiné MacIntosh et Stevens, mais il ne connaît pas les détails de l'affaire.

« Qu'est-ce qui s'est passé, exactement ? »

Les autres commencent à lui raconter l'histoire, qui lui semble vite étrangement familière.

« Et à quoi ressemblait ce Bigras ? s'entend-il demander.

— J'ai sa photo ici, attends un peu… »

Kathleen tourne quelques pages et lui tend l'album.

« *Here he is…* »

La photo est floue, mais Finnegan n'a aucun mal à reconnaître l'homme que désigne Kathleen. Seulement, cet homme ne s'appelait pas Bigras quand il l'a connu. Pas plus que lui-même ne s'appelait Finnegan à cette époque.

Kathleen continue à feuilleter l'album et à commenter les photos.

Finnegan, perdu dans ses souvenirs, n'entend rien de ce qu'elle dit et il n'accorde qu'un regard distrait aux photos qu'elle leur montre quand, soudain, une de ces photos capte son attention.

D'un seul coup, tout s'éclaire. Finnegan a enfin trouvé l'explication des seize dernières années.

~

Quelques semaines plus tard, les doigts crispés autour de son stylo, celui qui prétend s'appeler Finnegan cherche ses mots. Écrire ne lui vient pas facilement. Écrire en français encore moins. Il y a si longtemps qu'il n'a pas parlé français. Saura-t-il même trouver les mots dont il a besoin ?

Il approche sa plume du papier. Il trace une première lettre, puis une autre.

Il va y arriver. C'est toute sa vie qui en dépend.

~

On croit avoir tout prévu, tout réglé. Et puis, un matin, en dépouillant le courrier, on se rend compte que le destin avait une surprise en réserve.

Il suffit d'une lettre pour mettre en péril une vie soigneusement construite. Un minuscule grain de sable dans l'engrenage d'une mécanique pourtant méticuleusement entretenue.

Après tout ce temps, pas question de voir mon œuvre détruite.

Un grain de sable, ça s'enlève.

Le destin, ça peut aussi être moi.

Première partie

Lettres

Chapitre 1
Mercredi 4 mai

La troisième lettre arrive au moment où Agathe commençait à croire qu'il n'y en aurait pas d'autre, finalement, et que les deux premières n'avaient pas de signification particulière.

Mais à présent la lettre est là, et Agathe se demande ce qu'elle va lui révéler de nouveau. Pourtant, elle ne se précipite pas pour ramasser l'enveloppe. Sa curiosité s'accompagne d'un vague malaise. Elle n'a pas peur, pas vraiment, mais elle n'aime pas ces lettres qu'elle a du mal à qualifier. Troublantes, certainement. Inquiétantes, peut-être. Menaçantes ? Agathe espère que non. Elle ne peut toutefois s'empêcher de craindre que cette troisième lettre ne fasse pencher la balance du côté des menaces.

Elle prend donc tout son temps pour récupérer le courrier éparpillé dans le vestibule. Une lettre de sa compagnie d'assurances, un compte d'électricité, une enveloppe remplie de coupons-rabais, une publicité pour une pizzeria… Et, enfin, cette enveloppe jaunie, un peu fripée, adressée d'une main malhabile. Une écriture d'enfant ou d'analphabète, s'est dit Agathe en recevant la première de ces enveloppes, une semaine plus tôt. Ou encore une écriture déguisée.

~

La première lettre est arrivée le mercredi 27 avril. Cette fois-là, Agathe n'a eu aucune hésitation avant d'ouvrir l'enveloppe, et il ne lui a fallu qu'une seconde pour lire l'unique phrase de la missive :

Traison et mensonges sont toujours puni.

Qu'est-ce que c'était que ça, *traison*? *Trahison*, sans doute. Trahison et mensonges sont toujours punis : on aurait dit un proverbe, à moins que ce ne fût un dicton… C'est en se demandant quelle était la différence, au juste, entre un proverbe et un dicton qu'Agathe a laissé tomber la lettre dans le bac de récupération.

Le lendemain, quand la deuxième lettre est arrivée — même enveloppe défraîchie, même écriture maladroite, même encre bleu pâle —, Agathe a failli la mettre au recyclage sans l'ouvrir. Oui, je sais, la trahison et les mensonges sont toujours punis, merci de veiller à mon instruction morale… Puis elle s'est ravisée. Peut-être, ce jour-là, son correspondant anonyme lui apprendrait-il que la curiosité est un vilain défaut, ou qu'il vaut mieux laver les couleurs foncées à l'eau froide, ou que la fin du monde est proche… Elle a donc décacheté l'enveloppe et pris connaissance du deuxième message.

Traison et mensonges sont toujours puni.
Traison et mensonges appelles revenge.

Contrairement à la veille, la lettre n'a pas abouti au recyclage. Agathe a même repris dans le bac la lettre reçue le mercredi. Elle était intriguée, troublée même. Qui lui envoyait ces lettres, et pourquoi ? Elle a scruté les deux missives en espérant trouver des réponses à ces questions.

L'orthographe ne s'améliorait pas, le vocabulaire non plus. *Traison*, *revenge* : ça semblait plus proche de l'anglais que du français. Les lettres avaient-elles été écrites par un anglophone ? Et d'où venaient-elles, au fait? Impossible de savoir où avait été postée la première, le cachet étant pratiquement invisible. La deuxième, par contre, portait des indications claires: 050423 17 :15 B3K 1T0 121. Et, un peu plus bas: www.ePost.ca/www.Postel.ca. Agathe en a conclu que l'enveloppe avait été estampillée à dix-sept heures quinze, le 23 avril, soit cinq jours plus tôt. Et à quel lieu correspondait le code postal B3K 1T0? Un coup de téléphone à Postes Canada lui a appris que sa lettre venait de Halifax, en Nouvelle-Écosse.

Le trouble d'Agathe s'est accentué. La Nouvelle-Écosse, un correspondant anonyme qui était peut-être anglophone… Se pourrait-il que… ?

Par acquit de conscience, elle est allée chercher, dans le coin le plus reculé de son placard — à l'arrière de la plus haute tablette —, ce qu'elle a longtemps appelé son coffre à trésors et qui est plus prosaïquement une vieille boîte à chaussures ornée de dessins, de photos, de rubans et de paillettes. La boîte est défraîchie et tachée, les photos et les paillettes se décollent, les coins ont dû être maintes fois renforcés, mais Agathe refuse de se départir de cette boîte, qu'elle a décorée elle-même à l'âge de huit ans pour l'offrir à son père.

Après avoir récupéré la boîte, elle l'a déposée sur sa table de cuisine puis, plongeant la main sous les photos, les bouts de papier soigneusement pliés et les vieilles cartes d'anniversaire, elle a pris cinq cartes postales qui se trouvaient tout au fond et les a étalées devant elle.

Systématiquement, elle a comparé ces cartes aux deux lettres qu'elle venait de recevoir. Pouvaient-elles avoir été écrites par la même personne? Après tout, les cartes postales avaient elles aussi été postées en Nouvelle-Écosse…

L'encre était différente, noire pour les cartes, bleu pâle pour les lettres. L'écriture se comparait difficilement: les cartes ne portaient que quelques mots en lettres moulées; les lettres étaient en écriture cursive. Agathe s'est attardée à l'adresse, la même pour les cartes et pour les lettres. Les chiffres se ressemblaient, le *M* de Montréal aussi, mais Agathe, qui n'était pas graphologue, n'arrivait pas à déterminer s'ils provenaient de la même main. Le ton, surtout, était très différent : affectueux dans les cartes ; inquiétant sinon menaçant dans les lettres.

Pour Agathe, ce dernier aspect l'emportait sur tous les autres. Impossible que les cartes et les lettres aient été écrites par la même personne, s'est-elle dit en rangeant les cartes postales dans leur boîte. Après avoir remis celle-ci dans le haut du placard, Agathe a glissé les lettres dans son agenda en songeant qu'elle pourrait les comparer à une troisième lettre, si troisième lettre il y avait. En attendant, mieux valait oublier ça.

Mais les lettres ne se sont pas laissé oublier. Depuis la semaine dernière, il ne s'est pas passé une journée sans qu'Agathe les retire de son agenda pour les analyser une fois encore dans les moindres détails. Les enveloppes défraîchies, le cachet de Halifax, l'encre pâlotte, l'écriture mal assurée… Agathe avait beau les examiner dans tous les sens, elle n'était pas plus avancée. Dieu sait pourtant ce qu'un Hercule Poirot ou un Sherlock Holmes aurait pu déduire de ces indices ! Élémentaire, mon cher Watson, cette lettre a été écrite à l'aide d'une plume Waterman XB-28 catégorie C, qui n'a été vendue qu'entre 1978 et 1983 dans le Yorkshire. L'encre, de fabrication artisanale, provient d'un petit village du sud de la France. L'écriture, quant à elle, indique clairement que la lettre a été écrite par une institutrice hongroise voulant faire croire qu'elle a plutôt été écrite par un boucher anglais amateur de Guinness…

Voilà le genre de propos qu'a tenus Florence, la meilleure amie d'Agathe, quand celle-ci lui a montré les lettres il y a deux jours.

« Tu vas regretter de t'être moquée de moi, le jour où on va me retrouver sauvagement assassinée…, a répliqué Agathe en reprenant ses lettres.

— Je ne me moque pas de toi. Ou si peu… Je t'envie, en fait : ce n'est pas tout le monde qui a droit à des lettres anonymes. Alors, dis-moi, quels secrets caches-tu sous tes airs tranquilles ? Quelles trahisons ont marqué ta lointaine enfance abitibienne (*pas abitibienne, témiscamienne*, a murmuré Agathe pour la centième fois, sourcils froncés, tout en sachant pertinemment que ça ne changerait rien et que Florence — comme tout le monde — continuerait à confondre le Témiscamingue et l'Abitibi, ces vastes espaces si proches et pourtant si différents) ? As-tu menti au curé du village? triché dans une dictée ou un examen d'histoire? volé l'amoureux de ta meilleure amie? Ou alors, a poursuivi Florence d'une voix sépulcrale, peut-être que cette lettre fait référence à des trahisons ou à des mensonges plus récents, commis dans la grande ville de Montréal, capitale du vice et du péché, du lucre et du stupre, de la luxure et de la fornication... Ne seriez-vous pas un peu trop intime avec un homme marié, mademoiselle Agathe, et cela ne serait-il pas en train de vous causer des ennuis ? »

Agacée, Agathe a haussé les épaules sans répondre. Elle n'aurait jamais dû montrer les lettres à Florence, qui ne ratait aucune occasion de lui rappeler qu'elle désapprouvait sa liaison avec Laurent Bouvier — pas nécessairement parce qu'il était marié, ni même parce qu'il avait le double de son âge, mais parce qu'il était Laurent Bouvier, tout simplement, et que Florence ne pouvait pas le supporter.

« Il est épouvantablement imbu de lui-même, ne cessait-elle de répéter. Je, me, moi, le grand comédien et metteur en scène... Je suppose qu'il se prend pour un amant extraordinaire, par-dessus le marché? Comment peux-tu être amoureuse de lui ? »

Justement, a souvent eu envie de répondre Agathe, je ne risque pas de tomber amoureuse de lui, et c'est précisément pour cette raison que c'est un amant parfait. Mais elle éprouve une certaine gêne à présenter les choses aussi crûment, même à Florence.

« Au fait, a poursuivi son amie, as-tu montré les lettres à Laurent?

— Oui.

— Et alors ? »

Agathe a de nouveau haussé les épaules.

« Alors rien. Il m'a dit de ne pas m'en faire avec ça, que ce n'était sans doute qu'une plaisanterie... »

À vrai dire, Laurent avait réagi avec cette ironie condescendante qui a le don d'horripiler Agathe.

« Ma pauvre chérie, s'était-il exclamé de sa célèbre voix de basse en levant ses célèbres sourcils en broussaille, si tu te mets dans tous tes états pour une peccadille pareille, renonce tout de suite au métier de comédienne ! Moi-même, je ne compte plus le nombre de lettres ou d'appels anonymes que j'ai pu recevoir au fil des ans… Les menaces, les invitations, les propositions plus ou moins alléchantes… Et toutes ces femmes — et même de très jeunes filles — qui m'envoient leur photo dans des poses lascives… Et tous ces hommes qui, à tort ou à raison, se croient cocus… Sans parler de ceux qui, en dépit du bon sens et de mon évidente hétérosexualité, se consument d'amour pour moi… Et les demandes d'aide… Et… »

Tout en soliloquant, Laurent s'était déshabillé puis il s'était glissé entre les draps turquoise qu'il avait offerts à Agathe pour son anniversaire — des draps italiens très chers, faits d'un mélange de coton égyptien, de lin et de soie (« Je ne veux pas t'insulter, ma petite chérie, mais tes draps de coton élimé, c'est d'un navrant… J'ai l'impression de jouer dans un mauvais mélo, un truc misérabiliste et déprimant, si tu vois ce que je veux dire… »). Il parlait toujours en la caressant — sein gauche, sein droit, quelques pincements, quelques mordillements, une main qui effleure distraitement une hanche avant de glisser le long du ventre et de s'insinuer entre les cuisses (« C'est quand même incroyable tout ce qui m'est arrivé au cours de ma vie… Je devrais peut-être écrire mes mémoires… Au fait, ma chérie, aurais-tu pris du poids, ces derniers temps ? Je sais bien que tu as toujours été un peu ronde — Dieu merci, tu n'as rien de ces anorexiques qui n'ont que la peau et les os ! –, mais tu devrais peut-être faire attention… Ce n'est pas un reproche, tu le sais bien, je t'aime comme tu es, évidemment. Si je te dis ça, c'est pour ton bien… Mes mémoires, donc. Ce serait une idée… Pas tout de suite, bien sûr, je suis trop jeune encore. Mais dans une quinzaine d'années… Oh ! Et est-ce que je t'ai parlé de ce *chamchir* que j'ai commandé chez Reboul ? Il me coûte la peau des fesses, mais il va avoir fière allure à côté de mon *daishô* japonais… »).

Que disait Florence au sujet de Laurent ? Imbu de lui-même ? Qu'est-ce qui pouvait lui faire dire une chose pareille ?

~

Après avoir pris connaissance du reste de son courrier, Agathe se tourne enfin vers l'enveloppe jaunie. Elle insère la pointe d'un coupe-papier sous le rabat et la fait lentement glisser le long du pli. L'incision est impeccable. Agathe retire la feuille de l'enveloppe et la fixe longuement avant de se résoudre à la déplier.

Traison et mensonges sont toujours puni.
Traison et mensonges appelles revenge.
Tu a trahie tu va être puni.

Chapitre 2
Jeudi 5 mai

La sonnerie du réveil tire Agathe du sommeil inconfortable dans lequel elle a fini par sombrer après avoir passé la soirée à se tracasser au sujet des lettres, à manger des nachos et à boire du vin blanc. Trop de nachos et trop de vin blanc, ainsi qu'en témoignent sa bouche pâteuse et son état de délabrement avancé. Toute la nuit, elle s'est battue avec ses couvertures. Trop chaud, trop froid… C'est le problème avec le vin blanc, ces bouffées de chaleur qui vous assaillent pendant des heures et des heures. Et ces maux de tête, et cette vague nausée…

Fini, les nachos et le vin blanc, songe confusément Agathe en tentant d'oublier la sonnerie du réveil, plus stridente que jamais. Elle ramène les couvertures par-dessus sa tête. Fini, fini, fini. Plus jamais de nachos et de vin blanc. Carottes et eau Perrier, à partir d'aujourd'hui. Et légumineuses, Florence ne jure que par les légumineuses. Et… Oh, *shit*, le réveil !

Agathe se redresse dans son lit et jette un coup d'œil à l'énorme réveil qui se trouve sur sa commode, à l'autre bout de la chambre. Les aiguilles lumineuses brillent dans le noir. Quatre heures dix.

Maudissant ce métier qui l'oblige à se lever au beau milieu de la nuit, Agathe s'arrache à ses couvertures et se dirige d'un pas incertain vers la salle de bain. Vite, une douche. Dans cinquante minutes, elle doit être au maquillage, où les mains expertes de Sonia del Vecchio la transformeront en Chouette chevêche, le personnage qu'elle interprète depuis deux ans dans *La Forêt enchantée*, une série télévisée pour enfants.

~

Quatre heures plus tard, grâce aux bons soins de Sonia et d'Huguette Paquette, l'habilleuse, Agathe est métamorphosée en Chouette chevêche : large tête sans aigrettes striée de blanc, grands yeux jaunes, bec court et crochu, épais sourcils blancs qui se rejoignent en *V* et lui donnent un air perpétuellement courroucé, gorge blanche, ventre rayé, ailes parsemées de grosses taches pâles, longues pattes se terminant par des serres crochues…

« Attention ! claironne l'assistante du régisseur de plateau. On commence dans deux minutes. Tout le monde en place pour la scène 1. J'ai besoin de la princesse, du Chien de prairie, de la Chouette… »

En arrivant sur le plateau, Agathe voit s'approcher Florence — ou plutôt la princesse Chicorée aux magnifiques cheveux bleutés.

« Qu'est-ce qui se passe ? chuchote Florence. J'ai eu peur quand je t'ai vue entrer dans la salle de maquillage. Tu étais blanche comme un drap… »

Agathe grimace en songeant à tout le vin qu'elle a ingurgité la veille. Encore heureux qu'elle soit blanche et non pas verte.

« Je n'ai pas tellement dormi, indique-t-elle. J'ai reçu une troisième lettre. »

Florence ouvre de grands yeux.

« Et alors ? demande-t-elle d'une voix pressante. Qu'est-ce qu'elle dit ? »

Agathe n'a pas le temps de répondre.

« En place ! annonce Stéphane Courteau, le régisseur. La Chouette, tu devrais être dans le terrier qui te sert de nid, en train d'imiter le cliquetis du serpent à sonnette pour éloigner le Chien de prairie qui veut te déloger. Chicorée, tu es censée agrémenter le paysage de ta gracieuse silhouette… Tout le monde en place. Attention, s'il vous plaît, on y va pour une répétition. Dans 5, 4, 3… »

~

Toute la journée, les nouvelles prises se multiplient. Dans la régie, François Roberge, le réalisateur, est d'une humeur massacrante et il ne laisse rien passer — pas la moindre hésitation ni le plus petit changement au texte. Sur le plateau, Stéphane Courteau fait preuve de plus de tact, mais lui aussi se montre exigeant.

« Ça ne va pas. On arrête », ne cesse-t-il de répéter.

Cela n'aide pas du tout Agathe, qui a un mal fou à se concentrer, à faire ses courbettes et ses cliquetis de serpent à sonnette. Les mots qui se bousculent dans sa tête ne sont pas ceux de ses répliques mais ceux des lettres. *Traison et mensonges sont toujours puni. Traison et mensonges appelles revenge. Tu a trahie tu va être puni.*

« Agathe, sacrament, fais au moins semblant de t'intéresser à ce qui se passe ! »

Et Agathe fait un effort. Pendant quelques minutes, elle arrive à être là, vraiment là, à hocher la tête et à battre des ailes, à dire « Cou-couou, mon hibou, quel malheur, quel terrible malheur, je suis désolée, très immensément désolée » ou « Tchak, tchak, tchak, mes petits choux, sauvez-vous, sauvez-vous, voici venir le Grand Méchant Mou ! ». Mais dès qu'elle se tait un moment, son attention vacille, ses yeux et ses oreilles se ferment à ce qui l'entoure, son esprit quitte le studio. *Tu a trahie tu va être puni…*

La journée de travail est interminable. Pas question de partir avant d'avoir enregistré les huit scènes prévues ce jour-là. Agathe et ses camarades n'en finissent plus de répéter, de recommencer et de suer sous la chaleur des projecteurs — et, dans certains cas, sous des costumes qui font aussi fonction d'étuve.

Il est dix-neuf heures quand Stéphane Courteau libère enfin son équipe, une équipe exténuée, affamée, démoralisée.

« C'est pas trop tôt ! grommelle Mathieu Turcotte en arrachant son costume de Grand Méchant Mou, une bestiole qui ressemblerait à un ver de terre si les vers de terre avaient trois têtes et cinq bras. Sandra va me tuer : je lui avais promis de garder Junior pour qu'elle puisse aller à son cours de conditionnement physique… » Il se tourne vers Agathe. « La prochaine fois, arrange-toi donc pour apprendre ton texte ! » lance-t-il d'une voix sèche avant de s'éloigner à grandes enjambées.

Agathe — rouge et poisseuse, les cheveux collés au crâne par la sueur — hoche vaguement la tête. Elle va s'appliquer, oui. Elle non plus n'a pas tellement le goût de revivre une journée comme celle-là, qu'elle aimerait avoir déjà oubliée.

« On va manger une pizza ? »

C'est Florence, mi-fleur mi-femme, qui l'observe avec un mélange d'amusement et de sollicitude.

« Pourquoi pas ? soupire Agathe. Laisse-moi juste le temps de me démaquiller et de prendre une douche… »

~

Une douche, un verre de vin blanc (un *minuscule* verre de vin blanc) et quelques pointes de pizza plus tard, Agathe se sent déjà mieux. Du moins jusqu'à ce que Florence demande, en se penchant vers elle avec un air de conspiratrice :

« Alors, cette lettre ? »

Agathe fouille dans son sac à dos, d'où elle extirpe trois enveloppes qu'elle dépose devant Florence.

« Un, deux, trois », précise-t-elle en tendant successivement l'index vers chacune des lettres.

Florence sort les feuillets des enveloppes et les dépose dans l'ordre devant elle.

Traison et mensonges sont toujours puni.
Traison et mensonges appelles revenge.
Tu a trahie tu va être puni.

Il ne lui faut que quelques secondes pour prendre connaissance des lettres, auxquelles elle s'empresse de réagir.

« Au moins, ton mystérieux correspondant…

— … ou correspondante, l'interrompt Agathe.

— … ou correspondante, répète Florence avec un hochement de tête. Ton correspondant ou ta correspondante, donc, a l'esprit de suite. Première lettre, une phrase, deux fautes. Deuxième lettre, deux phrases, trois nouvelles fautes. Troisième lettre, trois phrases, quatre nouvelles fautes… S'il continue assez longtemps, ça va finir par donner un roman. Un roman plein de fautes, mais un roman quand même. »

Puis elle se tait.

« C'est tout ce que tu trouves à dire ? s'exclame Agathe avec impatience. Aucun commentaire sur le contenu de ces lettres ? sur la troisième phrase de ce roman hypothétique et bourré de fautes — à part le fait qu'elle contient quatre fautes ? »

Florence fronce légèrement les sourcils.

« C'est troublant, je l'avoue, mais ça ne me semble pas inquiétant au point de te mettre dans tous tes états.

— Je ne me mets pas dans tous mes états ! » riposte aussitôt Agathe, piquée au vif.

Laurent aussi a utilisé cette expression, se mettre dans tous ses états. Mais qu'est-ce qu'ils ont, tous les deux ? Elle ne se met pas dans tous ses états, elle est calme et raisonnable, elle essaie seulement de comprendre ce qui se passe.

Pour toute réponse, Florence hausse les sourcils en faisant une drôle de moue.

« Bon, d'accord, admet Agathe, je m'énerve un peu… En fait, la lettre que j'ai reçue hier m'a donné froid dans le dos. Les deux premières étaient générales : la trahison et le mensonge sont toujours punis, ils appellent la vengeance…

— Es-tu bien sûre que *traison*, c'est trahison ?

— Tu vois autre chose ?

— Non, mais il me semble que ça fait partie de mon rôle d'amie de soulever toutes sortes d'objections.

— Tu confonds avec le rôle de mère. Mais revenons aux lettres, et surtout à la troisième : *Tu a trahie tu va être puni.* Là, on n'est plus dans le général, on est dans le particulier, et dans un particulier qui me tient beaucoup à cœur, c'est-à-dire moi.

— Tu devrais te mettre au bouddhisme. Il y a beaucoup de choses à dire sur les bienfaits de la dissolution du sentiment de l'importance de soi…

— Florence ! »

Florence lève les mains en signe de reddition.

« OK, j'arrête mes niaiseries et j'écoute sérieusement ce que tu as à dire. Tu as passé la soirée à analyser les lettres. Y a-t-il autre chose qui t'ait frappée ? »

Agathe met les enveloppes sous le nez de Florence, puis elle tapote l'un après l'autre les cachets de la poste — du moins les deux derniers, celui de la première lettre étant toujours impossible à déchiffrer.

« Ceci : les lettres ont été postées à Halifax.

— Connais-tu quelqu'un à Halifax ?

— … Non, mais… » Agathe hésite imperceptiblement avant de poursuivre. « La deuxième lettre a été postée le 23 avril ; la troisième, le 29 avril. La première a sûrement été envoyée le 21 ou le 22. Et Nathalie, la femme de Laurent, était à Moncton entre le 20 et le 30 avril…

— Qu'est-ce qu'elle faisait là ?

— Elle assistait à un festival de littérature. Elle y va chaque année, semble-t-il, ce qui lui donne l'occasion de revoir son amie Alvina, une maniaque de livres qui ne raterait un festival littéraire pour rien au monde. »

Florence se gratte l'oreille.

« Mais Moncton, ce n'est pas Halifax. »

Agathe soupire.

« Oui, je sais, et c'est aussi ce que Laurent m'a répondu quand je lui ai téléphoné, hier soir, pour lui parler de la dernière lettre que j'ai reçue et lui demander si sa femme ne pourrait pas être derrière ça… Mais les deux villes sont quand même plus proches l'une de l'autre que de Montréal, disons. Les Maritimes, ce n'est pas si grand…

— Ça paraît que tu ne t'es pas tapé le tour des Maritimes en auto avec tes parents à l'âge de quinze ans, murmure Florence. Les Maritimes, ce n'est pas grand, c'est interminablement grand...

— ... et Nathalie aurait sûrement pu s'échapper de son festival pour poster quelques lettres durant son séjour.

— Pourquoi ne pas les envoyer de Moncton, ces lettres? Ou même de Montréal? Pourquoi choisir *Halifax*? À part la Citadelle — devant laquelle on est passés en vitesse et à la pluie battante, ce fameux été de mes quinze ans —, il n'y a rien à Halifax... »

Agathe lève les épaules en signe d'ignorance.

« Je ne sais pas pourquoi Halifax, une ville avec laquelle je te trouve d'ailleurs bien injuste — j'y suis allée à quelques reprises, entre autres pour une tournée, et ça m'a beaucoup plu. Je ne sais pas non plus pourquoi ces lettres. Je ne sais rien du tout, en fait, et j'essaie juste de comprendre. »

Agathe pousse un long soupir, et Florence en profite pour suggérer que les lettres pourraient avoir été envoyées par quelqu'un qu'elle aurait rencontré au cours de ses séjours à Halifax.

« Un admirateur fou d'amour pour toi, par exemple...

— Non, je suis sûre que non... Je n'ai fait que passer, c'est tout, et je n'ai eu aucun contact avec des gens de là-bas. Sans compter que ces séjours datent déjà de quelques années... »

La piste Halifax semblant épuisée pour l'instant, Florence relance Agathe sur la conversation qu'elle a eue avec son amant.

« Et qu'est-ce qu'il a dit d'autre, Laurent, quand tu as émis l'hypothèse que Nathalie aurait pu envoyer les lettres?

— Il a simplement dit que jamais elle ne s'abaisserait à faire une chose pareille. Elle a de la classe, *elle*. »

En fait, Laurent a trouvé le moyen de lui faire sentir qu'elle était idiote d'avoir même imaginé que Nathalie puisse envoyer des lettres anonymes. Pourquoi ferait-elle une chose pareille? Par jalousie? Rire méprisant de Laurent. Nathalie serait jalouse d'une de ses maîtresses? C'était vraiment mal connaître Nathalie, que ne saurait toucher un sentiment aussi vil, aussi... vulgaire.

« Tu trouves ça convaincant? » demande Florence.

Agathe hausse les épaules.

« Pas vraiment. En fait, plus j'y pense, plus je me dis que c'est sûrement Nathalie qui m'a envoyé ces lettres. Au moins, elle aurait une raison de le faire… Sinon… »

Elle ne termine pas sa phrase. La tête penchée vers son assiette, elle se contente de piquer, du bout de sa fourchette, sa croûte de pizza refroidie.

« Vas-tu aller voir Nathalie ? » demande Florence.

Agathe relève la tête.

« Aller voir Nathalie ? répète-t-elle d'un air éberlué. Mais… pour quoi faire ?

— Pour lui demander si c'est elle qui t'a envoyé les lettres. Si c'est elle, elle va savoir que tu l'as démasquée et elle va cesser son petit jeu. »

Sa proposition provoque une vive réaction chez son amie.

« Es-tu folle ? ? ? ! ! ! Jamais je n'oserais aller trouver Nathalie. D'abord, Laurent me tuerait… Et puis, je ne suis sûre de rien. Je ne peux pas accuser cette femme comme ça, sans preuves…

— Et ces lettres, ce ne sont pas des preuves ? »

De la tête, Agathe fait signe que non.

« Bon, d'accord, n'aborde pas Nathalie de front, concède Florence. Va trouver la police, alors. Ça va te prendre deux minutes : il y a un poste devant chez toi. Apporte les lettres, parle de tes soupçons… L'envoi de lettres de menace anonymes, c'est sûrement une offense. Alors, les policiers vont traiter ça comme une offense. Ils vont questionner Nathalie… »

Agathe interrompt son amie, l'air horrifié.

« Arrête ! Il n'est absolument pas question que je mette les policiers aux trousses de Nathalie ! Imagine que ce ne soit pas elle…

— Eh bien, au moins tu serais fixée sur son compte, et les policiers pourraient poursuivre leur enquête ailleurs… »

Agathe semble incapable de faire autre chose que de secouer la tête de gauche à droite, puis de droite à gauche, avec la régularité d'un métronome.

« Non, écoute, c'est fou… La police… Jamais je n'ai pensé… Ce n'est pas un cas pour la police, voyons…

— Et pourquoi pas ? Tu as reçu trois lettres. Trois lettres de menace…

— Trois lettres qui sont *peut-être* des lettres de menace ! précise Agathe. Tu as dit toi-même qu'elles n'étaient pas vraiment inquiétantes. Si j'étais certaine qu'il s'agit de lettres de menace, oui, sûrement que j'irais trouver la police. Mais dans le cas présent…

— Un détective privé, alors ?

— Ça existe, les détectives privés, ailleurs que dans les films et les romans ?

— Bien sûr que ça existe ! Si tu te décidais enfin à t'acheter un ordinateur et à te brancher à Internet, tu en trouverais à profusion. Même dans les Pages jaunes, il y en a toute une section. Filature de conjoint, preuve d'infidélité, surveillance…

— Sympathique… Et un peu ironique dans le cas qui nous occupe, tu ne trouves pas ? La maîtresse qui demande d'enquêter sur l'épouse légitime… Non, sérieusement, oublions la filière détective privé.

— Comme tu veux. N'empêche que je commence à être à court d'idées… »

Et il me semble que tu ne montres pas beaucoup de bonne volonté, ajoute-t-elle intérieurement. Pourquoi me consulter si tu n'acceptes aucune des suggestions que je te fais ?

Plongées dans leurs pensées respectives, Agathe et Florence restent silencieuses un moment. Le serveur en profite pour débarrasser la table et leur demander si elles veulent du dessert.

Les amies se consultent du regard.

« Le gâteau à la pâte d'amandes est divin », murmure Florence.

Mais Agathe refuse de se laisser tenter (Laurent a-t-il raison ? Aurait-elle pris du poids ?) :

« Rien pour moi, merci », répond-elle vaillamment.

Florence soupire.

« L'addition, s'il vous plaît. »

~

« Je sais ! lance Florence d'une voix réjouie en mettant le pied sur le trottoir. Hubert. »

Agathe la regarde d'un air interrogateur.

« C'est le voisin de ma grand-mère. Chaque fois qu'elle perd Mouchette, Hubert la retrouve.

— Mouchette ?

— C'est sa chatte.

— … Et alors ?

— Alors, je suggère que tu montres les lettres à Hubert. Il pourrait t'aider… »

Agathe dévisage son amie avec incrédulité.

« Attends… Je pense que je comprends mal — ou plutôt, *j'espère* que je comprends mal. Tu veux que je montre les lettres à un parfait inconnu sous prétexte qu'il est doué pour retrouver la chatte de ta grand-mère ? Et qu'est-ce qu'il a d'autre, comme compétence, cet Hubert ?

— Ma grand-mère affirme qu'il est parfait : poli, bien élevé, prévenant… Beau garçon, en plus !

— Elle est riche, ta grand-mère ? À sa place, je me méfierais : son Hubert doit être un gigolo, une crapule, un croqueur de fortunes, un escroqueur de vieilles femmes crédules…

— Tutt, tutt, tutt, fait Florence en secouant la tête. Tu sauras, ma chère, que ma grand-mère est parfaitement lucide et que c'est une femme au jugement sûr et au goût exquis… comme toutes les femmes de la famille, d'ailleurs. »

Agathe lève les mains en signe de capitulation.

« Bon, d'accord. Admettons que ta grand-mère ait raison et qu'Hubert soit parfait… Je ne vois toujours pas pourquoi je solliciterais son aide…

— Pourquoi pas ? Comme je te l'ai dit, il est doué pour retrouver Mouchette. Ça demande de l'observation, je suppose, et de bons pouvoirs de raisonnement et de déduction…

— Peut-être simplement que la pauvre Mouchette manque d'imagination et qu'elle se cache toujours au même endroit, où le merveilleux Hubert n'a plus qu'à la cueillir… Peut-être même qu'elle se réfugie invariablement chez lui… Bravo pour les pouvoirs de déduction ! »

Florence reste silencieuse quelques secondes. Puis elle reprend, sur le ton de la raison :

« Écoute, tu ne perds rien à consulter Hubert. Tu admets ne pas savoir quoi faire de ces lettres. Il pourra peut-être t'aider à y voir clair.

— Mais pourquoi le consulter, *lui*? insiste Agathe. Je ne le connais pas, et il n'est ni policier ni détective, à ce que je sache…

— Non, mais il est beau garçon… et ma grand-mère prétend qu'il ferait un excellent mari. Dommage que je sois déjà prise…

— Arrgh ! lance Agathe en faisant mine de s'arracher les cheveux. Ce n'est pas vrai ! Tu n'es pas en train de jouer les entremetteuses ? ! La vérité, c'est que tu te fiches complètement de mes lettres et de mes craintes. Tout ce que tu veux, c'est me faire rencontrer ce jeune homme dont ta grand-mère t'a chanté les louanges… Mais combien de fois va-t-il falloir que je te dise que je ne cherche pas de mari ni même de prétendant ?

— Tu ne peux pas passer ta vie toute seule. Ce n'est pas sain.

— Je ne suis pas seule. J'ai Laurent…

— Laurent, répète Florence avec un reniflement de mépris. Tu sais ce que j'en pense… Mais, bon, tu es une grande fille et tu as bien le droit de gâcher ta vie comme tu le veux. Allez, *ciao*, il faut que je me sauve : j'ai un amoureux qui m'attend à la maison, *moi…* »

Un grand sourire, un baiser soufflé du bout des doigts, une pirouette, puis Florence s'éloigne d'un pas dansant.

Agathe reste un moment immobile à regarder disparaître son amie. Secouant doucement la tête, elle ne peut s'empêcher de sourire à son tour. Florence a le don de lui remonter le moral — même en la faisant rager. Si elle se met en tête de lui trouver un amoureux, à présent…

Avec un petit rire, Agathe commence à marcher dans la direction opposée. Un amoureux : c'est peut-être ça, la punition annoncée !

Chapitre 3
Jeudi 5 mai (suite)

La nuit est déjà tombée, mais le temps est doux — cette soirée de printemps a des allures d'été —, et Agathe décide de rentrer chez elle à pied.

Elle en a au moins pour trois quarts d'heure avant d'atteindre son appartement, situé dans une rue minuscule coincée entre le marché Jean-Talon et le boulevard Saint-Laurent, mais ce n'est pas pour lui déplaire. Du plus loin qu'elle se souvienne, elle a toujours aimé marcher. Et personne ne l'attend, sinon Desdémone, sa tortue, qui n'a pas l'habitude d'exiger des comptes.

Elle marche sans se presser. La soirée a quelque chose de magique, et Agathe a l'intention d'en profiter. Toutes ces odeurs qui se réveillent, ce vent tiède, ce croissant de lune si fin qu'il ressemble à une éraflure sur l'obscurité du ciel… Agathe suit un parcours qui lui est familier. Elle traverse des parcs, emprunte des rues tranquilles, s'approche en zigzag du quartier où elle vit depuis son arrivée à Montréal, il y a six ans.

En grimpant l'escalier qui mène à son appartement, au troisième étage d'une maison de brique brune, Agathe jette un coup d'œil au poste de police qui se trouve au coin de la rue, en direction du marché. C'est un bâtiment solide, qui inspire confiance, et qu'Agathe peut contempler à loisir de sa chambre ou de son salon. Jusqu'à tout récemment, cette proximité lui procurait un agréable sentiment de sécurité. À présent, avec ces lettres qu'elle ne sait trop comment interpréter, son sentiment de sécurité est ébranlé. Malgré tout, elle n'est pas prête à se rendre au poste pour y chercher du secours.

~

En entrant dans sa chambre, Agathe voit clignoter le voyant lumineux de son répondeur téléphonique. Aussi bien prendre ses messages tout de suite.

« Allô, c'est moi. Il est dix-neuf heures trente. Comment se fait-il que tu ne sois pas là ? Je te rappelle plus tard. »

C'est Laurent, un soupçon de sécheresse dans la voix. Agathe grimace : c'est vrai, ils étaient censés se voir. Ça lui était complètement sorti de l'esprit.

« C'est encore moi. Vingt heures. Veux-tu bien me dire où tu es ? »

Laurent, dont la voix trahit l'impatience.

« Vingt heures trente. Rappelle-moi sur mon cellulaire dès que tu rentreras. »

Laurent, bien sûr, qui semble maintenant excédé.

« Il est vingt et une heures vingt-cinq. Je n'ai pas que ça à faire, attendre. Je vais travailler un peu. Ne m'appelle pas. Je t'appellerai demain. »

Laurent, encore et toujours, cette fois sur le mode furibond.

Le soulagement fugitif qu'éprouve Agathe — fiou, pas besoin de le rappeler ce soir — est vite suivi d'un sentiment d'appréhension lorsqu'elle pense à la conversation qui l'attend le lendemain. Elle va devoir s'expliquer, se justifier. Et, immanquablement, elle va se sentir coupable. C'est devenu un état habituel chez elle depuis qu'elle fréquente Laurent. Peut-être que Florence a raison et qu'elle, Agathe, devrait mettre fin à cette liaison…

Un dernier message se fait entendre — le répondeur se moque bien des appréhensions et des indécisions d'Agathe, et son ruban continue à défiler. « Salut, ma chouette préférée. Tu as un crayon ? Il s'appelle Hubert Fauvel — c'est joli, tu ne trouves pas ?, on dirait un nom d'oiseau — et son numéro est le… »

~

À peine la voix de Florence s'est-elle tue qu'Agathe compose le numéro d'Hubert Fauvel.

Elle n'a pas pris le temps de réfléchir. Si elle avait réfléchi, elle n'aurait jamais osé téléphoner à cet inconnu. Elle a quand même jeté un coup d'œil à son réveil — vingt et une heures cinquante-six, soit quatre minutes avant le seuil fatidique de vingt-deux heures, au-delà duquel sa mère lui a toujours dit qu'on ne pouvait pas décemment téléphoner à quelqu'un « sauf en cas d'extrême nécessité » — avant de se jeter à l'eau. Elle a littéralement l'impression de se jeter à l'eau : yeux fermés, nez bouché, une grande inspiration, et… advienne que pourra.

Une sonnerie, deux, trois… Il n'est pas là, se dit Agathe sans trop savoir si elle doit ou non s'en réjouir. Devrait-elle laisser un message — et si oui, lequel ? Sans doute devrait-elle mentionner la grand-mère de Florence… Comment s'appelle-t-elle, déjà ? Quelque chose en -tine… Florentine, Ernestine, Albertine ? À moins que ce ne soit en -one… Yvonne, Simone, Maryvonne ? Et quel est son nom de famille ? Lavoie, comme Florence ? Ou… ou quoi d'autre ? S'agit-il de sa grand-mère paternelle ou maternelle, au fait ? Comment s'appelle sa mère ? Suzanne… Suzanne Poitras. Ou Gingras. Peut-être même Jutras… D'ailleurs, il y a longtemps que Florence ne lui a pas parlé de sa mère, qui est toujours embarquée dans douze mille projets à la fois. Des voyages, du bénévolat, des cours de relaxation ou d'aquarelle, des flambées d'intérêt pour la généalogie, l'ornithologie ou la musique africaine… Ce n'est pas exactement comme sa mère à elle, qui…

« Allô ? »

La voix, au bout du fil, prend Agathe de court. Elle ne s'attendait plus à ce que quelqu'un décroche. Elle a laissé sonner combien de coups ? Dix ? Vingt ?

« Allô ! ? » répète l'homme d'un ton impatient.

Agathe se ressaisit tant bien que mal.

« Je… je m'excuse d'appeler à cette heure-là, balbutie-t-elle. J'espère que je ne vous dérange pas…

— J'étais dans le bain.

— Je vois…

— Je ne crois pas, non. »

Le ton est singulièrement coupant, et Agathe doit résister à l'envie de raccrocher. Déjà qu'elle a dérangé cet homme, elle ne va pas se montrer grossière par-dessus le marché.

« Je suis vraiment désolée, reprend-elle, mais je ne pouvais quand même pas savoir que vous seriez dans le bain…

— Si vous en veniez au fait, l'interrompt son interlocuteur. Je suis en train d'inonder le plancher. »

L'homme est peut-être trempé, mais son ton est l'incarnation même de la sécheresse. Si c'est ça, un jeune homme parfait, poli et prévenant…, songe Agathe. Qu'est-ce que ce serait si la grand-mère de Florence avait parlé d'un malotru ou d'un ours mal léché ?

« Je suis désolée, répète-t-elle machinalement, très immensément désolée… J'ai eu votre numéro par mon amie Florence, qui est la petite-fille de… »

Mais l'homme l'interrompt de nouveau.

« La Chouette chevêche ! s'exclame-t-il d'une voix qui a perdu toute sécheresse. Vous êtes la Chouette chevêche, n'est-ce pas ? »

D'abord interdite, Agathe comprend vite que ses paroles l'ont trahie. *Je suis désolée, très immensément désolée*: c'est une des phrases que son personnage de Chouette chevêche répète plusieurs fois par émission — et Agathe elle-même a toujours eu un côté caméléon qui lui fait dire, dans sa vie de tous les jours, certaines répliques des rôles qu'elle interprète. Encore heureux que je n'aie jamais joué la jeune fille de *La Leçon*, a-t-elle déjà pensé. Comme l'héroïne d'Ionesco, je passerais mon temps à me plaindre que j'ai mal aux dents…

« Mon neveu est un de vos fidèles admirateurs », poursuit son interlocuteur.

Agathe n'a jamais su comment répondre à ce genre de commentaire.

« Ah bon. Merci. Euh… » Où en était-elle, déjà ? « Au fait… vous êtes bien Hubert Fauvel ?

— Oui. »

Le ton est plus aimable, mais le personnage n'est guère plus loquace, et Agathe regrette de lui avoir téléphoné. C'était une idée complètement débile, aussi. Pourquoi ne s'en est-elle pas tenue à sa première réaction, plutôt que de se laisser influencer par Florence ? Il est un peu tard pour les regrets — elle ne peut pas revenir en arrière et effacer cet appel téléphonique –, mais il n'est pas trop tard pour limiter les dégâts. Elle va s'excuser une fois encore, raccrocher et oublier le plus vite possible Hubert Fauvel.

« Écoutez… euh… je suis vraiment désolée de vous avoir dérangé. Je ne sais pas ce qui m'a pris. Je… Au revoir — je veux dire, adieu. Enfin…

— Attendez ! Ne raccrochez pas tout de suite. Vous étiez en train de me dire que vous aviez eu mon numéro par votre amie Florence. Je suppose qu'il s'agit de la petite-fille de Simone Lavoie, ma voisine. Celle qui joue la princesse Chicorée — Florence, pas Simone. Il ne lui est rien arrivé, j'espère ?

— Non, non, ce n'est pas ça du tout ! Non… c'est que… » Agathe soupire. « Je me sens complètement ridicule… »

Un petit rire au bout du fil.

« Et moi, complètement perdu. Sans compter que je commence à geler, tout nu — et mouillé — au beau milieu du salon… Laissez-moi deux minutes, le temps que je passe une robe de chambre et que je m'installe un peu plus confortablement, et vous me raconterez pourquoi vous m'avez téléphoné…

— Non, écoutez, ce n'est pas nécessaire… Je vous ai déjà assez dérangé comme ça…

— Justement : maintenant que vous m'avez dérangé, vous ne pouvez pas me laisser en plan. Vous me devez des explications. Attendez-moi deux minutes. Je reviens. »

Chapitre 4
Vendredi 6 mai

Contrairement à la veille, la séance d'enregistrement du vendredi se déroule impeccablement. Les comédiens sont bien préparés, les déplacements et les chorégraphies sont réglés au centimètre près, les répliques tombent pile. Chaque scène ne nécessite qu'une ou deux répétitions, et les premières prises sont généralement assez bonnes pour que le réalisateur s'en déclare satisfait et qu'on attaque la scène suivante. Tout se passe tellement bien, en fait, qu'il est à peine dix-huit heures quand Stéphane Courteau annonce la fin de l'enregistrement, signifiant du même coup le début du congé de fin de semaine.

« On va prendre un verre ? demande Florence à Agathe quand celle-ci émerge de la douche, une serviette enroulée autour de la tête. Rapido presto, parce que Julien voudrait qu'on parte pour Saint-Jovite le plus tôt possible, mais… »

Agathe secoue la tête.

« Non, dit-elle. Il faut que je me sèche les cheveux, et après j'ai rendez-vous…

— Tant pis… »

Florence saisit son sac à main et, du bout des doigts, esquisse un signe d'au revoir.

« Bonne fin de semaine, alors. Et ne dis surtout pas bonjour à Laurent de ma part…

— Bonne fin de semaine », répond Agathe en omettant de préciser que ce n'est pas avec Laurent mais avec Hubert Fauvel qu'elle a rendez-vous. Elle n'a aucune envie de répondre aux questions que Florence ne manquerait pas de lui poser.

Florence partie, Agathe examine son visage dans la glace en s'étonnant de ne pas le trouver rougi et irrité. Depuis quelque temps, elle a du mal à supporter son maquillage durant toutes ces heures, jour après jour. Elle a la peau qui pique, qui tire… Heureusement qu'il ne reste qu'une semaine de tournage avant la relâche pour l'été.

Agathe applique un peu de crème sur son visage, puis elle retire la serviette qui lui couvre la tête et entreprend de démêler et de sécher ses cheveux — des cheveux longs et mousseux, d'un blond tirant sur le roux, qu'elle a hérités d'un père irlandais et qui lui ont toujours attiré regards et compliments. Elle n'est pas laide, loin de là, mais elle passerait souvent inaperçue sans cette chevelure spectaculaire.

Il lui faut toujours un certain temps pour démêler ladite chevelure, mais, ce soir, elle bat tous les records de lenteur. Elle repousse le plus possible le moment de téléphoner à Laurent — il semblait très irrité, hier, quand elle lui a fait faux bond, et il ne sera pas heureux d'apprendre qu'elle est encore occupée ce soir. Elle est découragée d'avance à l'idée d'avoir à s'expliquer et à s'excuser. Elle ne sait pas encore quel prétexte invoquer, mais elle est déterminée à passer sous silence son rendez-vous avec Hubert Fauvel. Elle ne comprend pas elle-même ce qui lui a pris de téléphoner à cet homme, et elle serait incapable de justifier cette démarche auprès de Laurent, qui veut toujours connaître le pourquoi et le comment de ses agissements, et que ses explications ne semblent jamais satisfaire. Quoi qu'elle fasse, Laurent trouve le moyen de laisser entendre que c'était puéril, ou incohérent, ou illogique, ou inutile, ou carrément stupide… Dans le cas présent, elle ne voit pas pourquoi elle courrait au-devant des coups.

~

Assis à une table du petit restaurant où Agathe O'Reilly et lui se sont donné rendez-vous, Hubert Fauvel se demande si la comédienne lui a posé un lapin. Leur rendez-vous était à dix-neuf heures trente, et il est déjà vingt heures. Chaque fois que la porte s'ouvre, Hubert détaille les arrivants, curieux de voir s'il saura reconnaître Agathe sans son déguisement.

Ce matin, exceptionnellement, il a déjeuné en regardant *La Forêt enchantée*, scrutant les traits de la Chouette chevêche et tentant, sans grand succès, de les imaginer sans maquillage. Une silhouette plutôt ronde, un visage apparemment normal… Hubert n'a pas eu l'impression d'apprendre grand-chose. Il peut éliminer les échalotes et les obèses, mais c'est à peu près tout. D'ailleurs, à quoi ressemble une comédienne dans la vraie vie? Hubert n'a jamais rencontré de gens de théâtre et il a tendance à imaginer des gens *théâtraux*, justement, qui parlent fort et qui font de grands gestes. Des gens qui tiennent absolument à se faire remarquer. Les femmes sont sûrement maquillées outrageusement et habillées de façon voyante, ou du moins originale. Hubert a conscience de penser par clichés, et il se dit que les comédiens ne sont sans doute pas tous coulés dans le même moule, mais…

Une femme d'une trentaine d'années vient d'entrer et fouille le restaurant du regard. Grandeur moyenne, formes opulentes mises en évidence par des vêtements moulants et un décolleté généreux, anneaux aux oreilles, aux sourcils et au nombril, bracelets et clinquants…

C'est elle, se dit Hubert avec un soupçon de découragement. Difficile de trouver pire. Mais ce n'est qu'un mauvais moment à passer. On soupe, elle me raconte sa petite histoire, je lui dis que je ne peux malheureusement rien faire pour elle, et on repart chacun de son côté…

Il esquisse un geste en direction de la nouvelle venue, qui avance vers lui avec un grand sourire. Hubert s'apprête à se lever pour la saluer, mais elle passe tout droit pour aller vers l'arrière du restaurant, jusqu'à une table où sont déjà installées une demi-douzaine de personnes.

« Vous ne devinerez jamais ce qui m'est arrivé ! » lance-t-elle d'une voix tonitruante pendant que les autres l'accueillent bruyamment avec des : « Salut, Justine ! » « Décidément, tu n'es pas capable d'être à l'heure… » « On s'en fout, de ce qui t'est arrivé, on veut juste manger ! »

« Excusez-moi… Êtes-vous Hubert Fauvel ? »

Occupé à observer la dénommée Justine, Hubert n'a pas vu arriver celle qui vient de s'adresser à lui d'une voix incertaine. Il se tourne vers elle avec l'intention de répondre que, oui, il est bien Hubert Fauvel, mais il reste muet en la voyant. Il faut dire que le contraste avec Justine est particulièrement frappant. Rien de flamboyant chez la jeune femme qui se tient debout devant lui, sinon cette incroyable chevelure d'or roux qui lui fait comme un halo de lumière. À part ça, rien de remarquable. Une silhouette aux courbes bien rondes, mais plus délicate qu'il ne l'avait imaginé — Agathe elle-même est plus petite qu'il ne l'aurait cru —, un visage fin et pâle, dénué de tout maquillage, des yeux gris-vert — ou *ni gris ni verts*, comme dans cette chanson que sa sœur avait l'habitude de faire jouer pendant des heures, quand il était enfant — qui l'observent avec un soupçon d'appréhension, un jean noir, un chandail à manches longues, noir aussi, avec une encolure en V, aucun bijou, pas même une montre. Sur l'épaule droite, un sac à dos délavé orné d'un macaron qui annonce « Attention, écureuil nerveux ! ».

« Je suis Agathe. Vous êtes bien Hubert Fauvel ? Je suis en retard, je sais. Je suis désolée, très imm… »

Agathe se mord les lèvres avant de dire, avec un sourire désarmant :

« Il va falloir que j'arrête de me prendre pour la Chouette chevêche. Ça devient gênant. »

Hubert secoue la tête en espérant se secouer les idées en même temps et retrouver enfin la voix. Il a du mal à détacher le regard de la chevelure d'Agathe. Il se demande quel effet cela ferait d'y plonger le visage ou les mains. Stop. Oublie ça, Hubert, cette fille-là n'est pas pour toi. Pense à autre chose, parle d'autre chose, de ses yeux, par exemple.

« Vous n'avez pas les yeux jaunes... »

Agathe rit doucement.

« Je n'ai pas les orteils crochus non plus », précise-t-elle avant de déposer son sac par terre et de s'asseoir enfin devant Hubert. Elle tend la main par-dessus la table. « Merci d'avoir accepté de me rencontrer... et d'avoir eu la patience de m'attendre. J'ai eu un... enfin, je... j'ai été retardée. »

Hubert saisit la main tendue et la serre brièvement. La main d'Agathe est fraîche et ferme dans la sienne, et son contact plaît beaucoup à Hubert, qui a horreur des poignées de main inconsistantes. Agathe O'Reilly n'a rien d'inconsistant, oh non ! Elle est même un peu trop consistante pour la tranquillité d'esprit du jeune homme.

« Ce sont des lentilles, reprend Agathe en ouvrant le menu posé devant elle.

— Pardon ? »

Hubert, éberlué, se demande où elle a vu des lentilles. Dans la section végétarienne du menu, peut-être ?

« Les yeux jaunes, explique Agathe. Ce sont des lentilles colorées. Je suis toujours contente de les retirer. L'air est très sec, dans le studio, et j'ai souvent les yeux qui chauffent en fin de journée. Qu'est-ce que vous me conseillez ?

— Pour vos yeux ?

— Non, pour manger. C'est la première fois que je viens ici, et puisque c'est vous qui avez suggéré ce restaurant... »

Hubert se sent particulièrement lourdaud, sans trop savoir si c'est sa faute à lui ou celle de cette Agathe qui semble prendre un malin plaisir à changer de sujet sans prévenir. Son ami Marc-André dirait probablement que c'est ce qui arrive quand on joue trop longtemps à l'ermite : on se transforme en ours mal léché et on ne sait plus comment parler aux filles...

« Des linguine au saumon fumé, peut-être..., murmure Agathe en replongeant le nez dans son menu. Avez-vous déjà goûté aux linguine ? »

Hubert n'a pas le temps de répondre qu'Agathe poursuit:

« Ou alors la salade de poulet et mangue... »

Une serveuse s'approche.

« Êtes-vous prêts à commander? »

Agathe et Hubert se consultent du regard.

« Oui, répond Agathe la première. Je vais prendre les linguine au saumon fumé.

— La même chose pour moi, dit Hubert.

— Un peu de vin avec ça? demande la serveuse.

— Bien sûr, répond Agathe. Blanc ou rouge? » ajoute-t-elle en direction d'Hubert.

Celui-ci secoue la tête.

« Pas pour moi, merci. Je vais me contenter d'un verre d'eau. Mais que ça ne vous empêche pas d'en prendre. »

Agathe hésite une fraction de seconde. Elle devrait peut-être s'en tenir à l'eau, elle aussi — n'a-t-elle pas juré, pas plus tard qu'hier, de ne plus jamais prendre de vin blanc? Mais c'est le début de la fin de semaine, et surtout la fin d'une journée et d'une semaine difficiles. Elle a bien mérité un peu de vin. Sans compter que le vin va peut-être dissoudre le vague malaise qu'elle ressent devant Hubert Fauvel, qui lui semble austère et plutôt intimidant.

« Un quart de blanc, s'il vous plaît, dit-elle à la serveuse. Vous pouvez l'apporter maintenant. »

Une fois la serveuse partie, Agathe et Hubert restent silencieux un moment. Hubert observe Agathe, qui tripote ses ustensiles d'un air distrait avant de lever les yeux vers lui.

« Vous devez me prendre pour une folle finie, dit-elle. Je vous téléphone tard le soir alors que je ne vous connais même pas, je vous demande votre aide pour un problème qui n'appartient qu'à moi et qui n'est peut-être même pas un problème du tout, j'arrive en retard à notre rendez-vous... »

Hubert secoue la tête.

« Une folle finie, sûrement pas. Mais j'ai quand même hâte que vous me parliez un peu plus de ce qui vous préoccupe. Après tout, c'est pour ça qu'on est là. Hier, au téléphone, vous avez mentionné des lettres... »

Agathe se penche pour prendre son sac à dos et en sortir les trois lettres qu'elle a reçues depuis neuf jours.

« Lisez, dit-elle en les tendant à Hubert, ce sera moins long et moins compliqué que si j'essaie de vous expliquer... »

Hubert prend les lettres et les lit l'une après l'autre, pendant qu'Agathe sirote nerveusement le verre de vin blanc que vient de lui verser la serveuse. Puis il dépose les lettres sur la table et regarde Agathe.

« Qu'est-ce que vous attendez de moi, exactement ? »

Avant de répondre, Agathe prend une nouvelle gorgée de vin, qu'elle savoure lentement. Ce n'est pas que le vin soit extraordinaire, mais ça lui occupe la bouche pendant qu'elle cherche quelque chose d'intelligent à dire. Ce qu'elle attend d'Hubert Fauvel ? Euh...

Sa gorgée avalée, elle laisse échapper un petit soupir.

« En fait, je n'attends rien, avoue-t-elle. Je ne sais pas ce qui m'a pris de vous téléphoner. Je... J'étais embêtée par rapport à ces lettres, qui sont peut-être des lettres de menace, peut-être pas. Peut-être que c'est juste une blague. Je ne savais pas si je devais m'inquiéter, aller voir la police... » Elle secoue la tête d'un air embarrassé. « Je m'en fais sans doute pour rien... Mais, bon, j'ai montré les lettres à Florence...

— La petite-fille de ma voisine Simone, murmure Hubert.

— ... et elle m'a conseillé de faire appel à vous.

— Mais pourquoi ? »

Pourquoi, en effet, songe Agathe en reprenant une gorgée de vin. Faute de mieux, elle décide de fournir à Hubert Fauvel la raison que Florence lui a déjà servie.

« À cause de Mouchette.

— Mouchette ? répète Hubert en haussant les sourcils.

— Il paraît que vous êtes doué pour retrouver Mouchette quand elle disparaît... »

Il paraît aussi que vous êtes un bon parti, se garde-t-elle d'ajouter, tout en se demandant ce que la grand-mère de Florence peut bien voir de si extraordinaire chez cet homme, sauf peut-être ses mains — de longues mains noueuses, à la fois fortes et racées.

Agathe a toujours eu un faible pour ce type de mains. Pour le reste, elle trouve Hubert… adéquat, sans plus. Elle ne l'a pas vu debout, mais il semble assez grand. Un peu maigre, peut-être, sans être maigrichon. Sportif nerveux, disons. Des cheveux noirs, courts, un visage aux traits nets, des yeux bruns (de beaux yeux, bon, d'accord, au regard direct et intelligent), des lunettes, un nez un peu busqué, des lèvres qui pourraient être belles s'il souriait davantage… Il n'a rien d'affreux, c'est sûr, mais ce n'est pas non plus l'Apollon qu'avait imaginé Agathe. Il faut croire qu'elle n'a pas les mêmes goûts que Simone Lavoie, ce qui n'a rien d'étonnant, après tout. La grand-mère de Florence doit frôler les quatre-vingts ans. Pour elle, peut-être que tout homme de moins de cinquante ans a des allures de dieu. Et Hubert Fauvel n'a pas cinquante ans, loin de là. Trente-cinq, peut-être même moins. Il a quelques cheveux blancs, mais ça ne veut rien dire. Quelques rides au coin des yeux, aussi, mais…

Agathe croise alors le regard d'Hubert, qui lui demande, avec une pointe d'ironie :

« Ça va ? Je passe le test ? »

Agathe se sent rougir de la racine des cheveux jusqu'au bout des orteils.

« Je suis désolée, vraiment, très… »

Elle s'interrompt à temps.

« Ce n'est pas vrai, dit-elle avec découragement. Je suis encore en train de m'excuser ! »

Pour la première fois depuis l'arrivée d'Agathe, Hubert a un sourire, un vrai sourire, qui ne dure pas très longtemps, mais qui transforme complètement ses traits (bon, d'accord, Simone Lavoie n'est peut-être pas si gaga, finalement).

« Donc, si je comprends bien, vous m'avez appelé parce que j'ai récupéré Mouchette au fond de la cour une ou deux fois… Je manque peut-être de perspicacité, mais je ne vois pas bien le rapport avec les lettres que vous avez reçues… »

En effet, vu sous cet angle, ce n'est pas évident.

« Florence s'est dit que si vous arrivez à retrouver Mouchette quand elle se sauve, vous arriverez peut-être à découvrir qui m'envoie ces lettres, et pourquoi. »

Pendant que la serveuse dépose leurs assiettes devant eux, Hubert Fauvel observe Agathe en silence, et celle-ci se demande s'il la trouve aussi stupide qu'elle a l'impression de l'être. Sans doute serait-ce le moment de lui parler de ses soupçons envers Nathalie, la femme de Laurent Bouvier, son amant, mais elle n'a pas envie de s'aventurer dans ces eaux-là, tout à coup. Détournant son regard d'Hubert Fauvel, Agathe se concentre sur ses linguine, qui se révèlent délicieux…

« Je suis géologue, finit par dire le jeune homme, pas policier ni détective privé. Je n'ai aucune compétence pour analyser des écritures, des fibres ou des encres. Je n'ai aucune autorité pour poser des questions aux gens ou perquisitionner chez eux… »

Agathe n'a jamais été aussi consciente de l'irrationalité de sa démarche.

« Je comprends, dit-elle très vite. Oubliez ça. On va finir de souper, puis on va rentrer chacun chez soi, et… et… »

Elle ne sait trop comment finir.

« Je suis désolée — vraiment désolée, et cette fois-ci je le dis par conviction et pas juste par habitude — de vous avoir fait déplacer pour rien… »

Hubert a un grand sourire — son deuxième de la soirée !

« Ne vous excusez pas, dit-il en attaquant à son tour ses linguine. Il y avait longtemps que je n'avais pas connu un vendredi soir aussi… déstabilisant, disons, et je vous en remercie. »

Déstabilisant. Sans doute une façon polie de dire qu'il passe rarement ses soirées avec quelqu'un d'aussi incohérent.

~

Au moment de se mettre au lit, Agathe se dit que la suggestion de Florence s'est révélée efficace, finalement : depuis son retour du restaurant, elle n'a pratiquement pas pensé aux lettres. Elle a par contre beaucoup pensé à Hubert Fauvel, ce qui ne manque pas de la déconcerter. Le géologue (« géologue en réorientation de carrière, a-t-il précisé, récemment recyclé en prof de physique au cégep ») est moins austère qu'elle ne l'a d'abord cru, et elle doit admettre qu'elle a apprécié sa compagnie.

« N'hésitez pas à m'appeler si… si vous perdez votre chat ! a-t-il dit en sortant du restaurant.

— Je n'ai qu'une tortue, et elle est plutôt casanière », a répondu Agathe tout en résistant à l'envie de lui dire qu'il pouvait l'appeler, lui aussi, même s'il n'avait rien perdu.

Ne va pas sur ce terrain-là ! se répète Agathe à plusieurs reprises avant de s'endormir. Sur le terrain ô combien glissant des sentiments et des attachements. Contente-toi de Laurent, qui ne représente aucun danger — et qui, dans des circonstances comme celles de ce soir, t'aurait fait sentir tellement stupide que tu serais encore en train de t'excuser. Je suis désolée, très immensément désolée, très très très immensément désolée…

~

Loin de là, à Halifax, dans une chambre du Dickson Center, où se trouve le service d'oncologie du centre hospitalier Queen Elizabeth II, un homme est allongé sur son lit, les yeux grands ouverts dans le noir. Il entend la respiration sifflante de son voisin et les ronflements du vieux Thompson, un peu plus loin.

Seuls les voyants des appareils médicaux et les chiffres lumineux des réveils brisent l'obscurité. Tout le monde dort, sauf lui. Malgré l'heure tardive, malgré la maladie, malgré les traitements qui l'épuisent, celui que tout le monde appelle Finnegan n'arrive pas à fermer l'œil. Il dort d'ailleurs très mal depuis les funérailles de Gordon MacIntosh, sept semaines auparavant. Il revoit toute sa vie, et surtout les événements d'il y a seize ans. Il réinterprète les signes qu'il n'a pas su lire à l'époque. À présent qu'il a compris, tout semble tellement évident. Comment a-t-il pu être aveugle à ce point ?

Seize ans. Non, seize ans *et demi*. Presque dix-sept années perdues à jamais. Il peut bien blâmer quelques personnes pour ces années perdues — une plus que toute autre, en fait —, il sait qu'il en est lui aussi responsable. *Fortitudine et prudentia* — qu'on peut sans doute traduire par Vaillance et sagesse, ou encore Courage et prudence : telle est la devise associée à son véritable patronyme. Si, seize ans et demi plus tôt, il avait fait preuve d'autant de courage que de prudence, il n'en serait pas là aujourd'hui. À vrai dire, il ne sait pas où il serait. En prison, probablement. Ou à l'hôpital, exactement comme maintenant, mais ailleurs qu'au QE II.

Il y a quatre mois, quand le docteur Stewart lui a annoncé qu'il avait un cancer du poumon, Finnegan n'a pas été surpris. Essayez de trouver un mineur qui n'a pas quelque chose aux poumons, juste pour voir. Gordon, lui, tous ces pauvres gars qu'il a pu croiser au cours des quarante-quatre dernières années… Fichu métier, qui vous vole le soleil et vous ruine la santé. Depuis l'âge de seize ans, Finnegan a toujours travaillé dans des mines. Or, cuivre, chaux et silice, charbon. En Ontario, au Québec et, pour finir, ici, en Nouvelle-Écosse, dans les mines de charbon du Cap-Breton. Les quarts de travail interminables, l'obscurité, l'insalubrité, le danger. La poussière qui s'insinue dans tous les pores de votre peau, jusqu'aux poumons, jusqu'à l'âme. Un labeur épuisant, qui brise les reins et les rêves. Mais un univers où existent aussi la solidarité, l'amitié pudique, les tapes sur l'épaule, les bières du samedi soir, les chansons, aussi, tant que le souffle et la voix tiennent le coup.

« Combien de temps ? a-t-il demandé au médecin.

— Six à huit mois si on ne fait rien. Plus longtemps — un an, deux ans peut-être — avec de la radiothérapie. Dans votre cas, c'est le traitement le plus approprié. »

Finnegan a secoué la tête.

« Pas de traitements. »

Grappiller quelques mois supplémentaires ? Pour quoi faire ? Sa vie s'était arrêtée plus de seize ans auparavant. Depuis, il se faisait l'effet d'un mort qui aurait continué à respirer. Aussi bien en finir pour de bon, que ce soit réglé une fois pour toutes. Six à huit mois, c'était bien suffisant pour mettre ses affaires en ordre — répartir ses maigres possessions entre les amis qu'il lui restait, jouer une ultime partie de *tarbish* avec eux, puis partir pour Montréal et embrasser Agathe une dernière fois avant de mourir.

Ça, c'était son plan *avant*. Avant les funérailles de Gordon, avant la découverte qui a tout bouleversé, avant toutes ces idées qui se bousculent dans son esprit. Avant qu'il élabore le plan qui le tient éveillé la nuit. Un plan qu'il voit presque comme une mission sacrée. À présent, il a besoin de temps pour accomplir cette mission.

Quelques jours après les funérailles de Gordon, Finnegan est donc retourné voir le docteur Stewart, à Sydney, en disant qu'il était prêt à se soumettre à tous les traitements que le médecin voudrait lui imposer, à condition d'être sûr de vivre plus longtemps. Le docteur Stewart a hésité. Finnegan avait trop attendu, et le cancer s'était étendu aux ganglions. Les six à huit mois de sursis étaient déjà bien entamés. Lui, comme médecin, ne pouvait rien garantir, et surtout pas des années supplémentaires. Trois ou quatre mois de plus, peut-être… Trois ou quatre mois, ça menait Finnegan à l'automne, peut-être même à Noël.

« *All right*, a-t-il dit. Quand est-ce qu'on commence ? »

Il n'y avait aucune place disponible en radiothérapie à Sydney avant plusieurs mois, mais le docteur Stewart a réussi à lui en trouver une au Dickson Center, à Halifax. Deux séries de traitements d'une durée de quatre semaines chacune — voilà ce qui était prévu. Mais la première série, commencée le 19 avril, a dû être interrompue après deux semaines, Finnegan ayant contracté une pneumonie qui a entraîné son hospitalisation. Fièvre, douleurs, difficulté extrême à respirer… Bourré d'antibiotiques et d'il ne sait quelles autres cochonneries, branché en permanence à de l'oxygène, Finnegan a l'impression que tous ces traitements, plutôt que de le guérir, sont en train de l'achever. Il sent ses forces l'abandonner davantage chaque jour. Il maigrit à vue d'œil. Il sent, il *sait*, qu'il n'en a plus pour longtemps. Aussitôt sorti de l'hôpital, il va mettre son plan à exécution. Tant pis pour la radiothérapie — il ne peut pas se permettre de perdre de précieuses semaines.

Finnegan a cessé de croire en Dieu il y a seize ans et demi, quand tout ce qu'il aimait lui a été enlevé d'un coup. Mais voilà qu'il se surprend à prier, entre deux quintes de toux, afin de conserver au moins l'énergie nécessaire pour mener à terme sa mission.

Que justice soit enfin rendue.

Chapitre 5
Samedi 7 mai

Debout dans la vaste pièce qui lui sert de bureau, son téléphone cellulaire à la main, Laurent Bouvier sent la colère l'envahir, comme un poison qui se répandrait lentement mais sûrement dans tout son organisme.

Agathe lui a menti. Non seulement sa maîtresse a-t-elle une fâcheuse tendance à n'être guère disponible, ces derniers temps, voilà à présent qu'elle lui raconte des histoires.

La veille, quand elle lui a téléphoné après sa journée d'enregistrement, elle semblait mal à l'aise. Elle lui a dit qu'elle était épuisée et qu'elle ne pourrait pas le voir ce jour-là. Dimanche soir, peut-être...

« Dimanche, c'est la fête des Mères, a répliqué Laurent. Le midi, on va voir ma mère dans sa maison de vieux. Le soir, on reçoit les enfants à souper. Je t'en ai déjà parlé la semaine dernière. »

Agathe s'est tout de suite excusée, ajoutant qu'elle savait déjà tout ça, bien sûr, mais que ça lui était sorti de l'esprit. La fatigue, sans doute...

« Ce qu'il te faut, a dit Laurent, compréhensif, c'est une soirée de relaxation totale. Prends un taxi pour rentrer chez toi (je te le rembourserai, ce n'est pas un problème), fais-toi couler un bain, un bain apaisant avec des huiles et des sels et tout ce que tu voudras, et attends que j'arrive avec le souper. J'ai justement une de ces envies de sushis... »

Mais sa proposition n'a pas été accueillie avec l'enthousiasme qu'elle méritait.

Non, a continué de dire Agathe. Non, non, non... À vrai dire, si elle ne pouvait pas le voir ce soir-là, ce n'était pas seulement à cause de la fatigue. Elle était déjà occupée.

« Comment ça, occupée ? »

Elle avait quelque chose de prévu, elle devait voir quelqu'un, elle avait un rendez-vous, en fait.

« Un rendez-vous ? » a répété Laurent, surpris.

Après avoir balbutié quelques incohérences, Agathe a fini par dire qu'elle allait rencontrer Francine Marsolais, son agente.

« Elle a un truc à me proposer, une publicité de shampoing, je crois...

— Ça se reporte, un rendez-vous. Tu peux décommander Francine en lui expliquant que tu es épuisée. »

Laurent a senti Agathe s'agiter, au bout du fil.

« Non, je ne peux pas faire ça. J'ai dit à Francine que je la verrais ce soir et je ne peux pas la laisser tomber...

— Tu m'as bien laissé tomber, moi, hier soir... Serais-je moins important qu'une pub de shampoing ?

— Non, bien sûr, mais... »

Cette conversation a laissé une très désagréable impression à Laurent.

Sous prétexte de travailler, il est resté enfermé dans son bureau toute la soirée, faisant jouer à plusieurs reprises *Otello*, qu'il doit mettre en scène pour l'Opéra de Montréal l'hiver prochain. Mais ni les voix de Plácido Domingo et de Renata Scotto, ni la musique de Verdi ne se frayaient un chemin jusqu'à sa conscience. Tout en admirant le *chamchir* turc du dix-huitième siècle reçu le jour même de Reboul, l'antiquaire de Paris qui lui a fourni les plus belles pièces de sa collection d'armes blanches — magnifique, d'ailleurs, ce *chamchir* : fourreau en or et en cuir, poignée en ivoire, lame gravée à triple gouttière... —, il a repensé aux hésitations d'Agathe, à son malaise évident, et il en est venu à la conclusion qu'elle lui avait menti. Sur quoi, exactement, et pourquoi, il ne le savait pas, mais il avait l'intention de le découvrir.

Voilà pourquoi ce matin, à neuf heures pile, il a téléphoné à Francine Marsolais, qu'il connaît depuis près de trente ans. L'agente a confirmé qu'elle avait proposé une publicité de shampoing à Agathe. En fait, ses propos et ceux d'Agathe ne différaient que sur un point.

« Tu as dû mal comprendre, a dit Francine. Nous avions un rendez-vous, oui, mais un rendez-vous téléphonique, afin de confirmer l'audition pour cette publicité, la semaine prochaine. On s'est parlé trois minutes, pas plus. »

Un point, juste un, sur lequel Agathe et Francine ne s'accordent pas. Mais c'est un point que Laurent a tendance à trouver important.

~

« Qu'est-ce que tu penses de cet hibiscus ? demande Nathalie Salois à son mari. Il est vigoureux, ses feuilles sont bien brillantes... »

Laurent Bouvier ne répond pas. Tête penchée, sourcils froncés, il semble à mille lieues du centre de jardinage où sa femme l'a entraîné dès qu'il a mis le pied hors de son bureau.

« Tu as fini ce que tu avais à faire ? a-t-elle demandé. Parfait. En partant tout de suite, on devrait être là avant la cohue... »

Devant l'air ébahi de son mari, elle a ajouté :

« Le centre de jardinage. Tu m'as promis que tu viendrais avec moi... »

Laurent s'est donc laissé embarquer dans cette expédition horticole, qu'il considère comme un supplice obligé du mois de mai.

Nathalie sait très bien que son mari déteste cette visite annuelle et qu'il ne se prête au jeu que pour prouver qu'il est un mari attentionné. Il a, comme ça, quelques habitudes immuables (le souper du samedi soir à la maison, les fêtes en famille, la soirée à l'opéra avec les enfants, le bal de la Saint-Valentin du Musée des beaux-arts auquel il assiste avec Nathalie) qui lui servent à affirmer sa qualité, et ses qualités, de père et d'époux, et dont il s'acquitte avec un zèle touchant. Nathalie aurait parfois envie de lui dire qu'il n'a pas besoin de se donner tout ce mal, mais elle a compris depuis longtemps que c'est davantage pour lui-même que pour sa famille que Laurent éprouve ainsi le besoin de bien jouer son rôle de père et d'époux. Car c'est bien d'un rôle qu'il s'agit. Un rôle que Laurent endosse de temps en temps, qu'il interprète avec tout le talent qu'on lui connaît, puis qu'il met de côté jusqu'à la fois suivante. Peut-être a-t-il l'impression de compenser ses infidélités ou ses manquements envers sa femme et ses enfants. Peut-être est-ce une simple question d'équilibre: un soir avec sa maîtresse, un soir avec sa femme; un an d'activités extrafamiliales, une matinée au centre de jardinage *et* une soirée à l'opéra…

Il y a longtemps que Nathalie connaît les infidélités de son mari, dont elle s'accommode à présent fort bien. Ça n'a pas toujours été le cas. Elle se souvient de la toute première fois qu'elle a aperçu Laurent en train de caresser une autre femme, moins d'un an après leur mariage, et elle espère ne plus jamais connaître une souffrance pareille. Ce jour-là, la douleur l'avait pliée en deux. Le souffle coupé, les oreilles bourdonnantes, les paupières serrées contre l'assaut d'éclairs brefs et douloureux, elle avait eu l'impression que le monde s'écroulait.

Cette fois-là, elle n'était pas restée sans réagir. Le soir même, elle avait affronté Laurent, qui n'avait même pas essayé de nier. Oui, il avait embrassé Nicole Sullivan, oui, il l'avait caressée et, oui, il aurait sûrement fait l'amour avec elle s'ils avaient disposé d'un peu plus de temps, et surtout s'ils avaient été ailleurs que dans des coulisses où passaient des tas de gens, dont elle, Nathalie, apparemment.

« Tu ne m'aimes plus ! » avait soufflé Nathalie, dévastée.

Laurent l'avait enlacée en lui chuchotant des mots d'amour à l'oreille.

« Mais si, je t'aime, ma petite bécasse adorée. Je t'aime, je t'aime, je t'aime, je t'aime…

— Mais tu as embrassé Nicole!

— Et après? Ça ne t'enlève rien et ça ne change rien au fait que je t'aime. Nicole est une femme excitante, et il est normal que je sois sensible à son charme. C'est une question de glandes, c'est tout. Ça n'a rien à voir avec les sentiments. Réfléchis un peu, ma chérie, et tu vas te rendre compte que ta jalousie est complètement irrationnelle. Si tu ne nous avais pas vus, tu n'aurais pas su que j'avais embrassé Nicole et tu ne te serais rendu compte de rien. Une chose est sûre, tu ne m'aurais pas senti moins amoureux. En fait, grâce à ce petit intermède avec Nicole, j'aurais été très excité, et tu m'aurais probablement trouvé *plus* amoureux que d'habitude. Tu vois, non seulement ce qui s'est passé avec Nicole ne t'enlève rien, mais finalement c'est toi qui risques d'en profiter le plus!

— N'exagère pas, quand même!» avait murmuré Nathalie.

Mais Laurent l'avait fait taire en posant le bout de son index sur ses lèvres.

«Il faut oser voir les choses autrement, ma chérie. Ta vision du couple a quelque chose d'étriqué et de terriblement conventionnel. Tiens-tu vraiment à ce que notre couple ressemble à tous les autres? À celui de tes parents, par exemple?

— Non, bien sûr, mais… étais-tu vraiment obligé d'embrasser Nicole?»

Laurent s'était mis à rire avant de l'embrasser dans le cou.

«Ma petite bécasse, ma petite bécasse conventionnelle et jalouse! Sais-tu que je ne déteste pas te voir sortir tes griffes, ma toute belle? Tu n'es plus une bécasse mais une tigresse… La jalousie te va bien, tu sais. Te voilà toute frémissante dans mes bras…»

Quand elle repense aux premières années de son mariage, Nathalie ne sait trop si elle doit admirer l'habileté de Laurent à la manipuler ou se désoler de la docilité avec laquelle elle-même se laissait faire.

Crédulité, naïveté, peur de déplaire, hantise des conflits, refus de voir la réalité, tendance naturelle à se sentir coupable… Sans doute y avait-il un peu de tout ça chez elle, et Laurent a bien su en profiter. Pas consciemment, du moins Nathalie l'espère, mais avec beaucoup de talent.

Ils se sont connus il y a trente ans, pendant les répétitions d'*Othello*. La pièce de Shakespeare, cette fois-là, pas l'opéra. Laurent avait vingt-cinq ans, Nathalie vingt et un. Il jouait Othello — à cette époque, on n'hésitait pas à confier le rôle du Maure à un Blanc —, elle jouait Bianca, courtisane et maîtresse de Cassio. Il était flamboyant, elle était gracieuse. Il brûlait les planches, elle l'admirait. Ils se sont mariés quelques mois plus tard.

Nathalie a abandonné le théâtre lorsqu'elle s'est trouvée enceinte de Sébastien et elle ne l'a jamais regretté. Elle n'avait pas le tempérament pour réussir dans ce métier — ni le talent, reconnaît-elle avec honnêteté. Son principal atout était d'être blonde et jolie. Son amie Colette soutient que Nathalie s'est sacrifiée pour son mari et que celui-ci, en guise de remerciement, ne cesse de la bafouer en la trompant effrontément... Cette vision des choses agace Nathalie, qui ne se sent ni sacrifiée ni bafouée et qui ne se reconnaît pas du tout dans le personnage de victime dépeint par Colette.

Nathalie ne nie pas qu'elle a vécu des moments difficiles. Au milieu de la trentaine, après quinze ans de mariage avec Laurent, elle a connu une période de désarroi total. Coincée dans une vie qui ressemblait de moins en moins à celle dont elle avait rêvé, elle avait l'impression d'étouffer. Elle se sentait nulle, maladroite, incompétente. Son mari la trompait ouvertement, ses enfants grandissaient et avaient moins besoin d'elle qu'avant — Sébastien avait treize ou quatorze ans, Anne-Sophie une dizaine d'années —, elle-même n'éprouvait de goût ni d'intérêt pour rien, sauf peut-être pour ce petit verre de vin qu'elle prenait à l'heure du lunch et qui lui remontait le moral, et cet autre qui rendait la fin de l'après-midi moins sombre, et cet autre encore, en fin de soirée, qui s'ajoutait à ceux du souper et favorisait le sommeil... De petit verre en petit verre, Nathalie gardait suffisamment de lucidité pour se rendre compte qu'elle se sentait tout aussi nulle, maladroite et incompétente qu'avant, mais beaucoup plus honteuse. Elle buvait en cachette, dissimulait ses bouteilles au fond du placard, s'en débarrassait dans les poubelles du parc voisin... Tout ce temps, néanmoins, elle était persuadée que personne ne pouvait soupçonner qu'elle buvait. Elle était extrêmement prudente, et parfaitement en contrôle… Rien, dans ses gestes ou dans ses paroles, ne pouvait la trahir. Elle avait le vin digne et discret… Et puis, un jour, elle a saisi quelques mots d'une conversation entre sa fille et une copine.

« Mais si ta mère nous entend ? a demandé la copine.

— Elle ne peut pas nous entendre, elle est complètement paf, a répliqué Anne-Sophie. Papa dit qu'elle est tellement imbibée d'alcool qu'il vaut mieux ne pas frotter une allumette à côté d'elle : elle pourrait s'enflammer ! »

Le jour même, Nathalie téléphonait à une clinique de désintoxication. Le lendemain, elle était en cure. Depuis sa sortie de la clinique, elle n'a plus jamais touché à l'alcool.

À la clinique, Nathalie a rencontré une psychologue, Marie Trempe, qu'elle a consultée régulièrement pendant près de trois ans, qu'elle revoit à l'occasion et qui l'a aidée à rebâtir sa confiance en elle. Nathalie n'hésite pas à dire que Marie lui a sauvé la vie. Ça fait sourire la psychologue, qui répond toujours que Nathalie s'est sauvée elle-même. Elle, Marie, n'était là que pour l'aider à voir plus clair en elle, l'encourager… et la brasser un peu. Il faut dire que Marie Trempe n'était pas de cette race de psychologues qui se contentent d'écouter, de répéter quelques mots, de rester neutres et impassibles.

« Je dis ce que je pense, a-t-elle prévenu au début du premier entretien, et je ne mets pas de gants blancs. Si ça ne vous convient pas, je peux vous suggérer le nom de psychologues très compétents, mais plus réservés. »

Sans trop savoir dans quoi elle s'embarquait, Nathalie a dit que ça lui convenait. Et, tout de suite, Marie s'est montrée critique envers Laurent.

« Il a dit quoi ? » s'est-elle exclamée quand Nathalie lui a rapporté la phrase prononcée par Anne-Sophie. La psychologue semblait horrifiée.

« Il avait raison, s'est empressée de dire Nathalie. Cette phrase est peut-être brutale, mais elle m'a ouvert les yeux et m'a permis d'être ici aujourd'hui.

— Mais elle ne vous était même pas destinée ! C'est par pur hasard que cette phrase a pu vous aider, si c'est comme ça que vous voulez voir les choses. Ça ne vous dérange pas que votre mari ait ainsi parlé de vous à vos enfants derrière votre dos ?

— Oui, bien sûr… J'étais morte de honte.

— Et fâchée ?

— Fâchée ?

— Contre votre mari.

— Un peu, oui.

— Vous lui en avez parlé ?

— Oui.

— Et qu'a-t-il dit ?

— Que c'était une blague, sans plus.

— Une blague ?

— Oui.

— Avec un pareil sens de l'humour, il n'a jamais pensé à se présenter au Festival Juste pour rire ? »

Marie Trempe a observé Nathalie un moment, sourcils froncés, avant de demander :

« Est-ce qu'il fait ça souvent ?

— Quoi ?

— Vous dénigrer devant vos enfants ?

— Non, bien sûr que non. Il se moque gentiment de moi, c'est sûr, quand je fais des bêtises…

— Devant les enfants ?

— Parfois devant eux, parfois quand on est seuls, mais ce n'est pas méchant…

— Il dit ça en blague, je suppose ? »

Le ton de Marie Trempe était ironique, mais Nathalie a choisi de ne pas le remarquer.

« Exactement », a-t-elle répondu en réussissant presque à se croire elle-même.

Au fil des séances, Marie Trempe relevait impitoyablement les contradictions entre les paroles de Laurent et ses comportements.

« Il dit qu'il vous aime comme vous êtes, mais il passe son temps à insinuer que vous vous habillez mal, que vos cheveux gris vous vieillissent, que vous êtes beaucoup moins drôle depuis que vous ne buvez plus… Il dit qu'il n'aurait pas pu trouver meilleure mère pour ses enfants, mais il pique une crise épouvantable le jour où vous leur accordez la permission d'aller au cinéma sans l'avoir d'abord consulté, lui... Il vante votre intelligence, mais il se moque de vos moindres erreurs, il ridiculise vos lectures, il dénigre vos goûts musicaux... Cet homme-là ne vous aime pas, il aime le pouvoir qu'il a sur vous. Il aime vous humilier, vous infantiliser... Et vous, vous le laissez faire. Et vous en redemandez. Et vous trouvez le moyen de l'excuser. »

Certains jours, Nathalie sortait de chez la psychologue en furie, décidée à ne plus jamais remettre les pieds chez cette femme qui prenait un malin plaisir à décortiquer son couple, à prêter à Laurent des intentions malfaisantes, à la décrire, elle, Nathalie, comme un pantin sans volonté propre.

Mais les paroles de la psychologue se frayaient un chemin dans son esprit. Elle remarquait — tant chez elle que chez Laurent — des comportements auxquels elle n'avait jamais prêté attention mais qu'elle voyait maintenant sous un jour nouveau. Elle décelait, elle aussi, des contradictions chez son époux. Elle ne trouvait plus aussi normale cette façon qu'il avait de relever ses travers, de souligner ses bourdes, de noter ses faiblesses (« c'est pour ton bien, ma chérie, je ne pense qu'à ton bien »). Et elle supportait de plus en plus difficilement sa façon de parler d'elle aux autres, enfants ou amis, en vantant exagérément ses bons coups et en rapportant en riant ce qu'il continuait d'appeler ses bêtises.

« À vous écouter, a dit Marie Trempe au cours d'une de leurs séances, j'ai l'impression que vous passez votre vie à commettre des bêtises. Vous ne faites jamais rien de bien, pour changer ? »

Semaine après semaine, bon gré mal gré, Nathalie retournait voir Marie. Elle a ri, hurlé et pleuré dans le bureau de la psychologue. Et elle a parlé. Beaucoup parlé. De Laurent et de ses enfants. De ses peurs et de ses frustrations. Puis, de plus en plus souvent, de ses pensées, de ses bonheurs, de ses espoirs, de ses rêves, de ses projets.

Nathalie avait l'impression de devenir de plus en plus elle-même, et ses rapports avec Laurent en étaient bouleversés. Sans doute aurait-elle pu décider de le laisser, à cette époque. On était à la fin des années quatre-vingt, le divorce était courant, pour ne pas dire banal, dans ces années-là et dans ce milieu-là. Nathalie aurait sûrement obtenu la garde des enfants, elle aurait conservé la maison, elle aurait pu avoir une substantielle pension alimentaire — une pension dont elle n'aurait même pas eu besoin, ayant hérité d'une petite fortune à la mort de son père, propriétaire d'une chaîne de nettoyeurs. Même sans argent, elle aurait pu se débrouiller. Elle n'avait pas d'objection particulière à l'idée de travailler. Elle a donc songé au divorce — elle en a même discuté avec Marie Trempe —, mais elle a décidé d'attendre. Avant d'en venir à cette solution extrême, elle voulait donner une dernière chance à sa vie avec Laurent. Pas en entreprenant une thérapie de couple ni en exigeant des changements de la part de Laurent, mais en changeant son attitude à elle.

Elle a commencé à s'affirmer, à refuser d'être rabaissée ou tournée en dérision, à mettre en doute les jugements que Laurent portait sur elle, à exprimer ses idées, ses goûts, ses désirs.

Au début, Laurent a cru à une lubie, une passade sans lendemain. Il a trouvé ça mignon. Après quelques mois, il a trouvé ça moins mignon et il a tenté de trouver des coupables (« C'est ta psychologue qui t'a mis ça en tête, c'est ça ? Moi, à ta place, je me méfierais. Cette femme-là doit être l'une de ces féministes enragées qui détestent tous les hommes et qui se donnent pour mission de détruire le plus de couples possible… »). Puis, du jour au lendemain, ou presque, il a cessé de lutter contre ce qui semblait être la nouvelle nature de sa femme. Il a d'abord affecté une indifférence exagérée (« Il boude », a déclaré Marie Trempe), avant d'adopter l'attitude de civilité bienveillante qui est désormais la sienne.

Aujourd'hui, Nathalie apprécie sa vie et elle est heureuse des choix qu'elle a faits. Elle a deux enfants qui sont des adultes sains et équilibrés. Une maison vaste et claire dans laquelle elle se sent bien. Un jardin qui est sa grande passion. Quand elle plonge ses mains dans la terre, elle est comblée. Elle est là où elle veut être et elle ne voit pas ce qu'elle pourrait désirer de plus. Elle s'amuse à composer des tableaux vivants qui évoluent au gré des jours et des saisons, à marier des textures, des nuances, des odeurs… Elle fait des essais, et plus jamais il ne lui viendrait à l'idée de qualifier de bêtises certains essais qui ne donnent pas exactement ce qu'elle avait prévu — ou qui ne donnent rien du tout. Elle éprouve, en jardinant, un bonheur qui lui rappelle l'enfance.

Nathalie n'a pas que son jardin. Elle est aussi membre d'un club de lecture, elle fait du bénévolat à l'hôpital Sainte-Justine, elle adore se payer une séance de cinéma au milieu de l'après-midi… Qui plus est, ses rapports avec Laurent sont maintenant harmonieux. Son mari la traite en adulte responsable — Nathalie se demande parfois comment elle a pu supporter si longtemps d'être traitée autrement —, et leur cohabitation est agréable, ou du moins civilisée. Il y a longtemps qu'ils font chambre à part, mais ils n'ont pas entièrement éliminé les rapports sexuels de leur vie commune. Ils font l'amour exactement cinq fois par année: à la Saint-Valentin, à l'anniversaire de naissance de chacun (Laurent le 28 avril, Nathalie le 18 octobre), à leur anniversaire de mariage (le 21 juin), à Noël ou au Jour de l'An (jamais les deux: comme le dit Marie Trempe avec ironie, c'est l'élément de suspense de leur vie sexuelle). Ce n'est pas ce qu'on pourrait appeler une sexualité débridée, mais Nathalie ne s'en plaint pas. Elle n'a jamais été follement attirée par le sexe, de toute façon, et si, plus jeune, elle a parfois eu la fantaisie de se retrouver amoureuse et de faire l'amour avec un autre homme que Laurent, elle y pense de moins en moins avec l'âge. Son amie Colette est convaincue que Nathalie réprime sa sexualité et que cela est très malsain. « Si tu baisais plus, tu serais plus épanouie », répète-t-elle régulièrement. « Non merci, répond toujours Nathalie, je suis très épanouie. » Pas mal plus que toi, aurait-elle parfois envie d'ajouter. Colette, qui *baise* pourtant beaucoup, semble perpétuellement en rogne contre le monde, les hommes, les patrons, la température, ses enfants, le destin, la féminitude, l'état du monde et les résultats de la loto…

Évidemment, le régime de quasi-abstinence sexuelle observé par Nathalie est loin d'être suivi par Laurent, qui s'est toujours montré très gourmand dans ce domaine, même s'il semble avoir ralenti son rythme depuis quelques années. L'âge finit par rattraper tout le monde, même les amants flamboyants, et Laurent vient d'avoir cinquante-cinq ans. Il n'a jamais pu se passer bien longtemps d'une maîtresse — une maîtresse jeune et jolie, cela va sans dire — et, sans aller jusqu'à parler ouvertement de ses aventures, il ne fait pas d'efforts particuliers pour les cacher. Nathalie sait donc très bien à quoi s'en tenir, et elle ne souffre plus des infidélités de son mari. À vrai dire, la seule chose qui l'agace, dans le fait que Laurent ait des maîtresses, c'est ce qu'il raconte peut-être à son sujet à ses jeunes amies. C'est une pure question d'amour-propre, bien sûr, mais Nathalie détesterait qu'il la décrive comme une mégère grincheuse, hystérique ou plaignarde… Atrocement conventionnelle, passe encore. Mais hystérique ?

Nathalie peut suivre le déroulement des liaisons de son mari en fonction des humeurs de celui-ci. Ainsi, en ce moment, il est clair que ça ne tourne pas rond entre Laurent et la jeune Agathe. Oui, Nathalie connaît généralement l'identité de ses maîtresses. Pas parce qu'elle cherche à la découvrir, simplement parce qu'elle sait ce que signifie, dans la bouche de son mari, un prénom féminin prononcé sur un certain ton. Et quand le prénom d'Agathe a fait son apparition dans le vocabulaire de Laurent, l'année dernière, à l'époque où il a réalisé quelques épisodes de *La Forêt enchantée*, Nathalie a tout de suite su qu'Agathe était la prochaine sur la liste. Sans même se forcer, elle a pu observer chez Laurent l'espoir fébrile des débuts, l'orgueil triomphant du mâle satisfait, l'assurance tranquille de celui qui s'est creusé un nid douillet et sans surprises… Pourtant, ces derniers temps, Nathalie a senti Laurent inquiet. Ça n'a d'abord été qu'une impression fugitive, mais, depuis deux jours, aucun doute possible : Laurent est tellement préoccupé qu'il en fait presque pitié. Nathalie ne sait évidemment pas ce qui se passe entre Agathe et lui, mais elle sait qu'il se passe quelque chose. Sont-ils au bord de la rupture ? Nathalie espère qu'Agathe ne gardera pas trop de cicatrices de sa liaison avec Laurent. Sans lui avoir jamais parlé — elle l'a seulement vue dans un petit rôle au théâtre l'été précédent ainsi que dans son rôle de Chouette chevêche —, Nathalie éprouve de la sympathie pour elle et elle trouverait dommage que la jeune femme souffre à cause de Laurent. Avec le temps, Nathalie se sent de plus en plus protectrice — maternelle, presque — envers les maîtresses de son mari.

~

Quand Laurent et Nathalie quittent le centre de jardinage, à midi moins vingt, l'arrière de la Volvo XC 90 — une acquisition récente de Laurent, dont il se montre très fier — est rempli de sacs de tourbe de sphaigne, de terre à jardin, de copeaux de cèdre, de perlite. S'ajoutent l'hibiscus que Nathalie a décidé de prendre, finalement ; des annuelles qu'elle va mêler à ses vivaces ou utiliser dans des paniers suspendus, des pots de grès et des balconnières ; des fines herbes qui embaument la voiture ; des plantes pour le bassin…

« L'année dernière, je n'arrivais pas à garder l'eau claire. Cette année, qu'est-ce que tu penses que je devrais faire, en plus d'ajouter des bactéries à l'eau chaque semaine ? »

Aucune réaction de la part de Laurent. Nathalie ne s'attendait pas vraiment à ce qu'il s'intéresse à l'état du plan d'eau qu'elle a aménagé à l'arrière de la maison, mais, en général, il fait au moins semblant d'écouter et il se donne la peine de pousser quelques grognements en guise de réponse. Décidément, son mari est très préoccupé. Son air soucieux ne l'a pas quitté de la matinée, et il semble de plus en plus nerveux. Nathalie décide de venir à sa rescousse.

« Écoute, Laurent, j'espère que tu ne m'en voudras pas, mais j'ai un horaire très chargé aujourd'hui, dit-elle. Je vais m'occuper de mon jardin tout l'après-midi. Ensuite, je dois voir Colette, qui file un mauvais coton. Cinéma, restaurant… J'en ai pour la soirée. Je m'en veux de te laisser tomber un samedi soir, mais tu as peut-être du travail à rattraper, des courses à faire… Tu pourrais en profiter. »

Cette fois, Laurent a bien entendu ce qu'a dit sa femme. Nathalie voit ses épaules se redresser, son visage s'éclairer.

En arrivant chez eux, Laurent aide Nathalie à décharger la Volvo et à transporter sacs et pots au jardin.

« J'ai quelques petits trucs à régler dans mon bureau, mais après, je vais m'absenter pour quelques heures, annonce-t-il.

— Tu vas quand même prendre une bouchée avant de partir ? »

Laurent secoue la tête.

« Non, je n'ai pas faim. Je m'arrêterai dans un café à un moment donné. »

Nathalie le regarde s'éloigner. C'est tout juste s'il ne se met pas à courir.

Bon, se dit Nathalie, à présent, il faut que je téléphone à Colette pour lui proposer un samedi soir entre filles.

Elle a toujours détesté mentir.

Chapitre 6
Samedi 7 mai (suite)

You are my sunshine, my only sunshine…

Juchée sur une chaise, Agathe chante à tue-tête tout en nettoyant la fenêtre de sa cuisine.

Ce matin, en se réveillant après huit heures de sommeil ininterrompu, elle s'est dit que la vie n'était pas si mal, finalement. Il ne restait qu'une semaine d'enregistrement avant les vacances ; les lettres anonymes n'étaient sans doute qu'une mise en garde de la part de la femme de Laurent (et, franchement, qu'avait-elle à craindre de Nathalie, la jolie, distinguée et inoffensive Nathalie ?) ; le souper avec Hubert Fauvel s'était bien déroulé (ça n'avait aucune importance, bien sûr, puisqu'elle ne reverrait jamais cet homme, mais elle ne pouvait nier que la soirée avait été agréable, et les linguine délicieux, et le tartufo génial, et le vin plein de vertus viniennes, ou vinesques, ou…). Même ses rapports avec Laurent lui semblaient moins lourds que la veille, et elle ne comprenait plus pourquoi elle lui avait raconté ce mensonge au sujet de Francine Marsolais. Elle aurait dû lui dire la vérité, expliquer qu'elle avait rendez-vous avec le voisin de Simone Lavoie, la grand-mère de Florence, qui avait certains dons pour la détection, afin de lui montrer les lettres anonymes qu'elle avait reçues et de solliciter son avis sur la question. Laurent se serait moqué d'elle, c'est sûr, mais sans méchanceté. Dans le fond, son problème, ce n'était pas l'ironie de Laurent, c'était sa susceptibilité à elle, son orgueil qui la faisait se rebiffer à la moindre critique... Oui, vraiment, elle aurait dû lui dire la vérité, et c'était d'ailleurs ce qu'elle allait faire à la première occasion.

Anne Shirley avait raison, a-t-elle songé, il est difficile de ne pas être de bonne humeur le matin. À douze ans, Agathe a dévoré *Anne of Green Gables*, qu'elle a dû lire une demi-douzaine de fois en s'identifiant complètement à l'héroïne à la rousse chevelure. La détermination d'Anne à voir le bon côté des choses et sa tendance à agir plutôt qu'à se plaindre lui ont toujours paru très saines — sauf entre l'âge de quinze et vingt ans, environ, des années au cours desquelles elle avait une vision plus tragique de la vie (elle aurait dit plus *lucide*, à l'époque). Elle-même n'est pas toujours aussi résolument enthousiaste qu'Anne, mais elle aborde généralement ses journées avec optimisme, surtout quand les journées sont aussi glorieuses que celle-ci.

Avant même d'ouvrir les yeux, Agathe a senti un rayon de soleil lui chatouiller la joue et elle s'est demandé ce qu'elle ferait de sa journée, et même de sa fin de semaine. Une fin de semaine à elle toute seule. Elle en aurait ronronné de bonheur. Une fin de semaine qui s'annonçait belle, sans rendez-vous ni obligations, à part celle de travailler ses textes pour la semaine suivante. Florence était à la campagne, Laurent avait ses obligations familiales du samedi *et* du dimanche de la fête des Mères, Agathe disposait donc de deux jours complets pour faire ce qu'elle voulait. Du vélo, peut-être... Le sien était présentement chez le réparateur pour une mise au point printanière, mais Jérémie, le mécanicien, avait dit qu'elle pourrait le récupérer aujourd'hui.

Agathe s'est levée, elle a ouvert complètement les rideaux devant sa fenêtre, et elle s'est empli le regard du bleu vibrant du ciel, de l'éclat doré du soleil... et de la saleté impressionnante des vitres.

Aussitôt, elle a su ce qu'elle ferait de sa journée. Le vélo attendrait à demain. (Au fait, Hubert Fauvel était-il amateur de vélo?

Oups, attention, direction à éviter… Oublie Hubert Fauvel et reviens à tes moutons, Agathe, ici, maintenant, aujourd'hui.) Aujourd'hui, donc, après avoir regardé ses textes, elle allait jouer à la ménagère efficace, à l'abeille laborieuse, à la fourmi fourmillante… D'abord quelques courses au marché Jean-Talon, à deux pas de chez elle, puis ménage. Nettoyage de l'aquarium (Desdémone avait le droit, elle aussi, de profiter du soleil de cette journée radieuse), époussetage, lavage des fenêtres et des planchers…

Agathe a respecté à la lettre le début de cet ambitieux programme. D'abord, elle a mémorisé ses textes pour deux épisodes. Ensuite, elle a passé de délicieux moments parmi les étalages du marché Jean-Talon, achetant une laitue frisée ici, deux mangues là, des tomates, des poivrons et des courgettes, des lentilles et des pois chiches, des noix, du pain bio et une tarte au sirop d'érable maison. Pas de nachos ni de boissons gazeuses, oh non ! Que des produits sains et naturels. Elle se sentait très vertueuse.

Persistant dans la voie de la vertu, elle a ensuite récupéré son vélo chez le réparateur, échangé quelques mots avec le vendeur de café (« Dites-moi, monsieur Lino, avez-vous du café équitable ? »), concocté pour dîner une salade digne de figurer sur la couverture d'une revue de cuisine végétarienne. Ensuite, déguisée en traqueuse de saleté — jean usé et confortable, ample chemise d'homme, cheveux relevés en un chignon qui a tendance à s'effondrer —, elle a nettoyé l'aquarium puis entrepris le lavage des fenêtres.

Tout ménage qui se respecte s'accomplit sur fond musical. Et Agathe a toujours trouvé que la musique country convenait particulièrement bien aux activités de nettoyage, surtout si le niveau sonore est suffisamment élevé. C'est donc accompagnée de Johnny Cash, de Lucinda Williams et d'Emmylou Harris qu'elle a nettoyé les fenêtres du salon et de sa chambre, ainsi que celle de la porte de la cuisine.

Il y a quelques minutes, au moment de s'attaquer à la grande fenêtre de la cuisine, elle a mis la trame musicale du film *O Brother, Where Art Thou?*

You are my sunshine, my only sunshine/ You make me happy when skies are gray/ You'll never know dear how much I love you/

Please don't take my sunshine away, chante Norman Blake, et Agathe joint sa voix à la sienne. C'est toute petite, avec son père, qu'elle a découvert le plaisir de chanter. Des années plus tard, ses études de théâtre lui ont permis de renouer avec ce plaisir qu'elle avait presque oublié. Quand elle est seule, comme en ce moment, elle met beaucoup d'enthousiasme à accompagner les disques qu'elle fait jouer. Tout en chantant, cependant, Agathe commence à se dire que la vertu a des limites, que ses planchers ne sont pas si sales que ça, que l'époussetage peut certainement attendre une semaine de plus et qu'une soirée de télé complètement décadente serait la bienvenue : deux ou trois films de suite — de préférence des comédies romantiques d'il y a longtemps, le genre de truc mettant en vedette Audrey Hepburn, *Roman Holiday* ou *Sabrina*, par exemple — du pop-corn ou des nachos, quelques verres de vin blanc, son pyjama bleu, sa robe de chambre usée mais toute douce…

« Tu es de bonne humeur, à ce que je vois… », dit une voix derrière elle.

Saisie, Agathe pousse un cri et manque de tomber de sa chaise.

Puis, une fois qu'elle a retrouvé son équilibre et que les battements de son cœur se sont un peu calmés, elle se tourne vers Laurent, planté au milieu de la cuisine.

« Qu'est-ce que tu fais là ? lance-t-elle d'une voix abrupte.

— Je retire ce que j'ai dit. Tu n'es peut-être pas de *si* bonne humeur, finalement. C'est le ménage qui te rend agressive ? Heureusement que tu n'en abuses pas… Ça fait du bien, remarque : en entrant, j'ai trouvé le salon beaucoup plus clair. Tiens, tu as oublié une tache, là. »

Les bras croisés, Agathe attend que Laurent ait fini de critiquer sa façon d'entretenir son appartement.

« Tu sais que je déteste quand tu entres chez moi sans avertir ! dit-elle ensuite. Sonne avant d'entrer, que je sache que tu es là.

— J'ai sonné, mais ta musique de fond de grange joue tellement fort que tu n'as pas dû m'entendre. »

Laurent déteste la musique country. Agathe descend de sa chaise et va fermer le lecteur de CD.

« De toute façon, dit-elle en revenant vers son amant, qu'est-ce que tu fais ici ? On est samedi…

— Tu ne sembles pas emballée de me voir… »

Agathe hausse les épaules. Non, elle n'est pas emballée de le voir, sans trop savoir pourquoi. Est-ce que ça tient à lui ou simplement au fait qu'elle n'aime pas voir ses plans bousculés ? Florence, qui s'est lancée dans des lectures sur le zen et le bouddhisme ces derniers temps, ne cesse de répéter qu'il faut accepter le fait qu'il n'y a rien de permanent, que tout change constamment, qu'il est inutile de vouloir tout prévoir, tout contrôler… Peut-être qu'elle, Agathe, n'est pas assez zen. Elle avait prévu passer le restant de la journée d'une certaine façon, d'accord, mais elle devrait être capable de modifier ses plans, non ? Malgré tout, sa voix manque de conviction quand elle répond à Laurent que si, si, elle est contente de le voir.

« C'est juste que je suis surprise…, précise-t-elle.

— Les surprises sont le sel de la vie, réplique Laurent d'une voix docte. Si tu commences à t'encroûter à ton âge… Il faut déjouer la routine, ma chérie, secouer les habitudes… J'ai décidé de te faire une surprise et de t'inviter à souper. Tu as eu une semaine difficile et tu mérites une petite gâterie.

— Les samedis soir sont censés être consacrés à ta famille, ne peut s'empêcher de dire Agathe.

— Décidément, ton insistance à suggérer que je devrais être ailleurs commence à m'inquiéter… Moi qui me faisais une joie de te revoir. Je me suis ennuyé de toi, tu sais… »

Laurent fait une pause, peut-être pour donner à Agathe l'occasion de dire qu'elle s'est ennuyée de lui, elle aussi, mais elle reste silencieuse. Elle remonte sur sa chaise et continue à laver sa fenêtre.

« Pour répondre à ta remarque, reprend finalement Laurent, je te dirai que j'ai suffisamment donné du côté des obligations familiales aujourd'hui. Imagine-toi donc que Nathalie m'a obligé à passer des heures dans un centre de jardinage, ce matin. Mais, ce soir, elle est occupée de son côté, alors j'ai décidé de venir te gâter… Je me réjouissais tellement de pouvoir mettre fin aux occasions ratées des derniers jours. Au fait, ça s'est passé comment, hier soir ? »

Agathe marque une pause et se tourne vers Laurent.

« Hier soir ? répète-t-elle.

— Avec Francine... »

Si Laurent n'observait pas Agathe avec autant d'attention, il raterait probablement l'éclair de panique qui traverse son regard.

« Ah, ça ! laisse-t-elle tomber d'un ton nonchalant tout en retournant à sa fenêtre (elle frotte et refrotte un coin pourtant bien propre). Ça s'est bien passé. »

C'était l'occasion rêvée d'avouer à Laurent qu'elle n'a pas exactement dit la vérité, hier, en parlant de ses activités de la soirée, mais, malgré les résolutions qu'elle a prises le matin même, Agathe n'a maintenant aucune envie de parler à Laurent de son rendez-vous avec Hubert Fauvel. Décidément, elle ne se sent pas zen du tout, en ce moment. Elle se sentirait même plutôt agressive.

« Tu vas faire cette publicité ? demande Laurent.

— Peut-être. Je ne sais pas encore...

— En repensant à ça, hier soir, j'ai regretté de ne pas t'avoir proposé de t'accompagner à cette rencontre afin de veiller à tes intérêts. Les conditions sont bonnes, j'espère ? J'ai peur que Francine ne profite de ta jeunesse et de ton inexpérience... Ça m'a tracassé toute la soirée, tu sais, et même une partie de la nuit. Hier, après ton appel, j'aurais voulu te rappeler et te proposer mon aide, mais comme tu n'étais pas chez toi, je n'avais aucun moyen de te joindre... Quand vas-tu enfin te décider à acheter un téléphone cellulaire ? »

Agathe donne un dernier coup de chiffon à la vitre, descend de sa chaise et commence à ranger ses produits de nettoyage. Ne pas s'emporter, surtout...

« On a déjà eu cette discussion cent fois, finit-elle par répondre. Je n'ai pas besoin de cellulaire. Si quelqu'un veut me joindre et que je ne suis pas là, il n'a qu'à laisser un message, c'est tout, et je le rappellerai quand je pourrai. Je ne tiens pas à être accessible partout, tout le temps et pour tout le monde !

— Mais tu n'aurais pas besoin de donner ton numéro à tout le monde. Juste à moi... »

Agathe ne répond pas. Elle fait claquer la porte de l'armoire dans laquelle elle vient de déposer le nettoyant à vitres et commence à dénouer son chignon.

« Je vais prendre une douche, annonce-t-elle. Sers-toi un verre, en attendant. »

~

Pendant qu'Agathe est sous la douche, Laurent furète dans l'appartement.

Le sourire qu'il arborait depuis son arrivée a disparu, et ses traits se sont assombris. Agathe continue à lui mentir, et il n'aime pas ça. Il lui a pourtant donné la chance de se racheter, tout à l'heure, de dire qu'elle s'était trompée et que le rendez-vous avec Francine Marsolais avait été annulé… Au lieu de quoi elle s'est enfoncée dans son mensonge. Elle s'imagine qu'il est dupe, mais elle va vite découvrir ce qu'il en coûte de vouloir tromper Laurent Bouvier.

Laurent examine la vaisselle sale dans l'évier. Un seul verre, une tasse, une assiette, des ustensiles… Il ouvre la poubelle. Rien de particulier. Il va faire un tour dans le salon. Pas de verres qui traînent sur une table basse, pas de cendrier rempli de mégots révélateurs (Agathe ne fume pas). Il se dirige enfin vers la chambre. Le lit est fait, mais Laurent écarte la couette pour examiner les draps, les oreillers… Un autre homme que lui a-t-il couché dans ces draps-là ? Il prend un oreiller, l'approche de son visage et le hume longuement. Puis, laissant tomber l'oreiller, il va fouiller dans le placard.

Quand Agathe sort de la douche, Laurent l'attend dans sa chambre, assis dans le fauteuil de rotin, un whisky à la main.

« Je veux que tu te fasses belle, ce soir », dit-il en désignant une robe posée sur le lit.

Agathe jette un regard à la robe et se fige aussitôt.

« Laurent, non ! »

Celui-ci prend un air déçu.

« Décidément, tu es déterminée à me contrarier, aujourd'hui… Allez, fais-moi plaisir. Ce n'est pas très gentil de refuser de porter une robe qui m'a coûté une petite fortune…

— Mais tu sais que je ne suis pas à l'aise, dans cette robe !

— Moi, je vous trouve très séduisantes, toutes les deux ensemble… Allez, cesse tes caprices et pense un peu à moi… Je ne te demande pas grand-chose, juste de te faire belle pour m'accompagner au restaurant… »

Laurent a offert cette robe à Agathe pour Noël. Une robe rouge (*amarante*, a précisé Laurent) confectionnée dans un tissu chatoyant (*du crêpe satin*, a reprécisé Laurent), très échancrée et très moulante, dans laquelle Agathe a l'impression d'être nue. « Jamais je ne pourrai porter ça en public ! » s'est-elle écriée quand elle l'a enfilée pour la première fois. Laurent a reconnu qu'en effet cette robe avait quelque chose d'un peu… de très… enfin… Exceptionnellement, il s'est trouvé à court de mots. « Mais tu es incroyablement sexy, dans cette robe, et ça ne me déplaît pas du tout », a-t-il ajouté en glissant un doigt le long du décolleté, à la limite de la peau pâle, soulignant le galbe d'un sein généreux, tandis que, de son autre main, il lui caressait la hanche. « Si douce, si douce, a-t-il murmuré d'une voix émerveillée. Une perle dans son écrin soyeux. » Il a poursuivi en déclamant des phrases tirées du Cantique des Cantiques. « *Que tu es belle, que tu es charmante, ô amour, ô délices ! Dans ton élan tu ressembles au palmier, tes seins en sont les grappes… Je monterai au palmier, j'en saisirai les régimes…* » Ce soir-là, Laurent s'est montré très amoureux. Depuis, Agathe a revêtu la robe à quelques reprises, toujours en compagnie de Laurent et dans l'intimité de son appartement. C'est la robe des soirs spéciaux, des jeux de séduction, avec musique langoureuse et chandelles parfumées. Jamais il n'a été question qu'Agathe la porte pour sortir.

« Je la mettrai en revenant du restaurant, propose Agathe. Avant, je pourrais porter ma jupe noire et mon corsage vert. Tu aimes beaucoup ce corsage… Tu dis qu'il accentue la couleur de mes yeux. »

Mais Laurent secoue doucement la tête.

« Non, tu vas mettre la robe rouge…

— Mais je déborde de partout, dans cette robe !

— Tu étais tout aussi dévêtue dans ton rôle de soubrette délurée, l'été dernier, et pourtant tu n'hésitais pas à t'exhiber sur une scène.

— Mais ce n'est pas pareil ! Je jouais un rôle. Ce n'était pas moi, Agathe, qui m'exhibais, comme tu dis. C'était Phonsine, la soubrette délurée. Tu devrais pourtant comprendre ça, toi qui es comédien ! »

Laurent a un large sourire.

« Eh bien, vois ça comme un rôle, comme un jeu… Tu n'as pas perdu le sens du jeu, j'espère… À ton âge, ce serait dommage. On devient vieux très vite quand on a perdu le sens du jeu… Ce soir, ma chérie, je te donne la chance de jouer. Tu seras Agatha, la belle, sexy, émoustillante Agatha… »

Laurent se lève, prend la robe sur le lit et la tend à Agathe.

« Et n'oublie pas de relever tes cheveux. Ce serait dommage de cacher ne serait-ce qu'un centimètre de cette chair nacrée et pulpeuse… Ta nuque, tes épaules, le doux renflement de tes seins… *Tes deux seins, deux faons, jumeaux d'une gazelle, qui paissent parmi les lis…* »

Aujourd'hui, dans la bouche de Laurent, la poésie du Cantique des Cantiques a quelque chose de pornographique.

~

Le souper au restaurant est une torture, malgré le décor fabuleux, les mets délicats, le vin fin et le service impeccable.

Agathe, robe sexy et cheveux relevés, résiste à l'envie de se recroqueviller sur sa chaise en croisant les bras pour cacher sa poitrine. La tête haute, les épaules bien droites, elle s'efforce d'oublier les regards qui détaillent son anatomie. Ce n'est qu'un mauvais moment à passer, se répète-t-elle.

Elle ne comprend toujours pas quels motifs ont poussé Laurent à exiger qu'elle s'habille ainsi. Croit-il vraiment les clichés qu'il lui a débités sur l'importance de conserver le sens du jeu ? Agathe en doute. Veut-il simplement l'afficher comme un trophée (regardez le pétard qui me trouve encore séduisant malgré mon âge) ? Ridicule : Laurent Bouvier n'a pas besoin de ça — et si c'était le cas, il pourrait trouver des filles beaucoup plus éblouissantes qu'elle.

Veut-il l'humilier ? C'est ce qui lui semble le plus plausible, mais pourquoi ?

« Reprends un peu de ce vin. De toute façon, je vais commander une deuxième bouteille. Garçon ! »

Le vin est un grand cru, un machin millésimé à deux cents dollars la bouteille, mais Agathe a du mal à l'avaler, tout comme elle a du mal à finir son porcelet avec purée de pomme au cumin, champignons et amandes… Elle a l'impression que la nourriture lui reste en travers de la gorge, que le vin ne passe pas.

Soudain, une image lui vient à l'esprit. Hubert Fauvel et elle dans un petit restaurant de quartier, la veille, en train de manger des pâtes. Un verre d'eau pour lui, du vin sans prétention pour elle. Et, malgré quelques maladresses et une réserve certaine de leur part à tous deux, une impression de confiance. Agathe se sentait à l'aise, contrairement à ce soir.

« À quoi penses-tu ? Tu sembles bien songeuse… »

Agathe secoue la tête.

« À rien. Je suis juste un peu fatiguée.

— Il n'est pourtant pas tard… Tiens, tu as une miette sur toi. Je vais te l'enlever… »

Avant qu'Agathe puisse réagir, Laurent approche la main de sa poitrine. Lentement, délibérément, il lui caresse le sein, allant même jusqu'à glisser un doigt sous le tissu soyeux.

« La miette est tombée dans ta robe, murmure-t-il avec un sourire entendu. Ah, ce sein généreux… Sais-tu que tu me fais bander, ma belle ? »

Paralysée et muette, Agathe est incapable de réagir. Elle est choquée, bouleversée, elle ne sait pas quoi penser. Mais qu'est-ce qui lui prend ? À quel jeu Laurent se livre-t-il ? Et qu'attend-il d'elle ? Elle voudrait disparaître. Ou alors avoir le courage de se lever et de partir. Mais elle a l'impression que ses jambes se déroberaient sous elle.

Laurent retire lentement sa main tout en continuant à parler de sa belle voix basse et chaude.

« D'ailleurs, tu fais bander la moitié des hommes qui sont ici, dit-il avec un petit rire. Tu as vu la tête du chauve qui se trouve à la table d'à côté… Si ça continue, il va exploser. Et le barbu, là-bas… Il t'attire, dis, le barbu ? Tu crois qu'il ferait un bon amant ? »

Sentant venir les larmes, Agathe ferme les yeux un instant, le temps de se reprendre. Laurent a peut-être réussi à l'humilier, mais il n'aura pas la satisfaction de la voir pleurer.

« Ça suffit, dit-elle d'une voix qu'elle souhaiterait plus ferme. Je veux rentrer.

— Tu ne penses quand même pas qu'on va partir d'ici avant d'avoir fini cette bouteille… Et après, je ne dirais pas non à un porto… Un Tawny vingt ans, pourquoi pas ? »

~

Laurent est passablement ivre quand ils quittent enfin le restaurant. Il supporte généralement bien de grandes quantités d'alcool, mais ce soir il a forcé la dose. Il parle trop fort et il a le pas mal assuré. Un bras passé autour des épaules d'Agathe — des épaules qu'elle a couvertes d'un châle bigarré, heureuse de pouvoir enfin cacher sa quasi-nudité —, il hèle un taxi et donne l'adresse d'Agathe au chauffeur.

Agathe espère qu'il la déposera chez elle et qu'il continuera en taxi jusque chez lui, mais, après avoir réglé la course et laissé un pourboire faramineux, il suit sa maîtresse dans les escaliers, qu'il a d'ailleurs du mal à grimper jusqu'au troisième.

« Et maintenant, ma belle, après avoir passé la soirée à m'émoustiller, tu vas enfin me dévoiler tous tes charmes… Mais pas trop vite, surtout… Prends bien ton temps. Tourne un peu, pour voir… Plus lentement. Oui, comme ça, et caresse-toi les seins… »

Agathe a déjà exécuté ce genre de spectacle devant Laurent et, passé le malaise initial (elle se sentait très *self conscious*, comme on dit en anglais), elle en a tiré du plaisir. Ce soir, pourtant, cet érotisme facile lui lève le cœur. Elle se sent sale, laide, vulgaire. Et elle n'aime pas le regard que Laurent pose sur elle.

La situation ne s'arrange pas lorsqu'ils se retrouvent tous les deux au lit et que Laurent, malgré ses efforts, se révèle incapable d'avoir une érection.

« Ce n'est pas grave », dit Agathe tout en songeant avec soulagement que les choses vont en rester là. « Tu sais, c'est normal que tu n'y arrives pas, avec tout l'alcool que tu as pris. »

Ce n'était probablement pas la chose à dire. Laurent, qui s'est toujours enorgueilli d'une virilité robuste et d'une infaillibilité à toute épreuve, se sent atteint dans ce qu'il a de plus profond. D'autant que c'est la deuxième fois que ça se produit en quelques semaines.

« Salope, gronde-t-il entre ses dents serrées. Tu sais comment on appelle ça, une femme qui fait tout pour exciter un homme et qui, à la dernière minute, refuse de livrer la marchandise ? Pute. Chienne. Salope. »

Soudain, Agathe a peur de cet homme qu'elle ne reconnaît pas. Laurent, dans les jeux de l'amour, utilise un langage cru, qui a d'abord dérouté la jeune femme, qui l'a choquée même, tout en l'excitant étrangement. Mais jamais il n'a utilisé des mots pareils pour s'adresser à elle. Jamais il ne s'est montré aussi agressif.

« Tu as exhibé ton corps à tout le monde. As-tu vu comment le type chauve te regardait, au restaurant ? Il en bavait… Tu aimais ça, hein, avoue que tu aimais ça que cet homme-là bande en te regardant ? Mais je vais te punir, salope… »

Chapitre 7
Dimanche 8 mai

Est-ce que le héron sera là ? Pour Agathe, il s'agit d'une question cruciale.

Tous les printemps, quand elle reprend son vélo, Agathe commence par aller faire un tour à l'île Sainte-Hélène. C'est un rituel immuable, qu'elle accomplit religieusement et avec un bonheur intense. Suivre la piste cyclable vers le sud jusqu'au Vieux-Montréal, continuer jusqu'à la Cité du Havre, traverser le pont de la Concorde. Arriver enfin à l'île Sainte-Hélène et à ce sentier au bord de l'eau où elle se permet d'arrêter, d'appuyer son vélo contre un arbre et de s'asseoir pour regarder longuement l'eau vive du fleuve sur fond de port, de centre-ville et de mont Royal.

Agathe ne se lasse pas de ce spectacle, qu'elle a observé des dizaines de fois, année après année, entre mai et octobre — sauf durant cette semaine de juin où les éphémères (les *mannes*, comme on les appelle souvent) envahissent les abords du fleuve, formant des nuages si denses qu'il est impossible d'avancer et de respirer sans que ces insectes minuscules s'insinuent dans votre bouche, votre nez, vos yeux, vos oreilles ; dans ces conditions, se promener à vélo relève du sport extrême. À l'exception de cette période maudite, donc, Agathe s'est rendue dans l'île par tous les temps et à toutes les heures de la journée. La plus belle heure, c'est l'heure fauve, en fin d'après-midi, quand le soleil déclinant baigne la ville d'or chaud. Mais le matin n'est pas mal non plus, comme peut de nouveau le constater la jeune femme aujourd'hui.

En cette période de l'année, l'eau est haute et tumultueuse. Et c'est dans les bouillons du fleuve, là où affleurent de grosses roches, qu'Agathe a souvent pu observer un héron, immobile et silencieux. Elle voit toujours d'autres oiseaux et d'autres bestioles durant ses expéditions à l'île Sainte-Hélène — surtout des carouges à épaulettes et des marmottes —, mais leur nombre même les rend interchangeables et sans grand intérêt. Mais le héron… Évidemment, Agathe n'a aucun moyen de savoir s'il s'agit toujours du même héron, semaine après semaine, année après année, mais elle a décidé que si, tout comme elle a décidé qu'il existait un lien privilégié entre ce héron et elle. Chaque fois, elle a le cœur qui bat plus vite en approchant de l'endroit où elle peut l'apercevoir. Chaque fois, elle se demande s'il sera là. Chaque fois, elle attache à la présence ou à l'absence de l'oiseau une signification particulière. S'il est là, je vais décrocher ce rôle… S'il est là, il va faire beau, dans trois jours, pour la randonnée dans le Vermont… S'il n'est pas là, je peux renoncer à mon idée de réussir ce soufflé au chocolat…

Ce matin, l'extrême confusion dans laquelle elle se trouve l'empêche de formuler un vœu cohérent. S'il est là, j'arrête d'avoir mal… S'il est là, la nuit dernière n'a pas eu lieu… S'il est là, je mets fin à ma relation avec Laurent… S'il est là, tout va redevenir comme avant… S'il est là…

Quand Laurent a fini par s'endormir, abruti d'alcool et de fatigue, Agathe a pris une longue douche, elle a enfilé son pyjama bleu et sa vieille robe de chambre, puis elle s'est allongée sur le canapé du salon, où elle a vainement tenté de trouver le sommeil. Les images des dernières heures la hantaient, et elle retrouvait, intactes, les émotions qui l'avaient envahie plus tôt. Le désarroi, l'incompréhension, la honte, la peur… Comment, mais comment en étaient-ils arrivés là ?

Laurent et elle se sont rencontrés sur le plateau de *La Forêt enchantée*, au moment où Laurent a réalisé quelques émissions pour dépanner François Roberge, terrassé par un infarctus. Il a claqué la porte au bout de deux semaines en disant qu'il refusait de continuer à gaspiller son talent dans cette émission minable conçue par des tâcherons sans envergure ni imagination… Depuis, François Roberge ne parle plus à Laurent Bouvier, et il ne semble pas éprouver d'affection particulière pour Agathe, la maîtresse de ce dernier.

Agathe a d'abord été flattée par l'attention que lui portait Laurent — un comédien remarquable et un homme fascinant, qui avait beaucoup lu, voyagé partout dans le monde, frayé avec des gens célèbres… Elle était impressionnée par son érudition, charmée par son talent, par son aisance à manier les mots et les idées. Elle était séduite, à défaut d'être amoureuse. Et les premiers mois de leur liaison ont répondu à ce qu'elle attendait de ses rapports avec les hommes. Quelques heures d'intimité, une ou deux fois par semaine. Un horaire régulier, prévisible, qui lui permettait d'organiser le reste de sa vie sans trop de contraintes. Des rapports qui restaient avant tout physiques — avec un soupçon de piquant intellectuel. Pas de sentimentalité, pas d'attentes, pas d'attaches. La relation idéale.

Puis, Laurent a commencé à lui téléphoner plus souvent. À vouloir la rencontrer ailleurs qu'au lit. Pourquoi pas? s'est dit Agathe, qui continuait à se sentir honorée de l'intérêt que lui portait le grand homme. Quand il s'est mis à l'appeler ma chérie et mon amour, elle s'est étonnée. Qu'est-ce que c'était que cette histoire d'amour? Il n'avait jamais été question d'amour entre eux, et, tout en admirant les nombreuses qualités de Laurent, Agathe savait que jamais elle ne tomberait amoureuse de lui — il était un peu trop prétentieux et pontifiant à son goût (et, oui, plutôt imbu de sa personne, même si elle ne l'aurait admis pour rien au monde devant Florence). Sans doute aurait-elle dû dissiper le malentendu à ce moment-là, mais, sur le coup, elle n'a pas trouvé la façon de le faire et, par la suite, elle a eu l'impression que le moment était passé. Elle a fait taire ses scrupules en se disant que ces mots d'amour ne signifiaient rien, que c'étaient de simples automatismes dans la bouche d'un quinquagénaire aux manières parfois étrangement surannées.

Depuis quelques semaines, cependant, Agathe trouve Laurent non seulement envahissant, mais pénible. Il s'irrite quand elle n'est pas disponible, il lui pose des questions sur les hommes qu'elle côtoie et sur ses sentiments envers eux. Cette attitude horripile Agathe, qui, en retour, a tendance à se montrer plus distante — à lui cacher des choses, aussi, comme sa rencontre avec Hubert Fauvel —, en espérant que Laurent saura interpréter son attitude et que, sans faire de vagues, il reviendra aux rapports plus neutres du début de leur liaison.

La tactique d'Agathe n'a pas les résultats escomptés. À preuve, l'épisode de la veille. Jamais la jeune femme n'aurait imaginé que Laurent puisse se montrer aussi violent, et elle se dit qu'elle devrait mettre un terme à cette liaison qui a pris un tour qu'elle n'avait ni prévu ni voulu. Le problème, c'est qu'elle n'a jamais mis fin à une relation. Elle a toujours trouvé plus simple que l'autre se lasse et qu'il prenne l'initiative de la rupture. Pas très courageux comme attitude, mais efficace — du moins jusqu'à maintenant. Quelque chose lui dit que ce ne sera pas aussi facile cette fois-ci.

Laurent s'est levé à l'aube, aux environs de cinq heures. Agathe a fait semblant de dormir. Voir Laurent et lui parler après ce qui s'était passé la veille était au-dessus de ses forces. Elle l'a entendu marcher vers la salle de bain, uriner longuement, faire couler un peu d'eau, avancer jusqu'au salon, où il est resté immobile un instant. Malgré ses yeux fermés, Agathe sentait qu'il la regardait. Il s'est ensuite dirigé vers la porte, qu'il a ouverte puis refermée doucement derrière lui. Le bruit de ses pas s'est estompé au fur et à mesure qu'il descendait l'escalier. Il y a eu une légère vibration au moment où il a refermé la porte donnant sur le balcon. Alors seulement Agathe a senti qu'elle recommençait à respirer normalement. Alors seulement a-t-elle pu enfin dormir quelques heures.

À son réveil, elle n'avait qu'une idée: sortir de l'appartement et pédaler, le plus longtemps et le plus loin possible. Être dehors, au grand air, seule et inaccessible. Voir des nuages, des bourgeons, de l'herbe, de l'eau qui bouge. Sentir le vent sur sa peau, le soleil dans ses yeux, les bruits de la ville et les pépiements d'oiseaux dans ses oreilles. Merveilleusement seule et invisible.

Lorsqu'elle est arrivée au pont de la Concorde, Agathe s'est mise à pédaler plus lentement. Dans dix minutes, quinze tout au plus, elle saurait si le héron était là. S'il était là, elle rassemblerait le courage nécessaire pour parler à Laurent… S'il était là, elle saurait se montrer déterminée…

Elle avait beau se trouver ridicule avec ses superstitions de pacotille, elle avait beau se dire qu'il n'en tenait qu'à elle d'agir et de se tenir debout — et non à la présence d'un héron —, elle continuait à se répéter, au rythme des coups de pédale, *il faut qu'il soit là, il faut qu'il soit là…*

À présent, Agathe scrute l'eau avec inquiétude. D'abord, elle ne voit que l'éclat argenté de l'eau qui file à vive allure, les tourbillons autour des roches, quelques branches qui dérivent au fil de l'eau. Puis, tout à coup, du coin de l'œil, elle devine une mince et longue silhouette, très droite et parfaitement immobile. Son cœur comprend plus vite que sa tête, et il s'arrête de battre un instant avant de repartir à grands coups sourds.

Le héron est là.

~

Au souper de fête des Mères, ce soir-là, Laurent a une tête d'enterrement, et Nathalie en conclut que ses rapports avec Agathe ne vont pas en s'améliorant.

Elle l'a entendu rentrer, un peu avant six heures du matin, et ne l'a revu qu'en fin de matinée, au moment de partir pour le centre d'accueil où vit Marie-Rose Cadotte, épouse Bouvier, âgée de quatre-vingt-deux ans. Oh la la, s'est dit Nathalie en voyant apparaître son mari, dure soirée. Dure et bien arrosée… Le teint verdâtre, les yeux bouffis et veinés de rouge, les traits affaissés : Laurent accusait chaque heure, chaque minute de ses cinquante-cinq ans.

Tout au long du dîner, Laurent est resté sombre et taciturne, et c'est à Nathalie qu'a incombé la tâche de converser avec la vieille femme, dont le sujet de prédilection était l'enfer qu'elle avait vécu auprès de feu son mari. Paresseux, ivrogne, lâche, voyou, menteur… À en croire son épouse, Eusèbe Bouvier n'avait pas grand-chose en sa faveur. « À part sa voix, concédait toutefois Marie-Rose. Eusèbe avait une très belle voix. Dommage qu'elle ne lui ait servi qu'à gueuler des chansons de soûlon… Laurent tient de lui. Pour la voix, je veux dire, mais lui, au moins, en a tiré profit… » Nathalie aurait apprécié qu'il l'utilise, cette voix, pour contribuer un peu à la conversation, mais il n'a pas ouvert la bouche, sinon pour dire « Bonne fête, maman » à leur arrivée et « Je vais revenir te voir dans deux semaines » au moment de partir.

De retour à la maison, Laurent s'est enfermé dans son bureau jusqu'au souper. Pour travailler, a-t-il dit, mais Nathalie soupçonne qu'il en a profité pour sortir quelques-unes de ses dagues ou de ses épées des vitrines où elles sont exposées avant de les épousseter et de les polir avec un soin maniaque. Depuis quatre ans — depuis que Laurent a découvert l'exceptionnelle collection d'armes blanches du Victoria and Albert Museum, à Londres, et qu'il a décidé de monter sa propre collection —, elle a l'impression que son mari consacre une bonne partie de ses énergies et de son budget à ces armes qui envahissent peu à peu son bureau. « Un jour, lui a-t-il confié, je vais monter un spectacle solo avec ces armes. Si Depardieu peut tenir des auditoires en haleine en lisant les *Confessions* de saint Augustin, et si un petit gars de Saint-Élie-de-Caxton peut remplir des salles en racontant les exploits d'un forgeron ou d'un cordonnier de village, je ne vois pas pourquoi Laurent Bouvier ne pourrait pas captiver les foules en faisant parler ces armes plusieurs fois centenaires… J'ai commencé à ramasser du matériel. Des notes historiques et techniques, des citations… J'imagine quelque chose de dépouillé et de hiératique en même temps. Une scène nue. Des éclairages subtils. Les armes, si belles, si… vivantes. Et ma voix, qui raconte les artisans et les batailles, le courage et la mort… » En lui parlant de ce projet, son mari était lui-même très vivant. Plus que maintenant, en tout cas. Assis à une extrémité de la grande table de la salle à manger, présent physiquement, mais distrait et préoccupé, Laurent ne se montre pas plus loquace que pendant le dîner avec sa mère.

Autour de la table, en plus de Laurent et de Nathalie, se trouvent d'un côté Sébastien et Claudie, leur fils et son épouse, de l'autre Anne-Sophie et Karine, leur fille et sa colocataire. Nathalie soupçonne que Karine est davantage qu'une colocataire pour Anne-Sophie, mais elle n'a jamais cherché à confirmer son intuition. Si Anne-Sophie veut rester discrète sur la véritable nature de ses rapports avec Karine, c'est son droit le plus strict. Nathalie n'a jamais tenté de forcer les confidences de ses enfants et de s'immiscer dans leur intimité, et ce n'est pas aujourd'hui qu'elle va commencer. S'ils ont le goût de lui parler de ce qu'ils vivent, tant mieux, et Nathalie est toujours disposée à les écouter. S'ils se taisent, elle respecte leur réserve. Et Anne-Sophie, même toute petite, s'est toujours montrée secrète, presque farouche, en ce qui a trait à sa vie privée. Ce qui ne signifie pas qu'elle se taise sur tous les sujets !

Anne-Sophie, mince et blonde comme sa mère, a les cheveux très courts et des opinions bien tranchées. Elle est de toutes les causes pacifistes, écologistes et anticonformistes. À vingt-cinq ans, elle commence à se faire un nom, ou plutôt un prénom, dans le milieu du théâtre. Pas comme interprète, mais comme conceptrice de costumes. Quant à Karine, une jeune femme brune aux yeux magnifiques, elle est éclairagiste.

Sébastien, lui, qui vient d'avoir vingt-huit ans, est éducateur auprès d'adolescents perturbés. C'était un petit garçon sérieux, qui est devenu un homme solide, réfléchi et responsable. Sa femme, Claudie, est enseignante au primaire. Vive et enjouée, elle ne se gêne pas pour brasser Sébastien quand celui-ci se montre un peu trop raisonnable.

« Vous n'envisagez pas de déménager, maintenant que nous sommes partis ? C'est un scandaleux gaspillage d'espace et d'énergie, une si grande maison pour deux personnes seulement… »

Bon, Anne-Sophie qui monte sur ses grands chevaux.

« Non, répond Nathalie, nous ne prévoyons pas déménager. C'est vrai que c'est un peu grand pour deux, c'est sans doute vrai aussi que c'est scandaleux, mais je ne m'imagine pas ailleurs qu'ici. Tu me vois, abandonner mon jardin ? Et puis Laurent a besoin d'un bureau… »

Ce dernier, visiblement absent, ne se donne même pas la peine de répondre. En fait, il participe si peu à la conversation que Sébastien jette un regard interrogateur à sa mère, qui hausse les épaules. Anne-Sophie, dont la franchise frôle parfois la brutalité, s'y prend moins subtilement.

« On peut savoir ce qui se passe ? Fifille est plus jasante que toi… »

Fifille, la chatte de la maison, ne réagit pas en entendant son nom et continue à dormir, confortablement installée sur le bras du fauteuil qu'elle a adopté dans un coin de la salle à manger.

Par contre, Laurent réagit enfin.

« Hein ? Quoi ? J'étais un peu dans la lune, je crois. »

Sa fille hausse les sourcils.

« Dans la lune ? Dans une autre galaxie, si j'en juge par le temps que ça t'a pris pour en revenir… »

Laurent sourit, entièrement présent pour la première fois de tout le repas.

« Je réfléchissais à ma mise en scène pour *Otello*.

— Tu montes *Othello* ? Je ne savais pas. Pour quel théâtre ? »

Laurent secoue la tête.

« Pas l'*Othello* de Shakespeare, l'*Otello* de Verdi — l'*Otello* en italien, sans *h*. C'est une commande de l'Opéra de Montréal. »

Anne-Sophie émet un petit sifflement admiratif.

« C'est la première fois que tu t'attaques à un opéra…

— Oui, et c'est un défi exaltant mais plutôt stressant.

— As-tu déjà une idée de la forme que tu veux lui donner ?

— C'est vague encore, mais j'avais pensé… »

Pendant que Laurent expose les idées qu'il a ébauchées pour son *Otello*, Nathalie observe son petit monde autour de la table et s'émerveille, comme très souvent, de voir ses enfants si grands, si beaux, si… si eux-mêmes, proches et lointains à la fois. Et elle se répète que Laurent et elle n'étaient peut-être pas faits pour vivre ensemble et qu'ils ont commis beaucoup d'erreurs, mais que leurs enfants — ces adultes qu'ils continuent à appeler les enfants — ne sont pas une erreur, qu'ils sont le contraire d'une erreur, et que leur existence, à elle seule, suffit à justifier le couple qu'ils ont formé et qu'ils forment encore tous les deux.

« … à *Otello*, toi aussi ? »

Nathalie sursaute.

« Quoi ? Je… »

Anne-Sophie pousse un grand soupir dramatique.

« À présent que papa est revenu sur terre, c'est toi qui sembles flotter dans je ne sais quels nuages… »

Nathalie sourit.

« Je pense à la chance que j'ai d'être votre mère.

— C'est vrai, ça, tu es vraiment choyée d'avoir des enfants aussi exceptionnels que nous. Moi, surtout… »

Pendant qu'Anne-Sophie, un sourire angélique plaqué sur le visage, se lève pour faire de petites courbettes, Sébastien se racle la gorge avant de dire, d'une voix où perce un mélange de fierté et d'émotion :

« À propos d'enfants… eh bien, Claudie et moi, on a une grande nouvelle à vous annoncer. On va… on va avoir un bébé. »

Une seconde de silence, puis Anne-Sophie, oubliant courbettes et facéties, se jette au cou de son frère avant d'étreindre Claudie avec force.

« Un bébé ! Oh wow ! Oh wow oh wow oh wow ! »

Nathalie, émue et ravie, sent les larmes lui monter aux yeux. Un bébé, quelle extraordinaire nouvelle !

Elle regarde Laurent, dont le visage s'est fermé.

« Un bébé, dit-il en la regardant à son tour. Ça donne un coup de vieux, tu ne trouves pas ? Tu vas être grand-mère… Mémé Nathalie… »

Nathalie secoue doucement la tête.

« Oh non, répond-elle en souriant, pas un coup de vieux. Un coup de jeune. Un merveilleux coup de jeunesse ! »

~

Quand Laurent retrouve enfin la solitude de son bureau, il découvre un message d'Agathe sur son cellulaire.

« Il faut qu'on se parle. Je ne veux plus jamais de ce qui s'est passé hier. »

La voix est ferme, mais Laurent détecte une seconde d'hésitation à la fin, comme si Agathe avait voulu ajouter quelque chose mais qu'elle y avait renoncé à la dernière minute.

Laurent regarde l'heure. Va-t-il rappeler Agathe ce soir ?

Non. Il va laisser passer un jour ou deux. Un peu d'incertitude : voilà qui devrait ramollir sa maîtresse.

En attendant, il va se replonger sérieusement dans sa mise en scène, qu'il a tendance à négliger, ces jours-ci, à cause d'Agathe justement. Il est trop sensible, trop émotif, voilà son problème…

Pourtant, une heure plus tard, il ne s'est toujours pas remis à *Otello*. Il a commencé par admirer une fois encore sa plus récente acquisition avant de passer de longues minutes à trouver la meilleure façon de disposer le *chamchir* dans la vitrine où se trouvent déjà ses sabres japonais. Puis il est allé fouiller dans sa bibliothèque, à la recherche de *Lorenzaccio*, de Musset. Si sa mémoire est bonne, il y a dans cette pièce plusieurs passages fort intéressants où il est question d'épée, de dague ou de couteau. Sans doute pourrait-il en inclure quelques-uns dans son spectacle… *La mariée est belle, mais, je vous le dis, prenez garde à son petit couteau…*

Chapitre 8
Mardi 10 mai

Dès qu'il met le pied dehors, le soi-disant Finnegan ferme les yeux, ébloui par l'éclat du soleil. Il réagissait aussi de cette façon, autrefois, quand il sortait au grand jour après des heures passées dans l'obscurité de la mine. Mais, à l'époque, il accueillait avec bonheur la chaleur du soleil sur sa peau souillée. Aujourd'hui, il se sent menacé par le soleil, par le vent, par tout ce vide qui l'entoure et qui remplace les murs du Dickson Center, qu'il vient de quitter.

Doucement, il ouvre les yeux, pas complètement, juste assez pour voir où il va, et, sa petite valise à la main, il avance d'un pas incertain le long de l'avenue University. Il se sent faible, terriblement vieux et fragile.

« Taxi ? » propose une voix près de lui.

Finnegan secoue lentement la tête de droite à gauche. Il n'a pas le cœur à parler. Il n'a pas assez de souffle, surtout. Marcher l'épuise plus qu'il ne l'aurait cru. Non, pas de taxi, il n'a pas les moyens de s'offrir un taxi. Il doit économiser pour prendre le train, pour se loger quelques jours à Montréal, pour se déplacer ensuite jusqu'à

Ville-Marie. Ses économies s'épuisent encore plus vite que ses forces, c'est tout dire !

Au coin de l'avenue University et de la rue Robie, Finnegan attend l'autobus qui le conduira à proximité de la maison de chambres qui lui sert de point de chute à Halifax.

L'autobus prend un long moment avant d'arriver, mais il se rend en moins de dix minutes jusqu'à la rue Coburg, où Finnegan descend d'un pas prudent.

La maison où il veut aller se trouve au coin de Coburg et Edward. Ce n'est pas loin, une centaine de mètres, mais la rue est légèrement en pente, et Finnegan est à bout de forces quand il arrive enfin à la maison de bois au toit plat et aux murs de bardeaux gris-bleu qui est sa destination. Trois marches mènent au balcon qui s'étend sur toute la largeur de la façade. Une fois en haut des marches, Finnegan s'appuie un instant à la balustrade avant de sonner.

« *Mr. Finnegan !* s'exclame la logeuse en lui ouvrant. *I was so worried about you ! Where have you been ?* »

L'homme esquisse un pâle sourire.

« *I will tell you later, Mrs. MacLeod. Right now, I need to get some rest…*

— *Of course, Mr. Finnegan ! Of course !* »

~

Le téléphone est en train de sonner quand Agathe rentre chez elle après sa journée de travail. Elle hésite avant de répondre. Et si c'était Laurent, à qui elle n'a pas parlé depuis l'horrible nuit ? Elle lui a laissé un message, dimanche soir, alors qu'elle le savait pris par son souper familial pour la fête des Mères, mais il ne lui a pas encore répondu, et elle se rend soudain compte qu'elle espère qu'il ne rappellera jamais et que leur histoire se terminera ainsi, sans explications laborieuses, sans cris, sans récriminations… Ce serait sans doute trop beau. Trop facile, en tout cas.

Avec un peu d'appréhension, Agathe décroche le combiné.

« Allô…

— Bonjour, Agathe, c'est Hubert. Hubert Fauvel. J'ai réfléchi à votre histoire de lettres, depuis vendredi, et je me disais que je pouvais peut-être vous aider… »

Agathe est agréablement surprise en entendant la voix du jeune homme. Elle a souvent pensé à lui au cours des derniers jours. Elle a même songé à lui téléphoner. Pour rien. Pour tout. Parce qu'elle se sentait seule et déboussolée. Parce qu'il avait des mains et des yeux qui inspiraient confiance, et une voix rassurante. Parce qu'il n'avait rien à voir avec Laurent. Parce qu'elle ne savait plus trop quoi faire de sa vie.

Chaque fois elle s'est retenue. Attention, Agathe, pas de sentiments, pas d'attachement ! (C'est zen, ça, non, Florence ?) Tu es dans une mauvaise passe, c'est tout. Mais les mauvaises passes ne durent pas éternellement (pas plus que les bonnes, d'ailleurs — est-ce que c'est ça que tu appelles l'impermanence, Florence ?), et après tu vas te féliciter d'avoir su résister.

Mais si c'est lui qui l'appelle…

« … se voir ce soir pour parler de tout ça. »

Agathe revient à la réalité. Voir Hubert Fauvel ce soir ? Elle vient de rentrer, elle est fatiguée, elle se sent moche, elle a attrapé un horrible coup de soleil, dimanche, en allant voir son héron à l'île Sainte-Hélène, et elle a l'impression d'avoir un nez de clown…

« Je ne sais pas… Il est déjà dix-neuf heures trente, et je n'ai pas encore soupé. Je n'ai même pas *commencé* à me préparer à manger…

— Vous pouvez venir chez moi. J'ai fait une énorme casserole de pâtes aux légumes et au tofu, ce soir. Si personne ne m'aide à passer au travers, j'en ai pour trois semaines à manger des restes. Vous n'avez rien contre le tofu, j'espère ? »

Je n'ai rien *pour* le tofu non plus, songe Agathe, avant d'accepter l'invitation d'Hubert Fauvel.

« Vous habitez où, exactement ? »

~

Vingt minutes plus tard, après avoir pris le temps de se changer et de se poudrer le nez, Agathe sonne chez Hubert Fauvel, qui habite à quelques pâtés de maisons de chez elle, au rez-de-chaussée d'un duplex situé dans une rue tranquille et bordée d'arbres, un peu au nord de la rue Jean-Talon.

La vitre dépolie de la porte d'entrée empêche Agathe de bien voir l'intérieur de l'appartement, mais elle lui permet de suivre la progression d'Hubert le long du corridor. Une lumière est allumée à l'arrière de la maison, et la silhouette du géologue se découpe sur le fond clair.

« Entrez, votre souper vous attend… »

Tout comme quatre jours plus tôt, en sortant du restaurant, Agathe remarque qu'Hubert Fauvel n'est pas aussi grand qu'il en a l'air — l'illusion tient peut-être à sa minceur, à ses membres longs, ou encore à cette façon qu'il a de se tenir très droit, rigide même. Sa démarche aussi a quelque chose de raide, ou plutôt de précautionneux, comme s'il devait se concentrer pour marcher droit. Aurait-il bu ? se demande Agathe avant d'écarter aussitôt cette pensée. À part cette bizarrerie de locomotion, Hubert a l'air parfaitement sobre.

Comme beaucoup de logements du quartier, l'appartement est en forme de *L*, plus large à l'avant qu'à l'arrière. À partir de la porte d'entrée, un corridor longe une pièce double qui semble servir à la fois de chambre et de bureau. Ce corridor mène à une pièce centrale qui fait office de salon et au-delà de laquelle se trouve la cuisine. Sur le mur de droite du salon, une porte fermée donne probablement accès à une autre chambre. Entre cette chambre et la cuisine, le salon se termine par un mur à quarante-cinq degrés, dans lequel une fenêtre laisse entrevoir une petite cour, difficile à distinguer dans la nuit tombante.

Le décor est dépouillé. Les murs sont blancs et nus, les planchers de bois franc sont sombres, de même que les moulures autour des portes et au bas des murs. Les meubles, réduits au strict minimum, semblent avoir été choisis pour leur confort et leur utilité plutôt que pour leur esthétique. Quant aux rares éléments de décoration, ils auraient tendance à accentuer l'austérité des lieux.

Au mur du salon, une photo d'Ansel Adams en noir et blanc: une montagne hérissée de pics rocheux, un paysage tourmenté, sans aucune douceur. Sur une table basse, devant la fenêtre en coin, deux cactus, quelques cailloux, des roses des sables, des fossiles... D'après ce qu'Agathe aperçoit en passant, la bibliothèque appuyée contre le mur séparant le salon de la cuisine ne contient pas beaucoup de romans. Hubert Fauvel semble plutôt amateur d'essais et de biographies, avec une prédilection pour les sciences, la nature et l'environnement. L'appartement est remarquablement en ordre. Ménage éclair avant mon arrivée, se demande Agathe, ou état habituel des lieux? Hubert Fauvel est-il un être humain normal ou un maniaque de perfection?

Dans la cuisine, Hubert sort une assiette du four et la dépose sur la table devant Agathe.

« Attention, c'est chaud. Vous voulez boire quelque chose avec ça? Jus de fruit, eau plate, eau Perrier?

— Un Perrier, s'il vous plaît », répond Agathe en se disant que le vouvoiement qu'ils ont adopté dès le début commence à être encombrant. Elle aimerait bien suggérer à Hubert Fauvel de laisser tomber les cérémonies, mais elle ne sait pas trop comment s'y prendre.

Il faut dire qu'Agathe ne s'est jamais sentie à l'aise avec cette question. Dans le milieu théâtral, le tutoiement est de rigueur, mais Agathe a eu du mal à s'y habituer, elle qui a été élevée de façon stricte par une mère qui insistait pour que sa fille vouvoie tous les adultes, y compris ses enseignantes et ses propres parents. Difficile, après ça, de tutoyer un metteur en scène ou un comédien de trente ans son aîné! Par contre, Hubert Fauvel est de sa génération et, spontanément, elle aurait tendance à le tutoyer. Mais la réserve dont il fait preuve a quelque chose d'intimidant, et Agathe n'ose pas suggérer un changement que le géologue risquerait d'interpréter comme une trop grande familiarité.

Pendant qu'Hubert sort des verres et une bouteille de Perrier, Agathe remarque que des dessins naïfs et très colorés ornent la porte du frigo — enfin un peu de couleur et de fantaisie! — et elle se demande si Hubert a des enfants. Florence a dit qu'il était célibataire, ou du moins qu'il vivait seul, mais ça ne l'empêche pas d'avoir des enfants. Il pourrait être séparé ou divorcé.

Hubert dépose les verres sur la table et y verse l'eau, puis il s'assoit en face d'Agathe.

« Bon appétit, dit-il.

— Merci. »

Les pâtes au tofu et aux légumes sont délicieuses, et Agathe se réjouit d'avoir accepté l'invitation du jeune homme. Elle ne sait pas s'ils vont résoudre l'énigme des lettres anonymes, mais au moins elle va avoir mangé sainement. Chez elle, même avec toutes les bonnes choses qu'elle a achetées au marché le samedi précédent, elle se serait probablement contentée de nachos et de vin blanc, comme trop souvent. Elle n'a pas vraiment fouillé la question, mais elle soupçonne que ce n'est pas le régime le plus équilibré qui soit.

Agathe en est à sa quatrième bouchée de nourriture saine et équilibrée quand une idée lui traverse l'esprit, et elle se mord les lèvres, brusquement embarrassée. Hubert Fauvel est là, devant elle, prêt à l'aider. Il la nourrit, il lui donne à boire et, pour la deuxième fois en quelques jours, il lui accorde un peu de son temps. C'est gentil à lui, mais… attend-il quelque chose en retour ?

« C'est étonnamment bon, dit-elle en désignant les pâtes, mais je me demandais…

— Étonnamment ? » répète Hubert Fauvel, sourcils levés.

Oups, songe Agathe. Comme compliment, ce n'est pas fameux…

« Je ne suis pas une grande fan du tofu, avoue-t-elle. Mais je sens que vous pourriez me convertir…

— Merci.

— Il y a quand même quelque chose qui m'embête…

— Quoi donc ? »

Agathe est mal à l'aise.

« Eh bien… Je ne sais pas trop comment aborder ça, mais il n'y a rien qui vous oblige à m'aider, vous savez… Ce que je veux dire, c'est… euh… est-ce que vous vous attendez à être payé ? »

C'est au tour d'Hubert de sembler mal à l'aise.

« Bien sûr que non ! s'exclame-t-il. Il n'est pas question que vous me payiez ! Je n'ai jamais imaginé… Voyez ça comme un geste d'amitié, d'accord? Vous n'auriez pas l'idée de payer un ami, non?

— Non, c'est sûr, mais... »

Agathe n'est pas convaincue.

« J'ai une idée! dit soudain Hubert. Vous pourriez me payer en nature.

— C'est-à-dire... ? » émet Agathe avec circonspection.

Hubert lui adresse un sourire teinté d'ironie.

« Rien d'illégal ni d'immoral, n'ayez pas peur. Je vous accorde un peu de mon temps pour régler votre problème de lettres. Vous m'accordez un peu du vôtre pour venir à la fête d'anniversaire de mon neveu déguisée en Chouette chevêche... »

Agathe sourit à son tour. Son neveu. C'est vrai, il lui a déjà parlé d'un neveu grand admirateur de la Chouette chevêche, le soir où elle lui a téléphoné pour la première fois. Ce sont sans doute ses œuvres qui sont exposées sur le réfrigérateur.

« Ça me semble honnête comme marché. C'est quand, l'anniversaire de votre neveu? »

~

Hubert a attendu avant de téléphoner à Agathe. Il avait beaucoup pensé à elle depuis leur souper au restaurant et il espérait la revoir, ne serait-ce que par hasard, puisqu'ils habitaient le même quartier. Pourtant, il hésitait à prendre l'initiative d'une nouvelle rencontre. Il n'avait rien à offrir à une fille comme elle. Et comme il n'était pas particulièrement masochiste — contrairement à ce que pouvait croire son ami Marc-André —, il préférait ne pas courir au-devant des déceptions.

En même temps, il n'a jamais été du genre à se morfondre dans son coin en espérant que la vie se plie à ses désirs. Au bout de quatre jours, il en a eu assez d'espérer revoir Agathe *par hasard.* S'il avait envie de revoir Agathe O'Reilly, le meilleur moyen d'y arriver, c'était encore de lui téléphoner. Et il n'a pas menti en lui disant qu'il avait réfléchi aux lettres qu'elle a reçues. Ces lettres l'intriguent, même s'il ne croit pas qu'Agathe soit vraiment en danger.

Il a été heureux que la jeune femme veuille le revoir, encore plus heureux qu'elle accepte son invitation à souper.

La porte à peine ouverte, cependant, il a eu l'impression qu'il y avait quelque chose de changé chez Agathe. Il la sentait tendue, sur la défensive. *Attention, écureuil nerveux!* Agathe se doutait-elle que le macaron épinglé sur son sac à dos la décrivait aussi précisément? Un bel écureuil roux et effarouché, aux yeux plus verts que gris, ce soir… Agathe se méfiait-elle de lui? Regrettait-elle d'avoir accepté l'invitation d'un quasi-inconnu? Ou s'était-il passé autre chose, depuis vendredi soir, qui explique son air à la fois méfiant et désemparé? Il aurait voulu lui dire qu'elle n'avait rien à craindre de lui, mais il craignait de l'effaroucher davantage. Il aurait aussi voulu lui demander où elle avait attrapé ce magnifique coup de soleil qui lui rougissait le visage, le cou et les bras, mais il s'est dit que c'était un terrain dangereux. Il ne l'avait pas invitée pour lui parler de son physique — aussi attirant que fût ce physique —, mais pour l'aider à résoudre le mystère des lettres anonymes. Il allait donc rester neutre et détaché, le moins menaçant possible.

Dès qu'Agathe a avalé la dernière miette du carré aux dattes qui a suivi les pâtes au tofu, ils se mettent au travail.

Hubert commence par relire les lettres, dont Agathe vient de lui fournir des photocopies.

« Trahison, mensonges, punition… Ça a quelque chose de très *moral*, vous ne trouvez pas? Le mot *péché* n'est pas écrit, mais on dirait qu'il est sous-entendu… »

Agathe fronce les sourcils.

« Ma mère parlait toujours de péché, murmure-t-elle.

— Est-ce qu'elle pourrait vous avoir envoyé ces lettres?

— Non. D'abord, je suis sûre qu'elle n'a jamais mis les pieds à Halifax, d'où ont été postées au moins deux des trois lettres. Et puis elle n'enverrait pas des lettres bourrées de fautes. Elle était institutrice, autrefois, et elle a toujours été très stricte en ce qui concerne le *bon parler français*, comme elle dit…

— Peut-être qu'elle ne veut pas que vous sachiez que c'est elle qui vous envoie ces lettres… »

Mais Agathe secoue la tête.

« Ma mère n'a aucune raison de m'envoyer des lettres comme celles-là.

— Vous êtes en bons termes avec elle ? »

Agathe ne répond pas tout de suite, et Hubert se demande ce que sa question a de si compliqué. Ce devrait être le genre de question à laquelle on répond facilement, non ? Lui-même, si on l'interrogeait sur ses rapports avec sa mère… En fait, peut-être hésiterait-il, lui aussi, avant de répondre. Il est en termes polis avec elle, en termes civilisés ou *filiaux*, disons. Mais sont-ils en confiance l'un avec l'autre ? Sont-ils proches ? Eh bien… Au moment où il conclut que la réponse à cette question n'est pas si simple, finalement, Agathe reprend la parole.

« Je ne suis ni en bons ni en mauvais termes avec elle. Je ne suis pas *en termes* du tout. Nous n'avons eu aucun contact depuis plusieurs années. »

Hubert aurait tendance à penser que ce fait, à lui seul, permettrait de classer les rapports d'Agathe avec sa mère dans les *mauvais termes*, mais il évite tout commentaire, se contentant de demander à la jeune femme comment elle peut savoir que sa mère n'est pas allée à Halifax si elle n'a pas eu de ses nouvelles depuis des années.

« Je le sais, c'est tout. Je ne l'imagine pas s'éloigner de Ville-Marie…

— Ville-Marie au Témiscamingue ? » s'enquiert Hubert.

Agathe le regarde d'un air étonné.

« Vous connaissez Ville-Marie ?

— Je suis passé par là, il y a une dizaine d'années, quand j'ai fait un stage à Val-d'Or. »

Agathe hoche doucement la tête.

« J'habitais peut-être encore là-bas, à cette époque. Peut-être qu'on s'est croisés dans la rue Sainte-Anne ou au bord du lac Témiscamingue… »

Elle sourit à cette idée. Hubert, lui, doute d'avoir déjà croisé Agathe, même dix ou douze ans plus tôt. Il n'aurait pas oublié cette chevelure.

« Revenons à votre mère, dit-il en se secouant mentalement (il n'est pas là pour imaginer ce qui n'a pas été, mais pour aider Agathe dans ce qui est).

— Elle n'a jamais été portée sur les voyages. Elle n'est pas venue me voir quand j'étudiais à Sainte-Thérèse, elle n'est pas venue me voir depuis que je vis à Montréal… Alors, Halifax… »

En dépit des réticences d'Agathe, Hubert note le nom de sa mère (Mariette O'Reilly, née Soucy) et son numéro de téléphone.

« Et votre père ? Il vit à Ville-Marie, lui aussi ? »

Agathe réagit avec une vigueur qui étonne Hubert.

« Non ! Oubliez mon père. Il n'a rien à voir avec toute cette histoire.

— Est-ce qu'il est anglophone ? O'Reilly, c'est irlandais… Et les fautes, dans les lettres que vous avez reçues, ressemblent étrangement à des anglicismes, non ?

— Je vous l'ai dit, oubliez mon père. Il n'existe plus.

— Il est mort ?

— Il n'existe plus. »

Intrigué, Hubert voudrait continuer à poser des questions sur ce père qui n'existe plus mais que sa fille ne semble pas décidée à déclarer mort. Agathe ne lui en laisse pas le temps et l'entraîne plutôt sur un autre terrain.

« En fait, à moins que tout ça ne soit une mauvaise blague, je ne vois qu'une personne susceptible de m'envoyer de telles lettres…

— Qui donc ?

— Nathalie Salois.

— Et qui est Nathalie Salois ? »

Agathe hésite, visiblement mal à l'aise.

« C'est bizarre, quand même, que je vous raconte tout ça. Depuis que vous avez parlé de péché, j'ai l'impression d'être à confesse. *Pardonnez-moi, mon père, parce que j'ai péché…* »

Brusquement, Hubert se sent mal à l'aise, lui aussi. A-t-il vraiment envie d'entendre les secrets d'Agathe ?

« On peut tout arrêter là, dit-il. Vous n'êtes pas obligée de me révéler quoi que ce soit. Je suis prêt à vous aider, c'est sûr, mais seulement si vous le voulez et jusqu'où vous le voulez. Je n'ai aucune envie de vous extorquer une confession… »

Agathe a un soupçon de sourire.

« Je vous vois mal en bourreau…

— Je ne suis pas prêtre, non plus, ni animateur spirituel, ni psychologue, ni gourou, ni thérapeute… Si je peux vous être utile, c'est plutôt comme… comme pense-bête. Quelqu'un de neutre qui pose des questions pour vous aider à faire le tour des possibilités. Un peu comme un notaire, quand vient le temps de rédiger son testament…

— Je connais quelqu'un qui est notaire, murmure Agathe.

— Vous préférez peut-être avoir recours à lui ? »

Avec un petit rire, Agathe indique que non.

« Ce que je fais n'a rien à voir avec un testament… Bon, d'accord, je vous prends comme pense-bête et j'arrête de tourner autour du pot. Nathalie Salois est l'épouse de Laurent Bouvier, mon amant. »

Hubert espère avoir accusé le coup sans broncher. Il s'attendait à quoi, au juste ? À ce que cette fille magnifique soit libre et qu'elle tombe éperdument amoureuse d'un… d'un pense-bête ?

Pour se donner une contenance, il relit la troisième lettre.

« Trahison, mensonges, vengeance, punition… Ça me semble plausible de la part d'une épouse trompée, en effet… »

Agathe ajoute que Nathalie a séjourné dans les Maritimes, récemment, et qu'elle a pu en profiter pour aller à Halifax et y poster les lettres.

« Mais pourquoi poster les lettres là-bas plutôt qu'à Montréal ? demande Hubert. Et pourquoi toutes ces fautes ? Ça me semble compliqué pour rien. Une explication plus simple serait que quelqu'un, à Halifax, quelqu'un d'anglophone, a la conviction que vous l'avez trahi et que vous méritez d'être punie.

— Impossible ! tranche Agathe. Plus j'y pense, plus je crois qu'il s'agit soit d'une blague de mauvais goût, soit d'un avertissement de la part de Nathalie Salois. Il n'y a pas d'autre explication possible. »

Il est tellement évident qu'Agathe cherche à détourner son attention de tout ce qui peut avoir rapport avec Halifax ou avec quelqu'un d'anglophone qu'Hubert ne peut s'empêcher de penser qu'il touche là un point sensible. Et qui dit point sensible dit piste possible. Mais comme il craint qu'Agathe ne se referme complètement s'il poursuit dans cette voie, il décide de laisser de côté pour l'instant cette piste pourtant prometteuse. Il trouvera bien le moyen d'y revenir plus tard. Et si Agathe insiste pour explorer la piste Nathalie Salois, il va l'explorer avec elle, malgré les incongruités qu'il a relevées. Peut-être, en effet, ne faut-il pas écarter tout de suite l'hypothèse que les lettres aient été envoyées par cette épouse trompée. Qui sait comment raisonne une femme victime d'adultère ? Et son mari, ce Laurent, l'amant d'Agathe, comment vit-il cette situation ? Aime-t-il encore sa femme ? Est-il amoureux d'Agathe ? D'ailleurs, se demande soudain Hubert, pourquoi Agathe fait-elle appel à moi, un inconnu, plutôt qu'à son amant pour trouver l'origine des lettres anonymes ? Si cet homme aime Agathe, il devrait tout mettre en œuvre pour qu'elle soit en sécurité, non ?

« Avez-vous parlé à votre… à Laurent Bouvier des lettres que vous avez reçues ?

— Oui, et je lui ai aussi parlé de mes soupçons envers Nathalie.

— Et alors ?

— Il trouve que je m'énerve pour rien. Et il jure que jamais Nathalie ne *s'abaisserait* à envoyer des lettres anonymes. »

Agathe a répondu d'une voix sèche, et Hubert se demande comment vont les choses entre elle et son amant. Laurent Bouvier. Le nom lui dit quelque chose, sans qu'il puisse y associer un visage.

« Il est comédien ? »

Agathe semble étonnée par la question.

« Oui. Vous le connaissez sûrement, il a joué dans des tas de pièces et il est aussi metteur en scène…

— Je ne vais à peu près jamais au théâtre.

— Ah. Dans ce cas… »

Sans doute Agathe est-elle en train de se dire qu'il est inculte, bête même (bête comme un pense-bête). Hubert en éprouve comme un petit pincement au cœur, avant d'écarter délibérément cette réaction d'amour-propre. Il n'est pas là pour éblouir la comédienne, mais pour l'aider. Neutralité et détachement — n'est-ce pas l'attitude qu'il s'est promis d'adopter ?

« Je pense comme vous que Nathalie Salois est une bonne candidate comme auteure des lettres, dit-il, étant donné qu'elle a un motif pour vous accuser de trahison et de mensonges. Mais est-elle la seule à avoir un tel motif ? »

Sourcils froncés, Agathe ne répond pas.

« Avez-vous d'autres amants mariés ? » précise Hubert d'un ton qu'il souhaite neutre.

Agathe rougit légèrement sous son coup de soleil.

« Je vois », murmure Hubert, étrangement déçu.

Agathe, qui est maintenant cramoisie, secoue violemment la tête.

« Non, je n'ai pas d'autres amants mariés. Pas en ce moment. Mais… »

Hubert, bien malgré lui, apprend qu'Agathe a déjà eu des amants mariés par le passé. Mariés et beaucoup plus vieux qu'elle. Avant Laurent Bouvier, qu'elle fréquente depuis dix ou onze mois et qui vient d'avoir cinquante-cinq ans, il y a eu Robert Santini, qui travaillait dans l'assurance et avec lequel elle a eu une liaison qui a duré deux ans et demi. Quand elle l'a connu, Robert avait quarante-sept ans, il était marié et père d'une petite fille nommée Sabrina. Avant Robert, elle a fréquenté un dénommé Henri Gélinas, qui était un de ses profs de cégep.

En apprenant ce détail, Hubert ne peut s'empêcher de réagir.

« Un prof de cégep, avec une étudiante ?

— Ce ne serait pas la première fois ! riposte Agathe. Et puis, j'étais majeure, quand même, et je savais ce que je faisais. J'avais dix-neuf ans quand ça a commencé.

— Et lui ?

— Quarante-quatre, quarante-cinq…

— Et ça a duré combien de temps ?

— Trois ans, plus ou moins. »

Ensuite, Agathe se tait.

« Est-ce que c'est tout ? s'enquiert Hubert.

— Je pense, oui.

— Vous *pensez*? »

Sa question à peine posée, Hubert voudrait la rattraper. Rattraper surtout le ton sarcastique qu'il a pris pour la poser. Agathe, elle, semble avoir reçu cette question comme une gifle. Elle se redresse, relève le menton et répond d'une voix sèche, en regardant Hubert bien en face.

« Il y a eu d'autres hommes, parfois, entre les liaisons dont je vous ai parlé, mais rien d'important. Je ne sais pas s'ils étaient mariés ou non. »

Cette fois, Hubert résiste à l'envie méchante de lui demander si elle savait leur nom, au moins. Qu'est-ce qui lui prend de jouer les défenseurs de la morale et de la vertu? On croirait entendre un vieux curé rigide et sadique. Et libidineux, par-dessus le marché!

« Et avant cette… cette série d'hommes mariés? s'informe-t-il plutôt. Vous avez eu d'autres amoureux, je suppose…

— Jonathan… »

Puis elle se tait.

« Jonathan, répète Hubert. Et puis…?

— Et puis rien. Il y a eu Jonathan, quand j'avais seize ans, et c'est tout.

— Il avait quel âge, Jonathan? » interroge Hubert d'un ton prudent.

Agathe a un petit rire sec.

« Ce n'était pas un détournement de mineure, n'ayez pas peur. Il avait seize ans, lui aussi. En fait, j'avais même quelques mois de plus que lui.

— Et qu'est-ce qu'il est devenu? »

Agathe hausse les épaules.

« Aucune idée. Je l'ai croisé la dernière fois que je suis allée à Ville-Marie, et il se cherchait une job — sans trop d'acharnement, d'après ce que j'ai compris. Il était marié, et sa femme attendait un deuxième enfant. » Agathe défie Hubert du regard. « Marié… J'aurais peut-être dû en profiter pour m'envoyer en l'air avec lui, qu'est-ce que vous en pensez? »

Hubert pense surtout que ce langage détonne dans la bouche d'Agathe, mais il se dit qu'il est peut-être tout simplement dépassé, plus vieux jeu que tous ces hommes d'âge mûr qu'Agathe semble trouver si attirants. Il se contente donc de demander à la jeune femme si, à son avis, l'un de ses anciens amants pourrait être l'auteur des lettres. Peut-être que l'un d'entre eux n'a pas aimé être éconduit.

Agathe secoue la tête.

« Impossible. Ce sont eux qui m'ont laissée tomber, voyez-vous, pas l'inverse. »

Hubert a du mal à cacher son étonnement, et Agathe abandonne l'expression de défi qu'elle arbore depuis quelques instants.

« Je suppose que je dois prendre votre réaction pour un compliment... » murmure-t-elle.

Hubert ne répond pas. En fait, il ne sait plus trop quoi dire. Ce qu'il apprend sur Agathe, et qu'il aurait préféré continuer à ignorer, provoque en lui un bouillonnement d'émotions dont il se passerait bien. Il ne sait pas s'il est triste, dégoûté, désillusionné ou jaloux, tout bêtement.

« Les femmes de ces hommes-là, peut-être », suggère-t-il enfin.

Agathe a une moue dubitative.

« Elles auraient attendu bien longtemps...

— En effet... »

Hubert réfléchit un instant avant de reprendre la parole.

« Et si on met de côté votre vie amoureuse, y a-t-il d'autres suspects possibles, dans d'autres domaines de votre vie ? Conflit familial, jalousie professionnelle... »

Agathe fronce les sourcils.

« C'est peu probable. Il y a bien Stéphanie Jutras, qui aurait voulu le rôle de la Chouette chevêche et qui ne me porte pas dans son cœur... Mais de là à m'envoyer des lettres de menace... Non, ça ne tient pas debout.

— Et du côté de votre famille ? » insiste Hubert, qui n'oublie ni la mère qui voit des péchés partout, ni Halifax, ni le père possiblement anglophone et prétendument inexistant. « Y aurait-il eu un conflit qui puisse vous valoir de telles lettres ? Vous n'avez pas vu votre mère depuis des années : il doit y avoir une raison à cela. Et votre père ? Pourrait-il avoir écrit les lettres que vous avez reçues ? Ou alors quelqu'un d'autre de votre famille — un cousin, une tante… Une question d'héritage, peut-être… Ou… »

Agathe l'interrompt d'une voix dure.

« Je vous l'ai déjà dit : oubliez ma famille. Il n'y a rien de ce côté. »

Hubert croit au contraire qu'il y a beaucoup de choses de ce côté — des choses importantes et sûrement douloureuses, s'il se fie à la réaction d'Agathe, mais qui n'ont peut-être rien à voir avec les lettres qu'elle a reçues. Et il ne va quand même pas torturer cette fille pour lui arracher ses secrets.

« Bon, se résout-il à dire, on en revient donc toujours à Nathalie Salois comme principale suspecte…

— Comme *unique* suspecte ! À moins qu'il ne s'agisse d'une blague, évidemment…

— … alors je propose qu'on aille au bout de cette intuition et qu'on vérifie si c'est bien elle qui vous envoie les lettres.

— Et on fait ça comment ? demande Agathe. Je me vois mal sonner chez elle pour lui demander s'il est dans ses habitudes d'envoyer des lettres anonymes… »

Hubert réfléchit à voix haute.

« De toute façon, vous ne pouvez pas faire ça vous-même. Nathalie vous reconnaîtrait probablement. Et si elle vous veut vraiment du mal, ce n'est pas très prudent. Moi, par contre, elle ne me connaît pas. Elle ne se méfiera pas si je me présente chez elle pour lui poser des questions en disant que je fais un sondage, disons, ou un reportage pour l'hebdo du quartier…

— Et les questions porteraient sur l'envoi de lettres anonymes ? »

Hubert grimace.

« Pas très subtil… Que savez-vous de cette femme, à part son nom ?

— Pas grand-chose… »

Soudain, le visage d'Agathe s'éclaire.

« Le jardinage ! s'écrie-t-elle. Samedi, Laurent m'a dit qu'il avait passé la matinée avec Nathalie dans un centre de jardinage et que, pour elle, le jardinage était une véritable religion... »

Agathe semble ravie de s'être souvenue de ce détail. Pour la première fois de la soirée, elle a un sourire joyeux et les yeux qui brillent (des yeux plus gris que verts, en ce moment). On dirait une petite fille qui vient de trouver la réponse à une difficile question d'examen, se dit Hubert tout en songeant qu'il aimerait la voir sourire plus souvent.

« Elle aime les livres, aussi ! Elle est allée à Moncton pour assister à un festival de littérature avec une amie, et Laurent m'a dit qu'elle faisait régulièrement ce genre de chose...

— Jardinage, livres, Halifax, vengeance..., murmure Hubert. Il doit y avoir moyen de combiner tout ça... Laissez-moi quelques jours, et je vous en redonne des nouvelles. Ça tombe bien, j'ai fini de donner mes cours. Il ne reste plus que l'examen final, au début de la semaine prochaine, et le marathon de corrections. D'ici là, j'ai un peu de temps pour jouer au détective... »

~

Après le départ d'Agathe, Hubert reste un long moment sans bouger. Qu'est-ce qui lui a pris de revoir cette fille et de lui proposer d'aller enquêter du côté de Nathalie Salois ? Est-ce qu'il tient tant que ça à se faire du mal ?

Ces derniers temps, il avait l'impression d'avoir atteint un point d'équilibre dans sa vie. Il savait ce qu'il voulait, où il allait. Bruno, les cours au cégep... Une vie paisible, sans trop de surprises. Ne rien vouloir d'autre que ce qu'il avait. Pas d'attentes, pas d'espoirs, aucun risque d'être déçu... Tout ça, qui semblait si solide, s'est écroulé à cause d'une chevelure blond-roux, d'un coup de soleil, d'un regard d'enfant perdue et de ce parfum qui reste dans l'air bien après le départ d'Agathe.

Que disait Lennon, déjà ? *Life is what happens while you are making other plans*, ou quelque chose dans ce goût-là.

Hubert a eu l'occasion de vérifier la justesse de cette phrase un peu trop souvent à son goût. La vie ne pourrait-elle pas aller frapper ailleurs, de temps en temps ? Il n'a pas vraiment besoin d'une femme dans sa vie. Et surtout pas de celle-ci, qui semble traîner son lot de problèmes et dont les rapports avec les hommes apparaissent pour le moins tordus.

Incapable de rester immobile plus longtemps, Hubert arpente l'appartement d'un pas saccadé. Il marche ainsi de long en large pendant ce qui lui semble des heures. Il a mal partout. À la jambe, à la tête, au ventre. Un scotch, il aurait besoin d'un double ou d'un triple scotch. Il y a longtemps qu'il n'a pas eu une telle envie d'alcool. Un verre, ça ne peut quand même pas faire de tort. Un verre, juste un…

Mais plutôt que de se verser un verre, Hubert se dirige vers le téléphone et, malgré l'heure tardive, il compose un numéro qu'il connaît par cœur même s'il ne l'a pas utilisé depuis plus de six mois.

« Maurice, c'est Hubert. Excuse-moi de t'appeler à cette heure-là, mais j'ai besoin d'aide… »

~

En rentrant chez elle, Agathe trouve deux messages téléphoniques.

En fait, le premier message ne contient rien, la personne qui a téléphoné ayant raccroché sans parler. Le deuxième est de Laurent, qui a téléphoné à vingt et une heures et qui s'est étonné de ne pas la trouver chez elle.

« Où peux-tu bien être à cette heure-ci, la veille d'un enregistrement ? Rappelle-moi sans faute sur mon cellulaire si tu rentres avant onze heures. »

Agathe jette un coup d'œil au réveil. Il est vingt-deux heures trente.

Elle n'a aucune envie de parler à Laurent ce soir. Mais en aura-t-elle plus envie demain ou le jour d'après ? Non. Et Laurent la laissera-t-il en paix si elle ne le rappelle pas ? Sans doute pas. Aussi bien le rappeler maintenant, alors. Au moins, elle ne passera pas la nuit à appréhender cet appel.

À contrecœur, elle compose le numéro du cellulaire. Laurent répond aussitôt et demande où elle était.

« Dans mon bain, ment Agathe, qui refuse de se lancer dans des explications forcément pénibles. Je n'ai pas entendu la sonnerie, c'est bête. Et ce n'est qu'au moment de me coucher que j'ai trouvé ton message… Qu'est-ce que tu voulais me dire ? »

Le ton d'Agathe est froid, mais Laurent ne semble pas s'en apercevoir. Son ton à lui est humble et contrit.

« Je voulais m'excuser. Je ne comprends pas ce qui m'a pris samedi soir. La fatigue, sans doute, et le stress… C'est un énorme défi, tu sais, de mettre en scène cet *Otello*, et je sais que je n'y arriverai pas sans l'appui des gens que j'aime. J'ai besoin de toi, ma chérie, j'ai besoin de ton soutien et de ta force. Et j'ai besoin de savoir que tu ne m'en veux pas, pour samedi. J'ai peut-être forcé la note, mais peut-être aussi as-tu réagi de façon excessive. Je t'aime tellement, ma belle, tu sais bien que je ne te ferais jamais de mal… Dis-moi que tu me pardonnes… »

Agathe est désarçonnée. Elle croyait que Laurent se montrerait arrogant et agressif, et voilà qu'il semble sincèrement désolé, qu'il s'excuse, qu'il avoue être stressé, débordé… Elle était prête à rompre, mais, soudain, elle n'est plus sûre de rien. À part cet affreux samedi, qu'a-t-elle vraiment à reprocher à Laurent ? Il est un peu envahissant ces derniers temps, c'est vrai, mais ce n'est pas précisément l'horreur. Elle n'a qu'à établir clairement ses limites, c'est tout. Pourquoi leurs rapports ne pourraient-ils pas revenir à ce qu'ils étaient au début : une simple liaison, balisée et prévisible ? Et puis, en restant avec Laurent, elle se protège d'Hubert Fauvel, qui occupe un peu trop ses pensées à son goût. Ce soir, encore, elle était particulièrement sensible à sa présence, à ses sourires, à ses jugements. Elle grimace en songeant à ce qu'elle lui a révélé. De toute évidence, Hubert n'a pas apprécié le récit de ses amours avec des hommes mariés. Pourquoi ? Par principe, par moralité ou pour une raison plus… personnelle ? Elle grimace encore plus en songeant à tout ce qu'elle ne lui a pas révélé. Son père, Halifax… Hubert n'est pas dupe, elle s'en est bien rendu compte. Mais elle n'est pas prête à aborder ce sujet, même avec lui…

« Agathe, ma chérie, ne me fais pas souffrir aussi cruellement et dis-moi que tu me pardonnes… »

Tirée de ses réflexions, Agathe soupire. Elle a la tête et le cœur à l'envers, elle est aussi horriblement fatiguée. Il est tard, elle est debout depuis quatre heures et demie du matin, elle va encore devoir se lever à quatre heures et demie demain… Elle veut à tout prix éviter une scène ou des explications interminables !

« Oui, bien sûr que je te pardonne…, murmure-t-elle.

— Je savais bien que tu entendrais raison ! Mais à présent, il faut qu'on se réconcilie en vrai, face à face, l'un contre l'autre… Je t'invite à souper demain soir ! »

Agathe détecte, dans la voix de Laurent, un accent de triomphe qui l'agace. Elle a le sentiment de s'être fait avoir.

« Non, répond-elle d'une voix lasse, on ne peut pas se voir demain, pas plus qu'après-demain, d'ailleurs. C'est la dernière semaine d'enregistrement avant les vacances, j'ai beaucoup de scènes, et des scènes difficiles, et il faut vraiment que je travaille dur et que je sois en forme. On peut se voir vendredi soir, si tu veux…

— C'est loin.

— Pas tant que ça… »

~

En face de chez Agathe, debout dans l'embrasure de porte d'où il a guetté l'arrivée de sa maîtresse pendant près d'une heure, Laurent remet lentement son cellulaire dans sa poche. Agathe continue à lui mentir. Il n'aime pas ça. Il n'aime pas ça du tout.

Où était-elle ce soir ? Avec qui ? Elle est rentrée seule chez elle, c'est toujours ça de pris, mais ça ne veut pas dire qu'elle était seule dans les heures qui ont précédé. D'ailleurs, pourquoi lui mentirait-elle si elle n'avait rien à cacher ?

Laurent reste un long moment à regarder la fenêtre de la chambre d'Agathe, même après que celle-ci a éteint la lumière.

~

Une fois encore, Finnegan reste éveillé une partie de la nuit. Il n'est plus à l'hôpital, et il n'y a ni ronflements ni bruits de machines autour de lui, mais le sommeil est toujours insaisissable.

Le vieil homme aurait voulu partir pour Montréal dès sa sortie de l'hôpital, mais le train qui va à Montréal, l'*Ocean*, quitte Halifax à midi trente-cinq tous les jours, sauf le mardi. Tant pis, s'est-il dit en prenant connaissance de l'horaire, je vais passer une nuit chez Mrs. MacLeod et je partirai demain. À présent, il se rend compte qu'il ne pourra pas partir si tôt. Il était épuisé en arrivant à la maison de la rue Coburg. Il lui faut refaire ses forces avant d'entreprendre le voyage vers Montréal. Il est impatient de mettre son plan à exécution, certes, mais il sait très bien qu'il n'y parviendra pas s'il est aussi faible que maintenant. Son plan. Il faut qu'il repasse les détails de son plan, qu'il prévoie tous les problèmes possibles, qu'il soit prêt à faire face à toute éventualité. Mais il a terriblement de mal à se concentrer. Depuis qu'il sait qu'il va revoir Agathe et Mariette, les souvenirs n'ont pas cessé de l'assaillir, parfois diffus, parfois douloureusement précis.

Noël 1970. Il a vingt-six ans, il travaille à la mine Kidd Creek, à Timmins en Ontario. Ses parents sont morts, et il s'apprête à passer les fêtes tout seul — ou plutôt en compagnie d'une bouteille de whisky — un *single malt* écossais que lui a vendu un de ses camarades de la mine. Un autre mineur, un *Frenchie* du nom de Fernand Soucy, l'invite à passer quelques jours dans sa famille. « On sait chanter et danser, et on connaît une couple de *reels*, nous autres aussi, *Irish*... Et puis ma sœur est pas mal belle, *a real beauty*... » Pourtant, ce n'est pas sur la sœur de Fernand que s'attarde le regard de l'Irlandais, mais sur sa cousine, Mariette, qui est institutrice. La sœur de Fernand est *trop* — trop bruyante, trop grouillante, trop rouge, trop suante, trop entreprenante. Mariette, un peu à l'écart, est son antithèse parfaite : fine et pâle, racée, réservée. Aussitôt, l'Irlandais se découvre une mission : faire sourire Mariette. Il baragouine à peine quelques mots de français, mais ça ne l'empêche pas de s'approcher d'elle. « Ma'moiselle..., dit-il avec un sourire irrésistible et un accent épouvantable. Danser ? » Six mois plus tard, ils étaient mariés. Des années après, Agathe est arrivée...

Il a téléphoné chez Agathe, ce soir, mais il est tombé sur une de ces machines intimidantes destinées à prendre les messages. Il a raccroché aussitôt, d'abord déçu puis soulagé de ne pas avoir eu Agathe au téléphone. Ce n'est pas ainsi qu'il doit reprendre contact avec elle. Il faut qu'ils soient face à face.

Certaines choses ne peuvent se faire qu'en personne.

Chapitre 9
Vendredi 13 mai

Sur le plan, le trajet semblait tout ce qu'il y a de plus simple : métro jusqu'à la station Laurier, autobus de la ligne 51 jusqu'au chemin de la Côte-Sainte-Catherine, arrêt au coin de McCulloch, marche sur quelques centaines de mètres… En moins d'une heure, Hubert serait devant la maison de Laurent Bouvier et de Nathalie Salois, dans une rue huppée d'Outremont.

Ce que le plan ne disait pas, c'est que l'avenue McCulloch est en pente abrupte au flanc du mont Royal, et Hubert doit s'arrêter une ou deux fois en cours de montée. Il en profite pour jeter un coup d'œil autour de lui. Beau quartier, c'est sûr. *Riche* quartier. Grosses maisons, terrains immenses, arbres majestueux. Les feuilles sont encore jeunes, et les branches font comme une dentelle vert tendre qui se découpe sur le bleu du ciel. L'air est rempli de chants et de piaillements d'oiseaux.

On est vendredi matin, un matin de printemps frais et ensoleillé, très agréable après les jours de pluie qui ont précédé et qui ont empêché Hubert de mettre son plan à exécution. Il espère trouver Nathalie Salois dans son jardin, et il doute qu'elle passe ses journées dehors quand il pleut à boire debout.

Au moment où Hubert s'engage dans la rue où vivent Laurent et Nathalie, un couple de tourterelles tristes s'envole dans un grand froissement d'ailes. Sa mère y verrait sans doute un présage. Bon ou mauvais ? Seule la suite des choses le dira — et à quoi peut bien servir un présage dont on ne connaît le sens qu'après coup ? Ce qui est sûr, cependant, c'est que sa mère n'aurait pas choisi ce jour-là — un vendredi 13 ! — pour mener sa petite enquête. Tu cours après le trouble, mon gars !

Un coup d'œil aux adresses — 16, 19, 21... La rue est courte, et Hubert n'a aucun mal à repérer la maison des Bouvier, une élégante maison de calcaire au milieu d'un vaste terrain délimité en partie par une clôture en fer forgé. Toit en pente recouvert d'ardoises, lucarnes, cheminée, verrière, arbres, buissons, massifs de fleurs, lierre... Hubert n'est expert ni en architecture ni en aménagement paysager, mais il est sensible à l'harmonie des lieux. Il a vu, dans cette rue et dans les rues voisines, des maisons aussi grosses et certainement aussi chères que celle-ci, mais aucune ne lui a semblé aussi parfaite.

De l'autre côté de la clôture, une femme fait son apparition à l'arrière de la maison. Poussant une brouette chargée de sacs et de plants, elle se dirige vers la plate-bande qui borde la verrière. Grande et mince, elle est vêtue d'un jean délavé et maculé de terre et d'un ample chandail dont elle a roulé les manches de façon à dégager ses poignets. Ses cheveux, entièrement blancs, sont retenus en un chignon lâche. Laurent Bouvier a un faible pour les cheveux longs, songe Hubert avant de se racler la gorge suffisamment fort pour attirer l'attention de cette femme qui est sans doute Nathalie Salois et qui se trouve à une dizaine de mètres de lui.

« Pardon, madame ! »

La femme s'arrête, lâche les poignées de sa brouette et se tourne vers Hubert.

« Vous devez être madame Salois, dit le géologue. Je dois écrire un article sur le symbolisme des fleurs, et on m'a dit que vous pourriez peut-être m'aider... »

La femme s'avance vers lui, et Hubert se rend compte qu'elle est plus jeune que ne le laissaient supposer ses cheveux blancs — le début de la cinquantaine, tout au plus. Elle est aussi très belle, d'une beauté saine et sans artifices qui ne cherche à dissimuler ni son âge ni ses rides. Au moment où Hubert s'apprête à lui raconter plus en détail l'histoire qu'il a concoctée pour justifier sa présence chez elle, la femme s'immobilise, et un sourire éclaire son visage.

« Mais je vous connais ! s'exclame-t-elle. Vous êtes le père de Bruno… »

Pris de court, Hubert répond automatiquement :

« Pas son père, son oncle.

— Mais c'est bien vous, n'est-ce pas ? Je ne me trompe pas ? Je vous ai vu quelques fois à Sainte-Justine. Je travaille là-bas comme bénévole. Je m'occupe de la bibliothèque. »

Elle ouvre la porte de la clôture.

« Mais ne restez pas sur le trottoir. Entrez… »

Sans un mot, Hubert franchit les quelques pas qui le séparent du jardin. La femme referme la porte puis elle montre ses mains pleines de terre.

« Je ne vous serre pas la main, dit-elle avec un sourire d'excuse. Mais vous avez raison, je suis Nathalie Salois. »

Elle se tait, sans doute pour permettre à Hubert de se présenter à son tour. Celui-ci hésite. Il prévoyait utiliser un faux nom (il se prend vraiment pour un héros de série B !), mais puisque cette femme sait qui il est…

« Hubert Fauvel », dit-il simplement. Puis, désignant l'ensemble du terrain d'un geste de la main, il ajoute : « La personne qui m'a parlé de vous n'a pas menti. Vous prenez le jardinage très au sérieux. »

Nathalie Salois a un sourire amusé.

« Au sérieux ? Je ne suis pas sûre que ce soit le mot qui convienne. Quand je joue dans la terre, j'ai l'impression d'avoir trois ans… »

Hubert a rarement vu quelqu'un qui dégage autant d'énergie joyeuse. Pas joyeuse excitée, joyeuse sereine. Cette femme semble particulièrement bien dans sa peau.

« Vous voulez un verre de jus ? demande Nathalie. Je m'apprêtais justement à faire une pause. Installez-vous là, ajoute-t-elle en l'entraînant jusqu'à une table de jardin qui se trouve sur la terrasse à l'arrière de la maison. Je reviens dans deux minutes, et vous me raconterez votre histoire de fleurs et de symboles... »

Pendant que son hôtesse disparaît à l'intérieur, suivie d'un gros chat noir qui dormait au soleil et que leur arrivée a réveillé, Hubert examine la terrasse, sur laquelle, outre la table et les chaises, se trouvent un barbecue et des pots de différentes grosseurs contenant des plantes, des fleurs et des herbes. Un treillis couvert de plantes grimpantes l'entoure sur deux côtés. Au-delà de la terrasse, le terrain se divise en différentes aires. À quelques pas de lui, à côté d'un saule pleureur, il y a un bassin où flottent des nénuphars et près duquel poussent de hautes plantes. Un peu plus loin, un banc et une petite table. À droite, quelque chose qui ressemble à un potager. Tout au fond du terrain, une piscine, qui n'a pas encore été remplie d'eau pour l'été.

« Voilà ! annonce Nathalie en revenant. C'est un mélange d'eau Perrier, de jus d'orange et de jus de canneberge... »

Elle dépose devant Hubert un grand verre rempli d'une boisson rose-orangé.

« Santé !

— Santé. »

Ils boivent quelques gorgées en silence avant que Nathalie demande :

« Alors, qu'attendez-vous de moi, exactement ? Le symbolisme des fleurs... J'avoue que je suis intriguée. »

À présent qu'Hubert se trouve en tête à tête avec Nathalie Salois, il se sent ridicule avec son histoire d'article, mais il ne voit pas comment il pourrait éluder le sujet. Il espère cependant limiter les dégâts — et les risques d'être démasqué. Il va donc se tenir le plus près possible de la vérité, avec de petits ajouts çà et là...

« Je suis géologue, et il m'arrive de rédiger de courts articles pour la rubrique Loisirs de la revue de l'Association. J'en ai déjà écrit un sur le symbolisme lié aux pierres et aux minéraux — le jaspe sanguin, qui protégerait des morsures de serpent ou aiderait à combattre les insomnies causées par les cauchemars, par exemple... C'est le genre d'article qui plaît à nos membres — et aux femmes de nos membres. Pour le prochain numéro, on m'a commandé un texte sur le symbolisme des fleurs. Quelqu'un m'a dit que vous pourriez peut-être m'aider… »

Nathalie ouvre de grands yeux.

« Qui a bien pu vous dire ça ? Quelqu'un à Sainte-Justine ? »

Hubert s'empare aussitôt de la suggestion.

« Oui, une infirmière. Je ne connais pas son nom. Elle faisait une prise de sang à Bruno, et on a jasé. J'ai parlé de cet article qui m'embêtait un peu, et elle m'a suggéré de vous consulter.

— Ruth Jolicœur, peut-être… Une femme d'une quarantaine d'années, très brune, plutôt corpulente ?

— Je… je n'ai pas vraiment remarqué… »

Hubert a l'impression de patiner lamentablement, et il se dit que ça doit se sentir. Qu'est-ce qui lui a pris de se lancer dans cette histoire, s'il n'a pas la vivacité d'esprit nécessaire pour inventer des mensonges crédibles ?

« On a parlé à quelques reprises de jardinage, Ruth et moi… Mais, de toute façon, ce n'est pas très important de savoir qui vous a conseillé de vous adresser à moi. Ce qui importe, c'est de savoir si je peux vous aider… »

Nathalie avale une gorgée avant de poursuivre.

« Il existe un bon nombre de livres sur le langage des fleurs. C'est le genre d'ouvrage qui était très populaire à l'époque victorienne. On y trouvait des conseils afin de composer des bouquets pour différentes situations — pour déclarer son amour ou souhaiter bonne chance à quelqu'un, par exemple. C'est de ça que vous avez besoin ?

— Exactement. Je voudrais trouver des fleurs qui correspondent au plus grand nombre de sentiments ou de situations possible. Amour et passion, bien sûr. Mais aussi trahison, mensonge, adultère… »

En prononçant ces derniers mots, Hubert observe attentivement Nathalie, qui ne manifeste pas de réaction particulière. Elle continue à l'écouter d'un air concentré.

« Je suis sûre que vous trouveriez plein de choses sur Internet, ou alors à la bibliothèque… »

Évidemment, songe Hubert, qui craint de plus en plus de passer pour un parfait crétin — ou du moins pour quelqu'un qui manque singulièrement de débrouillardise. Le problème, c'est que c'est votre réaction à vous que je veux tester, pas celle d'un site Internet anonyme ou d'une bibliothécaire à lunettes…

« Je sais, oui, s'empresse-t-il donc de dire, mais les sites que j'ai consultés m'ont semblé tape-à-l'œil et sans subtilité… »

Nathalie hoche la tête tout en avalant une autre gorgée de sa boisson aux teintes chaudes — délicieux, ce mélange, juge Hubert en se promettant d'en retenir la recette.

« Je vois… Malheureusement, je n'ai rien sur le langage des fleurs ici. Par contre, je me souviens d'avoir vu un livre charmant à ce sujet chez mon amie Alvina. Sa bibliothèque est prodigieuse, et elle a toujours été attirée par les livres qui sortent de l'ordinaire… »

Au moment où Hubert s'apprête à lui demander si c'est avec son amie Alvina qu'elle est allée à Halifax pour un festival de littérature (pousse-t-il trop loin sa chance ? Nathalie s'inquiétera-t-elle de le voir à ce point au courant de sa vie ? se troublera-t-elle en devinant qu'elle est découverte ?), une voix au timbre profond s'élève à quelques pas d'eux.

« Alors, Nathalie, tu reçois des hommes derrière mon dos ? »

Le ton est badin, mais Nathalie Salois semble se crisper en l'entendant.

« Laurent ! dit-elle en se tournant vers celui qui vient d'arriver. Je ne t'ai pas entendu approcher !

— *Je viendrai comme un voleur…* », déclame Laurent Bouvier avec emphase avant d'ajouter, d'un ton plus normal : « J'ai cru percevoir des voix, et j'ai décidé de venir voir qui était là…

— Oui, bien sûr. Laurent, je te présente Hubert Fauvel. Mon mari, Laurent Bouvier. »

C'est par pur réflexe qu'Hubert tend la main à Laurent Bouvier et qu'il murmure les politesses d'usage. En fait, il a du mal à se remettre du choc qu'il a eu en se retournant et en découvrant *qui* était Laurent Bouvier. Hubert ne va pas au théâtre, il ne s'intéresse pas à ce milieu, c'est à peine s'il regarde la télévision. Quand Agathe lui a déclaré que son amant s'appelait Laurent Bouvier, il n'a pas réagi. Ce nom lui disait vaguement quelque chose, sans évoquer pour lui un visage précis. Il avait imaginé un acteur de second ordre, un homme vieillissant relégué aux rôles d'épicier débonnaire ou de policier bedonnant. Mais l'homme qui se trouve devant lui est un des monstres sacrés de la scène québécoise. Même Hubert a vu son visage très souvent, sur des affiches, dans des journaux ou des magazines, à la télévision. Il ne l'a jamais vu jouer, mais il sait qu'il s'agit d'un personnage important. Et c'est lui, l'amant d'Agathe ? Hubert a du mal à absorber cette idée.

Pendant que Nathalie explique ce qu'Hubert fait là, celui-ci observe Bouvier. Le comédien est moins grand qu'il ne l'aurait imaginé, mais il se tient très droit, et sa carrure trapue est imposante. Ce qui attire surtout l'attention, c'est sa tête, une tête massive, presque trop grosse pour son corps. Une épaisse crinière poivre et sel perpétuellement en bataille, des sourcils exceptionnellement touffus, des traits forts — un nez busqué, une mâchoire carrée, un front vaste et raboteux –, des rides qui ne font qu'ajouter à sa prestance… Laurent Bouvier est le genre d'homme à qui l'âge mûr convient remarquablement bien et qui a plus de présence à cinquante-cinq ans qu'il n'en avait à vingt-cinq ou à trente ans. Et puis il y a cette voix, reconnaissable entre toutes, une voix basse, profonde, sonore, que le comédien module à sa guise pour charmer, convaincre ou terrifier.

Pour l'instant, Laurent joue au mari faussement bougon, qui trouve sa femme bien imprudente d'inviter ainsi chez elle un parfait inconnu.

« Ta naïveté te mènera à ta perte, ma pauvre chérie. Ce jeune homme a l'air tout à fait charmant, comme ça, mais qui te dit que ce n'est pas un tueur en série ? »

Laurent adresse un clin d'œil à Hubert, pour lui signifier qu'il plaisante, mais aussi comme s'il cherchait à s'assurer sa complicité pour taquiner sa femme. À cet instant, Hubert sent naître en lui une intense antipathie pour Laurent Bouvier.

« Ce n'est pas un inconnu, explique Nathalie d'une voix calme. Je l'ai déjà rencontré à Sainte-Justine. C'est l'oncle d'un petit patient…

— Mais alors tout s'explique ! s'exclame le comédien en levant les bras. Ce jeune homme est follement amoureux de toi et il a décidé de te relancer jusqu'ici. Son histoire d'article est cousue de fil blanc. Ce n'est qu'un prétexte pour te parler… »

Bouvier éclate d'un rire sonore qui a pour effet de confirmer Hubert dans son antipathie. Il déteste le mélange d'insinuation et de condescendance qu'il perçoit chez le comédien. Avec l'air de ne pas y toucher, celui-ci réussit à semer le doute dans les esprits, à laisser entendre que sa femme est coquette ou d'une naïveté qui relève de l'imbécillité, à suggérer aussi qu'il est complètement loufoque qu'un homme de l'âge d'Hubert soit amoureux de Nathalie. Juste pour ça, Hubert aurait envie de tomber amoureux de Nathalie, là, sur-le-champ, parce que cette femme lui apparaît infiniment plus digne d'amour que son malotru de mari qui se donne des airs de grand seigneur.

En même temps qu'il s'ancre dans son aversion pour Laurent, Hubert s'inquiète de la perspicacité de celui-ci. La raison invoquée par le comédien est fausse, mais l'article sur les symboles des fleurs n'est effectivement qu'un prétexte (cousu de fil blanc, d'accord) pour rencontrer Nathalie, et Hubert se sent particulièrement mal à l'aise, tout à coup.

Nathalie semble deviner son trouble, qu'elle met sur le compte des insinuations de son mari.

« Ne vous occupez pas de Laurent, dit-elle à Hubert. Il adore blaguer, mais il ne pense pas un mot de ce qu'il dit. N'est-ce pas, Laurent ?

— Non, bien sûr, répond son mari d'une voix onctueuse. Je suis sûr que ce jeune homme n'est animé que par les meilleures intentions du monde… »

Il est tout sourire, mais le regard qu'il pose sur Hubert est remarquablement froid. Tiens, tiens, se dit le géologue, l'antipathie est réciproque.

« Merci pour votre accueil, dit Hubert en se levant, mais je ne vous dérangerai pas plus longtemps… »

Nathalie se lève à son tour.

« Attendez ! dit-elle. Après vous être donné la peine de venir jusqu'ici, ce serait dommage que vous repartiez sans me laisser vos coordonnées… J'appelle Alvina dès aujourd'hui et je vous tiens au courant… »

~

« … Et on coupe ! » lance Stéphane Courteau à dix-huit heures trente-deux après une journée bien remplie. Puis il ajoute, d'une voix tonitruante : « Bonnes vacances ! »

Une trentaine de voix lui répondent en chœur :

« Bonnes vacances ! »

Bien que la fin des enregistrements soit accueillie avec enthousiasme, ce n'est pas la débandade immédiate. Les comédiens doivent se démaquiller et se changer ; les techniciens, ranger leur matériel ; les membres de la régie, s'assurer que tout est bien complété, étiqueté, mis en sécurité pour l'été.

Les trois premières semaines d'émissions de la saison prochaine sont terminées. Tout le monde va pouvoir profiter de vacances bien méritées. Les enregistrements reprendront en septembre, dans plus de trois mois et demi. Entre-temps, certains comédiens s'offriront une période de repos total, en famille ou à l'étranger. D'autres, comme Agathe, joueront dans des théâtres d'été ou dans des films.

Une petite fête marque la fin de l'année de travail. Le traiteur engagé pour l'émission a préparé un buffet, et les bouteilles de vin se vident aussi vite qu'elles sont débouchées.

« Encore quelques jours à Montréal, dit Florence en saisissant un canapé au saumon fumé, puis nous partons pour Saint-Jovite. La paix. La sainte paix. Et toi, demande-t-elle à Agathe, qu'est-ce que tu comptes faire avant le début des répétitions pour ta pièce ? Elles commencent quand, au juste ? Et ça se passe où ?

— Dans une dizaine de jours, près de Sutton. D'ici là, il va y avoir une réunion avec toute l'équipe mercredi prochain, à Montréal, pour qu'on fasse connaissance et qu'on déblaie un peu le terrain. Sinon, je n'ai pas grand-chose de prévu, à part une audition pour une publicité de shampoing.

— Et une fête d'enfants ! lance Sonia, la maquilleuse, qui n'a rien perdu de la conversation. N'oublie pas la fête d'enfants où tu dois aller en Chouette chevêche, après-demain, et pour laquelle je suis supposée te maquiller !

— Quelle fête d'enfants ? s'étonne Florence. Tu es invitée à une fête d'enfants, et je ne suis pas au courant ? »

Agathe soupire. Jusque-là, elle a réussi à éluder les questions de Florence lorsque celle-ci lui demandait si elle avait approché le voisin de sa grand-mère. Cette fois, elle ne pourra pas s'en tirer aussi facilement. S'il fallait que Florence apprenne par sa grand-mère qu'Agathe a passé une journée chez Hubert Fauvel alors qu'elle n'est même pas censée le connaître…

« Justement, j'allais t'en parler, déclare donc Agathe avec un entrain forcé. C'est une fête qui a lieu chez un voisin de ta grand-mère, imagine-toi donc. Un dénommé Hubert. Ça va être l'anniversaire de son neveu, dimanche… »

Florence manque de s'étouffer avec son canapé.

« Attends un peu… Est-ce que je dois comprendre que tu as contacté le fameux Hubert et que tu n'as pas daigné m'en informer ? »

Elle semble au bord de l'apoplexie.

« Je n'y ai pas pensé, répond Agathe avec une mauvaise foi évidente. Bon, si on parlait d'autre chose ? »

Apparemment, Florence n'a aucune envie de passer à un autre sujet. Elle reprend donc, avec un éclair de malice au fond des yeux :

« Et c'est dimanche, cette fête ? *Ce* dimanche ? Après-demain ?

— Oui, grommelle Agathe en enfournant un sandwich aux œufs.

— Et ça a lieu chez lui ? »

Cette fois, Agathe se contente de hocher la tête.

Florence ne peut réprimer un sourire taquin.

« Justement, dit-elle, dimanche, j'avais prévu rendre visite à ma grand-mère. Après tout, c'était la fête des Mères, dimanche dernier, et je n'étais pas en ville. Je veux me reprendre. Et puis, Julien et moi, on va être absents pour un bout de temps. Je ne peux quand même pas partir sans saluer ma grand-mère…

— Et tant qu'à y être, tu te dis que tu vas pouvoir m'observer subrepticement…

— Et voir enfin le beau, le merveilleux Hubert !

— Il n'est pas si beau que ça », marmonne Agathe.

Sonia, elle, demande des précisions sur le Hubert en question.

« Après tout, explique-t-elle, je suis en quête active de chum.

— Tu es *toujours* en quête active de chum, remarque Agathe.

— Oui, mais, en ce moment, je suis en quête doublement active. Ce doit être l'effet du printemps, des petits oiseaux, de la sève bouillonnante… J'y pense, Florence, peut-être que je pourrais aller faire un tour chez ta grand-mère, moi aussi… Il y a longtemps que je songe à faire du bénévolat auprès des personnes âgées. Je pourrais m'exercer avec ta grand-mère… »

Agathe pousse un soupir de découragement. Si Florence et Sonia se mettent en tête de lui gâcher son dimanche, elle ne pourra pas les en empêcher. Aussi bien limiter les dégâts en s'arrangeant pour les avoir à l'œil.

« Plutôt que de jouer aux espionnes, dit-elle, qu'est-ce que vous diriez de participer à la fête ? Je suis sûre que la princesse Chicorée aurait un succès fou auprès des enfants. Et toi, Sonia, non seulement tu pourrais nous maquiller, Florence et moi, mais tu pourrais aussi maquiller les petits… »

Florence et Sonia sont aussitôt emballées par cette idée.

« Super ! s'écrie Sonia. Je vais enfin pouvoir laisser libre cours à ma créativité ! J'en ai par-dessus la tête des chouettes !

— *Yesss !* » s'exclame pour sa part Florence avant d'ajouter, d'un air inquiet : « Tu es sûre que ça ne dérangera pas Hubert ?

— Pourquoi ça le dérangerait ? Sa fête va être encore plus réussie avec vous deux…

— Mais suppose un instant que son neveu n'existe pas et qu'il veuille simplement se retrouver en tête à tête avec toi… Tu imagines son air, quand il va nous voir arriver toutes les trois… »

Agathe pouffe de rire.

« Si c'est le cas, tant pis pour lui ! Il a bien précisé que je devais être déguisée en Chouette chevêche, et il faudrait qu'il soit particulièrement taré pour être excité par mon personnage…

— Peut-être qu'il est fétichiste, intervient Sonia. Fétichiste ou zoophile, tendance plumes et yeux jaunes… »

Agathe essaie de prendre un air découragé, mais elle rit trop pour que ce soit crédible.

« Au fait, demande Florence, on doit se rendre chez lui à quelle heure ?

— Vers onze heures. Le neveu d'Hubert va déjà être là, alors il faut qu'on arrive déguisées et maquillées.

— On pourrait se donner rendez-vous chez ma grand-mère à dix heures et demie, propose Florence, et Sonia pourrait nous maquiller là-bas.

— Parce que tu t'imagines que je peux vous maquiller toutes les deux en une demi-heure ? s'exclame Sonia. Tu es folle !

— Dix heures, alors, suggère Agathe. Et tu n'es pas obligée de faire le maquillage intégral, tu sais. Je ne crois pas que les enfants vont se montrer trop difficiles.

— Ils vont être combien, au fait ? s'enquiert Florence.

— Aucune idée… »

À dix-neuf heures trente, il ne reste plus grand-chose du buffet, et l'équipe de *La Forêt enchantée* commence à se disperser. Certains, dont Florence et Sonia, décident de continuer à fêter dans un bar.

« Tu viens ? demande Florence à Agathe.

— Non, j'ai rendez-vous.

— Avec Hubert ?

— Non, avec Laurent ! Et arrête de m'embêter avec Hubert. S'il y a quelqu'un qui ne m'intéresse pas, c'est bien Hubert Fauvel !

— Pourquoi ?

— Parce que ! »

Argument convaincant s'il en est. Agathe a l'impression d'avoir six ans. Par chance, Florence n'insiste pas.

~

« Qu'est-ce qui se passe, ma chérie ? Je te sens crispée… Tu ne m'en veux pas encore pour l'autre soir, j'espère… »

La voix de Laurent n'est que sollicitude, et Laurent lui-même est plein d'attentions, mais, effectivement, Agathe est crispée. C'est la première fois que Laurent et elle se retrouvent dans son lit depuis la nuit désastreuse du samedi précédent, et elle ne sait pas trop à quoi s'attendre.

Leurs retrouvailles au restaurant, quelques heures plus tôt, lui ont laissé un drôle de goût. Ce n'est pas que Laurent ne se soit pas montré agréable. Au contraire, il débordait de gentillesse. Mais Agathe trouvait que tout cela sonnait faux. Elle avait l'impression que ce n'était pas Laurent Bouvier, l'homme, qui était devant elle, mais Laurent Bouvier, le comédien, interprétant le rôle de l'amant repentant. Et même si son jeu était impeccable, Agathe n'en était pas touchée.

Qu'est-ce qui cloche ? s'est-elle demandé à plusieurs reprises. Est-ce que ça tient à lui ou à moi ? Peut-être que si j'y mettais un peu de bonne volonté…

Le souper lui a paru interminable. Tout comme le retour en voiture, qui s'est déroulé dans le silence le plus complet. Pourtant, quand Laurent s'est garé devant chez elle et lui a demandé, avec un peu d'inquiétude dans la voix, si elle l'invitait à monter, elle n'a pas trouvé de raison valable pour refuser.

Les voilà donc au lit, et Agathe est crispée, et Laurent répète qu'il regrette son attitude de l'autre soir, que cela ne se reproduira plus, qu'il l'aime trop pour lui faire du mal… En même temps, il ne peut s'empêcher de remarquer qu'elle est distante, froide même.

« Tu ne me caches rien, j'espère ? Rassure-moi et dis-moi qu'il n'y a pas un autre homme dans ta vie…

— Non, bien sûr que non… »

La réponse d'Agathe ne semble pas suffire à Laurent qui, tout en lui mordillant le lobe de l'oreille, lui demande quels hommes elle trouve séduisants.

« Stéphane Courteau ? Il n'est pas mal, Stéphane. Un peu jeune pour toi, peut-être… Ou alors Robert Saint-Jean, qui joue le roi Nénuphar ?

— Tu sais très bien qu'il est gai, répond Agathe. Mais pourquoi toutes ces questions ?

— Parce que je m'inquiète à ton sujet, bien sûr. Les hommes te trouvent attirante, tu sais, pense au chauve du restaurant, l'autre soir. Et je ne suis pas toujours là pour veiller sur toi…

— Je peux prendre soin de moi toute seule, ne t'inquiète pas ! »

Agathe a répliqué d'une voix sèche, et Laurent s'excuse aussitôt, l'air contrit :

« Pardonne-moi, ma chérie, je ne suis qu'un vieux fou. Mais je t'aime tellement, si tu savais, et j'ai tellement peur de te perdre… »

Agathe en a assez de ce jeu de yo-yo entre les excuses et les questions, l'apitoiement sur soi et les accusations voilées. Elle voudrait avoir le courage de se lever et de demander à Laurent de partir, tout en se sentant coupable de ne pas croire à ses excuses et à son repentir. Il a l'air vraiment malheureux. Peut-être qu'il *est* vraiment malheureux et qu'elle, Agathe, a un cœur de pierre…

Pendant qu'elle s'interroge ainsi, la sonnerie du téléphone se fait entendre.

« Laisse sonner, dit Laurent. Le répondeur est là pour ça… »

Mais Agathe est déjà debout.

« C'est peut-être important », dit-elle en se dirigeant vers l'appareil posé sur sa table de travail, dans un coin de la chambre.

Elle décroche.

« Allô.

— Bonsoir, Agathe. C'est Hubert. »

Agathe grimace. Il tombe mal, celui-là. Ce n'est pas le moment de révéler son existence à Laurent, qui la bombarde de questions sur les hommes qu'elle rencontre.

« Ah, Florence ! s'empresse-t-elle donc de dire en espérant qu'Hubert saisisse le message. Ça se passe bien, cette soirée ?

— Vous n'êtes pas seule.

— Non, bien sûr.

— J'ai vu Nathalie aujourd'hui.

— Tant mieux.

— Et Laurent.

— Quoi ? »

Agathe n'a pu retenir l'exclamation. Du lit, Laurent lui lance d'une voix forte :

« Qu'est-ce qu'il y a ? Qu'est-ce qui se passe ? »

Hubert a dû l'entendre, lui aussi, car il dit :

« Bon, je vous laisse en compagnie du grand homme. Vous venez toujours dimanche ?

— Onze heures, oui. À dimanche. *Ciao !* »

Agathe s'apprête à raccrocher quand Laurent, qui s'est approché sans bruit, lui arrache le combiné des mains.

« Attends ! dit-il. J'aimerais dire deux mots à Florence, moi aussi. Lui souhaiter de bonnes vacances…

— Trop tard. Elle a déjà raccroché.

— On n'a qu'à la rappeler. Quel est son numéro, déjà ? »

À contrecœur, Agathe lui donne le numéro de cellulaire de son amie.

« Allô, Florence. Ici Laurent. Tu as raccroché trop vite, j'aurais voulu te dire un mot, moi aussi. Au fait, vous allez où, dimanche, Agathe et toi ? »

Un silence, pendant lequel Laurent, sourcils froncés, écoute ce que lui raconte Florence à l'autre bout du fil.

« Une fête d'enfants ? Oui, c'est vrai, Agathe m'en avait parlé, mais ça m'était sorti de l'esprit. Bonnes vacances, princesse… »

Il raccroche, l'air préoccupé.

« C'est où, cette fête d'enfants ?

— Chez un ami de la grand-mère de Florence… »

Laurent émet un grognement inintelligible. Puis il dit, en observant bien Agathe :

« Florence avait l'air *très* surprise que je lui téléphone… Elle semblait être au milieu d'une foule. »

Agathe hausse les épaules avec désinvolture.

« Elle est en train de fêter le début des vacances dans un bar, avec Sonia et quelques autres. Et je la comprends d'avoir été surprise : lui as-tu déjà téléphoné avant ce soir ?

— Non », admet Laurent du bout des lèvres.

Il est clair qu'il n'est pas content. Sans doute a-t-il l'impression de s'être fait avoir, mais sans pouvoir en être sûr.

Agathe, elle, bénit la vivacité d'esprit et la loyauté de Florence. Elle rouspète parfois contre son amie, mais, ce soir, elle lui doit une fière chandelle. Évidemment, Florence va lui faire payer cher sa collaboration. Agathe grimace d'avance en songeant à toutes les questions que va lui poser son amie.

« Allez, au lit, ma belle… et plus vite que ça ! »

Le ton est aimable — joyeux, même —, mais les yeux de Laurent restent froids et soupçonneux.

Agathe se dirige lentement vers le lit. Ce n'est pas ce soir qu'elle va avoir le courage de renvoyer Laurent.

Chapitre 10
Samedi 14 mai

Les samedis matin se suivent mais ne se ressemblent pas.

À son réveil, Agathe n'a rien de commun avec la fille qui s'est levée pleine d'énergie le samedi précédent. Le temps est beau, pourtant, et le soleil est au rendez-vous, mais ça n'incite Agathe ni à sortir son vélo ni à aller marcher. Et pas question de faire du ménage !

Agathe ne voit qu'un côté positif à la matinée : Laurent n'est pas là. Il est parti au milieu de la nuit, après quelques heures pénibles au lit. Ça n'avait rien à voir avec le samedi précédent, ça non plus (heureusement !), mais Agathe se serait bien passée de ce mélange de cajoleries, de reproches, de questions, de protestations d'amour enflammé et d'apitoiements gênants. Le tout accompagné de caresses insistantes qui, loin de l'apaiser ou de l'exciter, avaient pour effet de la crisper davantage. La mâchoire serrée, les muscles raidis, elle n'attendait qu'une chose : que ça finisse. Son attitude n'aidait guère Laurent qui, une fois de plus, avait la virilité mollassonne.

Ils ont fini par s'endormir, le plus loin possible l'un de l'autre. Vers deux heures du matin, Agathe a entendu Laurent se lever, ramasser ses vêtements, passer par la salle de bain puis quitter l'appartement en claquant la porte. Bon débarras, a-t-elle songé avant de s'abandonner à un sommeil beaucoup plus paisible que celui qui l'avait précédé.

À présent, tout en avalant machinalement ses céréales, Agathe se rend compte qu'elle n'a envie que d'une chose : appeler Hubert Fauvel et en savoir plus sur sa rencontre avec Nathalie et Laurent. Elle regarde l'heure. Neuf heures. Peut-elle décemment téléphoner à Hubert à neuf heures un samedi matin ? Elle ferait sans doute mieux d'attendre dix heures. La règle de sa mère, toujours : pas avant dix heures du matin, pas après dix heures du soir. Sauf urgence, évidemment.

~

« Bonjour, vous êtes bien chez Hubert Fauvel. Laissez un message, et je vous rappellerai. Merci. »

Le message est à l'image de ce qu'Agathe connaît d'Hubert : poli, précis, sans fioritures inutiles.

« Euh… bonjour, c'est Agathe. Je vais être chez moi toute la journée. J'aimerais ça que vous me rappeliez. Merci. À bientôt. »

Agathe traîne dans l'appartement. Au bout d'une heure, elle se dit que, tant qu'à être coincée à la maison, aussi bien faire quelque chose d'utile. Une brassée de lavage. Un peu d'époussetage. Un coup d'œil à la pièce qu'elle va jouer cet été. *La Maison hantée*, une pièce à la Agatha Christie, avec de mystérieuses disparitions, des morts inexpliquées, et une maison remplie de gémissements et de craquements sinistres. Agathe joue le rôle de Madame Violetta, une voyante extralucide qui tient des propos aussi grandiloquents qu'incompréhensibles. Agathe s'imagine très bien dans ce rôle, couverte de châles à longues franges, les cheveux fous, des anneaux immenses aux oreilles et des bracelets partout… Elle espère que le metteur en scène et les concepteurs des décors et des costumes n'ont pas une vision minimaliste de la pièce.

Dring…

« Allô ! »

Silence au bout du fil. Puis :

« *Is Pat there ?* dit une voix féminine. *I need to talk to him. It's important…* »

Agathe reste figée une fraction de seconde avant de réagir.

« Vous faites erreur, dit-elle. Il n'y a personne de ce nom ici. »

Au bout du fil, la femme insiste.

« *Pat ? Pat O'Reilly ? It's an emergency. I know he's there. Please let me talk to him !* »

Cette fois, Agathe sent le souffle lui manquer. Les yeux fermés, la main crispée sur le récepteur, elle s'efforce de respirer à fond. Ne pas tomber, surtout ne pas tomber…

« *Sorry, wrong number* », finit-elle par murmurer avant de raccrocher.

Elle reste un long moment debout à côté du téléphone, le cœur dans la gorge, la tête pleine de questions. Pat. Pat O'Reilly. Le nom de son père. Qui est cette femme ? Qu'est-ce qu'elle veut à son père ? Et pourquoi a-t-elle téléphoné chez elle, Agathe, qui n'a pas vu son père depuis plus de seize ans ?

Désireuse de savoir d'où vient l'appel, Agathe compose *69, puis le *numéro du dernier demandeur* que lui fournit la voix électronique.

« Le poste que vous appelez ne peut recevoir d'appel. C'était un message enregistré… »

La voici plus pauvre de quatre-vingt-quinze cents, et pas plus avancée qu'avant… Qui donc a pu téléphoner chez elle pour parler à Pat O'Reilly ? Après avoir formulé une fois de plus cette question — et s'être dit une fois encore qu'elle n'en savait rien —, Agathe s'efforce d'analyser la situation objectivement. Il existe sûrement plus d'un Patrick O'Reilly, et c'est à un autre Pat O'Reilly que voulait parler cette femme. Elle a pris l'annuaire téléphonique, elle a trouvé la section des O'Reilly, puis elle a entrepris de téléphoner à chacun des numéros listés afin de retrouver *son* Patrick O'Reilly. C'est une situation on ne peut plus normale, qui n'a absolument rien d'inquiétant. Il n'y a donc pas de quoi paniquer.

Agathe a beau tenter de se raisonner, elle reste mal à l'aise. D'abord les lettres — des lettres qui viennent de Halifax et qui pourraient avoir été écrites par un anglophone. Maintenant cette femme qui veut parler à quelqu'un qui a le même nom que son père. Tout cela est-il lié ou s'agit-il simplement d'un hasard ?

Comme trop souvent ces jours-ci, Agathe a l'impression de tourner en rond. Elle voudrait pouvoir parler de ce coup de fil avec quelqu'un. Avec Hubert Fauvel, par exemple. Elle se reprend aussitôt. Non, pas question de mentionner son père à qui que ce soit, pas même à Hubert ! Quand elle a sollicité l'aide de ce dernier, c'était pour un problème qu'elle a *maintenant*. Les histoires du passé n'ont rien à voir avec ça. Il ne *faut* pas qu'elles aient quelque chose à voir avec ça.

~

Je vois un homme. Un homme noir. Un homme noir aux noirs desseins qui fera du mal, beaucoup de mal dans cette maison !

Agathe s'est remise à la lecture de *La Maison hantée*, mais elle n'arrive pas à se concentrer. Quand elle ne pense pas aux lettres anonymes et à cet appel destiné à Pat O'Reilly, elle se demande où elle s'en va avec Laurent, elle s'impatiente de ne pas avoir de réponse d'Hubert et s'inquiète de la fébrilité avec laquelle elle attend l'appel du jeune homme…

L'homme noir se rapproche. Bientôt il sera là. Et alors il sera trop tard.

Madame Violetta a une vision plutôt pessimiste de l'avenir.

Agathe jongle un instant avec l'idée de téléphoner à Florence. Peut-être pas pour lui parler de *tous* ses sujets de préoccupation, mais elle pourrait au moins aborder avec elle la question de ses rapports avec Laurent… Mais, non, elle ne peut pas téléphoner à Florence. D'abord, elle sait d'avance ce que celle-ci va lui dire (Laurent est tellement imbu de lui-même et manipulateur, je n'ai jamais compris ce que tu faisais avec lui de toute façon, lâche-le tout de suite, c'est ce qui peut t'arriver de mieux, et pourquoi tu n'irais pas voir du côté d'Hubert…). Et puis, Hubert, justement. Hubert qui doit la rappeler, et dont elle risque de rater le coup de fil si elle accapare le téléphone pour parler à Florence.

Sonne, téléphone, sonne...

Madame Violetta invoque l'esprit de Casimir Polkravitzy, qui a été assassiné. Hein, Casimir est mort ? Quand ça ? Et comment ?

Agathe se rend compte qu'elle a lu les trois quarts de la pièce, mais qu'elle serait incapable de résumer l'histoire ou même de préciser quels personnages sont morts et lesquels sont encore vivants...

Dring.

Agathe se précipite vers le téléphone. Elle décroche, le cœur battant.

« Allô !

— C'est moi. Écoute, je ne vis plus. Je n'arrête pas de penser à toi. Je ne comprends pas ce qui nous arrive. Il faut qu'on se parle. Je passe chez toi demain... »

Agathe interrompt son interlocuteur.

« Laurent, non, pas demain. Tu sais que je vais à cette fête d'enfants...

— Mais après ?

— Après, je soupe avec Florence et Sonia, improvise Agathe.

— Ah... »

Laurent semble très déçu. Agathe se sent aussitôt coupable, tout en ayant la pénible impression de jouer sans arrêt, en boucle, la même scène pitoyable avec Laurent. Ça ne peut pas continuer comme ça. Elle inspire profondément.

« Laurent, écoute... On devrait prendre un peu de recul, tous les deux. J'ai l'impression d'étouffer, depuis quelque temps. Je ne veux pas te faire de peine, mais je ne comprends pas ce qui se passe, moi non plus. J'étais bien, avant, quand on se voyait moins...

— Mais je t'aime ! Je ne veux pas te voir moins ! Je veux te voir plus, tout le temps... Si tu m'aimes, c'est aussi ce que tu devrais souhaiter ! Si tu veux, je demande le divorce à Nathalie et...

— Non, surtout pas ! »

Agathe a pratiquement hurlé les derniers mots. Qu'est-ce que c'est que cette histoire ? Il n'a jamais été question que Laurent quitte Nathalie pour elle.

« Agathe... »

La voix est implorante, et Agathe se sent paralysée par l'excès d'amour et de sentimentalisme que Laurent déverse sur elle. Tous ces mots tendres, ces supplications, ces protestations d'amour lui font l'effet d'un poison visqueux dans lequel elle s'englue. Une mouche prise dans une toile d'araignée, voilà comment elle se sent. Et, soudain, elle trouve le courage de dire ce qu'elle veut vraiment.

« Laurent, ça suffit. C'est fini. Il vaut mieux pour nous deux que nous cessions de nous voir. »

Un long silence au bout du fil. Puis Laurent demande, d'une voix brisée :

« Il y a un autre homme, c'est ça ? »

Agathe pousse un soupir exaspéré.

« Non, il n'y a pas d'autre homme. C'est moi, juste moi qui me sens coincée dans tout ça… »

Nouveau silence.

« Je respecte ta décision, murmure finalement Laurent. On va prendre un peu de recul. Mais je te demande de m'accorder une soirée, une dernière soirée, avant de te laisser t'éloigner…

— Mais…, commence à protester Agathe.

— En tout bien tout honneur ! s'empresse de préciser Laurent. Et dans un lieu public. Je ne te sauterai pas dessus, n'aie pas peur. Mais je ne peux pas accepter qu'on se quitte comme ça, au téléphone. Après tout ce qu'on a vécu ensemble, et avec tout l'amour que j'ai pour toi, il me semble que je mérite un peu plus de considération. Je ne te demande pas grand-chose, un souper, c'est tout. Un dernier souper pour qu'on mette les choses au clair. Après, tu auras tout le temps que tu veux pour réfléchir. »

Mais c'est tout réfléchi ! voudrait hurler Agathe sans toutefois en trouver le courage.

« D'accord, dit-elle enfin. Mercredi soir, dix-neuf heures, à la pizzeria habituelle.

— Je peux passer te prendre.

— Non. Dans l'après-midi, j'ai une réunion avec l'équipe du théâtre d'été. Je me rendrai au restaurant directement.

— À mercredi, alors, ma chère, chère Agathe…

— C'est ça. À mercredi. »

Agathe n'a pas encore raccroché qu'elle regrette déjà d'avoir accepté ce rendez-vous.

~

Il est dix-sept heures quand Hubert rappelle enfin.

En entendant sa voix, Agathe est tellement soulagée qu'elle en pleurerait.

« Je suis contente que vous rappeliez, dit-elle. J'ai hâte de savoir ce qui s'est passé hier avec Laurent et Nathalie. On pourrait souper ensemble ?

— Impossible, répond Hubert. Je ne suis pas seul. Et je n'ai pas grand-chose à dire, de toute façon. »

Il relate brièvement sa rencontre avec Nathalie, en omettant toutefois de mentionner l'hôpital Sainte-Justine et l'aversion que lui inspire Laurent Bouvier. Il termine en disant que, selon lui, Nathalie n'a rien à voir avec les lettres.

« Ce n'est qu'une intuition, bien sûr, mais cette femme m'apparaît trop honnête pour se livrer à une activité aussi douteuse que l'envoi de lettres anonymes. Si elle avait quelque chose à vous dire, elle vous en parlerait directement. Et elle n'a eu aucune réaction quand j'ai cité des mots tirés des lettres.

— Oublions Nathalie Salois, alors », soupire Agathe.

La conversation avec Hubert ne se passe pas du tout comme prévu. Les réponses du géologue sont laconiques, son ton est abrupt. Agathe se demande ce qui se cache derrière sa rudesse. Probablement qu'il en a assez de toute cette histoire et qu'il espère qu'Agathe ne va pas trouver d'autres tâches à lui confier.

« De toute façon, reprend Agathe, plus j'y pense, plus je me dis que je dois être complètement parano pour imaginer que quelqu'un me veut du mal...

— Peut-être, oui. »

Encore une fois, le ton est abrupt, et Agathe se demande si elle a contrarié Hubert sans le vouloir. Elle avait vaguement l'intention de lui apprendre qu'elle venait de rompre avec Laurent, mais elle sent que le géologue s'impatiente, au bout du fil. Il est vrai qu'il n'est pas seul, comme il le lui a fait savoir au début de leur conversation.

« Bon, eh bien, on se voit demain…, se contente donc de dire Agathe d'une voix hésitante.

— Vous serez là à onze heures, si j'ai bien décodé vos propos d'hier soir ?

— Onze heures, oui, répète Agathe. Au fait, Florence va venir, elle aussi, déguisée en princesse Chicorée. Ça ne vous dérange pas, j'espère ? »

Pour la première fois depuis le début de la conversation, Agathe sent Hubert décontenancé.

« Euh… non, bien sûr que non, répond-il, mais je ne voudrais pas… C'est très gentil à elle, et très généreux, mais… je trouve ça un peu gênant qu'elle donne ainsi de son temps précieux… »

Agathe résiste à l'envie de répliquer que c'est la curiosité, plus que la gentillesse ou la générosité, qui motive son amie. Depuis le temps que Florence meurt d'envie de rencontrer le fameux Hubert… Elle dit seulement que Florence adore les fêtes d'enfants et que c'est elle qui a insisté pour y aller.

« La maquilleuse sera là, elle aussi. Elle s'appelle Sonia et elle est très gentille. »

Cette fois, Hubert a un petit rire.

« C'est tout ? Vous n'allez pas traîner d'autres membres de l'équipe ? Avoir su, j'aurais loué une salle de réception. Mon appartement risque d'être trop petit…

— Sérieusement, demande Agathe, vous n'avez pas d'objection à ce que Sonia soit là ? Elle va pouvoir faire des maquillages aux enfants… Et…

— C'est absolument parfait que Sonia soit là, coupe Hubert. À présent, je dois vous laisser. Ma présence est requise ici… À demain ! »

Agathe n'a pas le temps de répondre qu'il a déjà raccroché. Elle décolle le combiné de son oreille et le fixe pendant un moment.

« À demain », murmure-t-elle avant de raccrocher à son tour.

~

C'est demain, dimanche, que celui qui prétend s'appeler Finnegan va quitter Halifax. Son billet de train est acheté. Départ de Halifax à midi trente-cinq, arrivée à Montréal à huit heures quinze lundi matin. Vingt heures de train. Et, avant, un court trajet en autobus — il s'est renseigné, l'autobus numéro 7, qui passe au coin de la rue, va le conduire tout près de la gare. Marche, autobus, train… Puis les démarches à entreprendre dans la grande ville… Finnegan est épuisé rien qu'à y penser, mais il s'efforce de penser à autre chose, justement. À la mission qu'il s'est fixée, par exemple. Aux retrouvailles qui l'attendent. D'abord avec Agathe, puis avec Mariette. Dans l'ordre inverse de leur arrivée dans sa vie.

Agathe est née en 1978, après huit ans de mariage, alors que Mariette et lui ont cessé d'y croire. Alors qu'ils ont même cessé de croire à leur mariage. Les traits fins de Mariette se sont pincés avec les années, son regard s'est fait soupçonneux, sa réserve ressemble davantage à de la froideur. Quoi qu'il fasse, son mari sait qu'il s'attirera au mieux une approbation condescendante, plus vraisemblablement une remarque acerbe ou méprisante. Il manque de sérieux et d'ambition. Il est paresseux. Il a les mains sales. Mariette n'aime pas être mariée à un mineur, et elle ne rate pas une occasion de le lui rappeler. « Mais j'étais un mineur quand j'ai marié toi ! Tu pensais quoi ? Que j'allais tourner moi en docteur ? » Il a depuis longtemps renoncé à arracher un sourire à Mariette, et plus d'une fois il a eu la tentation de partir, de retourner à Timmins ou à Kirkland Lake. Puis Agathe arrive — Agathe, une boule de bonheur, un soleil —, et le reste n'a plus la moindre importance.

Chapitre 11
Dimanche 15 mai

Le beau temps n'a pas duré, et c'est sous une pluie glacée qu'Agathe, Florence et Sonia — ou plutôt la Chouette chevêche, la princesse Chicorée et la fée du maquillage — franchissent en courant les quelques mètres qui séparent le balcon de Simone Lavoie de celui d'Hubert Fauvel. Simone elle-même suit les jeunes femmes d'un pas plus lent, un sac rempli de cadeaux dans une main, un parapluie fleuri dans l'autre. Mouchette, sa petite chatte d'Espagne, est également de la partie.

« Je vais enfin découvrir l'extraordinaire Hubert », murmure Florence au moment où Agathe appuie sur la sonnette.

Agathe lui lance un regard courroucé — très convaincant avec ses grands yeux jaunes de Chouette chevêche.

Quand Hubert ouvre la porte, Agathe, craignant quelque remarque intempestive de la part de Florence, s'empresse de faire les présentations.

« Florence, Sonia…, dit-elle en désignant les intéressées. Simone, la grand-maman de Florence, que vous connaissez déjà. »

Puis, avec un geste vers Hubert :

« Et lui, c'est Hubert, bien sûr. Au fait, dit-elle à celui-ci, vous ne m'avez jamais dit comment s'appelle votre neveu, ni quel âge il a... »

Avant qu'Hubert puisse répondre, Florence s'exclame, d'une voix incrédule :

« Quoi ! Vous... vous vous vouvoyez ? Tiens, je bégaye... Mais... mais... mais... »

Agathe et Hubert échangent un regard embarrassé.

« Eh bien..., commence Hubert.

— C'est-à-dire... », bafouille Agathe.

Puis ils se taisent tous les deux.

Florence les dévisage à tour de rôle.

« On n'est pas au dix-huitième siècle, diantre ! Allez, embrassez-vous et passez immédiatement au tutoiement. Vite, ça urge ! »

Agathe recule d'un pas.

« Mon maquillage ! » dit-elle vivement.

Florence lève les yeux au ciel.

« Bon, d'accord, ne vous embrassez pas. Mais ce serait bien que vous en finissiez avec vos politesses et vos hésitations, qu'on puisse entrer... On gèle, sur ce balcon, et ma robe de princesse ne me protège pas autant que tes plumes de chouette. »

Hubert s'écarte aussitôt pour laisser passer les quatre femmes.

« Oh, pardon ! Et, Agathe, pour répondre à v... à *ta* question, mon neveu s'appelle Bruno et il a neuf ans aujourd'hui. »

Sans un mot, Agathe s'engage dans le couloir, suivie de ses amies. La fête se déroule dans la pièce centrale qui sert de salon, juste au bout de ce couloir qui semble bien court à Agathe, tout à coup. Elle aurait besoin d'un peu de temps pour que se dissipe le trouble qui l'a envahie quand Florence a suggéré qu'Hubert et elle s'embrassent. Elle sait bien que son amie ne parlait pas d'embrasser *embrasser*, mais quand même... Pourvu que Florence ne passe pas la journée à faire des suggestions du même genre !

Agathe en est là dans ses réflexions lorsqu'elle atteint le salon. Attention, elle n'est plus Agathe mais la Chouette chevêche ! Une Chouette chevêche qui ouvre ses ailes et s'apprête à lancer un tonitruant « Tchak, tchak, tchak, mes petits choux, où est Bruno, mon cher, mon grrand, mon merrrveilleux ami Brrrruno ? » quand, d'un seul coup, elle prend conscience de la scène qui s'offre à elle. Un « Tchak » étranglé lui échappe, mais le reste de la phrase lui reste en travers de la gorge.

La fête d'enfants n'a rien à voir avec ce qu'elle avait imaginé. Certes, il y a des ballons et des serpentins, des couronnes de papier doré et des cadeaux empilés sur une table. Mais il y a surtout deux fauteuils roulants et des appareils bizarres, et sept ou huit enfants plus ou moins lourdement handicapés. Il y a également quelques adultes d'apparence normale et un bébé, mais ce ne sont pas vraiment eux qui retiennent l'attention d'Agathe…

Machinalement, Agathe bat des ailes à plusieurs reprises.

« Tchak, tchak… Tchak, tchak… »

Tous les enfants se tournent vers elle. Certains ont le cou bizarrement tordu, la bouche ouverte…

« Tchak, tchak… Tchak, tchak… »

Hubert s'approche d'un petit garçon qui se balance gauchement au rythme d'une chanson de Carmen Campagne. Il prend l'enfant par la main et l'entraîne vers Agathe.

« Regarde, Bruno, qui est là pour ta fête… »

Bruno avance lentement. À chaque pas, il semble sur le point de basculer. Sa tête, trop lourde pour son corps malingre, tremble et ballotte, mais Bruno arrive à la redresser par à-coups.

Agathe note confusément tous ces détails — les gestes saccadés, la démarche à la limite du déséquilibre, l'allure de pantin désarticulé —, mais ce qu'elle voit, surtout, c'est le sourire émerveillé qui illumine le visage de l'enfant et ses yeux qui s'ouvrent démesurément en l'apercevant.

« La Chouette chevêche ! C'est la Chouette chevêche ! » répète-t-il.

La voix est étrange, à la fois nasillarde et étouffée, mais Agathe n'a aucun mal à deviner ce que dit Bruno.

« Tchak, tchak, tchak, mais c'est mon ami Bruno ! réussit-elle enfin à articuler. Bonne fête, Bruno ! Et je ne suis pas venue seule, tchak, tchak, tchak ! Voici mon amie Sonia… C'est une fée un peu spéciale : la fée du maquillage. Et tu connais cette jolie dame aux cheveux bleus, n'est-ce pas ? »

Bruno hoche la tête de haut en bas, si fort qu'Agathe craint de le voir piquer du nez. Mais le petit garçon réussit à conserver son fragile équilibre.

« La p...princesse Chicorée ! » souffle-t-il avant d'enserrer la taille d'Hubert de ses bras maigres et de presser son visage contre son flanc, comme s'il avait du mal à supporter ce trop-plein de bonheur. Le jeune homme baisse le regard vers lui. Un de ses bras entoure les épaules de Bruno. De sa main libre, il lui caresse la tête. Le geste est si tendre, et en même temps si naturel, qu'Agathe en a les larmes aux yeux. Gênée, elle détourne le regard. Heureusement qu'elle est bien cachée sous son maquillage de Chouette et que personne ne peut voir son trouble !

Quand elle ramène enfin son regard vers l'étrange couple, elle découvre Hubert qui l'observe en silence. Impossible de deviner ce qu'il pense.

« Vous voyez... » commence-t-il, puis il se reprend. « *Tu vois*, dit-il avec un petit sourire, Bruno est vraiment heureux que tu sois venue... »

~

Rires et cris d'excitation, musique et chansons, jeux et blagues, déballage de cadeaux et vœux de bonheur, sans compter un énorme gâteau en forme de Shrek et neuf bougies que Bruno s'efforce d'éteindre d'un seul souffle... Fauteuils roulants ou pas, la fête n'a rien à envier à celles auxquelles Agathe a déjà participé. Florence et elle ont mis au point un court sketch, et les enfants embarquent à fond dans l'histoire, retenant leur souffle quand la Chouette craint que ses bébés — ses petits choux — n'aient été enlevés par le Grand Méchant Mou, et hurlant de joie lorsqu'elle s'emmêle dans ses pattes et qu'elle s'étale par terre de tout son long... Heureusement que la jolie princesse Chicorée est là pour l'aider à se relever !

Après le goûter, Sonia maquille chaque enfant selon ses vœux. La pièce est bientôt peuplée d'un papillon et d'un chat — deux, en comptant Mouchette, qui fait les délices des enfants en se laissant caresser et tripoter sans broncher —, d'une étoile et d'un gros monstre dégueu avec des verrues et un œil dans le front, et même d'une Chouette chevêche miniature !

« C'est moi la vraie Chouette ! clame la petite Arianne du fond de son fauteuil roulant. Je vais aller à la télévision, et toi, tu vas aller chez Sophie et Ludo ! »

Sophie, la mère de la famille d'accueil où vivent Arianne, Bruno et Jordan-le-monstre-dégueu, détaille Agathe de haut en bas.

« Peut-être qu'elle va manger ses brocolis, elle ! dit-elle d'un air légèrement narquois. Mais je ne sais pas trop comment je vais la coucher dans ton lit… Ses pieds vont dépasser ! »

Arianne éclate de rire.

« Ça va être drôle, aussi, quand tu vas lui donner son bain ! »

Agathe se met à tourner sur elle-même en battant frénétiquement des ailes.

« Un bain ! Un bain ! Tchak, tchak, tchak, mes petits choux, pas question de bain, j'ai horreur des bains ! Je suis désolée, très immensément désolée, mais si quelqu'un veut me donner un bain, je disparais, je disparais tout de suite ! Adieu, mes petits choux, adieu ! Tchak, tchak, où est la sortie ! Au secours, au secours, la porte ! »

Agathe court dans tous les sens, elle se heurte aux murs, tente d'ouvrir des portes… Les enfants sont morts de rire. Du coin de l'œil, Agathe aperçoit Hubert, qui rit lui aussi de bon cœur en regardant Bruno.

~

En fin d'après-midi, un autobus adapté vient chercher les enfants pour les ramener dans leur famille d'accueil ou au centre spécialisé où vivent quelques-uns d'entre eux. Une mini-crise éclate, Bruno refusant de quitter Hubert. Il s'accroche à lui, pleure, secoue violemment la tête. Hubert détache doucement les bras de son neveu et se penche vers lui.

« On va se revoir bientôt, mon grand. Vendredi prochain. Dans cinq jours. Tu peux compter jusqu'à cinq ? »

Bruno renifle, tout en hochant la tête de haut en bas.

« B...bien sûr ! Je ne suis pas un b...bébé ! Je p...peux compter jusqu'à cent mille millions !

— Alors tu sais que ce n'est pas long, cinq jours...

— C'est long ! »

Hubert pose un baiser rapide sur la tête de son neveu.

« C'est *un peu* long, concède-t-il. Mais pas trop...

— P...pas trop, répète Bruno.

— Pas autant que cent mille millions... »

Bruno éclate de rire, et Hubert le pousse doucement vers Sophie, qui aide l'enfant à grimper dans l'autobus.

« Bye, Bruno. À vendredi. On va aller manger au Saint-Hubert. »

Bruno se retourne vers son oncle.

« Saint-Hubert ! Comme toi ! »

Hubert a un petit rire.

« Presque... »

Le visage maintenant fendu d'un grand sourire, Bruno agite frénétiquement la main.

La porte se referme, et l'autobus démarre. Hubert reste sur le trottoir jusqu'à ce que le véhicule ait disparu au coin de la rue, puis il revient lentement vers la maison. Agathe remarque de nouveau que la démarche du jeune homme a quelque chose d'étrange. À sa première rencontre avec lui, elle a mis cela sur le compte d'une certaine raideur morale. La deuxième fois, elle s'est demandé s'il avait bu. Aujourd'hui, elle se rend compte qu'il boite, tout simplement. Une cheville tordue, sans doute. Ou la séquelle d'une fracture récente. Les explications les plus simples sont souvent les meilleures...

~

« Quelqu'un veut du vin blanc ? du rouge ? une bière ? de la limonade ? Il reste de tout... »

Une bouteille de vin blanc à la main, Marc-André, l'ami d'enfance d'Hubert, jette un regard à la ronde. Sonia lève un doigt.

« Je prendrais bien un peu de rouge », dit-elle.

Marc-André dépose sa bouteille de vin blanc, prend une bouteille de rouge et en verse une rasade dans un verre à peu près propre, qu'il tend à Sonia.

« Merci. »

Ils ne sont plus que sept, sept adultes affalés çà et là dans la pièce, et particulièrement silencieux depuis que les enfants sont partis, bientôt imités par Simone et Mouchette. Il reste donc Agathe, Sonia et Florence. Hubert. Sa mère, une dame d'une soixantaine d'années aux allures de souris — petite et mince, grisonnante, rapide et facilement effarouchée. Marc-André. Et Annie, la mère du bébé qui dort dans la chambre d'Hubert, et dont Agathe n'a pas réussi à déterminer le statut précis. Une amie d'Hubert, c'est sûr, mais quel genre d'amie ? Et qui est le père de son bébé ? Et, de toute façon, pourquoi elle, Agathe, se pose-t-elle ces questions ? Ce n'est pas comme si elle avait des vues sur Hubert, n'est-ce pas ?

« Un peu de vin ? »

Marc-André, debout devant elle, exhibe deux bouteilles de vin.

« Du blanc, oui, s'il te plaît... Mais avant, j'aimerais bien me débarrasser de mon maquillage... » Elle se tourne vers Hubert, assis à l'autre bout de la pièce. « Je peux utiliser ta salle de bain ? »

Hubert se lève lentement. Il semble avoir du mal à se déplier.

« Oui, bien sûr. As-tu besoin de quelque chose ? Débarbouillette, serviette...

— Des essuie-tout, pour commencer. C'est particulièrement salissant, ce maquillage... »

Agathe s'adresse ensuite à Sonia.

« Tu as de la crème démaquillante, dans ta trousse ?

— Oui, dans le compartiment du haut... Tu peux fouiller, elle est juste là, par terre... »

Tout en se dirigeant vers la trousse de Sonia, Agathe retire le capuchon qui lui enserre le crâne et dissimule sa chevelure. Elle secoue la tête, se masse doucement le cuir chevelu. Soulagement...

« Wow ! »

Surprise, Agathe se tourne vers Marc-André, qui la regarde avec une admiration non dissimulée.

« Tu as des cheveux… wow… fantastiques ! Je peux toucher ? »

Saisie, Agathe reste muette.

« Marc-André ! Franchement ! »

L'exclamation a jailli spontanément. Debout près de la salle de bain, une serviette et une débarbouillette dans une main et un rouleau d'essuie-tout dans l'autre, Hubert dévisage son ami d'un air scandalisé. Marc-André hausse les sourcils.

« Ben quoi ? Tu ne trouves pas qu'elle a des cheveux fantastiques ? »

Hubert semble désarçonné.

« Oui, bien sûr, bafouille-t-il, mais ce n'est pas une raison… Je veux dire… »

Il se tait.

« Tu ne veux pas que je touche à ses cheveux ? »

Hubert fait mine de s'assommer avec le rouleau d'essuie-tout.

« Mais je ne veux rien du tout ! Je… ça ne me regarde pas. C'est à Agathe de… Oh, misère, est-ce que je suis le seul à trouver que tu es pas mal sans-gêne ? Agathe n'est pas un animal de zoo que tout le monde peut commencer à flatter, quand même ! »

Pendant que Marc-André proteste qu'il n'a jamais pris Agathe pour un animal de zoo, tout le monde se met à parler en même temps — « Marc-André a raison, soutient Sonia, si on veut quelque chose, aussi bien le demander ! », « Il aurait pu montrer un peu de retenue, dit Annie. Agathe s'est sentie mal à l'aise », « C'est vrai que mademoiselle a de beaux cheveux », murmure madame Fauvel. Agathe saisit la crème démaquillante, les essuie-tout, la débarbouillette et la serviette, puis elle s'enferme dans la salle de bain, dont elle prend soin de verrouiller la porte. Elle voudrait disparaître en même temps que son maquillage.

~

Quand Agathe revient dans le salon, démaquillée et débarrassée de ses ailes, mais toujours vêtue en partie de son costume de Chouette chevêche — ses vêtements sont restés chez Simone Lavoie, la grand-mère de Florence —, elle trouve tout le monde en train de discuter joyeusement de politesse, d'étiquette et de bonnes manières… La mère d'Hubert s'esquive quelques minutes plus tard en murmurant des excuses (« Il faut que je prépare mon souper… Et puis Serge n'aime pas quand je m'absente trop longtemps…), et son fils la raccompagne jusqu'à la porte (« Tu ne veux pas que je t'appelle un taxi ? » « Ça ne vaut pas la peine. Le métro est à deux pas, je peux bien marcher jusque-là. Et après, je n'ai jamais à attendre l'autobus trop longtemps… » « Comme tu veux… »). Quand Hubert revient, Sonia lui ménage une place à côté d'elle avant de lui faire subir un interrogatoire en règle. Où sont les parents de Bruno ? Qu'est-ce qu'il a comme problème, au juste ? Il vit en famille d'accueil, c'est ça ? Où va-t-il à l'école ? Et lui, Hubert, qu'est-ce qu'il fait dans la vie ? Est-ce qu'il a une blonde ? Parce qu'elle, Sonia, la fée du maquillage, est en recherche active de chum, et comme elle est partisane de la méthode directe et sans détours… Il n'est pas intéressé ? Tant pis, il ne sait pas ce qu'il manque…

De loin, Agathe observe le manège de Sonia, et elle se dit, pour la millième fois, que la vie serait tellement plus simple si elle arrivait à être aussi directe, elle aussi, et à faire savoir clairement ce qu'elle veut. Encore faudrait-il qu'elle sache ce qu'elle veut…

« C'est gentil d'être venue pour la fête de Bruno… »

Agathe sursaute. Elle n'avait pas remarqué Annie, qui vient de s'asseoir près d'elle. Elle n'a pas remarqué non plus qu'Annie l'observait pendant qu'elle surveillait ce qui se passait entre Sonia et Hubert.

« Ça m'a fait plaisir…

— Il y a longtemps que tu connais Hubert ? »

Agathe hausse une épaule.

« Une semaine…

— Et… »

Annie semble sur le point de lui poser une autre question, mais elle se ravise.

« Ah, dit-elle simplement. En tout cas, il y avait longtemps que… »

Au même moment, la sonnette de la porte d'entrée se fait entendre. Annie se lève d'un bond.

« C'est sûrement Hervé ! Il finissait de travailler à dix-sept heures et devait venir nous chercher tout de suite après, Juliette et moi… »

C'est Hervé, effectivement, le mari d'Annie, un grand barbu sympathique qui serre la main de tout le monde pendant qu'Annie prépare leur fille. Comme c'est souvent le cas, leur départ a un puissant effet d'entraînement.

« Moi aussi, il faut que j'y aille, annonce Florence. J'ai dit à Julien que je serais à la maison vers dix-huit heures, et il faut d'abord que je passe chez ma grand-mère. Je ne vais quand même pas me balader dans le métro en princesse Chicorée…

— Attends-moi, lance Sonia. J'ai laissé des choses chez ta grand-mère, moi aussi, et on peut prendre le métro ensemble. On habite dans le même coin.

— J'y vais aussi, dit Agathe. Chez ta grand-mère, je veux dire. Pas dans le métro… »

Marc-André et Hubert raccompagnent les filles jusqu'à la porte.

« À très bientôt, j'espère ! » déclare Marc-André avant de leur faire la bise à toutes les trois. « Tu as vraiment des cheveux fantastiques, ajoute-t-il à l'intention d'Agathe. Tes yeux ne sont pas mal non plus, en tout cas pas mal mieux que les yeux jaunes de la Chouette chevêche… Quoique… ça te donnait un petit air inquiétant assez sexy… Pas vrai, Hubert ? »

Hubert secoue la tête d'un air découragé.

« Ne l'écoute pas, dit-il à Agathe. Il raconte vraiment n'importe quoi.

— C'est ce que j'ai cru remarquer… »

Les trois amies descendent les quelques marches qui mènent jusqu'au trottoir.

« Au fait, dit Agathe en se retournant vers Hubert et Marc-André. Il reste pas mal de trucs à ranger. Une fois changée, je peux revenir vous aider, si vous voulez… »

Les deux hommes ne prennent pas le temps de se consulter.

« Avec plaisir ! répond Marc-André avec empressement.

— Ce n'est pas nécessaire », dit Hubert en même temps.

Agathe a l'impression de recevoir une gifle. Elle recule d'un pas en hochant machinalement la tête.

« Je vois…, dit-elle d'une voix mal assurée. Eh bien, euh… bonne soirée… Merci pour tout. »

Puis elle tourne les talons et s'empresse de rejoindre ses amies, qui sont déjà sur le balcon de Simone.

« Merde ! » murmure Hubert avant de lancer, d'une voix plus forte : « Merci d'être venues, toutes les trois. Bruno et ses amis étaient vraiment très contents ! »

Florence et Sonia lui font un signe de la main avant de disparaître. Agathe, elle, entre chez la grand-mère de Florence sans se retourner.

~

« Veux-tu bien me dire ce qui t'a pris ? lance Marc-André une fois qu'Hubert et lui sont revenus dans le salon. Elle ne te plaît pas, cette fille-là ? »

Hubert commence à ramasser les verres vides et les assiettes sales sans répondre.

« Elle est jolie, sympathique, douée…, poursuit Marc-André. Elle a des cheveux fantastiques… »

Hubert dépose une pile d'assiettes avec fracas.

« Ça, on le saura ! grommelle-t-il. Pourquoi tu ne vas pas la rejoindre, si tu la trouves si extraordinaire ? Je peux très bien ranger tout ça sans ton aide. »

Marc-André se plante devant lui. Il est très sérieux, soudain.

« Arrête, dit-il à Hubert. Ne joue pas à ce jeu-là avec moi. On se connaît depuis trop longtemps, tous les deux, pour que tu t'en tires avec une pirouette. Cette fille-là t'intéresse, c'est clair. Alors pourquoi viens-tu de la repousser aussi brutalement ? »

Hubert se laisse tomber dans un fauteuil et il ferme les yeux un instant avant de répondre.

« Elle me plaît, oui, dit-il enfin. Elle m'intéresse, oui. Et c'est précisément pour ça que je préfère ne plus la voir. Tu devrais comprendre ça… »

Marc-André s'affale près de lui.

« Ce que je comprends, c'est que tu joues au martyr, ou au masochiste, ou à je ne sais trop quoi, et que… »

Hubert l'interrompt.

« Je ne joue ni au martyr ni au masochiste. C'est justement parce que je n'ai pas envie de souffrir que je préfère arrêter ça maintenant. Tu l'as dit toi-même, Agathe est une fille formidable. Elle et moi, ça ne peut pas fonctionner.

— Pourquoi pas ? »

Hubert a un rire sans joie.

« Qu'est-ce que j'ai à offrir à une fille comme elle ?

— Ah non ! s'exclame Marc-André. Tu ne vas pas tomber dans l'apitoiement sur toi-même ! C'est mille fois pire que le martyre et le masochisme mis ensemble… Tu as beaucoup de choses à offrir à une fille comme Agathe…

— Beaucoup de complications, surtout. Sois honnête, Marc-André. Tu sais très bien tout ce que je traîne comme problèmes…

— Et si tu t'attardais un peu à ce qui fonctionne, au lieu de te concentrer sur ce qui cloche ? Tu n'es pas parfait, *big news* ! J'ai comme l'impression qu'Agathe n'est pas parfaite, elle non plus. Tout le monde a des qualités et des défauts…

— Merci pour le cours de psycho 101. Sauf que, dans mon cas, il y a des défauts difficiles à ignorer…

— Qui parle de les ignorer ? Mais tu as aussi des tas de qualités, qu'il faudrait peut-être que tu cesses d'ignorer, justement… Fais-toi un peu confiance, Hubert. Fais-*lui* confiance… »

Hubert reste silencieux un moment.

« De toute façon, finit-il par dire, on parle vraiment pour rien. Agathe n'a pas besoin de moi dans sa vie. Premièrement, elle a déjà quelqu'un. Deuxièmement, je ne suis pas son genre. »

Marc-André fronce les sourcils.

« Comment ça, pas son genre ? Elle est lesbienne ? »

Hubert secoue la tête.

« Non. C'est juste que je ne suis ni assez vieux ni assez marié pour elle.

— Hein ? »

Hubert se lève.

« Allez, aide-moi à ranger si tu veux vraiment te rendre utile. J'apprécie tes efforts comme conseiller sentimental, mais les jobs de bras te conviennent mieux. »

~

Laurent raccroche sans prendre la peine de laisser un message. Agathe n'est pas chez elle, ou alors elle ne veut pas répondre. Ce n'est pas entièrement inattendu — elle a parlé d'un souper avec Florence et Sonia, après leur fête d'enfants —, mais ça n'empêche pas Laurent d'être contrarié. Agathe est-elle *vraiment* avec ses copines ? Rien ne prouve qu'elle lui ait dit la vérité. Elle lui a déjà menti, à plusieurs reprises même, alors pourquoi ne lui mentirait-elle pas encore une fois ? Ça doit faire partie de ce qu'elle appelle *prendre du recul*... Elle prétend même que tout est fini entre eux, mais il sait bien, lui, que ce n'est pas sérieux. Elle veut le tester, c'est tout, le déstabiliser et le rendre encore plus amoureux. C'est une forme de manipulation, finalement...

Devrait-il téléphoner à Florence pour vérifier qu'Agathe est bien avec elle ? Laurent renonce assez vite à cette idée. Il a sa fierté, quand même. Pas question de crier sur tous les toits qu'il ne sait pas où est Agathe et que ça le tarabuste. Déjà qu'il a le sentiment d'avoir été floué, l'autre soir, en rappelant Florence... Tout, dans cet épisode, sonnait faux. Mais tout était crédible, pourtant. En voulant confondre les deux femmes, il aurait surtout risqué de se ridiculiser.

Agathe ne veut pas le voir avant mercredi ? Soit. Il va la laisser tranquille d'ici là. Il ne l'appellera pas, il ne cherchera même pas à l'apercevoir. Et mercredi, après s'être languie de lui pendant quelques jours, Agathe va réaliser à quel point elle a besoin de lui… Et elle va renoncer à cette idée saugrenue de prendre du recul.

~

Quand Agathe sort du cinéma, ce soir-là, elle s'est payé trois films l'un à la suite de l'autre et une quantité phénoménale de nachos qui lui ont irrité les commissures des lèvres et qui pèsent aussi lourdement sur sa conscience que sur son estomac.

Au moins, elle n'a pas passé la soirée à tourner en rond chez elle, sans même savoir si elle espérait ou si elle redoutait que le téléphone sonne.

~

Finnegan a enfin quitté Halifax. Encore huit heures de train, et il sera à Montréal. Allongé sur une banquette — il n'a pas pris de couchette, trop chère pour ses moyens —, il se laisse bercer par le rythme apaisant du train qui avance dans la nuit. Il ne voit rien du paysage, il ne sait pas où il est rendu, à quel point précis du trajet il en est. Ça n'a aucune importance. Il sait qu'il avance, que les pieds s'additionnent pour faire des milles, cinq mille deux cent quatre-vingts pieds dans un mille. Douze pouces dans un pied, trois pieds dans une verge… Tout ça est fini, maintenant. Dépassé. On parle à présent de mètres, de kilomètres… Ne pas se laisser distraire par tout ça. Ne pas perdre de vue son but, qui se rapproche au rythme du train qui s'enfonce dans la nuit.

Il a commencé par envoyer une lettre, quelques semaines auparavant. Le mécanisme est donc enclenché, et Finnegan ne peut plus reculer. Il doit aller de l'avant et accomplir sa mission. Pas question de fuir, une fois encore, comme il n'a cessé de le faire depuis seize ans et demi. Il n'aurait jamais dû partir. Il aurait dû rester et faire face. *Fortitudine*… Peut-être la vérité aurait-elle éclaté au grand jour. Peut-être pas. Comment savoir? On ne peut pas défaire ce qui a été, remettre à l'endroit une vie qui a viré sens dessus dessous...

Est-ce le rythme du train? Est-ce l'apaisement de savoir qu'il approche enfin du but? Finnegan respire plus facilement qu'il ne l'a fait ces dernières semaines, il sent même le sommeil le gagner. Des souvenirs diffus l'envahissent. Une femme, une petite fille, des cheveux fous, une odeur d'enfance... Des rires, des chansons, des secrets... Agathe, son soleil. Et puis ces jours sombres d'automne. Les cris, les accusations. « Tu l'as touchée ! » « Non. » « Elle me l'a dit — ta main sur son sein ! » « Mais... » Agathe aurait pourtant dû comprendre. Ne pas parler de ça, ne pas parler de ça à sa mère, surtout... Et cette femme, Pauline, de quel droit s'était-elle mêlée de cette histoire qui aurait dû rester entre Agathe et lui? La rage. La rage, les cris, encore, et puis ce sang, tout ce sang...

Finnegan s'agite sur la banquette. Une toux sèche le secoue avant de le laisser épuisé et tremblant. Il étouffe, il sue, il a mal partout — à la gorge, à la poitrine, aux os...

Le train continue d'avancer dans le noir.

Ce n'est toujours pas cette nuit que Finnegan va trouver le sommeil.

Deuxième partie

Filatures

Chapitre 12
Mercredi 18 mai

Tout en marchant vers la pizzeria où Laurent et elle se sont donné rendez-vous, Agathe songe qu'elle a bien fait d'accepter de jouer dans *La Maison hantée*, et pas juste parce que pendant cinq heures (cinq heures complètes!) elle a tout oublié des lettres, d'Hubert Fauvel, de Laurent Bouvier…

La rencontre dont elle sort lui a rappelé pourquoi elle a choisi de devenir comédienne et ce qu'elle apprécie d'abord et avant tout dans ce métier. La camaraderie, la complicité, le plaisir de bâtir quelque chose avec d'autres — les membres de l'équipe de production autant que les comédiens et comédiennes. Agathe s'est tout de suite sentie à l'aise au sein de l'équipe réunie par Germain Dostie, le metteur en scène, un homme qui sait où il va, mais qui est également très humain et qui réussit à faire partager sa vision des choses en douceur. Il a aussi un bon sens de l'humour, ce qui ne gâte rien. Agathe le connaissait à peine avant aujourd'hui, mais elle sent qu'elle va avoir du plaisir à travailler avec lui.

Il y a toujours quelque chose d'excitant à voir naître une production. On débroussaille le texte, chacun y va de son interprétation, on se chamaille un peu, des idées fusent et sont immédiatement acceptées, d'autres font long feu — une chose est sûre, il y a une formidable énergie dans l'air, une énergie palpable, électrisante. Tout est possible, et on participe à ce possible.

Peut-être que c'est vrai de tous les débuts, se dit Agathe, de tous les commencements, au théâtre comme dans la vie. Naissances, premiers jours d'école ou de job, déménagements, histoires d'amour… Au début, tout est possible. C'est après que ça se gâte.

À peine a-t-elle eu cette pensée qu'elle se reprend. Peut-être que les choses ne se gâtent pas *nécessairement*. Peut-être que ça dépend de nous, de notre état d'esprit, de nos attentes, de notre façon de voir et de faire ces choses, justement.

Ces derniers temps, Agathe avait un peu l'impression de s'enliser. Dans sa relation avec Laurent, bien sûr, mais aussi dans son travail. Bien qu'elle soit heureuse d'avoir décroché le rôle de la Chouette chevêche, il lui arrive de se demander si c'est tout ce que la vie lui réserve. Elle se rappelle les rêves de gloire qu'elle nourrissait à l'adolescence, quand elle était sûre qu'elle allait interpréter les rôles les plus prestigieux sur les scènes les plus prestigieuses du monde — Antigone, Juliette, Nora, Chimène, Marianne, Blanche DuBois… Desdémone, aussi, même si ce rôle l'attire moins depuis que Laurent lui rebat les oreilles avec l'opéra que Verdi a composé à partir de l'œuvre de Shakespeare. Elle ne l'avouerait pour rien au monde — et surtout pas à ceux avec qui elle a étudié et qui l'envient de gagner sa vie comme comédienne, eux qui ont dû se résoudre à accepter des jobs de serveuses, de caissiers ou de peintres en bâtiment —, mais elle a parfois le sentiment d'avoir raté sa vie. Elle s'est même déjà demandé si elle était vraiment faite pour ce métier.

C'est à cause d'Antigone qu'elle a choisi le théâtre. L'Antigone d'Anouilh, si frêle et si forte à la fois. Pure, loyale, exigeante, passionnée, elle incarnait tout ce qu'Agathe rêvait d'être à quinze ans. *Vous me dégoûtez tous avec votre bonheur! Avec votre vie qu'il faut aimer coûte que coûte. On dirait des chiens qui lèchent tout ce qu'ils trouvent… Moi, je veux tout, tout de suite… et que cela soit aussi beau que quand j'étais petite — ou mourir.*

Oh ! la conviction avec laquelle elle déclamait ces mots face à son amie Geneviève, qui incarnait Créon, le roi qui devait mettre Antigone à mort parce que, malgré ses ordres, elle avait tenté de donner une sépulture à son frère !

Elle a tout aimé de cette pièce, tout de suite. Antigone elle-même, bien sûr, mais aussi le langage, les personnages, l'inéluctabilité de la tragédie, les interventions du prologue et du chœur, l'usage si particulier qu'Anouilh fait du conditionnel... *Le petit garçon que nous aurions eu tous les deux...* Et ces phrases qu'Agathe a apprises par cœur et qu'elle échangeait avec Geneviève ! Les phrases coups de poing, qui lui enflammaient l'esprit — *Je ne veux pas comprendre. C'est bon pour vous. Moi je suis là pour vous dire non et pour mourir* — et les phrases toutes douces, apparemment anodines, qui se glissaient en elle et la faisaient frissonner — *Le jardin dormait encore... C'est beau un jardin qui ne pense pas encore aux hommes.*

À son grand désespoir, Agathe a vite compris que personne, jamais, ne lui offrirait le rôle d'Antigone. Dès la deuxième ligne du Prologue, son sort était réglé : *Antigone, c'est la petite maigre qui est assise là-bas, et qui ne dit rien.* Et, quelques phrases plus loin : *la maigre jeune fille noiraude et renfermée...* Presque toutes les filles qu'Agathe a connues dans sa vie voulaient maigrir. Certaines pour une question de santé, la plupart pour ressembler aux mannequins des magazines. Agathe, qui a été une petite fille ronde avant de devenir une adolescente puis une jeune femme aux formes épanouies, est sans doute la seule qui rêvait de maigrir pour pouvoir jouer Antigone.

Elle a donc choisi le théâtre à cause d'Antigone. Et aussi parce que c'était une façon de quitter Ville-Marie, où elle étouffait, et Mariette Soucy, sa mère, avec qui elle était en conflit perpétuel. Pas question d'attendre l'université pour partir. Elle allait s'inscrire en théâtre au cégep — et le cours qu'elle voulait suivre ne se donnait qu'à Sainte-Thérèse et à Saint-Hyacinthe. Elle s'est présentée aux auditions des deux collèges et elle a été acceptée à Sainte-Thérèse, où elle a passé quatre années aussi exigeantes qu'exaltantes. Elle qui avait toujours été réservée, timide même, avait le sentiment de se révéler à elle-même et aux autres à travers les rôles qu'elle interprétait. Elle a noué quelques amitiés solides — dont celle avec Florence, qui subsiste jusqu'à ce jour. Elle a vécu sa première liaison importante, avec Henri Gélinas. Elle a lu tout ce qui lui tombait sous la main. Elle avait une rage d'apprendre, de comprendre, d'emmagasiner le plus de mots et d'histoires possible. Après ses études, elle est venue s'installer à Montréal, où elle a obtenu de petits rôles ici et là avant de décrocher le rôle de la Chouette chevêche. Elle se demande parfois ce qu'elle ferait si la série quittait les ondes. Elle trouverait sans doute d'autres rôles, mais pourrait-elle en vivre ? Lui faudrait-il commencer à se battre pour se faire connaître, pour s'imposer ? Aurait-elle le talent et surtout l'énergie nécessaires pour survivre dans le monde du théâtre à Montréal ? Il lui arrive d'en douter.

Peut-être s'est-elle ramollie avec les années. Elle se dit parfois que celle qu'elle était à quinze ou vingt ans considérerait sans doute avec mépris l'Agathe de maintenant. Celle qu'elle est maintenant songe avec un étonnement teinté d'indulgence à l'Agathe d'autrefois — ô l'intransigeance et les certitudes de ces années-là ! Au cours des derniers jours, elle qui a toujours rejeté farouchement l'idée d'être en couple — ou, pire, mariée et mère de famille ! — s'est surprise à imaginer ce que pourrait être sa vie avec quelqu'un comme Hubert Fauvel. Elle pense d'ailleurs un peu trop souvent à Hubert, et à quelque chose qui ressemblerait à un bonheur tranquille en sa compagnie — ce bonheur tranquille qui révolte Antigone et qui la dégoûtait elle aussi quand elle avait quinze ans. Est-ce le signe d'une démission, d'une trahison même, ou plutôt un signe de sagesse ? Elle oscille constamment entre ces interprétations opposées, et, selon les jours, elle se méprise ou se réjouit en voyant ce qu'elle est devenue.

Aujourd'hui, après cinq heures de travail stimulant qui l'ont réconciliée avec le métier de comédienne, elle n'a pas envie de se torturer l'esprit avec ces questions. Elle se sent choyée par la vie, et formidablement heureuse d'être qui elle est, là, maintenant.

~

Après avoir passé trois heures à surveiller l'édifice dans lequel Agathe s'est engouffrée au début de l'après-midi, Finnegan a dû se résoudre à retourner à la chambre qu'il a louée au centre-ville de Montréal, rue Saint-Hubert près de Sainte-Catherine, afin de s'allonger un peu. Il ne pouvait pas se permettre d'être à bout de forces au moment d'aborder Agathe.

Il est arrivé lundi matin à Montréal, où il n'avait pas mis les pieds depuis près de vingt ans et qu'il ne connaissait pas bien, même à l'époque. Il a commencé par trouver une chambre et par se reposer une heure ou deux, puis il a cherché la rue où vit Agathe et dont il ne connaissait que le nom. Shamrock. Tous ceux à qui il a demandé son chemin ont secoué la tête en signe d'ignorance, et Finnegan a craint que cette rue n'existe pas et qu'Agathe n'ait rien reçu de ce qu'il lui avait envoyé depuis cinq ans. Puis il a trouvé un guide des rues de Montréal et découvert que Shamrock existait bel et bien, mais que c'était un tout petit bout de rue — un tout petit bout de rue étrangement nommé *avenue* Shamrock —, au sud de Jean-Talon, entre Saint-Laurent et Casgrain. Il s'est rendu là-bas et il a sonné à l'adresse qu'il avait réussi à dénicher quelques années plus tôt, après avoir vu le nom d'Agathe sur une affiche annonçant *Le Malade imaginaire*, de Molière, en tournée dans les Maritimes. L'affiche datait de plusieurs mois, et les représentations étaient de l'histoire ancienne, mais il tenait enfin une piste pour retrouver sa fille, dont il n'avait aucune nouvelle depuis longtemps. Jamais il n'avait tenté de reprendre contact avec elle ou avec Mariette — les risques étaient trop grands. La jeune troupe qui avait sillonné les Maritimes venait de Montréal, et Finnegan avait obtenu sans trop de mal les coordonnées de deux A. O'Reilly. Un homme avait répondu au premier numéro qu'il avait composé — il s'appelait Alex, et non Alistair, comme celui auquel Finnegan prétendait vouloir parler. Au deuxième numéro, il était tombé sur un répondeur. « Bonjour, vous êtes bien au… » La voix était jeune et féminine, et, malgré les années, le soi-disant Finnegan avait reconnu la voix d'Agathe. Tout son corps l'avait reconnue, et il avait cru défaillir. Pourtant, il était encore vigoureux, à l'époque.

Cette fois, c'étaient l'âge et la maladie autant que l'émotion qui faisaient trembler le doigt qu'il a posé sur la sonnette du 49 de l'*avenue* Shamrock. Personne n'a répondu, et Finnegan a traîné dans le coin pendant quelques heures, dans le vain espoir de voir revenir Agathe.

Le lendemain, mardi, il est retourné avenue Shamrock, d'abord sans plus de succès. Puis, dans la soirée, il a cru que le moment était enfin arrivé. Alors qu'il s'apprêtait à abandonner sa surveillance et à retourner à sa petite chambre du centre-ville, il a vu s'approcher une jeune femme à l'éclatante chevelure blond-roux. Blond vénitien, comme aimait à préciser Mariette dans le temps. Quand la jeune femme a été à sa portée — c'était Agathe, impossible que ce ne soit pas Agathe, son cœur affolé ne pouvait pas se tromper —, il a fait un geste vers elle. Et elle, Agathe, son Agathe, a détourné les yeux en secouant la tête. « Je n'ai pas de monnaie », a-t-elle murmuré en accélérant le pas pour rentrer chez elle. Trop sonné pour réagir, il l'a regardée disparaître. Agathe, sa petite Agathe, ne l'a pas reconnu et l'a pris pour un *tramp*, pour un quêteux. Lui qui croyait que plus rien ne pouvait l'atteindre, il a eu l'impression que quelque chose venait de mourir en lui.

Aujourd'hui non plus il n'a pas trouvé l'occasion d'aborder Agathe. Peut-être qu'il devrait provoquer une rencontre avec elle, plutôt que d'attendre que le hasard lui soit favorable.

~

« Alors, cette réunion, ça s'est bien passé ? »

Laurent est déjà là quand Agathe arrive au restaurant, et il l'accueille avec un beau sourire. Tout au long du repas, il se montre charmant, drôle, attentionné… Il s'intéresse à la pièce qu'elle va jouer, lui pose des questions sur son rôle et l'encourage à exprimer ce qu'elle ressent. Aucun reproche, aucune ironie condescendante, aucune fanfaronnade, aucune manifestation de jalousie. Un compagnon parfait.

Est-ce que c'est une ruse pour m'amadouer et me faire changer d'idée ? se demande Agathe, qui s'en veut aussitôt de mettre en doute la bonne foi de Laurent. Serait-elle en train de se transformer en paranoïaque qui se méfie de tout et de rien ? Laurent est de compagnie agréable : pourquoi ne pas en profiter, plutôt que de chercher la bête noire ?

« Tu as bien fait de me brasser, dit Laurent au moment du dessert. Nous nous enfoncions dans la routine, toi et moi. Et il n'y a rien de plus dangereux pour un couple que de s'enliser… Tu m'as obligé à me remettre en question, merci, ma chérie. » Puis, comme Agathe est sur le point de protester. « Désolé, je ne peux pas m'empêcher de t'appeler *chérie*. Tu m'es tellement chère, Agathe, si tu savais… Mais je ne veux rien brusquer. Tu as besoin de temps, et je respecte ça. Me permets-tu quand même d'espérer ? » Il a un petit rire. « C'est drôle, je suis comme un jeune homme qui voit poindre l'espoir d'un nouvel amour… Je me sens un peu bête, un peu gauche, mais rempli de bonne volonté… Mon sort est entre tes mains. Ma vie est entre tes mains… »

Il a l'air tellement sincère, tellement démuni et vulnérable qu'Agathe se sent vaciller. Si seulement il était toujours comme ça… Mais en même temps, elle continue à se méfier (hou, méchante Agathe, dure Agathe, Agathe au cœur de pierre, qui reste insensible devant tant d'amour et d'insécurité !) — Laurent est tellement habile, tellement bon comédien… Comment distinguer le vrai du faux, chez lui ? Sait-il lui-même ce qui est vrai et ce qui ne l'est pas ? Quand il joue, est-il conscient de jouer, ou le jeu est-il chez lui une seconde nature, si intimement lié à son être que Laurent n'existerait pas sans lui ?

Avant de se perdre dans ses réflexions, Agathe se lève.

« Je suis fatiguée, dit-elle avec un sourire d'excuse. Merci pour le souper… »

Laurent se lève à son tour, avant de laisser quelques billets de vingt dollars sur la table.

« S'il te plaît, laisse-moi le plaisir de te raccompagner. »

C'est dans des moments comme celui-là qu'Agathe regrette de ne pas avoir de voiture ni même de permis de conduire. Elle voudrait pouvoir rentrer seule chez elle sans risquer de froisser Laurent.

« Eh bien…, commence-t-elle.

— En tout bien tout honneur », précise Laurent, la main sur le cœur.

Il a déjà utilisé cette expression vieillotte au téléphone, et Agathe est incapable de refuser.

« D'accord, dit-elle. Mais… »

Laurent la prend par le bras.

« Ne t'inquiète pas, dit-il. Ce soir, je ne demande rien d'autre que de te servir de chauffeur. »

~

Jusqu'à la dernière minute, Laurent espère qu'Agathe va l'inviter à monter — il l'a sentie plus tendre, plus malléable vers la fin du repas, ce qui l'a rassuré mais pas vraiment étonné : il savait bien qu'elle ne voulait pas réellement le quitter, qu'elle ne cherchait qu'à affermir son emprise sur lui —, mais son espoir est déçu. Agathe le remercie, encore une fois, elle l'embrasse rapidement sur la joue, puis elle sort de la Volvo, monte l'escalier et s'engouffre chez elle sans même un regard vers lui.

Laurent s'attarde un moment en face de chez elle. Peut-être qu'elle va changer d'idée…

Il fait doux, ce soir, et la vitre de sa portière est à moitié baissée. Est-ce que c'est un cri, ce bruit étouffé, ou n'est-ce que le fruit de son imagination ?

Soudain, la porte de l'appartement d'Agathe s'ouvre, et Agathe elle-même sort en courant et dévale l'escalier à toute vitesse, l'air affolé. Laurent s'apprête à descendre de voiture pour lui demander ce qui se passe, mais Agathe ne lui en laisse pas l'occasion. Elle continue sa course sur le trottoir, sans même remarquer sa présence. Où court-elle comme ça ? Le poste de police n'est pas loin, peut-être est-ce là que…

Mais Agathe passe devant le poste de police sans s'arrêter. Sourcils froncés, Laurent décide de la suivre en auto, le plus discrètement possible. Où peut-elle bien courir comme ça ?

~

À quelques mètres de là, l'homme qui se fait appeler Finnegan n'a rien perdu de la scène. Il commençait à s'éloigner, il était rendu au coin de la rue, en fait, quand il a vu revenir Agathe, dans un VUS conduit par un homme beaucoup plus âgé qu'elle. Un collègue comédien, sans doute…

Agathe est montée chez elle, et Finnegan s'attendait à voir repartir l'homme qui l'a raccompagnée, mais celui-ci s'est attardé après avoir éteint les phares et le moteur de son véhicule. Qu'attendait-il, au juste ? Intrigué, Finnegan a décidé d'observer ce qui allait se passer.

Il n'a pas eu longtemps à attendre. Agathe est ressortie quelques minutes plus tard, courant comme une folle. L'homme l'a suivie de loin au volant de son véhicule — une Volvo CX 90, note Finnegan quand le VUS passe près de lui. Le grand luxe d'allure sportive…

Et lui, faux Finnegan et faux mendiant, décide de prendre la même direction. Il doute de pouvoir les rattraper, ou même d'arriver à les suivre, mais il ne perd rien à essayer, pas vrai ? De toute façon, Agathe ne pourra pas continuer à courir comme ça très longtemps.

Il n'a pas conscience que quelqu'un d'autre, tapi dans l'ombre, observe aussi la scène et leur emboîte le pas à tous les trois.

~

Quelle étrange procession. Agathe, ce comédien, Pat, moi… On dirait des poupées russes, l'une à la suite de l'autre.

Chapitre 13
Nuit du mercredi 18 au jeudi 19 mai

Agathe appuie frénétiquement sur la sonnette. Une fois, deux fois, dix fois… Pourvu qu'il soit là, mon Dieu, pourvu qu'il soit là…

Elle a le cœur qui bat à se rompre. À cause de sa course, bien sûr, qui l'a épuisée et mise hors d'haleine. À cause surtout de la scène qu'elle a découverte en rentrant chez elle, cette scène atroce qu'elle s'efforce vainement de chasser de son esprit.

Réponds, s'il te plaît, réponds…

Agathe note confusément que l'appartement est bien sombre. Peut-être qu'Hubert est sorti. Ou déjà couché. Il est à peine vingt-deux heures trente, mais on ne sait jamais… Peut-être aussi qu'il n'est pas seul. Il y a quelques jours, au téléphone, il lui a laissé entendre qu'elle le dérangeait. Et dimanche, après la fête de Bruno, il l'a pratiquement mise à la porte. Pourquoi s'est-elle précipitée chez lui ? Qu'est-ce qu'elle fait là, bon sang, mais qu'est-ce qu'elle fait là ?

Une lumière s'allume vers l'arrière de l'appartement. La lumière du salon, songe Agathe, qui suit la progression d'une silhouette le long du couloir.

« Je suis tellement contente que tu sois là ! s'écrie Agathe au moment où la porte s'ouvre. C'est Desdémone… C'est horrible, vraiment horrible ! »

Elle a d'abord conscience du fait qu'Hubert est torse nu — il n'a pour tout vêtement qu'un short en jean un peu lâche, qui lui tombe assez bas sur les hanches. Puis qu'il s'appuie sur des béquilles. Elle baisse alors les yeux, et découvre le vide là où devrait se trouver la jambe gauche d'Hubert, sous la cuisse qui s'interrompt brutalement au-dessus du genou. Elle sent un gouffre s'ouvrir sous ses pieds à elle. Elle a vaguement conscience d'un bourdonnement qui s'est emparé de sa tête, et de la voix d'Hubert, qui lui parvient comme à travers de la ouate.

« Agathe, ça va ? Tu ne vas pas tomber dans les pommes ? »

Agathe secoue la tête, les yeux toujours rivés sur ce vide qui ne devrait pas être là. Puis son regard se déplace légèrement, assez pour découvrir qu'il manque aussi deux orteils au pied droit du jeune homme.

C'est ce détail, ces deux orteils en moins, qui fait tout basculer, qui dépouille Agathe de ce qui lui reste de sang-froid. La jambe amputée, elle aurait pu l'encaisser, mais ces orteils, merde, ces orteils… La jambe, ce n'était pas suffisant ? Pourquoi faut-il en plus… Oh, *shit, shit, shit.*

Agathe est étouffée par les sanglots. Elle ne peut plus respirer. Elle ne peut plus parler. Elle ne peut surtout pas regarder Hubert en face. Alors elle fait la seule chose qu'elle soit encore capable de faire : fuir. Elle recule, dévale les trois marches qui mènent au trottoir et fonce dans la nuit à toute vitesse, sans savoir où elle va et sans rien voir de ce qui l'entoure.

« Agathe ! Attends ! »

Le cri d'Hubert fait ralentir Agathe, mais il ne l'arrête pas.

« Agathe, s'il te plaît, je ne peux pas te suivre… Ce n'est pas juste. »

Cette fois, Hubert n'a pas crié. Sa voix est à peine plus qu'un murmure. Mais ce murmure atteint Agathe en plein cœur, et elle s'arrête au milieu de la rue.

« S'il te plaît… » répète Hubert.

Agathe inspire à fond avant de revenir lentement sur ses pas.

~

« J'enfile un t-shirt et je te rejoins. »

Agathe hoche la tête sans répondre. Oui, sans doute vaut-il mieux qu'il s'habille un peu. En marchant derrière lui, dans le couloir, elle n'a pu s'empêcher d'observer le jeu des muscles de son dos et de ses bras pendant qu'il avançait au moyen de ses béquilles. Des muscles bien définis, pas trop, juste assez, sous une peau ferme. Agathe a refréné à grand-peine son désir d'allonger le bras et de toucher le dos d'Hubert du bout des doigts, rapidement, juste pour savoir quel effet cela faisait. Une peau ferme. Une peau jeune.

Agathe continue jusqu'à la cuisine pendant qu'Hubert disparaît dans sa chambre. Il en ressort quelques instants plus tard, un t-shirt sur le dos, et rejoint Agathe, qui note son habileté à se déplacer avec des béquilles. Elle suppose que, jusque-là, elle l'a toujours vu marcher avec une prothèse. Ça explique sa légère claudication, et cette raideur qu'elle attribuait à une rigidité presque militaire. Avec ses béquilles, Hubert se révèle beaucoup plus souple.

« J'étais dans le bain, dit-il.

— Comme le soir où je t'ai téléphoné la première fois… »

Elle comprend mieux, à présent, pourquoi il avait mis si longtemps à répondre et pourquoi il ne semblait pas ravi d'avoir été dérangé.

« Je te sers quelque chose à boire ? demande Hubert. Jus, café… ?

— Tu n'aurais pas quelque chose d'un peu plus costaud ? Du vin blanc, peut-être, ou une bière… »

Hubert secoue la tête.

« Je n'ai pas d'alcool.

— Il ne reste rien de la fête de Bruno ? Il me semblait que… »

Hubert secoue de nouveau la tête.

« Marc-André a tout emporté. Il sait qu'il vaut mieux ne pas laisser d'alcool à ma portée. » Une pause quasi imperceptible, puis, les yeux plantés dans ceux d'Agathe, il ajoute : « Je suis alcoolique. »

Il ne s'en vante pas, il ne s'en excuse pas, il énonce un fait, c'est tout. Qu'est-ce qu'Agathe peut répondre à ça ? Ah bon, et moi, j'adore la tarte aux pommes !

« Je me rends compte que j'ignorais beaucoup de choses à ton sujet », murmure-t-elle.

Hubert lui adresse un petit sourire.

« En effet..., dit-il. Ce n'est pas ta faute, remarque. Je n'ai pas encore trouvé de façon naturelle de glisser dans la conversation, chaque fois que je rencontre une fille : *Ah, au fait, je suis unijambiste, alcoolique et sur le point d'adopter officiellement mon neveu, qui a neuf ans et qui est lourdement handicapé...* »

Une fois de plus, Agathe ne sait trop comment réagir.

« Écoute, euh... Tout à l'heure... ma réaction. Je ne sais pas ce qui m'a pris. Je... je m'excuse... »

Hubert l'interrompt.

« Non, s'il te plaît, ne t'excuse pas. Tu as eu un choc, je peux comprendre ça, et comme tu semblais déjà ébranlée en arrivant... »

Agathe porte une main à sa bouche tandis que les larmes lui montent aux yeux.

« Mon Dieu ! Desdémone ! »

Hubert fronce les sourcils.

« Qui est Desdémone ? demande-t-il.

— Ma tortue.

— Ta tortue ?

— Elle a été assassinée ! »

Hubert semble pris de court.

« Assassinée, répète-t-il. Comment ça ?

— Quand je suis rentrée du restaurant, tout à l'heure, je l'ai trouvée... Oh mon Dieu, c'était horrible...

— Tu l'as trouvée où, exactement ? »

Agathe ferme les yeux un instant. Une larme coule sur sa joue, qu'elle essuie machinalement.

« Agathe, répète Hubert, où as-tu trouvé ta tortue ? Et pourquoi dis-tu qu'elle a été assassinée ? »

Agathe ouvre les yeux.

« Je l'ai trouvée plantée dans mon lit, souffle-t-elle en posant un regard horrifié sur Hubert. *Vraiment* plantée au milieu du lit, le corps transpercé par mon grand couteau de cuisine. »

~

Hubert décide de raccompagner Agathe chez elle. Il remet sa prothèse, enfile un pantalon long et des chaussures, puis Agathe et lui sortent dans la nuit.

« Tu peux marcher jusque chez moi ? s'inquiète Agathe. Ce n'est pas trop loin ? »

Hubert pousse un soupir comique.

« S'il te plaît, dit-il, évite de te prendre pour ma mère ! Si je l'écoutais, je passerais ma vie au lit à me faire servir par tout le monde… C'est déjà assez pénible comme ça, alors s'il faut que tu t'y mettes, toi aussi… » Une pause, puis : « Je suis amputé, Agathe, c'est tout. Ce n'est pas l'idéal, mais ce n'est pas la fin du monde non plus. Je ne suis ni impotent ni entièrement démuni. Je n'entreprendrais peut-être pas un marathon — et encore, rappelle-toi Terry Fox ! –, mais je peux certainement marcher quelques coins de rue. Laisse-moi juger de ce que je peux faire ou pas, OK ? »

Agathe hoche la tête.

« OK. »

Ils font le trajet en silence. À présent qu'Agathe connaît la condition d'Hubert, elle est particulièrement consciente (exagérément consciente, peut-être — le jeune homme n'a-t-il pas clairement indiqué qu'il se débrouillait très bien et qu'il n'avait surtout pas besoin d'être ménagé, dorloté ou pris en pitié ?) des efforts qu'il doit fournir pour avancer, pour monter et descendre les chaînes de trottoir, pour grimper les deux escaliers qui mènent à son appartement. Les escaliers, surtout, semblent lui donner du fil à retordre — il gravit lentement chaque marche et marque une pause avant d'aborder la deuxième volée —, mais Agathe se garde bien de s'excuser, encore une fois, ou de lui proposer son aide. Laisse-moi juger de ce que je peux faire ou pas, a-t-il dit. S'il a besoin d'aide, Agathe suppose qu'il le lui fera savoir.

En haut du deuxième escalier, Agathe a une hésitation au moment d'ouvrir la porte qui donne dans la grande pièce qui sert en même temps d'entrée et de salon. Et si l'assassin de tortue était encore là ? Plus tôt, quand elle est rentrée chez elle, elle est d'abord passée par la salle de bain puis elle est allée directement dans sa chambre. Elle a allumé la lumière, découvert la scène qui l'a épouvantée et pris les jambes à son cou sans réfléchir davantage et sans examiner toutes les pièces. Elle *suppose* que l'appartement est vide, mais elle n'en est pas entièrement sûre. Elle confie ses craintes à Hubert, qui réfléchit un court moment.

« Nous devrions redescendre et aller au poste de police qui se trouve en face… » suggère-t-il.

Agathe secoue la tête.

« Plus tard, peut-être… Pour l'instant, je… je voudrais juste être sûre de ce que j'ai vu… Tout à l'heure, j'ai paniqué et… Peut-être que j'ai mal interprété… peut-être que c'est une blague… peut-être… »

Elle n'en semble pas convaincue, et elle n'en convainc pas davantage Hubert, qui songe que ce serait vraiment nul comme blague.

« Bon, alors, ça ne sert à rien de s'éterniser ici, dit-il. Aussi bien en avoir le cœur net. » Il a un petit rire. « Je pourrais enlever ma prothèse et m'en servir comme d'un gourdin contre un intrus éventuel… Le problème, c'est que j'aurais du mal à garder mon équilibre… »

Ce n'est pas très drôle, mais Agathe ne peut s'empêcher de pouffer. Elle a moins peur, tout à coup.

« Bon, on y va, décrète-t-elle. Je propose qu'on fasse le tour de l'appartement en gardant la chambre pour la fin. »

Hubert acquiesce.

« Je te suis. C'est toi qui connais les lieux… »

~

Ils regardent partout, dans les placards et sous les meubles, derrière les fauteuils et le rideau de douche, et même dans l'armoire sous l'évier de la cuisine. Personne.

Finalement, il ne reste plus que la chambre à coucher à vérifier.

« Je... j'aimerais mieux que tu y ailles seul, murmure Agathe quand ils arrivent près de la porte. Desdémone... je n'ai pas vraiment le cœur de... »

Hubert peut comprendre. Il hoche la tête sans répondre et fait quelques pas dans la chambre, dont la lumière est restée allumée. Avant d'examiner de près la scène macabre qui s'étale au milieu du lit, il se dirige vers le placard, qu'il ouvre d'un geste brusque pour s'assurer que personne ne s'y cache. Il met ensuite un genou par terre avec précaution pour jeter un coup d'œil sous le lit, en évitant soigneusement de regarder *sur* le lit. Il se relève, gauchement, et balaie la chambre du regard. La pièce est grande, agréable, meublée et décorée sobrement. Il y a un peu de désordre, pas trop, juste assez pour donner aux lieux un air habité. Des livres et des papiers qui traînent, quelques vêtements, dont une robe de nuit soyeuse et très échancrée (*hypersexy!* dirait sans doute Marc-André). Hubert détourne rapidement les yeux. Il a très chaud, tout à coup.

Son regard se pose ensuite sur le lit, dont il s'approche lentement en ayant soin de ne toucher à rien. Pour avoir vu un bon nombre de films policiers, il sait qu'il faut éviter de contaminer les scènes de crime. Scène de crime... L'assassinat d'une tortue compte-t-il pour un crime ? Crime ou pas, le spectacle qui s'offre à ses yeux ne peut être l'œuvre que d'un esprit dérangé, sadique et malfaisant.

Les couvertures ont été écartées et soigneusement repliées, découvrant des draps turquoise et satinés, dont le luxe détonne un peu dans la chambre — on dirait des draps de film porno, songe Hubert, qui s'en veut aussitôt de réagir de façon aussi personnelle. Il n'est pas là pour laisser libre cours à ses émotions, mais pour analyser une situation délicate avec objectivité. Un point c'est tout.

Il observe donc la scène avec objectivité. Les draps rabattus avec soin et, au milieu du lit, la carcasse informe, écrabouillée, de ce qui a déjà été une tortue appelée Desdémone (Desdémone !), clouée au matelas par un grand couteau. Hubert n'est pas expert en tortues, mais celle qui se trouve là lui semble assez grosse, et il se doute qu'il n'a pas été facile de la transpercer ainsi. Le sadique responsable de ce massacre a fait preuve de détermination — d'acharnement même.

S'arrachant à sa contemplation, Hubert retourne vers Agathe, qui se ronge les ongles à l'extérieur de la chambre.

« C'est du sérieux, Agathe… Et ça dépasse les compétences d'amateurs comme nous. Il faut appeler la police. »

~

Agathe commence par refuser. Pas question d'avertir la police.

« Pourquoi ? demande Hubert.

— À cause des lettres. »

Aux yeux d'Hubert, les lettres seraient plutôt une raison supplémentaire d'appeler la police. Comme il le souligne à Agathe, elle a reçu depuis deux semaines trois lettres anonymes plutôt inquiétantes. À présent, elle découvre sa tortue poignardée dans son lit. Ça ne peut pas être un hasard. La personne qui a envoyé les lettres a sûrement aussi tué Desdémone. Et les lettres pourraient sans doute conduire les policiers à cette personne.

C'est un raisonnement logique, qu'Agathe aurait du mal à réfuter.

« Je sais bien, murmure-t-elle, mais… »

Elle se tait.

« Mais quoi ?

— Mais je ne veux pas que la police aille fouiller du côté de Halifax. »

Puis, voyant qu'Hubert s'apprête à répliquer, elle ajoute :

« Comme tu t'en es rendu compte l'autre jour, j'essaie de détourner l'attention de cette ville.

— Mais pourquoi ? »

Agathe hésite. Que peut-elle se permettre de révéler à Hubert ? Elle a tendance à lui faire confiance, mais cette histoire n'appartient pas qu'à elle. En même temps, elle doit lui fournir quelques explications si elle veut qu'il reste discret au sujet des lettres.

Sans un mot, elle se dirige vers son placard. Elle récupère sa boîte aux trésors sur la tablette du haut et en retire les cinq cartes postales qui se trouvent au fond.

« On va s'installer dans la cuisine, dit-elle. Ça va être plus confortable. »

Une fois là, elle étale les cartes postales sur la table.

« Lis », dit-elle à Hubert.

Celui-ci s'assoit et lit rapidement les cartes, sourcils froncés.

« Je ne comprends pas, dit-il enfin. Qui sont ces filles ? Molly Malone, Peggy Gordon… Des amies à toi ? »

Agathe sourit.

« Si on veut… »

~

La première carte postale, adressée à Miss Molly Malone, est arrivée il y a quatre ans, quelques jours avant le vingt-troisième anniversaire d'Agathe. Elle n'était pas signée et ne portait qu'un court message : *Love, always, sweet Molly Malone.* Le choc qu'Agathe a eu en découvrant cette carte ! Comme si elle venait d'être submergée par une puissante vague d'enfance. D'un seul coup, elle a retrouvé les bras de son père autour d'elle, son odeur, son rire sonore et sa voix — sa voix chaude et rassurante qui, au fil d'histoires d'amour, d'exil, d'errance et de retrouvailles, lui chantait l'Irlande de ses ancêtres…

In Dublin's fair city
Where the girls are so pretty
I first set my eyes on sweet Molly Malone

Sweet Molly Malone, qui vendait ses moules et ses coques dans les rues de Dublin. Sweet Molly Malone qui a succombé à une fièvre et dont le fantôme hante toujours les rues, poussant sa brouette et criant *cockles and mussels, alive, alive-O !*

Enfant, Agathe avait l'impression que Molly Malone était une de ses amies. Tout comme Peggy Gordon, et Mary the Rose of Tralee, et la belle de Belfast City, et la fille au ruban de velours noir dont les yeux brillaient comme des diamants, et la jeune Eileen qui *merrily, cheerily, noiselessly* filait sa laine auprès de sa grand-mère aveugle... Ces filles étaient aussi réelles à ses yeux que Marie-Hélène Laviolette ou Catherine Tremblay, qui étaient dans sa classe.

Le cœur chaviré, les yeux noyés de larmes, Agathe a lu et relu la carte postale adressée à Molly Malone pour tenter d'en déchiffrer tous les secrets, mais elle est vite arrivée au bout de ce qu'elle pouvait en tirer. Selon le cachet postal, la carte venait de Pomquet, en Nouvelle-Écosse. L'été suivant, Agathe s'est rendue là-bas, mais, malgré tous ses efforts, elle n'a pas pu retrouver son père qui, elle en était sûre, lui avait envoyé cette carte.

L'année suivante, pour son vingt-quatrième anniversaire, la carte était adressée à Mary Rose Tralee (*'twas the truth in her eyes ever dawning that made me love Mary, the Rose of Tralee*) et elle avait été postée à Lunenburg, toujours en Nouvelle-Écosse, mais à une bonne distance de Pomquet, vers le sud-ouest. Cette fois-là, Agathe n'a pas attendu l'été pour se rendre à Lunenburg, mais ses recherches n'ont pas donné plus de résultats. Personne, dans le petit village de pêcheurs inscrit au patrimoine mondial de l'Unesco, n'a reconnu l'homme dont elle montrait la photo à gauche et à droite.

Par la suite, elle a renoncé à se rendre à Dartmouth, en face de Halifax, d'où avait été postée la carte à Peggy Gordon (*O Peggy Gordon, you are my darling*), qu'Agathe a reçue trois jours après son vingt-cinquième anniversaire. Oh ! l'angoisse qui l'a envahie quand le 21 février est arrivé sans qu'elle ait reçu de carte, puis le 22, puis le 23 ! Et si elle ne recevait plus de cartes ? Si le fil ténu qui la reliait à son père était coupé à jamais ? Elle avait pourtant passé des années sans même savoir s'il était mort ou vivant, mais à présent qu'il était revenu dans sa vie — quelques mots par année, une présence fragile mais réelle —, elle savait qu'elle ne pourrait plus supporter le silence.

Elle ne s'est pas rendue non plus à Antigonish — tout près de Pomquet, lieu d'origine de la première carte, envoyée trois ans plus tôt —, d'où venait la carte pour Mademoiselle Belle (*She is handsome, she is pretty, she is the belle of Belfast City*), reçue la veille de ses vingt-six ans.

Cette année, c'est le jour même de ses vingt-sept ans, le lundi 21 février, que la carte est arrivée. En découvrant le nom inscrit sur la carte, *Miss Muirsheen Durkin*, Agathe s'est mise à rire. Chaque année, elle se demandait à qui serait adressée la carte postale. Si les premiers noms allaient de soi, les suivants ne pourraient venir que de chansons de moins en moins familières à Agathe — en fouillant dans les recoins de sa mémoire, elle avait retrouvé Peggy Lettermore, et une certaine Maggie, et Kathleen (*I'll Take You Home Again Kathleen*), et Rosie McCann, et la jeune fille de la chanson *Her Mantle So Green*... Elle n'aurait pas pensé à Muirsheen Durkin, dont elle ignorait s'il s'agissait d'un nom de village ou d'un nom de personnage, qu'elle n'avait jamais réussi à prononcer correctement et qui la faisait toujours rire aux éclats. Maintenant encore, après toutes ces années, il a suffi qu'elle voie ces mots pour éclater de rire. Mais son rire s'est cassé net quand elle a lu le message: *Goodbye Muirsheen Durkin I'm sick and dying of diggin' gold and coal.* Dans la chanson originale, le héros fait ses adieux à Muirsheen Durkin en précisant qu'il est *sick and tired of workin'*, avant de partir pour la Californie, où il va sûrement faire fortune *diggin' lumps of gold.* Agathe n'aimait pas du tout ce qu'elle devinait entre les lignes de la version qu'elle venait de recevoir. *Goodbye Muirsheen Durkin.* S'agissait-il vraiment d'adieux? *I'm sick and dying of diggin' gold and coal.* Celui qui lui avait envoyé la carte était-il vraiment malade, malade à cause de toutes ces années passées à travailler dans des mines? *Sick and dying.* Pas juste malade, mourant. Était-ce une façon de lui annoncer qu'il ne serait plus là en février prochain? Ces mots qu'il venait de lui envoyer seraient-ils les derniers qu'elle recevrait de lui? Agathe a senti l'angoisse, comme une douloureuse boule de plomb, lui nouer le ventre. Elle avait du mal à respirer.

Elle devait réagir, vite, pendant qu'il était encore temps. Mais comment? S'il n'en avait tenu qu'à elle, Agathe serait partie sur-le-champ pour New Waterford, où avait été postée la lettre quelques jours plus tôt, et elle aurait tout fait pour retrouver celui qui l'avait envoyée. New Waterford: c'était en Nouvelle-Écosse, comme d'habitude, presque à l'extrémité de l'île du Cap-Breton. Cette fois, elle serait vraiment allée au fond des choses. Mais ce n'était pas possible, elle ne pouvait pas partir en laissant tomber l'équipe de *La Forêt enchantée*. Le rôle de la Chouette chevêche était l'un des rôles les plus importants de la série, et on était en pleine période d'enregistrement. En partant sans raison valable, non seulement perturberait-elle la production, elle risquait également de perdre son rôle… Peut-être aussi qu'elle avait mal interprété le message adressé à Muirsheen Durkin. Pouvait-elle tout laisser tomber pour une chimère? Ses précédents voyages en Nouvelle-Écosse avaient été infructueux, et rien ne garantissait que le prochain donnerait de meilleurs résultats. Agathe avait de bonnes raisons pour ne pas partir tout de suite, finalement. Elle pourrait aller à New Waterford plus tard, après la fin de la saison d'enregistrement, mais avant de s'installer à Sutton pour jouer dans *La Maison hantée*. Avec un pincement au cœur, Agathe avait donc rangé la carte postale de ses vingt-sept ans avec les autres, dans le fond de sa boîte aux trésors.

Ce sont ces cartes postales qu'Agathe a comparées aux deux premières lettres anonymes, trois semaines plus tôt, avant de conclure qu'elles ne pouvaient pas avoir été écrites par la même personne.

~

« Mais les cartes viennent de Nouvelle-Écosse, tu comprends, comme les lettres anonymes, et il ne faudrait pas que la police tombe sur celui qui a écrit les *cartes* en essayant de retrouver la personne qui a écrit les *lettres*… »

Agathe a prononcé la dernière phrase d'une voix fervente, et Hubert aimerait partager sa conviction que les cartes et les lettres ne viennent pas de la même personne — le père d'Agathe, vraisemblablement, ce père *qui n'existe plus* —, mais il nourrit de sérieux doutes.

« Est-ce que les cartes pourraient avoir été écrites par quelqu'un d'autre que ton père ? »

Agathe secoue la tête.

« Impossible. Il n'y a que lui pour connaître ces chansons et savoir ce qu'elles représentent pour moi… C'est lui qui m'a envoyé les cartes postales. Je le sais.

— Il t'a peut-être aussi envoyé les lettres…

— Non, je suis sûre que non !

— Mais imagine, juste un instant, que c'est lui qui t'a envoyé les lettres et qui a tué ta tortue. Ne vaudrait-il pas mieux que la police le trouve ?

— C'est impossible ! Jamais il n'aurait fait une chose pareille ! Jamais ! »

Agathe marque une pause, puis elle reprend, d'une voix presque suppliante :

« Mais enfin, tu as lu les cartes : peux-tu imaginer que celui qui a écrit ces cartes soit aussi responsable des lettres de menace ? L'amour ne peut pas se transformer d'un seul coup en haine ! Les mots tendres ne peuvent pas se transformer en menaces ! »

Hubert secoue doucement la tête.

« Tu sais comme moi que ça arrive, malheureusement…

— Pas dans ce cas ! Tu as lu la carte qu'il m'a envoyée en février dernier… Ça fait à peine trois mois…

— Et s'il s'était produit quelque chose de nouveau depuis février ? Quelque chose qui aurait provoqué un revirement chez lui…

— Non ! C'est impossible, m'entends-tu ? Impossible ! »

À son grand désarroi, Agathe éclate en sanglots.

Prise au dépourvu par cette crise de larmes, qu'elle tente désespérément de stopper, Agathe n'ose pas regarder Hubert. Elle le sent qui s'approche d'elle et qui lève une main vers son épaule, qu'il tapote gauchement. Elle recule d'un pas.

« Il faut que je me mouche », parvient-elle à articuler avant de se sauver vers la salle de bain.

Une fois la porte verrouillée, elle rabat le couvercle de la cuvette et s'assoit dessus en attendant que ses sanglots s'apaisent. Elle se mouche ensuite longuement puis se passe le visage à l'eau froide. Avant d'aller retrouver Hubert, elle jette un coup d'œil dans le miroir. Elle a une mine épouvantable, ce qui n'a rien d'étonnant. Ce qui est étonnant, par contre, c'est que ça ne la dérange pas. *Presque* pas.

Quand elle rejoint Hubert, celui-ci lui tend un grand verre de jus d'orange.

« Je me suis permis de fouiller dans ta cuisine...

— Merci. »

Elle vide la moitié du verre d'un trait avant de regarder Hubert dans les yeux.

« S'il te plaît, promets-moi de ne pas parler des lettres, dit-elle. Peut-être qu'il y a une épidémie de meurtres d'animaux dans le quartier et que la police est déjà sur la piste du coupable. Ou peut-être que c'est Nathalie Salois, finalement, qui a tué Desdémone et qu'elle a laissé des indices qui permettront à la police de remonter jusqu'à elle sans qu'on ait besoin de parler des lettres...

— Je n'imagine pas du tout Nathalie Salois en train de poignarder une tortue, intervient Hubert.

— Je n'imagine *personne* en train de faire une chose pareille, réplique Agathe. Mais quelqu'un a tué Desdémone à coups de couteau, et c'est horrible, et tu as raison de dire que c'est du ressort de la police. On va donc appeler la police, et on va voir comment les policiers vont réagir... Pour le moment, je propose qu'on ne leur dise rien au sujet des lettres ni même de Nathalie Salois, puisque tu sembles tellement certain qu'elle n'est pas coupable. Laissons-les faire leur enquête, et voyons ce qu'ils découvrent. Il sera toujours temps, si nécessaire, de leur parler de Nathalie et peut-être même des lettres... »

Hubert ne croit ni à l'existence d'un tueur d'animaux en série ni à la culpabilité de Nathalie. Il a plutôt l'impression que les événements des dernières semaines — les lettres de menace et maintenant la mort de la tortue — sont liés d'une façon ou d'une autre au père d'Agathe — ce père disparu depuis longtemps et dont la jeune femme tient à garder la police éloignée. Mais, sachant qu'il ne réussira pas à convaincre Agathe de parler de lui aux policiers, il finit par accepter ses conditions. À contrecœur, et en espérant que les policiers se montreront perspicaces et qu'ils arriveront mieux que lui à obtenir des renseignements d'Agathe.

~

La sergente-détective Lysanne Thibodeau, enquêteuse au poste 31 du Service de police de la Ville de Montréal, ou SPVM, croit d'abord à une blague quand son supérieur, le lieutenant Robert Maranda, lui demande d'aller voir une femme qui a trouvé sa tortue assassinée dans son lit.

« La tortue avait un lit ?

— Le lit de la femme, précise Maranda. Son nom, c'est Desdémone. Bizarre, non ?

— La femme ?

— Non, la tortue. La femme s'appelle Agathe. Agathe O'Reilly. Et elle habite pratiquement en face. »

Lysanne prend le papier sur lequel apparaissent les coordonnées de la maîtresse de la tortue assassinée. Comment peut-on *assassiner* une tortue ? Et comment peut-on appeler une tortue Desdémone ? Mais, surtout, pourquoi Maranda l'envoie-t-il, elle, pour enquêter sur ce qui n'est sans doute qu'un banal cas de brutalité envers les animaux ? C'est le genre de dossier qui pourrait être confié à de simples agents. Le genre de dossier qu'elle ne pensait plus avoir à traiter, à présent qu'elle a été promue sergente-détective. Serait-ce que le lieutenant ne la prend pas au sérieux ?

« Pourquoi ne pas envoyer des patrouilleurs ? demande-t-elle avec une pointe d'agressivité.

— C'est ce qu'on a fait, répond Maranda. On a envoyé Lemay et Sicotte. Mais, selon eux, ça dépasse la brutalité envers les animaux. Ils jugent que ça pourrait relever des menaces ou de l'intimidation. C'est pour ça que j'ai décidé de mettre un enquêteur là-dessus… ou plutôt une enquêteuse. Toi. Et prends le nouveau avec toi, question de lui faire découvrir le quartier… »

Le nouveau, c'est l'agent Carl Toupin, fraîchement sorti de l'école de police et qui a l'air d'avoir seize ans et quart. Son dossier dit qu'il en a vingt-deux, mais Lysanne soupçonne le jeune policier d'avoir falsifié son certificat de naissance ou usurpé l'identité de son grand frère.

Sans un mot, la sergente-détective sort du bureau de Maranda. En passant près de Ginette Champoux, la réceptionniste, elle demande à celle-ci si elle a vu le nouveau.

« Maranda veut que je le prenne avec moi pour une enquête. Est-ce que j'ai l'air d'une éducatrice de garderie ? J'ai l'impression d'être avec un bébé quand je suis avec lui. Il faut que je résiste à l'envie de lui dire de se tenir droit et d'arrêter de se décrotter le nez.

— Il se décrotte le nez *en public* ?

— Pas encore, mais je suis sûre que ça va venir. Il passe son temps à rougir, en tout cas.

— Tu ne peux quand même pas lui en vouloir pour ça… Je le trouve mignon, moi, le petit Toupin…

— Petit ! Il doit faire six pieds trois !

— Six pieds deux, c'est écrit sur sa fiche. Mais il est tellement maigre. Il doit réveiller mon instinct maternel. J'aurais le goût de lui dire de finir sa soupe et de manger beaucoup de pain et de patates. Ça remplume. »

Ginette Champoux, quarante-neuf ans et chairs opulentes, a tendance à se prendre pour la mère de tous les policiers du poste, y compris le commandant Fredette, qui a quinze mois de plus qu'elle.

Avec un soupir, Lysanne Thibodeau se met en quête de Carl Toupin. Il n'est là que depuis deux jours, et elle n'a aucun motif raisonnable de lui en vouloir — sinon pour le contraste qu'ils présentent, tous les deux, et qui n'est pas à son avantage. Autant Toupin est grand et maigre, autant elle est courte et trapue. « Mutt et Jeff », a-t-elle entendu Lemay murmurer en les voyant passer ensemble, la veille. « Plutôt Abbott et Costello », a répliqué Sicotte, son partenaire. Tous deux se sont trouvés très drôles.

~

Laurent a failli perdre Agathe de vue lorsque celle-ci, après avoir parcouru une centaine de mètres vers l'est dans la rue Jean-Talon, a tourné à gauche dans une rue où il ne pouvait la suivre en voiture pour cause de sens interdit. Que faire ? Prendre la rue suivante, qui lui permettait de se diriger lui aussi vers le nord, aller jusqu'à la prochaine intersection en souhaitant pouvoir revenir vers la rue que venait d'emprunter Agathe, puis redescendre cette rue en espérant qu'Agathe n'ait pas déjà disparu dans une maison, ou qu'elle ne le reconnaisse pas s'il devait la croiser, ou qu'elle ne poursuive pas sa route encore plus au nord, tandis que lui ne pourrait que redescendre vers Jean-Talon, puis remonter, puis… ? Trop compliqué, et surtout trop risqué. Laurent n'a donc pas hésité longtemps. Il a garé sa Volvo en vitesse avant de s'engager à son tour dans la rue où se trouvait Agathe. Heureusement, celle-ci avait réduit son allure, et Laurent, tout en prenant soin de rester à une distance prudente, n'a eu aucune difficulté à la suivre. Où courait-elle comme ça ? Sûrement pas chez Florence qui, si son souvenir était bon, habitait quelque part dans le Plateau-Mont-Royal…

Laurent a vite été fixé. Après avoir traversé la rue De Castelnau, Agathe a allongé le pas graduellement, et c'est pratiquement en courant qu'elle a grimpé les trois marches menant au rez-de-chaussée d'un duplex situé à peu près au milieu du pâté de maisons. À une quinzaine de mètres de là, Laurent s'est dissimulé derrière le tronc d'un arbre de bonne taille. Agathe a sonné à plusieurs reprises, avec une impatience visible même de loin, et la porte a fini par s'ouvrir. D'où il était, Laurent ne pouvait pas distinguer la personne qui se tenait dans l'embrasure. Devait-il s'approcher un peu, au risque d'être découvert ? Il en était encore à hésiter quand Agathe a eu un brusque sursaut. Elle a reculé d'un pas en portant une main à sa bouche, comme si elle tentait d'étouffer un cri. Puis elle a dévalé les marches à toute allure. Un bref instant, Laurent a craint qu'elle ne vienne dans sa direction, mais il s'inquiétait pour rien. Agathe s'est précipitée dans la rue — sans vérifier d'abord si la voie était libre, elle aurait pu se faire tuer, l'imprudente —, où elle a commencé à courir dans la direction opposée. Un cri a retenti. « Agathe, attends ! » Celui qui avait ouvert la porte à Agathe était à présent sur le balcon et tentait de la faire revenir. C'était un homme, un homme jeune, torse nu, appuyé sur des béquilles et à qui il manquait la majeure partie de la jambe gauche. Agathe qui rendait visite à un unijambiste, qu'est-ce que c'était que cette histoire ? Était-ce avec lui qu'elle avait passé quelques-unes des dernières soirées ? Qui était ce type, et qu'était-il pour Agathe ? Laurent aurait bien voulu voir son visage, mais l'homme lui tournait le dos. Seule sa silhouette se distinguait facilement dans la faible lumière.

Ensuite, Agathe est revenue vers le balcon, très lentement, et a suivi l'infirme dans la maison. Laurent a quitté son poste près du grand arbre. Après avoir traversé la rue, par prudence, il s'est rendu devant la maison où était Agathe. Il a noté l'adresse et trouvé un nouveau poste d'observation, à l'ombre d'un escalier. Puis il s'est préparé à attendre. Il resterait sur place toute la nuit s'il le fallait — heureusement que le temps était doux —, mais il ne partirait pas avant d'avoir vu Agathe sortir de là. Il fallait qu'il en ait le cœur net.

Il n'a pas eu longtemps à attendre. Agathe et le jeune homme (sans béquilles, cette fois, et décemment vêtu, mais Laurent était sûr qu'il s'agissait du même homme, d'ailleurs il boitait, c'était évident pour qui savait regarder) sont sortis une quinzaine de minutes plus tard. À présent, Laurent voyait l'infirme de face, mais la rue était trop sombre pour qu'il distingue ses traits. Malgré tout, le jeune homme avait quelque chose de familier. Où Laurent avait-il déjà vu ce type ?

Agathe et l'infirme ont commencé à marcher en direction de la rue Jean-Talon, et Laurent leur a emboîté le pas, tout en supposant qu'ils allaient chez Agathe. Son intuition s'est renforcée quand ils sont arrivés rue Jean-Talon et qu'ils ont poursuivi leur route vers l'ouest. Plutôt que de les suivre, Laurent a décidé de se rendre là-bas avant eux. Il a récupéré sa Volvo et, après quelques détours, il s'est rendu au coin de Saint-Dominique et de Shamrock, où il s'est garé de façon à pouvoir observer le bout de rue où vit Agathe. À peine venait-il d'éteindre ses phares qu'il a vu apparaître Agathe et son compagnon. Ils ont monté l'escalier — une tâche ardue, à l'évidence, pour le cul-de-jatte — et disparu à l'intérieur. Une fois de plus, Laurent s'est préparé à attendre. Au moins, cette fois, il était confortablement assis dans sa voiture, et non debout sous un escalier. S'il le voulait, il pouvait même écouter de la musique. Sauf qu'il n'avait aucune envie d'écouter de la musique.

Une trentaine de minutes plus tard, il voit deux policiers en uniforme sortir du poste situé à quelques mètres de lui, de l'autre côté de la rue où il est garé, traverser l'intersection en diagonale et monter chez Agathe.

Laurent donnerait cher pour savoir ce qui se passe là-bas.

~

Finnegan n'a pas eu de chance dans sa filature. Ses jambes et surtout son souffle n'étant plus ce qu'ils étaient, il a perdu de vue Agathe et l'homme à la Volvo après deux coins de rue. Il a quand même décidé de traîner un peu dans le coin, à tout hasard, et il ne l'a pas regretté. Il a d'abord vu revenir l'homme à la Volvo, qui ne voulait manifestement pas être vu, puis Agathe, accompagnée d'un homme beaucoup plus jeune.

Agathe est rentrée chez elle avec le jeune gars.

L'autre est resté dans son véhicule à épier l'appartement. Allait-il passer la nuit là ?

Finnegan n'est pas resté suffisamment longtemps pour le vérifier. Dès qu'il a aperçu les policiers, il s'est empressé de filer. L'ombre qui le suivait s'est elle aussi éclipsée à ce moment.

~

Des poupées russes, oui. Ou ce procédé qu'on appelle mise en abîme. Abîme ou abyme, au choix.

Chapitre 14

Nuit du mercredi 18 au jeudi 19 mai (suite)

Lysanne Thibodeau observe avec un mélange de dégoût et de fascination les restes plus ou moins reconnaissables de ce qui a déjà été une tortue. Les patrouilleurs avaient raison. Ça dépasse la simple brutalité envers les animaux. La personne qui a massacré cette tortue n'en voulait pas à la tortue, mais plus vraisemblablement à sa propriétaire, la superbe rousse qui joue à merveille son rôle de demoiselle en détresse.

« Vous n'avez touché à rien ? demande la policière.

— Non », répondent en chœur Agathe O'Reilly et son compagnon, un dénommé Hubert Fauvel.

Après avoir contacté le service d'identité judiciaire, ou SIJ, pour obtenir de l'assistance technique — prise de photos et d'empreintes digitales, récupération des draps et des restes de tortue —, la sergente-détective demande à Carl Toupin, son partenaire du moment, d'aller à la recherche d'éventuels témoins pendant qu'elle-même pose des questions à Agathe O'Reilly et à son compagnon.

« C'est donc en rentrant du restaurant, tous les deux, que vous avez fait la macabre découverte…

— Non !» s'exclament encore une fois en chœur Agathe O'Reilly et Hubert Fauvel.

La policière consulte les notes prises par l'un des patrouilleurs envoyés sur les lieux une heure plus tôt.

« Mais vous avez dit à l'agent Lemay…, commence-t-elle en regardant Agathe d'un air étonné.

— … que j'ai découvert ce… cette horreur… en rentrant du restaurant où j'étais allée avec mon… euh… amoureux… »

Agathe a une légère hésitation avant de dire le mot *amoureux*, et elle jette un coup d'œil à Hubert Fauvel en le prononçant. Intéressant, songe la policière, qui juge nécessaire de clarifier la situation.

« Et monsieur Fauvel…, dit-elle sur un ton interrogateur.

— … n'est pas mon amoureux.

— Ah. »

Lysanne Thibodeau consulte de nouveau les notes prises par Lemay.

« Par conséquent, dit-elle en direction d'Hubert, ce n'est pas vous qui, avec Agathe et son amie Florence Lavoie, possédez l'une des trois clés en circulation ?

— Ce n'est pas moi, confirme Hubert.

— Mais qu'est-ce que vous faites ici, alors ?

— Eh bien…

— Il est ici en ami, intervient Agathe. Quand j'ai trouvé Desdémone, j'ai un peu perdu la tête. Comme Hubert habite dans le coin, je me suis rendue chez lui, et il a eu la gentillesse de revenir ici avec moi.

— Je vois… Dans ce cas, je vais aussi avoir besoin des coordonnées complètes de votre amoureux afin de l'interroger. »

Cette perspective ne semble guère sourire à Agathe.

« Est-ce que c'est vraiment nécessaire ? demande-t-elle en fronçant le nez. Il n'a rien à voir avec tout ça, il n'a pas vu Desdémone dans cet état, et…

— C'est à nous de juger ce qui est nécessaire ou pas, l'interrompt la policière. On ne sait pas encore qui a cloué votre tortue à votre matelas, mais tant qu'on n'a pas trouvé le coupable, on ne peut exclure personne, et surtout pas quelqu'un qui a une clé de votre appartement. La serrure n'a pas été forcée, vous êtes sûre d'avoir verrouillé la porte en partant en début d'après-midi, et tout était en ordre quand vous êtes rentrée ce soir — à part ce petit problème de tortue poignardée, bien sûr… Vous ne m'en voudrez donc pas de penser qu'il serait intéressant d'interroger votre amoureux, ne serait-ce que pour lui demander s'il a remarqué quelque chose de spécial quand vous êtes revenus du restaurant tous les deux. Il s'appelle comment ? »

Agathe O'Reilly continue à faire des manières.

« Écoutez, dit-elle, c'est un peu délicat… »

Lysanne Thibodeau n'a pas besoin qu'on lui fasse un dessin.

« C'est un homme marié, c'est ça ?

— Oui. »

L'enquêteuse sent un petit frisson lui parcourir la nuque. Intéressante situation. Une belle jeune femme. Un amant marié. Une épouse trompée et donc potentiellement désireuse de se venger. Un autre homme, enfin, cet Hubert Fauvel, censé n'être là qu'en ami mais visiblement amoureux de la comédienne (qui, pour sa part, ne semble rien faire pour le décourager).

À quoi joue cette fille, pour laquelle la sergente-détective éprouve une antipathie instinctive ? Agathe O'Reilly lui apparaît comme le genre de fille qui a tous les hommes à ses pieds, mais qui trouve toujours le moyen de se plaindre de ceci ou de cela — je suis trop grosse, je suis moche, j'ai le nez qui brille… Le genre de fille qui n'a qu'à pleurer ou à battre des cils pour obtenir tout ce qu'elle veut. Toute sa vie, Lysanne Thibodeau a souffert de la comparaison avec des filles comme Agathe O'Reilly, ce qui a peut-être tendance à biaiser son jugement. Elle est cependant suffisamment lucide pour voir ce qui se passe, et suffisamment honnête pour ne pas laisser ses sentiments personnels compromettre son enquête.

« Je comprends que la situation est délicate, dit-elle à la comédienne, mais je ne peux pas vous promettre qu'on n'aura pas à interroger la femme de votre amant. Après tout, elle aurait une bonne raison de se venger de vous… même si vous n'avez pas jugé bon de parler d'elle quand l'agent Lemay vous a demandé si quelqu'un pouvait vous vouloir du mal pour une raison ou une autre... »

Une pause, pendant laquelle Agathe, visiblement mal à l'aise, marmonne de vagues excuses.

« Pour l'instant, reprend l'enquêteuse, et à moins que vous ne nous cachiez autre chose, cette femme est la suspecte la plus plausible. Elle a une raison de vous en vouloir, elle a accès à votre clé grâce à son mari... Alors, s'il vous plaît, madame O'Reilly, donnez-moi le nom de votre amant... »

Lysanne s'attendait encore une fois à des chichis de la part d'Agathe, mais celle-ci la surprend en répondant, sans la moindre hésitation :

« Laurent Bouvier. »

La policière ne peut s'empêcher de s'exclamer :

« Le comédien ? »

Agathe O'Reilly semble étonnée de la question. Bon, se dit Lysanne, une autre qui croit que tous les policiers ne sont que des rustres stupides et illettrés, amateurs de farces plates et de beignes rassis.

« Le comédien, oui, confirme Agathe.

— Eh bien... »

Lysanne Thibodeau doit rajuster sa vision de la situation. Laurent Bouvier. Un comédien génial, qu'elle a eu la chance de voir dans *Le Roi Lear*, l'année dernière, au TNM. Et dans le rôle de Créon dans l'*Antigone* d'Anouilh, il y a quelques années. Et... La policière se secoue. Elle n'est pas là pour se remémorer de grands moments de théâtre, mais pour résoudre le mystère de la tortue poignardée.

« Desdémone..., dit-elle à haute voix.

— C'est le nom d'un personnage de Shakespeare, se croit tenue d'expliquer Agathe. La femme d'Othello, dans la pièce du même nom.

— Je sais, réplique Lysanne Thibodeau d'une voix sèche. Induit en erreur par le perfide Iago, Othello croit que Desdémone l'a trompé et, fou de jalousie, il la tue avant de comprendre son erreur et de se donner la mort... C'est bien ça ? Je n'ai pas commis d'erreur trop grossière ? »

Agathe semble désarçonnée par la question — sans doute aussi par le ton agressif de la policière.

« C'est ça, oui, murmure-t-elle.

— Je me demandais simplement, continue Lysanne Thibodeau, si vous aviez appelé votre tortue ainsi à cause de Laurent Bouvier. Je sais qu'il doit faire la mise en scène d'*Otello* pour l'Opéra de Montréal, l'année prochaine. »

Cette fois, si Agathe est surprise de voir la policière aussi bien renseignée sur les activités de son amant, elle n'en laisse rien paraître.

« Oui. C'est Laurent qui m'a donné la tortue, le jour où il a eu la confirmation qu'il ferait cette mise en scène. J'ai trouvé que la pauvre bête avait un air sympathique mais un peu simplet… » Elle esquisse un sourire d'excuse. « Ce n'est peut-être pas très gentil pour l'héroïne de Shakespeare…

— Elle va s'en remettre, coupe Lysanne Thibodeau. Maintenant, j'aimerais que vous me donniez les coordonnées complètes de Laurent Bouvier et de sa femme. On va avoir à les interroger… »

Pendant que la policière note les coordonnées qu'Agathe lui fournit du bout des lèvres, son jeune collègue, Carl Toupin, revient dans l'appartement, suivi de deux techniciens envoyés par le SIJ.

« À cette heure-ci, il n'y a personne dehors, annonce l'agent Toupin. Il va falloir se reprendre demain pour interroger les voisins. Mais, au moins, l'assistance technique est arrivée rapidement… Vous allez voir, dit-il en direction des techniciens, la tortue est dans de beaux draps ! »

Lysanne Thibodeau fronce les sourcils.

« Je ne crois pas que les jeux de mots soient indiqués », dit-elle d'une voix coupante.

Le jeune agent rougit jusqu'aux oreilles.

« Ce n'est pas un jeu de mots… Je veux dire, la tortue est *vraiment* dans de beaux draps. On ne voit pas ça souvent, des draps aussi beaux… Ils ont dû coûter cher… »

L'enquêteuse lève les yeux au ciel. Qui lui a mis ce doux innocent dans les pattes ?

« C'est un cadeau, mentionne Agathe.

— Un cadeau de Laurent Bouvier? demande Lysanne Thibodeau.

— Oui.

— C'est qui, Laurent Bouvier? s'enquiert Carl Toupin.

— Son amant, répond Lysanne Thibodeau.

— Oh!»

Les yeux de Carl Toupin vont d'Agathe à Hubert, puis d'Hubert à Agathe.

«Je suis juste un ami», précise Hubert.

De toute évidence, il veut éviter que le jeune policier n'échafaude des hypothèses farfelues au sujet du triangle formé par Agathe, lui-même et le mystérieux amant aux goûts de luxe.

Carl Toupin semble déçu.

«Ah bon…»

Lysanne Thibodeau ne lui laisse pas le temps d'élaborer sur sa déception.

«Bon, dit-elle, on ne peut pas faire grand-chose de plus pour l'instant. Dès que l'équipe technique va en avoir fini avec la scène de crime, on va partir d'ici. Demain, on va aller voir Laurent Bouvier et sa femme, et des patrouilleurs vont interroger vos voisins. Peut-être que l'un d'eux a vu quelqu'un s'introduire chez vous pendant votre absence…»

Dès leur arrivée, les agents du SIJ se sont mis à la tâche. Après avoir photographié la scène de crime, ils relèvent les empreintes dans la chambre, sur l'aquarium, sur le couteau et le tiroir à couteaux, sur le comptoir de cuisine et les poignées de porte. Pour finir, ils retournent dans la chambre d'Agathe O'Reilly, où ils récupèrent le paquet macabre constitué par les restes de tortue, le couteau et le drap. Le couteau qui transperce Desdémone étant enfoncé de plusieurs centimètres dans le matelas, l'un des techniciens doit saisir le manche et tirer dessus suffisamment fort pour le dégager — en évitant toutefois de le retirer aussi de la tortue. Il ramène ensuite les bords du drap en un baluchon géant au fond duquel repose le reptile embroché. Son collègue lui tend un grand sac de plastique et, ensemble, ils enfournent le drap dans le sac. Après réflexion, ils décident d'emporter tout ce qui se trouve sur le lit d'Agathe — drap de dessus, taie d'oreiller, couette et housse de couette. « C'est vraiment des beaux draps », murmure Carl Toupin, qui les observe. Cette fois, Lysanne Thibodeau ne se donne pas la peine de réagir.

« On emporte tout ça au labo, mentionne un des techniciens à l'enquêteuse avant de partir, mais n'attendez pas des résultats trop vite. On a beaucoup de travail ces temps-ci, et je ne pense pas qu'une tortue poignardée fasse partie de nos priorités... »

De toute façon, songe la sergente-détective, je ne crois pas que vous trouverez grand-chose d'utile dans tout ça. Le couteau vient du tiroir d'Agathe O'Reilly, les empreintes digitales ne sont sûrement pas fichées... On risque d'avoir plus de résultats en interrogeant l'épouse trompée...

Au moment de sortir à son tour de l'appartement, Lysanne Thibodeau se tourne vers Agathe.

« Vous devriez changer toutes vos serrures. Ce n'est pas une protection parfaite, mais ça peut compliquer la tâche à la personne qui a tué votre tortue... Et n'hésitez pas à nous appeler s'il y a quelque chose de suspect. Voici ma carte. On va vous contacter dès qu'on aura du nouveau. Bonne nuit. »

Les policiers commencent à descendre l'escalier.

« Au fait, dit Lysanne Thibodeau au bout de quelques marches, j'aimerais que vous ne donniez pas de nouvelles à Laurent Bouvier d'ici à ce qu'on lui rende visite, demain matin... »

~

Après le départ des policiers, Agathe se met à trembler violemment. Elle est très pâle, et Hubert craint qu'elle ne perde connaissance. Il la prend par les épaules et la conduit jusqu'au canapé du salon, où elle se laisse tomber d'un bloc.

« Tu as de l'alcool, quelque part ? » demande Hubert.

Agathe tourne vers lui un regard perdu où perce cependant un peu d'inquiétude.

« Mais..., commence-t-elle.

— Pas pour moi, pour toi », précise Hubert qui, tout en se demandant si l'alcool est vraiment ce qu'il y a de mieux pour aider Agathe à se ressaisir, ne voit pas trop ce qu'il pourrait lui proposer d'autre.

Agathe hoche vaguement la tête.

« Dans l'armoire, là… Il y a une bouteille de whisky. Laurent… »

Elle ne termine pas sa phrase, et Hubert lui en sait gré. Moins il en connaît sur les goûts du grand homme, mieux il se porte. Et, ce soir, il en a déjà trop appris pour sa tranquillité d'esprit.

Il se dirige vers l'armoire désignée par Agathe et en sort le whisky, dont il verse deux doigts dans un verre trapu. Il revient ensuite vers Agathe et lui tend le verre.

« Bois. »

Les tremblements d'Agathe se sont atténués, mais un peu de liquide ambré gicle du verre au moment où Agathe le saisit, et Hubert couvre la main de la jeune femme avec la sienne pour l'aider à porter le verre à ses lèvres. Agathe, les yeux fermés, avale une grande lampée d'alcool, puis une autre. Elle respire profondément, et ses tremblements cessent peu à peu. Hubert détache sa main de la sienne et va s'asseoir dans un fauteuil, un peu plus loin.

« Merci », murmure Agathe, les yeux toujours fermés.

Hubert note avec soulagement que son visage a repris ses couleurs et que ses traits sont détendus, presque sereins. Il s'en veut de troubler cette sérénité pour le moins fragile, mais il ne peut pas continuer à se taire.

« Tu ne penses pas que tu aurais dû parler des lettres à ces policiers, finalement ? Il me semble qu'il leur manque un élément important pour mener leur enquête… »

Les yeux toujours fermés, Agathe secoue la tête de gauche à droite.

« Ça m'embête qu'ils considèrent Nathalie Salois comme la principale suspecte », poursuit Hubert.

Agathe ouvre les yeux.

« Même avec les lettres, Nathalie serait leur principale suspecte, fait-elle remarquer. Aussi bien qu'ils aillent jusqu'au bout, qu'on en ait le cœur net. Si Nathalie est coupable, ils vont trouver des indices qui vont l'incriminer. Des empreintes digitales, des cheveux, je ne sais trop quoi. Si elle est innocente, ils ne trouveront rien, et Nathalie ne s'en portera pas plus mal.

— Elle va quand même avoir été considérée comme suspecte et avoir subi un interrogatoire. Ce n'est pas ce qu'il y a de plus agréable, je suppose… »

Agathe se mord les lèvres.

« Sûrement pas, admet-elle. Mais montrer les lettres à ces policiers n'aurait rien changé à ça. »

Pas si tu leur avais aussi parlé de ton père, songe Hubert, qui ne se résout cependant pas à prononcer ces mots à haute voix. Il ne tient pas à provoquer une nouvelle crise de larmes ou de tremblements chez Agathe.

« Tu as sans doute raison… », se contente-t-il de dire en espérant que les policiers trouveront le coupable malgré les cachotteries d'Agathe.

Le sujet étant clos, Hubert entreprend de se lever, une opération qui, pour lui, restera toujours ardue. Comme il a été amputé au-dessus du genou, sa prothèse ne lui est d'aucune aide en position assise, et il doit se relever en ne s'appuyant que sur sa jambe saine, ce qui n'est pas évident, surtout quand il est fatigué comme en ce moment.

« Veux-tu que je t'aide à virer ton matelas de bord et à mettre des draps propres ? » suggère-t-il une fois levé.

D'un air distrait, Agathe accepte son aide.

« C'est bizarre, dit-elle en se dirigeant vers la chambre, mais j'ai l'impression que cette policière me déteste… »

~

Une fois le lit refait — avec des draps un peu fripés à rayures bleues et blanches, des draps *normaux*, constate Hubert avec satisfaction —, le jeune homme songe à rentrer chez lui.

« Bon, dit-il en jetant un coup d'œil à sa montre, il est temps que j'y aille… »

Agathe tourne vivement la tête vers lui.

« Tu vas partir ? » demande-t-elle d'une voix inquiète.

Hubert hésite. Il n'avait pas prévu passer la nuit chez Agathe, mais…

« Tu préférerais que je reste ? »

La jeune femme rougit légèrement.

« Je… C'est idiot… Celui… celui *ou celle* qui a tué Desdémone ne va sûrement pas revenir cette nuit… Et puis le poste de police est à côté, mais… Je ne sais pas pourquoi, j'avais l'impression que tu resterais ici, cette nuit… Ça ne t'engage à rien. Je veux dire, demain je vais faire changer mes serrures, et après ça va aller, je vais me sentir en sécurité… Tu ne seras pas obligé de me tenir compagnie toute ta vie… Je veux dire… »

Agathe hausse les épaules d'un air embarrassé.

« Je dis vraiment n'importe quoi… », murmure-t-elle avec un regard d'excuse.

Hubert, plus troublé qu'il ne le laisse paraître (du calme, Hubert, du calme et de l'objectivité, tu es ici en ami et tu fais simplement office de doudou ou de système d'alarme), hoche imperceptiblement la tête.

« Je vais m'installer sur le canapé du salon, dit-il. As-tu une couverture de trop ou un sac de couchage ? »

~

Les policiers se sont succédé chez Agathe pendant plus de deux heures. Les patrouilleurs en uniforme du début ont été remplacés par une petite grosse en civil et un grand échalas en uniforme, qui ont eux-mêmes été rejoints par deux autres types en uniforme. Ces deux types sont sortis au bout d'une demi-heure, les bras chargés de gros sacs qu'ils ont déposés à l'arrière de leur véhicule avant de s'éloigner. La petite grosse, elle, a passé plus d'une heure dans l'appartement avant de ressortir. Quant à l'échalas, il est sorti à un moment donné pour jeter un coup d'œil aux alentours — mais son coup d'œil n'a pas été trop efficace, comme a pu le constater

Laurent en se renfonçant du mieux qu'il le pouvait dans le siège de sa Volvo, toujours garée au coin de Saint-Dominique et de Shamrock. Ce n'était pas le moment d'attirer l'attention.

Après le départ des derniers policiers, il a attendu que l'infirme parte à son tour. Cinq minutes, puis dix, puis vingt. Dans l'appartement d'Agathe, toutes les lumières se sont éteintes. L'infirme était toujours là.

Laurent poursuit sa surveillance loin dans la nuit, même quand il devient évident que le cul-de-jatte ne sortira pas de chez Agathe avant le matin.

Chapitre 15
Nuit du mercredi 18 au jeudi 19 mai (suite)

« Tu dors ? »

Allongé sur le canapé dans le sac de couchage qu'Agathe a déniché au fond d'un placard, Hubert, les yeux grands ouverts, est attentif aux bruits de la nuit. Le ronronnement du réfrigérateur, le floc régulier d'une goutte d'eau qui tombe dans l'évier de la cuisine, la circulation du boulevard Saint-Laurent, les occasionnelles sirènes d'ambulances ou de voitures de police… Sans compter tous ces bruits discrets qui proviennent de la chambre d'Agathe. Le craquement du lit, le frôlement des draps, le petit toussotement. Puis la porte de la chambre qui s'ouvre, les pas légers sur le plancher de bois, et enfin ce murmure, à quelques pas de lui.

« Tu dors ?

— Non. »

Il a répondu tout doucement, lui aussi, et sans un mouvement, comme s'il voulait éviter de troubler la paix de la nuit, qui ne ressemble à aucune autre, dense, enveloppante, et pourtant si fragile que le moindre éclat la chasserait aussitôt.

Agathe se rend jusqu'au fauteuil qui se trouve en face du canapé, un peu en biais. C'est un fauteuil au dossier haut et aux bras larges, un vieux fauteuil à l'air confortable. Agathe s'y assoit, ramène ses jambes contre elle, les entoure de ses bras et appuie son menton sur ses genoux. Tout cela, Hubert le devine plus qu'il ne le voit. Ses yeux ont beau s'être habitués à l'obscurité, la pièce reste sombre. Et le fauteuil dans lequel s'est installée Agathe se trouve entre le canapé et la fenêtre, par laquelle filtre la lueur d'un lampadaire. Le fauteuil se découpe donc assez bien sur le fond pâle, mais son occupante est plongée dans le noir. Hubert en est réduit à imaginer le visage d'Agathe, ses yeux, son expression. Il sait qu'elle porte un collant noir et un grand t-shirt vert pomme avec un motif de moutons — il l'a vue quand elle est allée se brosser les dents, juste avant de se mettre au lit, et il en a éprouvé un soulagement certain : au moins, il n'avait pas à combattre la vision du déshabillé affriolant.

« C'est arrivé comment ? »

La voix d'Agathe est basse, mais parfaitement audible. Peut-être les ondes se déplacent-elles différemment dans la nuit. Hubert ne demande pas ce qu'elle veut dire par là. Il sait parfaitement de quoi elle parle.

« Un accident de ski de fond. » Normalement, il s'arrête là, et les gens n'insistent pas. Mais cette nuit, parce que c'est la nuit, sans doute aussi parce que c'est Agathe qui se trouve devant lui — Agathe qu'il sent attentive et, comment dire ?, bienveillante —, Hubert poursuit : « Un bête accident de ski de fond, qui serait resté cela, un accident bête et sans conséquence, si je n'avais pas eu l'imprudence de partir seul pour une randonnée de plusieurs jours… »

Il raconte la randonnée, qui avait pourtant bien commencé. Un premier jour paradisiaque. La neige neuve, le ciel bleu, la lumière d'une pureté totale. Et le silence, troublé seulement par le chuintement des skis glissant sur la neige, le craquement des arbres dans la forêt, les cris d'oiseaux. « J'ai vu un renard, dans l'après-midi, une bête magnifique, d'un roux flamboyant qui tranchait sur tout ce blanc. » Le soir, il a dormi dans un refuge. Avant de s'endormir, il a contemplé, par la fenêtre, un ciel rempli d'étoiles. « En ville, on oublie qu'il peut y en avoir autant. On voit les plus brillantes, et encore... De toute façon, en ville, on ne pense même pas à les regarder.» Le deuxième jour avait bien commencé, lui aussi. La neige était aussi blanche, le ciel aussi bleu, joliment agrémenté de petits nuages blancs, floconneux, parfaitement inoffensifs. C'est au début de l'après-midi que l'accident s'est produit, dans une descente plutôt rapide. Un ski qui se coince dans une racine dissimulée par la neige, le genou qui se tord, qui craque, et cette douleur impossible à décrire, une douleur fulgurante qui part du genou et irradie jusqu'au cœur, jusqu'au cerveau, jusqu'à la plus petite cellule du corps qui plonge tête première dans la neige folle. Un bref éclair de lucidité — ça y est, je suis fichu —, puis Hubert a perdu connaissance. Miséricordieusement, précise-t-il à présent. «Je ne sais pas comment j'aurais pu supporter plus longtemps une douleur comme celle-là.» Quand il est revenu à lui, quelques minutes ou quelques heures après, la douleur était toujours présente, mais moins aiguë. Engourdie par le froid, peut-être, ce froid mordant qui enserrait Hubert d'une étreinte de plus en plus étroite, de plus en plus paralysante, et dont le jeune homme devait se protéger de toute urgence. De peine et de misère, il a réussi à se débarrasser de ses skis, puis à creuser un trou dans la neige, au pied même de l'arbre dont les racines l'avaient piégé. «Je n'ai aucune idée du temps que j'ai mis à creuser ce trou, puis à ramper aux alentours pour ramasser suffisamment de branches de sapin pour en tapisser le fond et m'en recouvrir ensuite comme d'un toit... Tout ce que je sais, c'est qu'il a fait noir très vite, et que j'ai continué longtemps à creuser, à ramper et à ramasser des branches dans le noir. Je devais être épuisé, mais je ne m'en rendais pas compte. Une poignée de neige à la fois, une branche à la fois... Je n'arrivais pas à penser plus loin que ça.» Heureusement, Hubert était parti avec un sac à dos bien rempli. Une couverture thermique, de l'eau, des barres énergétiques, quelques sachets de nourriture déshydratée, un petit réchaud, une chandelle... S'il arrivait à se préserver du froid, il savait qu'il pourrait survivre un bon moment. Son eau allait s'épuiser rapidement, mais comme ce n'était pas la neige qui manquait... «Je me disais aussi que quelqu'un allait bien finir par passer et par voir les skis et les bâtons que j'avais plantés en croix près du trou pour signaler ma présence. Cette piste n'est pas très fréquentée, mais je n'étais quand même pas le seul à l'utiliser. Ce que j'ignorais, à ce moment-là, c'est que j'avais raté un repère, une centaine de mètres plus tôt, et que j'étais sorti de la piste balisée. Je n'en étais pas loin, juste assez pour que quelqu'un qui suivait la piste ne se rende jamais compte de ma présence dans les parages... » Tapi dans son trou, Hubert a commencé à attendre. « Au début, j'avais conscience du temps qui passait, et je m'efforçais de manger à intervalles réguliers, de boire, de bouger les bras et les jambes... Pas ma jambe gauche, bien sûr, qui ne répondait plus du tout. La douleur était toujours là, mais, sauf pour des élancements soudains, c'était tolérable. » Et puis la météo s'est gâtée. Il s'est d'abord mis à pleuvoir, une pluie drue qui a transpercé l'écran de branches sous lequel s'abritait Hubert, transpercé aussi ses vêtements et ses provisions. Ensuite, la température a chuté très rapidement, et toute cette eau s'est changée en glace. Les vêtements détrempés se sont raidis, emprisonnant le jeune homme dans une gangue glacée. Hubert a perdu toute notion du temps et négligé les gestes essentiels à sa survie. « Quand les secours ont fini par arriver, j'étais dans un état lamentable. Épuisement, déshydratation, hypothermie, engelures... Et gelures plus graves de certains tissus. Ma jambe blessée, les orteils de mon pied droit, quelques doigts... Au début, les médecins ont cru qu'il faudrait aussi m'amputer trois doigts, mais, finalement, les dommages étaient moins importants qu'ils ne le craignaient... »

Hubert a raconté son histoire sobrement, sans hausser la voix ni manifester d'émotion particulière. Quand il se tait, Agathe ne réagit pas tout de suite. Il s'écoule quelques instants avant qu'elle dise, d'une voix curieusement voilée :

« Tu aurais pu mourir... »

La réplique ne se fait pas attendre.

« Si tu savais comme j'ai regretté de ne pas être mort, au début ! Quand je me suis réveillé dans cette chambre d'hôpital avec une jambe en moins... Je me suis dit que ma vie était fichue et j'ai tout fait pour que ce soit vrai. Alcool, colères, bêtises de toute sorte...

Systématiquement, rageusement, j'ai démoli tout ce qui tenait encore debout. Ma vie amoureuse, ma vie professionnelle, mes relations avec ma famille et mes amis, ma santé physique et mentale... » Un silence. « Je ne suis pas particulièrement fier de ces années-là, comme tu peux t'en douter. »

Hubert a beau scruter la nuit, il n'arrive pas à discerner l'expression d'Agathe.

« Le monde qui bascule d'un seul coup, murmure la jeune femme. J'ai connu ça aussi, quand j'avais dix ans...

— C'est à ce moment-là que ton père a disparu ? Qu'est-ce qui s'est passé ? »

Agathe ne répond pas. Et quand elle reprend enfin la parole, c'est pour demander quel âge il avait, lui, quand l'accident est arrivé.

« Vingt-six ans, répond Hubert. Ça fait six ans, mais j'ai l'impression que ça fait six siècles, tellement j'ai du mal à m'identifier à celui que j'étais à ce moment-là, autant avant qu'après l'accident...

— Tu étais comment, avant ? »

Hubert réfléchit.

« Ambitieux, arrogant..., finit-il par dire. Inconscient, surtout. J'étais tellement sûr de moi, tellement certain que je pouvais tout contrôler dans ma vie. Je ne tolérais aucune faiblesse, ni chez moi ni chez les autres. Imagine le choc quand je me suis retrouvé diminué, moi qui tirais tellement de fierté de ma forme physique. Vélo, ski de fond, voile, kayak, escalade... J'ai toujours été amateur de plein air, et j'aimais me dépenser physiquement, aller au bout de mes forces, tester mon endurance, ma vigueur, mes compétences... Jamais je ne me sentais aussi vivant que lorsque je triomphais d'une paroi difficile ou de rapides un peu traîtres... Alors, me retrouver dans le corps d'un infirme, d'un mutilé incapable de faire trois pas sans aide...

— Mais... »

Hubert interrompt vite Agathe.

« Ça va, pas besoin d'essayer de me rassurer. Il y a déjà un moment que je me suis rendu compte qu'il y a autre chose, dans la vie, que les prouesses physiques et que, même amputé d'une jambe, je n'étais pas nécessairement diminué.

— Qu'est-ce qui t'a fait changer d'idée?

— Bruno.»

Hubert n'a pas hésité un quart de seconde avant de répondre, mais à présent il tâtonne, il cherche ses mots. Il n'a guère l'habitude de parler de tout cela, et il voudrait qu'Agathe comprenne le plus justement possible ce qu'il a vécu et senti.

«Je... Tu as vu Bruno. Il est atteint de paralysie cérébrale. D'après les médecins, il a manqué d'oxygène à la naissance, ce qui a entraîné toutes sortes de problèmes — je t'épargne les détails techniques et le jargon médical. Bruno est le fils de ma sœur Julie...»

Hubert précise que le père de Bruno a disparu du décor lorsqu'il a compris que son fils serait lourdement handicapé. Julie n'a plus jamais entendu parler de lui. Elle-même s'est occupée de son fils avec passion. «Je n'ai pas été très présent quand Bruno était bébé, mais, pour autant que je puisse en juger, Julie a vraiment été une bonne mère. Aimante, présente et dévouée, mais pas trop mère poule, si tu vois ce que je veux dire. Elle voulait que Bruno soit le plus autonome possible, qu'il rencontre d'autres enfants, qu'il développe son potentiel au maximum... Elle était loin d'être riche — elle était caissière à temps partiel dans une caisse populaire —, mais elle réussissait à trouver plein de ressources pour que Bruno ait une vie stimulante. Et surtout, elle l'aimait. Ça, Bruno le savait. Il se sentait aimé, protégé, encouragé... Alors tu imagines sa détresse quand Julie est morte...»

C'était arrivé deux ans et demi plus tôt. Un accident d'auto tout ce qu'il y a de plus banal. Une plaque de glace sur une petite route de campagne, Julie qui perd le contrôle de sa voiture et qui se retrouve littéralement sous les roues du camion qui venait en sens inverse. À cette époque, Hubert lui-même touchait le fond du baril, comme il dit, et il avait rompu tout contact avec sa sœur et son neveu. Pourtant, Julie avait été très présente dans les mois ayant suivi son amputation, et elle avait été l'une des rares personnes à persister à lui rendre visite quand il avait commencé à envoyer promener tout le monde. «Elle n'était pas reposante! Quand je l'engueulais, elle m'engueulait, elle aussi, en répétant qu'il fallait que je me secoue plutôt que de m'apitoyer sur mon sort. Elle me citait Bruno en exemple. Bruno, pour qui chaque jour était un défi. Bruno, qui luttait, malgré tous ses handicaps. Bruno, qui ne possédait pas le dixième des atouts que j'avais, moi, mais dont l'existence enrichissait celle des autres, alors que mon existence à moi n'était que gaspillage et destruction… Laisse-moi te dire que je ne portais pas Bruno dans mon cœur ! À la longue, Julie a fini par renoncer, elle aussi. Elle a cessé de venir me voir, et j'ai considéré ça comme une victoire : une de plus dont j'avais réussi à me débarrasser ! Et puis… »

Et puis il y avait eu cet accident d'auto. Et Hubert, qui croyait en avoir fini à tout jamais avec sa famille, s'était retrouvé aux funérailles de Julie, entraîné contre son gré par Marc-André et Annie, l'ami de toujours et l'ex-compagne, qui étaient bien les seuls à continuer à le fréquenter, malgré les rebuffades, les insultes et les coups bas.

« Je suis arrivé là complètement soûl, et bien décidé à afficher mon mépris pour toutes ces simagrées pathético-religieuses… C'est d'ailleurs ce que j'ai fait, au début, ce qui m'a attiré pas mal de regards indignés, et de vigoureux coups de coude de la part de Marc-André. À un moment donné, j'ai cessé de me donner en spectacle et je me suis contenté d'attendre que ça finisse. La messe interminable, le trajet jusqu'au cimetière, les dernières belles paroles à côté du trou qui attendait le cercueil de Julie — des paroles tellement creuses, un trou tellement vide… C'est là, près de ce trou, que tout a chaviré. »

Hubert revoit la scène, qui n'est jamais bien loin dans son souvenir. Lui et Bruno de part et d'autre de la tombe béante. L'infirme imbibé d'alcool qui vacille sur ce qui lui sert de jambes, et l'enfant trop maigre au corps agité de tics qui semble constamment sur le point de tomber. Pathétiques, a songé Hubert. Aussi nuls et monstrueux l'un que l'autre. On pourrait se faire engager dans un *freak show*… C'est alors que le regard de Bruno a croisé le sien et qu'Hubert a compris que, malgré les apparences, l'enfant et lui n'avaient rien en commun. Un seul d'entre eux était nul et pathétique, et c'était lui, Hubert.

« Tu ne peux pas savoir à quel point j'ai eu honte, tout à coup. Devant Bruno — Bruno pourtant si fragile et qui avait du mal à se tenir debout —, les mots qui me venaient à l'esprit, c'étaient *courage* et *dignité.* Je me sentais tellement petit, tellement pitoyable et mesquin à côté de lui. Mon cynisme, mes méchancetés... Moi qui m'étais toujours pensé fort et courageux, j'avais baissé les bras au premier coup du destin. Et c'est ce petit bonhomme qui me renvoyait ça en pleine face. Pas avec de grands discours, simplement en étant là, en étant lui, en se tenant debout malgré son handicap, malgré sa solitude et son désespoir. »

Hubert se tait, un peu embarrassé. Il a l'impression d'avoir trop parlé, et avec des mots trop émotifs, mais en même temps de ne pas avoir tout dit, d'avoir soigneusement évité des mots encore plus émotifs, qui diraient encore mieux tout ce qu'il doit à Bruno et ce qu'il éprouve pour lui. Des mots comme *amour*, *tendresse*, *rédemption...*

« C'est pour ça que tu as décidé de l'adopter ? »

Hubert a souvent pu constater que les gens ne comprennent pas vraiment les raisons qui l'ont poussé à entreprendre les démarches d'adoption. Ils parlent de dévouement, de sacrifice, de devoir envers sa sœur décédée. Hubert ne se reconnaît pas dans ce portrait, mais en général il ne juge pas essentiel de rectifier leurs perceptions. Après tout, ce n'est pas pour eux qu'il veut adopter Bruno. Cette nuit, pourtant, il se rend compte qu'il voudrait qu'Agathe ait de lui la vision la plus juste possible — ou du moins la moins faussée possible. Aussi pèse-t-il soigneusement ses mots pour lui répondre.

« Bruno m'a sauvé, et il continue à me sauver, jour après jour, en sollicitant ce qu'il y a de meilleur chez moi. J'ai pu me mentir à moi-même pendant longtemps, mais je ne pourrais pas mentir à Bruno. Quand je suis avec lui, la vie se simplifie considérablement. Je n'ai aucun mal à départager l'accessoire de l'essentiel. J'apprécie plus le moment présent. Je... » Hubert secoue doucement la tête. « Bruno m'aide à garder le cap sur ce qu'il y a de plus important pour moi... Je serais fou de passer à côté de ça. Mais, tu sais, dans le fond, c'est peut-être encore plus simple que ça : je l'aime, il m'aime, on se fait du bien tous les deux... »

Agathe ne répond pas, mais Hubert sait qu'elle est toujours éveillée — et attentive —, tout comme il est conscient du moment où elle finit par s'endormir, un peu plus tard. Lui-même reste éveillé longtemps, s'imprégnant de chaque instant de cette nuit qui ne ressemble à aucune autre.

~

En ouvrant les yeux, Hubert aperçoit Agathe, toujours pelotonnée dans le gros fauteuil, qui l'observe gravement.

« Bonjour. »

Un sourire.

« Bonjour. »

Soudain, sans trop savoir pourquoi, Hubert est envahi par une intense bouffée de bonheur. Il se sent léger, joyeux. Pour un peu, il se mettrait à rire ou à siffler, comme ça, pour rien, juste pour le plaisir de manifester sa joie. Devant lui, Agathe secoue doucement la tête en riant, alors Hubert rit à son tour, brièvement, avant de se redresser.

« Oui… »

Il ne sait pas exactement à qui s'adresse ce oui, mais ça n'a pas d'importance. Oui à la vie, oui au soleil qui inonde la pièce, oui à ce matin en compagnie d'Agathe. Ce premier matin… À peine ces mots ont-ils effleuré sa conscience qu'Hubert sent le souffle lui manquer. Il n'a pas touché à cette fille, ils ont passé la nuit chastement, à bonne distance l'un de l'autre, et pourtant il ne se souvient pas d'avoir vécu une telle intimité avec quelqu'un. Il sait qu'il prendrait beaucoup d'autres instants comme ceux-là, beaucoup d'autres matins, beaucoup de tout, en fait, avec Agathe O'Reilly. La légèreté joyeuse du réveil s'évapore d'un coup. Ne reste plus que cette sensation oppressante dans sa poitrine, ce trouble dont il ne sait que faire. Il tourne les yeux vers Agathe, qui semble décontenancée, elle aussi. Leurs regards s'accrochent l'un à l'autre — incertains, affolés — puis Agathe détourne les yeux en se mordant les lèvres.

Tout cela n'a duré qu'une fraction de seconde. À présent, Agathe saute sur ses pieds en demandant à Hubert s'il veut un jus d'orange. En se dirigeant vers la cuisine, elle passe près du jeune homme — qu'elle évite soigneusement de regarder — et heurte la prothèse qu'il avait appuyée contre le canapé.

« Oups ! »

Agathe se penche et ramasse l'appareil.

« C'est lourd ! Je veux dire… on ne croirait pas… enfin… »

Elle ne semble pas trop savoir quoi faire avec la prothèse, qu'elle soupèse un moment, l'air perplexe.

« Il faut que ma jambe artificielle ait le même poids que ma vraie jambe, explique Hubert. C'est une question d'équilibre. »

Agathe jette un coup d'œil à la *vraie jambe* d'Hubert, qui n'est vêtu que d'un t-shirt et d'un boxer, puis son regard se porte sur l'autre jambe, celle qui se termine par un moignon. Elle semble incroyablement mal à l'aise, et Hubert s'empresse de mettre fin à son supplice.

« Si tu me donnais ma jambe gauche, dit-il d'un ton léger, ça me permettrait d'aller faire un tour à la salle de bain… »

~

Agathe prend sa douche pendant qu'Hubert prépare le déjeuner (« As-tu de quoi faire des crêpes ? Comment ça, tu ne sais pas ? Tu n'as jamais fait de crêpes ? Du pain doré, alors ? Non plus ? Allez, ouste, va te laver et laisse-moi faire… En cuisine, je suis spécialiste de tout ce qui plaît aux garçons de neuf ans, alors, crois-moi, les crêpes et le pain doré, ça me connaît… Oui, oui, je vais me débrouiller. Je te gage ce que tu veux que le lait et les œufs sont au frigo, et la farine, dans la dépense… »).

Agathe s'attarde un long moment sous la douche, heureuse de se retrouver seule et de pouvoir faire le point sur tout ce qui s'est passé dans sa vie depuis quelques heures — parce qu'il ne s'agit que de quelques heures, quand on y pense.

Desdémone assassinée. Hubert et sa jambe coupée. Les policiers. Et la nuit. La nuit ponctuée par la voix et les souvenirs d'Hubert, par sa présence discrète et pourtant envahissante. Dangereusement envahissante. Hubert Fauvel lui plaît, c'est clair. Et, depuis toujours ou presque — depuis Jonathan, en fait, donc depuis l'âge de seize ou dix-sept ans —, elle évite soigneusement les hommes qui lui plaisent trop. Aucun homme, jamais, n'aurait l'occasion de lui répéter ce que Jonathan lui avait lancé par la tête, le jour où elle avait insisté pour qu'ils passent la soirée ensemble alors qu'il avait prévu regarder des vidéos avec ses chums : « 'stie que t'es castrante ! Pire que ta mère ! Décolle, tu m'empêches de respirer ! » Elle avait cru recevoir un coup de poing en plein ventre — c'est elle qui n'arrivait plus à respirer ! Ressembler à sa mère ? Jamais ! Mariette Soucy s'était toujours montrée extrêmement jalouse et possessive dans ses rapports avec son mari. Elle ne supportait pas qu'il soit loin d'elle, qu'il ait des activités hors de la maison, qu'il fréquente qui que ce soit d'autre. Elle épiait ses moindres gestes, ses moindres sourires, et lui prêtait des aventures avec la moitié des femmes du village. Reproches, récriminations, accusations… Agathe avait grandi auprès de cette femme qui tentait de toutes les manières possibles d'empêcher son mari d'avoir une vie en dehors d'elle-même, et elle s'était juré de ne jamais lui ressembler. L'accusation de Jonathan l'avait choquée. Choquée et terrifiée. Portait-elle en elle le gène de cette jalousie démesurée qui, après avoir étouffé son père, empêchait maintenant Jonathan de respirer ? Comment faire pour ne pas devenir sa mère ? Cette question à peine formulée, Agathe avait trouvé la solution. Il suffisait de ne pas tomber amoureuse. Rien ne l'empêchait d'avoir des amants, bien sûr, à condition de ne pas trop tenir à eux. Pas d'amour, pas d'exigences, pas de jalousie… Et, dès son premier amant marié, elle a compris qu'elle courait moins de risques du côté des hommes d'âge mûr et commodément mariés, avec lesquels il n'était question ni d'attachement ni d'exclusivité — et encore moins d'amour ! Parfait pour elle. Ces derniers temps, toutefois, son système montre des signes de faiblesse.

Elle a pourtant tenté de résister à l'attirance qu'elle éprouve pour Hubert. Mais il a suffi qu'elle trouve Desdémone plantée au milieu de son lit pour se précipiter chez lui. Et, en ce moment même, alors qu'elle devrait réfléchir au mystère que représentent les lettres et l'assassinat de sa tortue, ainsi qu'à sa propre sécurité (changer la serrure, modifier si nécessaire ses habitudes pour se protéger de tout danger), elle a du mal à penser à autre chose qu'à Hubert et au déferlement d'émotions qu'il provoque chez elle. Elle n'a jamais été aussi troublée par quelqu'un, et même par la présence physique de quelqu'un. À preuve, sa réaction devant la jambe d'Hubert, tout à l'heure. Une jambe ! Y a-t-il quelque chose de plus banal qu'une jambe ? Pourtant, elle a cru défaillir quand, la prothèse dans les bras, elle a laissé son regard détailler la jambe d'Hubert. Une jambe de sportif, aux muscles longs et bien découpés, une jambe nerveuse couverte d'un duvet bouclé qu'elle mourait d'envie d'effleurer de la main. Elle a réussi à s'arracher de sa contemplation pour porter son regard vers l'autre jambe, celle qui a été amputée au-dessus du genou. Le moignon exerce sur elle une fascination presque indécente — il y a quelque chose d'infiniment troublant dans ce membre mutilé, ces chairs couturées, cette vulnérabilité mise à nu. Encore une fois, Agathe a dû se retenir de toutes ses forces pour ne pas allonger la main et effleurer la chair meurtrie.

Heureusement, Hubert a réclamé sa prothèse, ce qui a permis à Agathe de sortir de l'espèce de transe dans laquelle elle se trouvait. Elle a tendu l'appareil à Hubert, qui a entrepris de le fixer à son moignon, le plus naturellement du monde, pendant qu'elle l'observait.

« Est-ce que ça fait mal ? »

Hubert a secoué la tête.

« Non. C'est inconfortable plutôt que douloureux. Au début, c'est sûr, il faut s'habituer... »

Une fois la prothèse installée, Hubert a enfilé son pantalon puis il est passé par la salle de bain, après quoi il a proposé de préparer le déjeuner pendant qu'Agathe prenait sa douche.

Maintenant, après cette douche interminable qui lui a rafraîchi le corps à défaut de lui éclaircir les idées, Agathe décide qu'elle ne réglera pas le cas d'Hubert maintenant et qu'il vaut mieux, pour les heures à venir, qu'elle se concentre plutôt sur les aspects les plus terre à terre de sa vie. Attendre le serrurier, commencer à travailler le rôle de Madame Violetta, effacer toute trace de Desdémone dans l'appartement — nettoyer une dernière fois l'aquarium puis s'en débarrasser à tout jamais. Agathe ose à peine se l'avouer, mais la disparition de la tortue est pour elle un soulagement. Évidemment, elle aurait préféré en être libérée autrement (que Desdémone meure de vieillesse, par exemple, ou que Laurent décide de récupérer son cadeau pour la punir, elle, Agathe, de ne pas être plus gentille avec lui), mais le résultat final est le même: Agathe ne pleurera pas longtemps la mort de sa tortue.

Et si elle veut être entièrement honnête, elle doit admettre qu'elle se réjouit de voir disparaître quelque chose qui lui venait de Laurent. Deux choses, même, songe-t-elle soudain. La tortue et les draps (*les beaux draps*, dirait l'agent Toupin). Peut-être qu'en éliminant tout ce que lui a offert Laurent, elle va parvenir à l'éliminer lui aussi définitivement de sa vie. Et si elle mettait la robe amarante à la poubelle? Ce serait une bonne façon d'entreprendre cette journée au cours de laquelle elle va devoir prendre un certain nombre de décisions.

~

Oh where, oh where will I be
Oh where, oh when that trumpet sounds

« Qui est-ce? »

Le ton est abrupt, et Agathe se raidit instinctivement. En sortant de la douche, elle a glissé le disque *Wrecking Ball* dans le lecteur de CD. Mais à peine a-t-elle mis le pied dans la cuisine qu'Hubert lui lance cette question, un poêlon à la main et les sourcils froncés. Bon, se dit Agathe, un autre qui est allergique au country…

« Emmylou Harris, répond-elle. Je peux mettre autre chose, si tu veux… »

Hubert secoue vivement la tête.

« Non, surtout pas ! En fait, précise-t-il en remettant le poêlon sur le feu, je me suis souvent endormi en écoutant cette chanson, mais sans savoir qui l'interprétait…

— Comment ça ? »

Hubert prend le temps de fermer le feu et d'annoncer que les crêpes sont prêtes avant de fournir une explication.

« Quand ma sœur Julie est morte, sa voiture a été écrabouillée, commence-t-il en s'attaquant à une pile de crêpes noyées dans le sirop d'érable. Mais certains objets qui s'y trouvaient ont été épargnés. Quelques semaines après l'accident, la police a remis à mes parents une boîte contenant un parapluie, un toutou, des kleenex, une bouteille d'eau, un paquet de gomme à mâcher et une cassette audio intitulée *Méli-mélo* sur laquelle Julie avait enregistré des chansons ou des airs qu'elle aimait. D'après les policiers, la cassette était en marche au moment de l'accident. Sous le choc, évidemment, tout s'est arrêté. Et c'est précisément au milieu de cette chanson-là, celle de ton Emmylou, que la cassette était bloquée quand mes parents l'ont récupérée. Ils ne savaient pas trop quoi en faire, alors ils me l'ont donnée. Le ruban a été abîmé, un peu tordu, et le son est plutôt mauvais quand on arrive à ce passage — j'avais tellement peur que le ruban finisse par se briser que j'en ai fait deux copies —, mais j'ai écouté cette chanson, et le reste de la cassette, des dizaines de fois depuis la mort de Julie. J'aime beaucoup la voix de cette femme, mais je ne savais pas qui c'était.

— Tu aurais pu te renseigner chez un disquaire… »

Hubert hausse les épaules.

« Ça ne m'est jamais passé par l'esprit. À la limite, tu vois, ce n'était pas cette Emmylou qui chantait, c'était Julie qui me parlait. En écoutant les chansons qu'elle avait choisies, c'était un peu comme si je me reprenais pour toutes les fois où j'avais refusé de l'écouter quand elle me parlait pour vrai… C'est peut-être stupide… »

Agathe secoue la tête.

« Je ne trouve pas… »

Hubert a un petit sourire, mais il n'ajoute rien, et tous deux continuent de manger en silence. Il existe toutes sortes de silences, et celui qu'Agathe et Hubert partagent en ce moment est léger, agréable, sans contrainte ni embarras.

When I go don't cry for me
In my father's arms I'll be

Agathe est particulièrement sensible aux paroles des chansons, ce matin, et plusieurs d'entre elles lui semblent se rapporter directement à Julie, sœur d'Hubert et mère de Bruno. Julie, morte trop tôt.

So weep not for me my friend
When my time below does end

Quand la pile de crêpes a disparu, Agathe prépare le café, qu'ils boivent au salon tout en continuant d'écouter Emmylou Harris. Agathe a repris son gros fauteuil, Hubert est assis sur le canapé. On dirait qu'on déjeune ensemble depuis des années, songe Agathe, et qu'on a nos habitudes et nos rituels. Tout ça est tellement simple, tellement… évident. Puis elle pense à la journée qui l'attend, et qui n'a rien de simple ni d'évident, et elle laisse échapper un petit soupir. Hubert la regarde d'un air interrogateur.

« Je voudrais arrêter le temps, dit-elle simplement. Rester ici, comme ça, à écouter Emmylou, plutôt que de m'occuper de serrures, de tortues assassinées et d'enquêtes policières… »

Hubert se fige.

« J'avais un peu oublié tout ça, je dois dire… Ta tortue… Tu dois avoir de la peine… »

Agathe grimace.

« Est-ce que tu vas me prendre pour un monstre si je te dis que je n'ai pas vraiment de peine ? J'ai peur, c'est sûr, et je trouve horrible la façon dont elle est morte, mais je ne peux pas dire qu'elle va me manquer. On ne communiquait pas beaucoup, elle et moi. En fait, je me sentais toujours un peu mal à l'aise quand elle m'observait de son petit œil plissé et préhistorique. J'avais l'impression qu'elle me jugeait… »

Tout en parlant, Hubert et Agathe se sont levés, ils ont débarrassé la table et commencé à faire la vaisselle.

I'll waltz you my darling across Texas tonight, chante à présent Emmylou, et c'est la fin du disque.

« Est-ce que tu accepterais de me faire écouter la cassette de Julie ? » demande Agathe quand le silence est revenu.

Hubert cesse d'essuyer le poêlon qu'il a dans les mains et regarde Agathe.

« Ça t'intéresse ? Vraiment ? »

Agathe hoche vigoureusement la tête, et Hubert a un bref sourire.

« Oui, bien sûr que tu peux l'écouter. Tu pourras peut-être m'aider à identifier d'autres chansons... Ma culture musicale est particulièrement déficiente, comme tu vas t'en rendre compte assez rapidement. » Une pause, puis Hubert ajoute, avec une grimace plutôt comique : « À vrai dire, c'est probablement ma culture au grand complet qui est déficiente... Ne compte pas trop sur moi pour tenir des propos intelligents sur la littérature, la peinture, la danse ou le théâtre... »

Agathe a une pensée rapide pour Laurent — Laurent qui a des connaissances encyclopédiques et des opinions sur à peu près tout, et qui juge essentiel d'en faire part au monde entier — et elle s'empresse de répondre qu'elle a eu sa dose de propos dits intelligents et que souvent ceux-ci ne sont que prétentieux et profondément ennuyeux.

« Et il n'y a pas que les arts, dans la vie, ajoute-t-elle. Toi, tu vas te rendre compte assez vite que ma culture scientifique n'est pas seulement déficiente mais inexistante... »

Hubert admet que, de ce côté-là, il en connaît un bon bout.

« Mais, tu sais, dans le domaine scientifique aussi il y a moyen d'être prétentieux et ennuyeux », ajoute-t-il, et Agathe n'a aucun mal à le croire.

La vaisselle terminée, Hubert s'apprête à rentrer chez lui.

« À moins que tu ne préfères que je reste en attendant que tes serrures soient changées ? » demande-t-il à Agathe.

Celle-ci secoue la tête.

« Non, ça va. En plein jour, je me sens plus courageuse...

— Je pourrais t'apporter la cassette de Julie en début de soirée, si ça te convient. As-tu de quoi l'écouter ?

— Oui. Et... » Elle hésite une fraction de seconde avant d'ajouter : « Pourquoi tu ne viendrais pas souper ici ? Après, on pourrait écouter la cassette ensemble... »

Hubert secoue la tête.

« Ce n'est pas possible. Le jeudi soir, je suis occupé. »

Agathe est déçue, mais elle s'efforce de ne pas le montrer. Elle s'efforce même de chasser sa déception, qui lui semble un peu trop proche des chaînes malsaines qui viennent avec la jalousie et qu'elle a résolu de bannir de sa vie : attentes, désirs, exigences... Ne rien exiger, ne rien imposer. En fait, elle ne devrait pas être déçue, elle devrait plutôt se réjouir de constater qu'Hubert n'a pas l'intention de s'incruster... Mais qu'est-ce qu'il peut bien faire, le jeudi soir, qui soit si important ?

« Le jeudi soir, c'est ma réunion des AA », explique le jeune homme, comme s'il avait deviné sa question informulée.

Aussitôt, Agathe se sent plus légère.

« Tu peux m'apporter la cassette quand tu veux, dit-elle. Je ne prévois pas vraiment sortir aujourd'hui... »

Hubert hoche la tête.

« À plus tard, donc... »

Il se dirige vers la porte, mais se tourne une dernière fois vers Agathe avant de l'ouvrir.

« N'hésite pas à m'appeler si tu as besoin de moi... Je... »

Il semble à court de mots, et Agathe ne trouve rien à dire, elle non plus, au moment de voir partir celui avec qui elle a partagé cette nuit si étrange. Elle ne sait pas quoi faire de son corps, de ses mains. Elle a l'impression de prendre beaucoup trop de place, brusquement. Hubert lève le bras droit, et Agathe se demande s'il va lui serrer la main, ou lui caresser les cheveux, ou l'attirer contre lui pour lui faire la bise, ou... Mais le jeune homme se contente de redresser ses lunettes.

« Bon, eh bien... »

Agathe hoche imperceptiblement la tête.

« Oui... »

Un sourire, un geste de la main, puis Hubert ouvre la porte et commence à descendre l'escalier.

Agathe reste longtemps à écouter décroître le son des pas irréguliers.

Chapitre 16
Jeudi 19 mai

Il est huit heures trente quand la sergente-détective Lysanne Thibodeau termine son compte rendu sur la mort de la tortue d'Agathe O'Reilly.

« L'hypothèse la plus plausible, conclut-elle, c'est que Nathalie Salois a tué cette tortue pour se venger de la maîtresse de son mari. J'ai fait une recherche dans le système, et cette femme n'a pas de casier judiciaire, elle n'a jamais commis d'infractions, elle semble même n'avoir jamais eu de points d'inaptitude comme conductrice… Mais, dans le cas présent, elle a un mobile — jalousie, vengeance… —, elle a accès à l'appartement d'Agathe O'Reilly grâce à la clé que possède son mari, elle savait probablement que la comédienne était au restaurant avec Laurent Bouvier hier soir… et qu'elle avait par conséquent le champ libre pour se rendre chez sa rivale et trouver une façon de se venger. Une fois dans l'appartement, elle a vu la tortue, le couteau… On connaît la suite. »

Le lieutenant Maranda a écouté l'enquêteuse en silence.

« Tu as sans doute raison, dit-il quand Lysanne Thibodeau a terminé. Toupin et toi, arrangez-vous pour interroger cette Nathalie

Salois le plus rapidement possible et tirer tout ça au clair. Plus vite cette affaire sera classée, mieux ce sera. On a quand même des choses plus importantes à faire que d'enquêter sur la mort d'une tortue ! »

Lysanne Thibodeau ajoute qu'il faudrait charger quelques équipes de patrouilleurs d'interroger les voisins d'Agathe O'Reilly.

« Il faudrait faire ça vite, précise-t-elle. On ne voulait pas réveiller ces gens-là en pleine nuit à cause d'une *tortue*, mais il serait important de savoir si quelqu'un a vu quelque chose ou quelqu'un de suspect, hier... Si jamais Nathalie Salois niait toute implication dans cette affaire, ce serait intéressant d'avoir un témoin qui l'aurait vue entrer chez Agathe O'Reilly...

— En effet, approuve Maranda. Mais, avant, il serait utile de fournir une photo de Nathalie Salois aux patrouilleurs qui feront le porte-à-porte. Celle de son permis de conduire, par exemple. Tu as dû y avoir accès, au cours de tes recherches... »

Lysanne Thibodeau s'engage à faire faire des copies de cette photo avant d'aller trouver la vraie Nathalie Salois en compagnie de l'agent Toupin.

~

À genoux près de la rocaille, Nathalie examine celle-ci avec attention. Au début de la saison, des pluies violentes ont creusé des trous un peu partout, et les écureuils semblent en avoir profité pour déterrer ses bulbes de tulipes, de jonquilles et de narcisses, ce qui explique sûrement la piètre floraison printanière. Quant aux limaces, elles n'ont jamais été aussi nombreuses. Il va lui falloir agir rapidement et énergiquement. Les coquilles d'œufs broyées seront-elles suffisantes ?

« Madame Nathalie Salois ? »

Absorbée par sa tâche, Nathalie n'a pas eu conscience de l'arrivée des visiteurs. Toujours agenouillée, elle redresse le torse et tourne la tête vers la femme qui vient de s'adresser à elle et qui est accompagnée d'un agent de police en uniforme.

Aussitôt, Nathalie sent l'inquiétude la gagner.

« C'est moi, oui », confirme-t-elle d'une voix prudente.

La femme lui présente une pièce d'identité.

« Sergente-détective Lysanne Thibodeau, enquêteuse au Service de police de la Ville de Montréal. Lui, ajoute-t-elle avec un geste en direction du très jeune policier qui se trouve à sa droite, c'est l'agent Carl Toupin. Nous aurions des questions à vous poser au sujet d'Agathe O'Reilly. »

Le pouls de Nathalie s'accélère. Agathe ? Pourquoi la police veut-elle l'interroger au sujet d'Agathe ? Une bouffée d'angoisse envahit Nathalie, qui se souvient que Laurent est rentré très tard, la nuit précédente, et dans un état de grande agitation. Même à moitié endormie, elle avait conscience qu'il arpentait la maison d'un pas nerveux, qu'il bousculait des objets, qu'il grommelait des imprécations. Qu'est-ce qu'il a bien pu faire à Agathe ? Nathalie a l'impression que le monde se met à tourner autour d'elle. Toujours agenouillée devant la rocaille, elle pose une main par terre pour s'empêcher de tomber.

« Est-ce qu'il est arrivé quelque chose à Agathe ? » articule-t-elle d'une voix qu'elle a du mal à reconnaître.

Pour toute réponse, la policière suggère de poursuivre l'entretien dans un endroit plus approprié.

« Dans la salle à manger, peut-être, ou au salon… »

Comme dans un rêve, Nathalie se relève et conduit les policiers dans la verrière qui couvre la majeure partie de la façade est. Le soleil inonde la pièce, où se côtoient plantes vertes et meubles en osier. Fifille, la grosse chatte noire, est couchée dans un coin, au pied d'un laurier-rose. Pour Nathalie, la verrière a toujours été un lieu de repos et de paix, mais ce matin elle est insensible à la sérénité des lieux.

Après avoir invité les policiers à s'asseoir, elle leur montre ses mains noires de terre et leur demande de l'excuser pendant qu'elle va les laver.

« Est-ce que je peux vous apporter quelque chose à boire en revenant ? Café, jus… »

Lysanne Thibodeau dit qu'elle prendrait bien un verre d'eau. Carl Toupin préférerait un café.

« J'en ai pour deux minutes… »

Tout en se lavant les mains, Nathalie tente de reprendre son sang-froid. Pas de panique. Et pas de conclusions hâtives. Elle ne sait pas pourquoi les policiers veulent lui poser des questions au sujet d'Agathe, mais elle va bien finir par l'apprendre et, en attendant, il ne sert à rien d'imaginer le pire. Cette visite des policiers n'est peut-être qu'une formalité de routine, quelque chose de parfaitement banal…

Malgré tout, Nathalie demeure inquiète. Ce n'est quand même pas tous les jours que des policiers viennent vous interroger. Et ce qu'ils veulent lui demander ne concerne pas un cambriolage dans le voisinage ou un accident dont elle aurait été témoin, mais la maîtresse de son mari. Son mari, dont le comportement lui a semblé bizarre ces derniers temps, et particulièrement la nuit dernière.

Un café, un verre d'eau pour la policière, un autre pour elle-même… Nathalie dépose les boissons sur un plateau, elle ajoute un sucrier, un crémier et une cuillère, puis, en faisant de grands efforts pour respirer normalement, elle retourne à la verrière.

~

Lysanne Thibodeau pose les questions, Carl Toupin prend des notes.

« Madame Salois, est-ce que vous connaissez Agathe O'Reilly ?

— Je ne la connais pas personnellement, mais je sais qui c'est.

— C'est-à-dire ?

— Une comédienne. Elle joue dans une série télévisée pour enfants, et elle a aussi eu quelques rôles au théâtre.

— À votre connaissance, Agathe O'Reilly a-t-elle un lien avec votre vie personnelle ? »

Nathalie Salois n'a pas une seconde d'hésitation.

« C'est la maîtresse de mon mari. »

Si Lysanne Thibodeau s'étonne du naturel avec lequel Nathalie Salois a répondu, elle n'en laisse rien paraître.

« Est-ce que cela vous contrarie ? »

Nathalie Salois secoue légèrement la tête.

« Non. J'ai l'habitude. Agathe n'est pas la première et elle ne sera sûrement pas la dernière.

— Êtes-vous déjà allée chez elle ?

— Non. Comme je vous l'ai dit, je ne la connais pas personnellement.

— Vous auriez pu y aller pendant son absence.

— Je ne sais même pas où elle habite.

— Vous êtes sûre de ne pas être allée chez elle hier ? »

Nathalie s'efforce de cacher son inquiétude. Qu'est-il arrivé à Agathe, *hier* ?

« Je vous le répète : je ne sais pas où habite Agathe O'Reilly, et je ne suis jamais allée chez elle, pas plus hier qu'un autre jour.

— Pouvez-vous me dire ce que vous avez fait, hier ?

— Ce que j'ai fait ?

— Votre emploi du temps.

— Pour toute la journée ?

— Oui. »

Nathalie se concentre.

« Hier, c'était mercredi, alors, le matin, je suis allée à l'hôpital Sainte-Justine. Je fais du bénévolat là-bas. À l'heure du midi, j'ai rencontré une amie. Nous avons dîné puis nous sommes allées au cinéma. Après le film, nous avons pris un verre ensemble. Ensuite, je suis rentrée à la maison et j'ai passé la soirée ici. »

Lysanne Thibodeau demande à Nathalie d'apporter certaines précisions, surtout en ce qui a trait à ses activités de l'après-midi et de la soirée.

Nathalie rapporte donc dans le détail ce qu'elle a fait après avoir quitté le café Santropol, où elle avait dîné en compagnie de son amie Colette (« Colette Gervais, répond-elle à une question des policiers, et son numéro de téléphone est le… »). Elles sont parties du restaurant vers treize heure trente. « Je dois avoir mon reçu de carte de débit, quelque part, et peut-être aussi une copie de la facture elle-même ; l'heure à laquelle j'ai réglé l'addition est sans doute indiquée, ce qui vous donnera un bon indice de l'heure à laquelle nous avons quitté le restaurant. » Elles ont marché jusqu'au cinéma Ex-Centris, boulevard Saint-Laurent, où elles ont assisté à la séance de quatorze heures. «Encore une fois, je dois avoir le coupon de cinéma au fond de mon sac à main — ça confirmera mes dires et vous donnera une idée du temps que j'ai passé là-bas.» Elle n'a pas regardé l'heure en sortant du cinéma. Elle et Colette ont ensuite pris un verre au café Méliès, dans le même bâtiment («Colette a pris un kir royal; moi, une tisane tilleul-menthe»), puis Nathalie est revenue chez elle. «Il faisait un temps magnifique, et j'ai décidé de rentrer à pied. J'ai pris Duluth, j'ai traversé le parc Jeanne-Mance, puis j'ai suivi Mont-Royal pratiquement jusqu'ici. À quelle heure je suis arrivée à la maison? Je n'ai pas vraiment fait attention. Vers dix-huit heures trente, probablement… Non, Laurent n'était pas là. Où il était? Je ne sais pas. Il faudrait le lui demander à lui. J'ai passé la soirée toute seule. Je me suis fait à souper, j'ai lu, j'ai regardé le *Téléjournal* à RDI à vingt et une heures… Non, je ne me souviens pas d'avoir parlé à qui que ce soit. Je ne me rappelle pas non plus avoir vu de voisins. Comme vous avez pu le constater, la maison est en retrait, et je n'ai pas l'habitude de guetter les allées et venues de mes voisins… Je n'ai pas eu d'appels téléphoniques, non… Vous avez raison, personne ne peut confirmer que j'ai passé la soirée ici. Je me suis couchée vers vingt-deux heures. J'ai lu un peu, puis je me suis endormie… Non, je ne sais pas précisément à quel moment Laurent est rentré. Ni l'heure à laquelle il s'est couché. En fait, c'est très rare que je sache à quelle heure il se couche. Nous faisons chambre à part… Est-ce que c'est vraiment essentiel à votre enquête? Bon… Une dizaine d'années, je dirais. Peut-être même quinze…»

Nathalie répond aux questions le plus honnêtement possible, mais en restant quand même sur ses gardes et en s'efforçant de ne pas donner plus de détails que les policiers n'en demandent. Elle ne sait toujours pas ce qui est arrivé à Agathe, et son inquiétude ne cesse de croître. Elle comprend que les policiers la soupçonnent de quelque chose, mais comme elle ignore de quoi il s'agit, elle ne voit pas comment les convaincre de son innocence. Elle-même sait pertinemment qu'elle n'a rien à se reprocher, et pourtant elle se sent vaguement coupable, ne serait-ce que de pécher par omission. C'est vrai qu'elle ne connaît pas *précisément* l'heure à laquelle son mari est rentré, la nuit dernière, mais elle se doute qu'il était très tard — il commençait à faire clair, dehors. Elle n'a pas non plus parlé aux policiers de l'agitation de Laurent à son retour — mais ils ne lui ont rien demandé à ce sujet, pas vrai ? Elle espère seulement que les policiers, s'ils sentent son trouble, l'interprètent comme une manifestation normale de stress lié à la situation, et non comme un signe de culpabilité.

Finalement, après ce qui apparaît à Nathalie comme une éternité, les policiers semblent satisfaits de ses réponses, et Lysanne Thibodeau cesse d'exiger des précisions, encore et toujours plus de précisions...

« Ce sera tout pour l'instant, dit la policière en se levant. Je vous remercie de votre collaboration. On aurait aussi quelques questions à poser à votre mari. Est-ce qu'il est là ? »

Nathalie se lève à son tour.

« Je suppose que oui... »

Les deux policiers l'observent en silence, et Nathalie, mal à l'aise, ne peut s'empêcher d'ajouter :

« Vous aurez compris que nous menons des vies plutôt séparées, Laurent et moi. Nous partageons la même maison, mais... »

Elle termine sa phrase en haussant légèrement les épaules.

« Le mieux, ce serait de vérifier s'il est là, vous ne trouvez pas ? suggère Carl Toupin.

— Oui, bien sûr...

— On vous suit. »

Nathalie fait quelques pas, puis elle s'arrête et se tourne brusquement vers les policiers.

« Mais qu'est-ce qui est arrivé à Agathe O'Reilly ? Est-ce que... est-ce qu'elle va bien ? »

Les policiers échangent un regard.

« Madame O'Reilly va bien, finit par dire Lysanne Thibodeau. Compte tenu des circonstances... »

Soulagée par la première partie de la réponse, Nathalie sent l'angoisse l'étreindre de nouveau quand la policière complète celle-ci. Compte tenu des circonstances. Qu'est-ce que ça veut dire, *compte tenu des circonstances* ? Son appartement a flambé, elle a échappé à un attentat, on a assassiné sa sœur jumelle en croyant qu'il s'agissait d'elle ? De nombreuses questions se bousculent dans la tête de Nathalie, mais elle n'a le temps d'en poser aucune, car Lysanne Thibodeau ajoute, en la regardant droit dans les yeux :

« Au fait, parmi toutes vos activités d'hier, auriez-vous poignardé la tortue d'Agathe O'Reilly ?

— Quoi ??? »

~

« Agathe ? Il est arrivé quelque chose à Agathe ? Dites-moi, elle n'est pas… morte… au moins ? »

Manifestement secoué, Laurent Bouvier se prend la tête à deux mains.

« Je l'ai vue hier soir, poursuit-il d'une voix incrédule. Elle allait bien. Tout était normal. Qu'est-ce qui… ? »

Il marque une pause puis demande, dans un souffle :

« S'il vous plaît, dites-moi ce qui s'est passé… »

Je ne sais pas si Agathe O'Reilly a conscience de la chance qu'elle a d'être aimée par un homme tel que Laurent Bouvier, songe Lysanne Thibodeau avant de dire à celui-ci qu'Agathe va bien (« Dieu merci ! » murmure Laurent en fermant les yeux un instant et en se massant doucement les tempes du pouce et du majeur de sa main droite), mais qu'un événement fâcheux s'est produit la veille chez elle.

« Desdémone est morte », ajoute Carl Toupin d'une voix lugubre.

Décontenancé, Laurent Bouvier fronce les sourcils.

« Desdémone ? répète-t-il. Oui, bien sûr que Desdémone est morte.

— Vous le saviez déjà ?

— Évidemment, mais…

— C'est Agathe qui vous l'a appris ?

— Bien sûr que non ! Qu'est-ce qu'Agathe a à voir là-dedans ? J'ai interprété le rôle d'Othello bien avant sa naissance, et je suis en train de mettre en scène l'opéra de Verdi, alors je n'ai pas besoin d'elle pour m'apprendre quoi que ce soit au sujet de Desdémone! Mais j'aimerais qu'on laisse de côté les héroïnes de théâtre et qu'on en vienne aux raisons qui vous amènent ici.

— Les héroïnes de théâtre ? répète Carl Toupin d'un air ahuri pendant que Lysanne Thibodeau prie pour qu'il se taise. Quelles héroïnes de théâtre ?

— Desdémone! réplique Laurent Bouvier. C'est quoi, Desdémone, si ce n'est pas une héroïne de théâtre ?

— Une tortue, peut-être ?

— Une… ?!! »

Laurent s'interrompt brusquement et se frappe le front avec sa paume.

« Desdémone… J'avais complètement oublié que cette bestiole s'appelait Desdémone… J'ai offert une tortue à Agathe en croyant lui faire plaisir — elle avait mentionné qu'elle aimerait avoir un animal de compagnie —, mais j'ai l'impression que mon choix n'a pas été très judicieux. Agathe n'a rien dit de blessant, bien sûr, mais elle n'a pas accueilli mon cadeau avec beaucoup d'enthousiasme, et j'ai l'impression qu'elle néglige un peu cette pauvre bête — je ne dis pas ça pour la blâmer, évidemment, ce n'est qu'une constatation… Mais… » Laurent secoue la tête, comme pour remettre ses idées en place. « Vous avez dit que Desdémone est morte…

— Oui.

— Desdémone la tortue ?

— Oui. »

Laurent Bouvier secoue de nouveau la tête — de découragement, cette fois.

« Mais qu'est-ce que la police vient faire là-dedans ? Des tortues meurent tous les jours, ce n'est quand même pas un drame ! Et même si Agathe l'a un peu négligée, je ne crois pas que… » Laurent s'interrompt et dévisage les policiers. « Vous n'êtes pas de vrais policiers, c'est ça ? Vous êtes envoyés par la SPCA ? Ou alors c'est un de ces gags télévisés… »

Lysanne Thibodeau s'empresse de répondre qu'elle et l'agent Toupin sont de vrais policiers, et qu'ils sont là parce que Desdémone, la tortue, a été poignardée.

« Pardon ! ? »

Les policiers expliquent qu'en rentrant chez elle après le restaurant, la veille au soir, Agathe a trouvé sa tortue poignardée au milieu de son lit.

Soudain, Laurent Bouvier semble avoir une illumination.

« Les lettres ! s'exclame-t-il. Bon sang, les lettres ! Agathe avait raison de s'inquiéter, finalement… »

Les policiers échangent un regard.

« Si vous nous parliez de ces lettres », suggère Lysanne Thibodeau, qui sent une bouffée d'adrénaline l'envahir. Des lettres, hein ? Agathe O'Reilly ne leur a jamais parlé de lettres… « Mais avant, on pourrait peut-être s'asseoir ? »

Les policiers et Laurent Bouvier sont debout dans la salle de travail de ce dernier, une pièce vaste et sombre, richement meublée et décorée, qui occupe une bonne partie du sous-sol. C'est là qu'ils ont trouvé le comédien et metteur en scène, plongé dans son travail de conception. Un opéra jouait à plein volume, et de grandes feuilles couvertes d'annotations étaient éparpillées sur le bureau. Laurent Bouvier lui-même semblait totalement immergé dans son travail, et il lui a fallu un petit moment pour réagir quand les policiers ont frappé à sa porte.

En arrivant, Lysanne Thibodeau a balayé la pièce du regard, impressionnée malgré elle de se trouver dans le royaume de ce comédien qu'elle admire depuis si longtemps. Le bureau de Laurent Bouvier, qui offre un contraste marqué avec la verrière claire et aérée où les a reçus Nathalie Salois, tient autant de la bibliothèque que du cabinet de curiosités. Ici, pas de lumière naturelle, pas de plantes, pas de meubles en osier. Les meubles, en bois sombre et en cuir, sont massifs et confortables. Des cartes anciennes, encadrées avec art, occupent un mur de la pièce. Des vitrines remplies de livres et d'objets d'art couvrent les autres. Soldats de plomb, masques du monde entier, poignards et épées richement ornés… Un éclairage savamment conçu met les objets en valeur tout en préservant des zones d'ombre.

À présent, Laurent Bouvier s'excuse de ne pas avoir accueilli les policiers avec plus de civilité (« J'étais tellement inquiet au sujet d'Agathe ! »), leur offre des fauteuils et quelque chose à boire (« Merci, mais votre femme nous a déjà servis ») et les informe finalement qu'il est prêt à répondre à leurs questions.

« Si ce que vous dites est vrai et que la pauvre Desdémone a été assassinée, alors il faut absolument découvrir le coupable. Agathe doit être terrorisée… »

Tout comme avec Nathalie Salois, Lysanne Thibodeau pose les questions, et Carl Toupin prend des notes.

« Vous avez mentionné des lettres, dit l'enquêteuse. Pouvez-vous me parler de ces lettres ? »

La question semble étonner le comédien.

« Franchement, je n'ai rien à ajouter à ce qu'Agathe a déjà dû vous dire à leur sujet. Elle vous les a montrées, évidemment ? »

Il interroge les policiers du regard, s'attendant visiblement à ce que ceux-ci confirment l'information, mais Lysanne Thibodeau se contente de lui demander ce qu'il a retenu des lettres.

« Je ne suis pas sûr de me rappeler la formulation exacte…

— Mais vous vous souvenez du sens général ?

— Oui, bien sûr… En fait, la première lettre ne comptait qu'une phrase. La trahison est toujours punie, quelque chose comme ça.

— Il y a eu combien de lettres en tout ?

— Trois, il me semble.

— Toujours avec le même texte ?

— Il y avait chaque fois une phrase de plus.

— Ces phrases contenaient-elles des menaces plus précises ? Était-il question de la tortue ? »

Laurent Bouvier fourrage dans son impressionnante crinière poivre et sel tout en esquissant un sourire mi-contrit mi-charmeur. Le genre de sourire qui devait lui éviter la fessée quand il était petit, et qui doit encore lui être très utile quand il veut se faire pardonner quelque chose, songe Lysanne Thibodeau. Quelque chose comme une maîtresse, par exemple…

« Je suis sûr qu'il n'était pas question de tortue, mais je ne pourrais pas vous dire s'il y avait des menaces précises, explique le comédien. Si j'avais su ce qui allait se passer, j'aurais prêté plus d'attention à ces lettres, évidemment. Mais sur le coup, je l'avoue, je ne les ai pas prises au sérieux. Dans ce métier, on reçoit tellement de lettres bizarres ! S'il fallait qu'on s'inquiète chaque fois, on vivrait dans une angoisse perpétuelle…

— Quand madame O'Reilly a-t-elle reçu ces lettres ?

— Il y a deux ou trois semaines, je crois.

— Et comment a-t-elle réagi ? Était-elle inquiète ?

— Préoccupée plus qu'inquiète, je dirais. Elle se demandait qui lui avait envoyé ces lettres, et surtout pourquoi.

— Avait-elle des hypothèses à ce sujet ? »

Laurent Bouvier marque une pause.

« Elle se demandait si les lettres pouvaient avoir été écrites par ma femme, finit-il par répondre d'une voix réticente. Surtout que… »

Il se tait, l'air troublé.

La policière le relance.

« Surtout que… »

Avec un soupir, Laurent Bouvier complète sa phrase.

« Surtout que les lettres ont été postées à Halifax et que Nathalie était à Moncton à peu près à la même période. La pauvre Agathe n'est pas très douée en géographie et, pour elle, tout ce qui est dans les Maritimes, c'est du pareil au même… »

Lysanne Thibodeau laisse passer quelques secondes avant de demander :

« Vous-même, qu'en pensez-vous ? »

Sourcils levés, Laurent Bouvier toise la policière comme si celle-ci venait de l'insulter.

« Je distingue Halifax et Moncton sans aucune difficulté ! répond-il d'une voix sèche.

— Je voulais surtout savoir ce que vous pensiez de l'hypothèse de madame O'Reilly. Votre femme pourrait-elle être à l'origine des lettres ? »

Cette fois, la réponse de Laurent Bouvier ne se fait pas attendre.

« C'est complètement absurde ! Nathalie comprend parfaitement que le créateur que je suis a besoin de plus de passion et d'intensité que ce que peut apporter le mariage, surtout après trente ans. J'ai des maîtresses depuis longtemps, je ne m'en cache pas, et jamais Nathalie ne m'en a fait reproche. Je ne vois pas pourquoi elle commencerait aujourd'hui…

— Peut-être parce qu'Agathe O'Reilly n'est pas une maîtresse comme les autres… Peut-être que votre femme se sent menacée…

— Absurde ! répète Laurent Bouvier d'une voix coupante. Et même si, par je ne sais quelle aberration, Nathalie en voulait à Agathe, jamais elle ne s'abaisserait à envoyer des lettres anonymes — des lettres remplies de fautes, qui plus est ! Ma femme a trop de classe et de dignité pour ça. Mais enfin, vous avez vu Nathalie : pouvez-vous l'imaginer en train d'écrire des lettres anonymes ou de poignarder une tortue ? »

Lysanne Thibodeau répond que leur travail ne repose pas sur des impressions mais sur des faits et que, jusqu'à preuve du contraire, la possibilité que Nathalie Salois soit à l'origine des lettres anonymes — ou même responsable de la mort de Desdémone — ne peut être écartée.

Sa remarque irrite le comédien, qui se lève avant d'arpenter la pièce d'un pas nerveux.

« Ridicule ! Absurde ! » maugrée-t-il en marchant de long en large, les poings serrés et le front sombre.

Soudain, il s'arrête, comme saisi d'une idée subite.

« Et si… », commence-t-il, puis il secoue la tête. « Mais non, c'est impossible… Ce serait encore plus absurde… »

Évidemment, les policiers veulent en savoir davantage.

« Qu'est-ce qui serait encore plus absurde ? »

Laurent Bouvier s'est remis à marcher, et il secoue la tête de plus belle.

« Une idée folle, stupide… Ce n'est rien, oubliez même que j'ai dit quelque chose…

— Désolée, monsieur Bouvier, mais on ne peut pas faire ça. Vous avez eu une idée, alors il vaudrait mieux que vous nous en fassiez part. Et laissez-nous le soin de juger si c'est stupide ou pas. »

Le comédien s'immobilise.

« Bon, finit-il par dire, je vais vous dire ce qui m'est passé par l'esprit… Mais je tiens à préciser — et je tiens à ce que ce soit dans votre rapport, ajoute-t-il en direction de Carl Toupin, qui continue à consigner ses paroles dans un carnet — que je me suis tout de suite rendu compte que ça ne tenait pas debout…

— On prend note de vos réticences.

— Bon… Eh bien — c'est idiot, je vous le répète — je me suis dit qu'Agathe avait peut-être inventé cette histoire de lettres pour se rendre intéressante, ou alors que, sans l'avoir inventée, elle l'avait utilisée pour… eh bien, pour tester mon amour…

— Tester votre amour ? »

De nouveau, Laurent Bouvier a ce sourire penaud qui lui donne l'air d'un petit garçon pris en faute.

« Je ne sais trop comment vous présenter la situation… Voilà, j'aime beaucoup Agathe — vraiment beaucoup —, mais ça ne m'empêche pas de voir ses petits travers. »

Il soupire.

« On dirait qu'elle ne peut pas s'empêcher de me tenir sur le fil du rasoir. Elle fait sa coquette, elle menace de rompre, elle flirte avec d'autres hommes… Je suis sûr qu'elle n'agit pas par méchanceté. Je crois même qu'elle ne se rend pas compte de ce qu'elle fait. Elle souffre manifestement d'insécurité et, inconsciemment, elle s'arrange pour que je lui prouve mon amour, encore et encore… »

Il secoue la tête d'un air indulgent.

« Ces derniers jours, elle m'a dit qu'elle souhaitait prendre un peu de recul. C'est une lubie qui s'empare d'elle de temps en temps. Au début, j'étais dévasté. Mais j'ai fini par me rendre compte qu'elle ne pensait pas vraiment ce qu'elle disait et qu'il s'agissait en fait d'une forme de chantage pour que je me montre plus amoureux ou que je me plie davantage à ses désirs… Chaque fois, j'en profite malgré tout pour lui dire que je comprendrais qu'elle veuille fréquenter un garçon plus jeune, avec lequel elle pourrait envisager un avenir plus intéressant que celui qui l'attend avec moi. Elle a peut-être envie de vivre avec quelqu'un, d'avoir des enfants… Elle connaît déjà quelques garçons sympathiques, qui ne demanderaient sans doute pas mieux que de sortir avec elle. Je pense entre autres à Simon Chaput, qui joue dans *La Forêt enchantée*, et aussi à ce type qui habite à quelques rues de chez elle — comment s'appelle-t-il, déjà ?

— Hubert Fauvel ? suggère Carl Toupin.

— Hubert Fauvel, oui, c'est ça… Mais Agathe me répond toujours que ces garçons-là ne l'intéressent pas, même s'il lui arrive de flirter un peu… »

Comme un peu plus tôt, Laurent Bouvier fourrage dans ses cheveux.

« Mais je m'écarte du sujet, dit-il avec un sourire d'excuse. L'idée qui m'est passée par l'esprit, et que je trouve de plus en plus ridicule, c'est qu'Agathe se soit servie de sa tortue, cette fois-ci, pour me ramener près d'elle après m'avoir fait croire qu'elle voulait qu'on prenne du recul… »

Lysanne Thibodeau fronce les sourcils.

« Êtes-vous en train de dire qu'Agathe O'Reilly pourrait avoir tué elle-même cette tortue ?

— Non, bien sûr que non ! riposte le comédien. Ça m'est passé par l'esprit, je ne peux pas le nier, mais plus j'y pense, plus je suis convaincu que cette idée ne tient pas la route ! Pouvez-vous imaginer un instant Agathe en train d'assassiner une tortue… À coups de couteau, en plus ! »

Malgré elle, Lysanne Thibodeau tourne les yeux vers les vitrines où sont exposés un bon nombre de couteaux et d'épées.

Laurent Bouvier remarque son regard et il fronce les sourcils.

« Mon Dieu ! souffle-t-il. Avec quel couteau est-ce que… ? »

L'air soucieux, il se dirige vers les vitrines.

« Personne n'aurait pu prendre un de mes couteaux, marmonne-t-il. Je m'en serais rendu compte… »

La policière se lève et le rejoint près d'une des vitrines qui abritent son impressionnante collection d'armes blanches.

« Il ne manque rien », indique Laurent Bouvier avec un soulagement évident après avoir fait un inventaire rapide des armes.

Lysanne Thibodeau hoche la tête.

« Le couteau qui a tué sa tortue appartenait à Agathe O'Reilly, précise-t-elle. C'est un grand couteau de cuisine… »

C'est au tour de Laurent Bouvier de hocher la tête.

« Je vois très bien lequel, dit-il. Un Henckels série Classic à lame de deux cent soixante millimètres en acier inoxydable. Un outil honnête, pour le prix…

— Ces couteaux-ci ont dû vous coûter plus cher, remarque l'enquêteuse en désignant les armes dans la vitrine.

— Un peu, oui! »

Avec fierté, Bouvier présente sa dernière acquisition, une arme turque appelée *chamchir* qui date du dix-huitième siècle, ainsi que certaines belles pièces de sa collection. Des sabres japonais (« le grand est un *katana*; le plus petit, un *wakizashi;* ensemble, ils constituent le *daishô* »), des *jambyas* et des *kummyas* africains, un *kriss* malais, une *shashka* du Caucase, un *yatagan* des Balkans... Le comédien prononce ces mots avec une telle délectation que l'enquêteuse soupçonne que, pour lui, l'attrait des armes tient autant à leur exotisme et à leurs noms évocateurs qu'à leur apparence ou à leur utilité.

« Mais je parle, je parle, et pendant ce temps-là Agathe doit être absolument dévastée! s'exclame soudain Bouvier. Elle n'a rien à voir avec la mort de Desdémone, c'est sûr, je ne comprends même pas comment cette idée a pu me traverser l'esprit. Oubliez que je vous ai parlé de ça, voulez-vous?... J'essaie d'imaginer ce que la pauvre chérie a ressenti en découvrant cette scène affreuse. Elle devait être bouleversée! Terrifiée, aussi, bien sûr — on le serait à moins! Vous ne l'avez pas laissée toute seule, j'espère? Et pourquoi ne m'a-t-elle pas appelé? Elle avait parlé de recul, bien sûr, mais elle sait que je l'aime et que je serai toujours là pour elle... Mon Dieu, s'il fallait que le sadique qui a fait ça s'attaque maintenant à elle! Il a défoncé la porte d'en arrière, je suppose? J'ai mentionné à plusieurs reprises à Agathe que sa porte n'était pas sécuritaire: un cadre vermoulu, une serrure bas de gamme... Et son balcon qui est parfaitement accessible par la ruelle... Il va falloir qu'elle exige de son propriétaire qu'il change cette porte. Elle devrait aussi faire installer un système d'alarme... »

Lysanne Thibodeau interrompt le flot de paroles.

« Aucune porte n'a été défoncée, aucune serrure n'a été forcée, aucune fenêtre n'a été brisée... Tout porte à croire que la personne qui a fait ça a ouvert la porte avec une clé, tout bêtement.

— Mais... »

Pour une fois, Laurent Bouvier est à court de mots.

« Je sais que vous possédez une clé de l'appartement d'Agathe, poursuit la policière. Pouvez-vous vérifier si vous l'avez toujours ? »

Sans un mot, le comédien sort de la pièce. Il revient quelques instants plus tard, un trousseau de clés à la main.

« C'est celle-ci, dit-il en isolant une clé.

— Vous ne gardez pas votre trousseau sur vous ? s'enquiert Carl Toupin.

— Non, je le dépose toujours sur la petite table près de la porte d'entrée.

— Où n'importe qui pourrait le prendre ? »

Laurent Bouvier a un geste d'agacement.

« Pas n'importe qui, non, seulement quelqu'un qui est dans la maison.

— Votre femme, par exemple ? »

La réponse du comédien fuse, teintée d'agressivité.

« Qu'est-ce que vous essayez d'insinuer ?

— Je n'insinue rien. Je pose des questions, c'est tout. Vous me dites que seul quelqu'un qui est dans la maison pourrait prendre vos clés. Or, à ma connaissance, votre femme vit dans cette maison. D'où ma question. »

Laurent Bouvier a un reniflement de dédain.

« Bon, d'accord, *théoriquement*, Nathalie pourrait prendre mes clés. Mais je ne vois pas pourquoi elle le ferait. D'ailleurs, elle n'est pas la seule à y avoir accès. Si vous voulez *vraiment* faire le tour de la question, il faudrait noter que nos enfants, Sébastien et Anne-Sophie, viennent parfois à la maison et qu'ils y ont donc accès, de même que Lorena, notre femme de ménage, et Colette, la meilleure amie de Nathalie… »

Pendant que Carl Toupin note les coordonnées de tout ce monde, Lysanne Thibodeau se demande pour quelle raison leur femme de ménage, leurs enfants ou une amie voudraient s'introduire chez Agathe O'Reilly. Décidément, tout désigne Nathalie Salois, même si celle-ci nie toute implication dans cette affaire.

« Hier, aviez-vous votre trousseau avec vous ? demande la policière.

— Ça dépend, comme vous avez pu le constater. Dans la journée, quand j'étais ici en train de travailler, mon trousseau se trouvait comme toujours sur la petite table près de l'entrée. Dans l'après-midi, quand je suis allé marcher, et le soir, quand je suis allé au restaurant avec Agathe, je l'avais sur moi.

— La clé de l'appartement de madame O'Reilly était-elle dans votre trousseau à ce moment-là?

— Je suppose que oui…

— Autrement dit, vous n'en êtes pas certain… »

Laurent Bouvier réfléchit, sourcils froncés.

« … Non…, finit-il par admettre. Je n'ai pas eu à l'utiliser, et je ne vérifie pas systématiquement la composition de mon trousseau chaque fois que je mets mes clés dans mes poches… Je suis pratiquement certain qu'elle s'y trouvait — je ne vois pas pourquoi il en aurait été autrement —, mais je ne peux pas en jurer. »

La sergente-détective demande ensuite à Laurent Bouvier à quelle heure il a raccompagné Agathe chez elle la veille au soir (« Il devait être aux alentours de vingt-deux heures… ») et ce qu'il a fait ensuite (« Je suis revenu à la maison et j'ai travaillé… À vrai dire, j'ai dormi ici, sur le canapé où est assis votre collègue. Je fais ça souvent, en période de création intense… »).

« Une dernière chose : avez-vous eu connaissance des allées et venues de votre femme, hier ? »

Laurent Bouvier secoue la tête.

« Pas vraiment. On s'est croisés au petit déjeuner, mais je ne crois pas l'avoir revue par la suite… La plupart du temps, je la vois quand je sors de la maison : c'est incroyable, le temps qu'elle passe dans son jardin. Mais hier… non, je ne me rappelle pas l'avoir vue… » Il regarde Lysanne Thibodeau dans les yeux avant de continuer. « Et j'aimerais que vous n'en tiriez pas de conclusions accablantes pour elle. Il nous arrive très souvent de passer quelques jours sans nous voir. La maison est grande, comme vous pouvez le constater, et nous avons des activités et des horaires fort différents… Ça ne fait pas de Nathalie une… une tueuse de tortue ! »

Le comédien a prononcé les derniers mots d'une voix coupante, trahissant un mélange de colère et d'exaspération. La policière secoue imperceptiblement la tête.

« N'ayez pas peur. Comme je vous l'ai déjà dit, notre travail repose sur des faits et non sur des impressions ou des suppositions. Si votre femme n'a rien à se reprocher, personne ne lui reprochera quoi que ce soit… »

Avant de partir, les policiers prennent soin de retirer la clé d'Agathe O'Reilly du trousseau de Laurent Bouvier.

~

Ciò m'accora, chante Sherrill Milnes dans le rôle de Iago, et Laurent pourrait dire la même chose. *Ciò m'accora.* Ça ne me plaît pas. Même que ça ne me plaît pas du tout, songe-t-il tout en essayant de mettre de l'ordre dans ses idées. Ainsi, le jeune homme chez qui Agathe s'est précipitée hier soir s'appelle Hubert Fauvel. Hubert Fauvel… Ce nom lui dit quelque chose, tout comme la silhouette entrevue la veille évoquait un vague souvenir, mais Laurent n'arrive pas à replacer précisément ce type. Un comédien qui fait partie de la distribution de cette pièce minable dans laquelle Agathe doit jouer cet été ? Un technicien sur le plateau de *La Forêt enchantée*?

Laurent sent qu'il n'y a pas que l'identité de cet homme qui devrait le préoccuper. Il y a tout le reste, aussi. La tortue assassinée, Agathe, les lettres anonymes, la clé, les empreintes digitales… Sans oublier Nathalie, qui est dans la mire des policiers en tant que coupable potentielle. C'est ridicule. Cette policière au physique si disgracieux devrait pourtant s'en rendre compte. Un crapaud : voilà ce que lui rappelle cette femme. Un corps massif, un cou inexistant, un visage sans grâce et des yeux globuleux. Une vraie face de crapaud.

Mais oublions Face de crapaud pour l'instant. Ce qui importe plus que tout, en ce moment, c'est de téléphoner à Agathe afin de la réconforter.

~

Nathalie ne comprend pas pourquoi les policiers s'intéressent à ce point au séjour qu'elle a fait à Moncton quelques semaines auparavant.

« Mais qu'est-ce que ça a à voir avec la mort de la tortue d'Agathe *à Montréal*? demande-t-elle quand ils commencent à lui poser des questions sur ce séjour.

— Peut-être rien, répond Lysanne Thibodeau. Mais laissez-nous le soin d'en juger. »

Nathalie explique donc qu'elle a passé cinq jours à Moncton pour assister à un festival littéraire qui se tient là-bas tous les ans. Ça lui a donné l'occasion de revoir son amie Alvina, une férue de littérature qui vit en Gaspésie et qui fréquente assidûment les salons du livre et les événements littéraires de toute sorte.

« Alvina a de la famille à Moncton, alors nous avons logé chez sa nièce Carole, une jeune femme extrêmement sympathique qui travaille auprès d'enfants malentendants… »

En réponse aux questions des policiers, Nathalie fournit l'horaire des activités auxquelles elle a participé — lectures, tables rondes, spectacles…

« À quel moment êtes-vous allée à Halifax ? » demande soudain Lysanne Thibodeau.

Nathalie fronce les sourcils.

« Halifax ? Je ne suis pas allée à Halifax…

— Vous en êtes sûre ?

— Sûre et certaine. Après le festival, je suis allée passer quelques jours chez Alvina, à Pointe-à-la-Croix, en Gaspésie.

— Vous avez fait le trajet ensemble, votre amie et vous ?

— Oui.

— Sans faire de détour par Halifax ? »

Nathalie a un petit rire.

« Tout un détour ! Ce n'est vraiment pas dans la même direction ! »

À la demande des policiers, elle note cependant sur une feuille les coordonnées de son amie Alvina ainsi que les détails précis des vols qu'elle a pris au cours de ce voyage.

« Ce sera tout pour l'instant, dit Lysanne Thibodeau en prenant la feuille que lui tend Nathalie Salois. Je vous remercie de votre collaboration. On aura peut-être à reprendre contact avec vous dans les jours qui viennent. Vous ne prévoyez pas vous absenter de Montréal ?

— Non.

— Avertissez-nous si jamais vous aviez à sortir de la ville. »

L'enquêteuse donne sa carte à Nathalie, puis les policiers prennent congé.

~

Quand Nathalie frappe à sa porte, Laurent est à son bureau, en train d'admirer une fois de plus les sabres japonais, attribués à Tadayoshi de Hizen, qui sont sans contredit les plus belles pièces de sa collection. Il a sorti le *katana* de son fourreau de *shakudo*, une variété de bronze mêlé d'or dont la patine est d'un bleu presque noir, et il en caresse lentement la lame. Comme toujours, ce geste l'apaise considérablement. Dans la culture japonaise, le sabre est considéré comme l'âme du samouraï, et Laurent comprend parfaitement qu'on puisse accorder une valeur quasi mystique à un objet fabriqué avec autant d'amour, de précision et de patience. Des dizaines de termes désignent les matériaux, les parties de la lame, ses motifs, ses reflets ou son grain… L'acier dur de l'enveloppe externe, *hadagane*. L'acier plus tendre du noyau, *shingane*. La pointe, *kissaki*. Le dos, *mune*. Le tranchant, *ha*. Laurent a lu quelque part que, traditionnellement, le forgeron se purifiait le corps et l'esprit avant et pendant le processus de forgeage. De la même façon, quand lui-même tient son *katana* entre ses mains, qu'il le soupèse, le caresse et en scrute les moindres détails, il a le sentiment de participer à un rituel sacré, de s'imprégner de l'ardeur et du courage de tous ceux qui ont porté le sabre avant lui. La lame n'est pas froide et inerte, il la sent palpiter entre ses mains, chaude et fraîche à la fois, douce et tendue, entièrement disponible, prête à se plier à ses désirs, à ne faire qu'une avec lui…

« Je ne te dérange pas ? »

Nathalie a posé sa question d'une voix hésitante, et Laurent doit se faire violence pour ne pas crier que oui, elle le dérange, elle le dérange même beaucoup.

« Ça va, s'efforce-t-il de dire d'une voix affable. Tu peux entrer. »

Pendant que Nathalie avance dans la pièce, Laurent, toujours assis à son bureau, remet soigneusement le *katana* dans son fourreau. Un bijou. Un véritable bijou, tout comme le *wakizashi* qui l'accompagne.

« C'est horrible, ce qui est arrivé à la tortue d'Agathe », dit Nathalie en prenant place dans un fauteuil devant lui.

Laurent opine d'un signe de tête.

« Horrible, oui. J'ai le frisson juste à penser que, pendant que nous étions tranquillement au restaurant hier soir, quelqu'un massacrait cette tortue à coups de couteau…

— En tout cas, je comprends mieux, à présent, pourquoi tu semblais si bouleversé quand tu es rentré, la nuit dernière… »

Pour la première fois depuis l'arrivée de Nathalie, Laurent fixe son regard sur elle.

« Tu m'as entendu rentrer ?

— Oui. Tu sais que je ne dors jamais profondément…

— Je suppose que tu as mentionné aux policiers que j'étais rentré tard et *bouleversé*, comme tu dis… »

Nathalie secoue légèrement la tête.

« Non, je n'ai rien dit. Je ne voulais pas te nuire. J'avais peur que… C'est fou, les idées qu'on se fait, parfois… Je ne savais pas ce qui était arrivé à Agathe, et j'ai cru… C'est-à-dire que… je ne savais pas trop quoi penser, tu comprends ? »

Visiblement mal à l'aise, Nathalie bafouille un peu.

« Es-tu en train de me dire que tu as cru que j'avais fait du mal à Agathe ? demande Laurent. Que j'aurais pu la blesser ou la tuer, par exemple ? »

Nathalie se mord les lèvres.

« Pas volontairement, bien sûr, mais je me disais qu'il avait pu se produire un accident, tu sais, au cours d'une dispute, ou…

— Autrement dit, tu as cru que je pouvais être un meurtrier. »

Nathalie ne répond pas. Quand Laurent reprend la parole, quelques instants plus tard, il a la voix qui tremble.

« Toi, ma femme, qui me connais depuis plus de trente ans et qui prétends m'aimer, tu as cru que j'étais un meurtrier. Te rends-tu compte de l'effet que cette révélation a sur moi ? C'est mon monde qui s'écroule, Nathalie… Moi qui croyais pouvoir compter sur ton appui, sur ta tendresse, voilà que je me rends compte que tout était faux. Trente ans. Trente ans de mensonges et de faussetés…

— Mais non, voyons ! s'écrie Nathalie en se levant pour s'approcher de son mari. Laurent, je… »

Celui-ci repousse avec rudesse la main qu'elle vient de poser sur son bras.

« Tu ne peux pas savoir à quel point ta trahison me blesse, dit-il d'une voix brisée. Jamais plus je ne pourrai avoir confiance en toi. »

Il sort du bureau d'un pas pesant.

Chapitre 17
Jeudi 19 mai (suite)

Le serrurier a dit qu'il viendrait entre dix et onze heures, mais Agathe trouve que le temps passe bien lentement. Quand le téléphone sonne, à dix heures trente-deux, elle est en train de vérifier que l'horloge fonctionne correctement et qu'il n'y a pas eu d'interruption de courant.

Avant de décrocher, Agathe prie pour que ce ne soit pas le serrurier qui lui annonce qu'il va venir plus tard que prévu — en fin d'après-midi, par exemple. Depuis le départ d'Hubert, deux heures plus tôt, elle n'a qu'une envie, sortir de l'appartement au plus vite. Bouger, s'aérer le corps et l'esprit, tenter d'oublier Desdémone plantée au milieu de son lit…

« Ma pauvre chérie, quelle horrible histoire, j'en suis tout bouleversé ! Quel choc ça a dû être pour toi ! »

Laurent semble bouleversé, en effet. Les mots se bousculent dans sa bouche, et il ne laisse même pas à Agathe la possibilité de répondre avant de poursuivre, d'une voix chargée d'émotion.

« Pourquoi ne m'as-tu pas appelé ? Je ne devais pas être bien loin, j'aurais pu être chez toi en quelques minutes et t'aider à traverser ces moments difficiles… Tu peux toujours compter sur moi, j'espère que tu n'en as jamais douté. On avait parlé de recul, de pause, mais un événement comme celui-là change tout. Ce n'est pas l'amant que tu aurais appelé, mais l'ami… Quand je pense que je n'ai pas pris au sérieux les lettres que tu as reçues… Évidemment, c'est la première chose qui m'a traversé l'esprit quand les policiers m'ont appris ce qui s'est passé…

— Tu as parlé des lettres aux policiers !?»

Le ton d'Agathe est particulièrement abrupt, et Laurent marque une pause.

«… Oui, bien sûr, reprend-il d'une voix circonspecte. Je n'aurais pas dû ? Ces lettres étaient très clairement des avertissements, et elles leur seront sûrement très utiles pour trouver l'assassin de Desdémone… Pauvre bête… Heureusement que le degré de conscience des tortues n'est pas trop développé. Penses-tu qu'elles peuvent ressentir de la douleur ? Ou plutôt, non, n'y pense pas, ça ne pourrait que te troubler davantage… Mais, bon, pour en revenir aux lettres, tu ne sais vraiment pas qui pourrait te les avoir envoyées ? Imagine-toi donc que les policiers soupçonnent Nathalie. C'est ridicule, tu ne trouves pas ? Tu as, toi aussi, envisagé cette possibilité, mais je suis sûr que tu l'as vite abandonnée, non ?»

Étourdie par le flot de paroles, mais surtout assommée à l'idée que les policiers connaissent à présent l'existence des lettres, Agathe ne répond pas.

« Agathe, Agathe ma chérie, quelle brute je fais… Je suis là en train de te poser toutes ces questions alors que tu dois être anéantie par la mort horrible de Desdémone. Veux-tu que je vienne te voir ? Je peux être chez toi dans vingt minutes…

— Ne m'appelle plus *ma chérie*…

— Bon, d'accord, je ne t'appellerai plus *ma chérie*, bien que tu me sois si chère, mais permets-moi quand même de venir te voir en ces moments difficiles. En tout bien tout honneur… »

La prochaine fois qu'il me sert son *en tout bien tout honneur*, je hurle, se promet Agathe. Ou je mords quelqu'un. Ou quelque chose. Pour l'instant, la main crispée sur le récepteur, elle se contente de décliner l'offre de Laurent d'une voix sèche.

« Non, ne viens pas. Il faut que je te laisse, on sonne à la porte. Ce doit être le serrurier…

— Dis-moi au moins quand… »

Agathe raccroche avant que Laurent ait terminé sa phrase.

La sonnette de la porte d'entrée se fait entendre une deuxième fois.

Pourvu que ce soit le serrurier, et non Lysanne Thibodeau et Carl Toupin, déterminés à tout savoir sur les lettres anonymes qu'elle a reçues au cours des dernières semaines…

~

Après avoir remplacé les serrures des deux portes de devant — la porte extérieure, qui donne sur le balcon du deuxième, et celle qui s'ouvre dans l'appartement d'Agathe —, le serrurier s'attaque à celle de la cuisine, qui donne sur le balcon arrière. Il démonte le barillet, en insère un nouveau dans l'espace laissé libre et commence à le visser. Agathe l'observe en silence, fascinée par ses gestes précis, par sa minutie et son efficacité. Elle éprouve un vague sentiment d'envie à son égard. Il doit être très satisfaisant de savoir exactement ce qu'on doit faire. Peu importe ce qui s'est produit ici et la raison pour laquelle Agathe a décidé de changer toutes ses serrures, l'artisan exécute consciencieusement son travail et, à la fin de la journée, il doit avoir le sentiment du devoir accompli. Et la tranquillité d'esprit qui va avec. Pas de doutes, pas de tourments, pas de perpétuelles remises en question. Pourquoi est-ce que je n'ai pas choisi un métier comme celui-là ? se demande Agathe. Pourquoi est-ce que je m'obstine à vouloir exercer un métier où je ne suis jamais sûre de rien, où j'angoisse par rapport aux rôles que j'ai ou que je n'ai pas, où je crains sans cesse de ne pas être à la hauteur…

Son travail terminé, le serrurier est en train de remballer son matériel lorsque la sonnette retentit de nouveau. Cette fois, il s'agit bien de Lysanne Thibodeau et de Carl Toupin, et Agathe ne coupera pas à leurs questions.

« Et si vous nous parliez de ces lettres que vous avez reçues, commence Lysanne Thibodeau sans autre préambule dès que la porte est refermée. Des lettres anonymes. Ça vous dit quelque chose ? »

Du bout des lèvres, Agathe admet que, oui, ça lui dit quelque chose.

« Et vous n'avez pas jugé utile de nous en parler ? »

Agathe hausse les épaules.

« Je ne voulais pas compliquer les choses, dit-elle.

— En nous fournissant une piste ? »

Agathe voit mal ce qu'elle pourrait répondre à ça. Sans doute aurait-elle dû suivre le conseil d'Hubert et parler tout de suite des lettres aux policiers, en espérant que ceux-ci ne poussent pas trop leur enquête du côté de la Nouvelle-Écosse. Trop tard pour les regrets. Mais pas trop tard pour tenter de se racheter.

« Vous voulez voir les lettres ? demande-t-elle à l'enquêteuse.

— Si ce n'est pas trop vous demander… »

Le ton de la sergente-détective est chargé d'ironie, et Agathe, comme la nuit précédente, a le sentiment que Lysanne Thibodeau n'éprouve aucune sympathie pour elle. Qu'a-t-elle bien pu faire pour se mettre la policière à dos ? À part lui cacher l'existence des lettres, évidemment, mais ça, l'enquêteuse ne le savait pas la nuit dernière…

Réprimant à grand-peine un soupir, Agathe va chercher les lettres anonymes et les tend à Lysanne Thibodeau, qui en prend connaissance rapidement après avoir enfilé des gants de chirurgien.

« *Tu a trahie tu va être puni…*, murmure la policière avant de replier les lettres. La mort de Desdémone, c'est quoi, au juste ? La punition annoncée ou simplement un nouvel avertissement ? »

Agathe sent un frisson la parcourir. Si la mort de Desdémone n'est qu'un simple avertissement, elle n'ose pas imaginer ce que sera la punition.

« Laurent Bouvier nous a dit que vous soupçonniez sa femme, Nathalie Salois, de vous avoir envoyé ces lettres. Est-ce toujours ce que vous croyez ? »

Agathe a un instant d'hésitation.

« Je ne sais pas, dit-elle enfin. Ça m'est passé par l'esprit, c'est vrai. Il me semblait logique que l'épouse de mon amant m'accuse de trahison et de mensonges, mais... » Elle secoue la tête d'un air perplexe. « Je ne vois pas pourquoi elle m'aurait écrit des lettres anonymes remplies de fautes. Et je n'imagine pas une femme comme elle transpercer une tortue à coups de couteau...

— Et *qui* imaginez-vous en train de faire une chose pareille ? »

Agathe secoue lentement la tête.

« Personne, dit-elle d'une voix sourde. Absolument personne. »

Et c'est la stricte vérité.

~

En traversant l'intersection qui sépare l'appartement d'Agathe O'Reilly du poste de police, Lysanne Thibodeau réfléchit à ce que leur a dit la comédienne. De toute évidence, celle-ci ne veut pas les voir investiguer trop à fond l'histoire des lettres anonymes. Pourquoi ? La policière ne voit que deux possibilités.

La première, c'est que l'intuition de Laurent Bouvier était bonne et qu'Agathe O'Reilly elle-même a écrit les lettres anonymes et tué sa tortue afin d'obtenir plus d'attention et d'amour de la part du comédien. Dans ce cas, l'enquêteuse comprendrait que la jeune femme ne veuille pas fournir trop d'indices l'incriminant elle-même. Mais pourquoi aurait-elle commis toutes ces fautes et pourquoi aurait-elle posté ou fait poster les lettres à Halifax ? Trop compliqué pour rien, juge Lysanne Thibodeau. Et si elle a tué la tortue sans avoir écrit les lettres, elle n'a aucune raison de cacher l'existence de celles-ci. Au contraire : elle détournerait l'attention de sa propre personne en faisant peser les soupçons sur l'auteur des lettres anonymes... Pour l'instant, donc, l'enquêteuse ne voit pas l'intérêt de poursuivre dans cette voie.

La deuxième possibilité, c'est qu'Agathe O'Reilly en sait plus qu'elle n'en dit au sujet des lettres anonymes, mais qu'elle ne veut pas que la police, elle, en apprenne davantage. Mais pourquoi voudrait-elle cacher des choses aux policiers, alors que c'est elle qui les a appelés en premier lieu? Craindrait-elle qu'ils découvrent des choses qui débordent le cadre strict du meurtre de sa tortue? Saurait-elle, sans l'ombre d'un doute, que les lettres et la tortue n'ont aucun lien? Ou alors se serait-elle rendu compte trop tard que le meurtre de sa tortue mène à autre chose, qu'elle tient à garder secret, ou du moins qu'elle tient à garder à l'abri de la police? Essaie-t-elle de protéger quelqu'un? Si oui, de qui s'agit-il, et pourquoi Agathe tient-elle à protéger cette personne?

Une chose est sûre, l'attitude de la comédienne ne fait que renforcer la détermination de Lysanne Thibodeau à découvrir ce qui se cache sous le meurtre de la tortue — et sous les lettres anonymes.

« Cette nuit, dit-elle à Carl Toupin au moment où ils arrivent au poste, quand on a demandé à Agathe O'Reilly qui, à part elle, possédait des clés de son appartement, elle a mentionné sa meilleure amie, non?

— Oui, confirme le jeune agent.

— Moi, poursuit Lysanne Thibodeau, si je recevais des lettres anonymes, la première personne à qui j'en parlerais, même avant mon chum ou ma mère, c'est ma meilleure amie… On a les coordonnées de cette fille-là, si je ne m'abuse? On pourrait lui rendre une petite visite…

— Elle est à l'extérieur de la ville, rappelle Toupin. Mais on a son numéro de téléphone. »

~

« Desdémone assassinée! Mais c'est affreux! Qui peut bien avoir fait une chose pareille? »

Lysanne Thibodeau n'a eu aucun mal à joindre Florence Lavoie au téléphone, et la jeune femme réagit avec émotivité en apprenant que la tortue de son amie a été poignardée.

« Pourquoi est-ce que je n'ai pas insisté pour qu'Agathe aille trouver la police quand elle a commencé à recevoir ces lettres anonymes? poursuit Florence. Je m'en veux, je m'en veux tellement…

— Justement, intervient Lysanne Thibodeau, qu'est-ce que vous pensez de ces lettres ? »

À l'autre bout du fil, Florence Lavoie pousse un petit soupir avant de répondre.

« Au début, je ne me suis pas trop inquiétée, avoue-t-elle. Moins qu'Agathe, en tout cas. Les deux premières lettres étaient très générales… Vous les avez lues, je suppose ?

— *Traison et mensonges sont toujours puni*, confirme Lysanne Thibodeau. *Traison et mensonges appelles revenge…*

— Oui, avec ces horribles fautes, ces anglicismes… Mais, bon, ça ne visait pas Agathe directement, et je trouvais qu'il n'y avait pas de quoi s'énerver. Tous les acteurs reçoivent des lettres bizarres, de temps en temps. J'ai changé d'idée à la troisième lettre. *Tu a trahie tu va être puni…* Là, Agathe était directement visée. Je lui ai suggéré d'appeler la police, mais elle ne voulait rien savoir.

— Pourquoi ?

— Elle craignait de causer des ennuis à la personne qu'elle soupçonnait d'avoir écrit les lettres…

— C'est-à-dire ? »

Florence Lavoie hésite, et Lysanne Thibodeau lui rappelle que la tortue d'Agathe O'Reilly a été sauvagement massacrée et qu'Agathe elle-même est peut-être en danger. Pour l'instant, il importe de découvrir qui veut nuire à la jeune femme et non de ménager des susceptibilités.

« Nathalie Salois, finit par dire Florence d'une voix réticente.

— La femme de son amant.

— Oui. »

Avant que Lysanne Thibodeau lui pose la question, Florence ajoute qu'elle-même ne croit pas à la culpabilité de Nathalie Salois, surtout avec un assassinat de tortue dans le décor.

« Et Hubert Fauvel ? » demande tout à coup la policière, qui vient de songer à une nouvelle possibilité. Si son intuition est bonne, le jeune homme est amoureux d'Agathe O'Reilly. Lui aussi, tout comme Nathalie Salois, peut se sentir trahi par la liaison d'Agathe avec Laurent Bouvier. Pourquoi ne serait-il pas à l'origine des lettres anonymes et de l'assassinat de Desdémone ?

Au bout du fil, Florence Lavoie semble prise de court.

« Hubert Fauvel ? répète-t-elle.

— Pourrait-il avoir envoyé ces lettres à Agathe O'Reilly et assassiné sa tortue ?

— Hubert ? Mais non, voyons ! Il ne la connaissait même pas quand elle a reçu les lettres ! C'est moi qui ai suggéré à Agathe de le contacter quand elle a reçu la troisième lettre…

— Et pourquoi donc ? »

Un soupir au bout du fil.

« J'ai dit à Agathe que c'était parce qu'il était génial pour retrouver Mouchette — c'est la chatte de ma grand-mère, une petite chatte d'Espagne. Mais c'était surtout parce qu'il était célibataire et sympathique, et que j'en avais assez de voir Agathe perdre son temps avec Laurent Bouvier, et… et c'est ça. »

La policière pose encore quelques questions à Florence Lavoie, mais celle-ci ne lui révèle rien d'autre qui puisse l'aider dans son enquête. Elle connaît Agathe depuis l'école de théâtre, autrement dit depuis neuf ou dix ans… Oui, Agathe a eu d'autres amants mariés avant Laurent. Les femmes de ces hommes pourraient sans doute avoir écrit les lettres, oui… mais pourquoi attendre tout ce temps ? Quant à elle, Florence, elle n'a aucune idée de ce qui se cache derrière tout ça. Oui, bien sûr qu'elle les appellera si elle pense à autre chose. En attendant, elle va plutôt appeler Agathe pour tenter de la réconforter.

~

Hubert est plongé dans ses corrections quand Lysanne Thibodeau et Carl Toupin sonnent à sa porte. Les copies du groupe 107 sont entièrement corrigées, et il ne lui reste que trois copies à corriger dans le groupe 105, ce qui l'étonne un peu. Avec les événements de la nuit — le choc, le manque de sommeil, la pensée d'Agathe qui ne le quitte guère —, il craignait d'avoir du mal à se concentrer, et c'est sans trop d'attentes qu'il s'est attelé à la tâche en revenant chez lui, ce matin. À sa grande surprise, il s'est vite pris au jeu, oubliant les tortues assassinées et les robes de nuit sexy, et prêtant toute son attention aux réponses parfois étonnantes des étudiants. Certaines copies sont décourageantes (comment peut-on passer quarante-cinq heures à suivre un cours d'optique et ne pas connaître la différence entre *réfraction* et *réflexion*?!), mais la plupart ont un petit quelque chose de réjouissant. Une démarche originale, une réponse inattendue mais pas bête du tout, un *Bonnes vacances!* accompagné d'un bonhomme sourire…

Hubert, qui n'avait jamais envisagé l'enseignement avant ces dernières années, se rend compte qu'il aime partager sa passion pour la science et qu'il s'attache plus qu'il ne l'aurait cru à ces garçons et à ces filles qui se retrouvent dans ses cours. En viendra-t-il un jour à se réjouir de l'accident qui a bouleversé sa vie?

« Bonjour, monsieur Fauvel. Vous vous souvenez de nous?

— Oui, bien sûr », répond Hubert avant d'inviter les policiers à entrer.

Tous trois s'installent à la table de la cuisine.

« Je peux vous offrir quelque chose à boire? Café, eau, jus… »

Les policiers déclinent son offre.

« On n'en aura pas pour longtemps, dit Lysanne Thibodeau qui, comme la nuit précédente, conduit l'entretien. On voudrait surtout avoir votre avis sur les lettres anonymes qu'Agathe O'Reilly a reçues et pour lesquelles elle a sollicité votre aide… »

Hubert reste silencieux un moment, le temps de réfléchir à ce qu'il va dire. Il revoit l'agitation d'Agathe à l'idée de parler des lettres aux policiers. Elle lui a fait promettre de ne rien dire, et il répugne à briser sa promesse. Mais les policiers connaissent l'existence de ces lettres, et ils savent même qu'Agathe l'a consulté à ce sujet. Il ne servirait donc à rien de leur mentir là-dessus. Mais que veulent-ils de plus, au juste?

« Monsieur Fauvel? » insiste la sergente-détective.

Hubert se secoue.

« Excusez-moi, j'essayais de remettre mes idées en place. Les lettres, vous dites…

— Nous savons qu'Agathe O'Reilly a soupçonné Nathalie Salois, la femme de son amant, d'être l'auteure des lettres. Vous-même, qu'en pensez-vous ? »

Hubert n'a aucune hésitation.

« Je suis sûr que Nathalie Salois n'a rien à voir avec les lettres, pas plus qu'avec la mort de Desdémone !

— Et comment pouvez-vous en être aussi sûr ? »

Hubert parle de la visite qu'il a rendue à Nathalie Salois la semaine précédente, de sa ruse pour découvrir si elle était l'auteure des lettres, de sa conviction que Nathalie n'avait rien à cacher.

« Peut-être est-elle simplement très douée, suggère Lysanne Thibodeau. N'oubliez pas qu'elle a été comédienne, elle aussi.

— Peut-être. Mais je n'y crois pas.

— À votre avis, si ce n'est pas elle qui est derrière les lettres anonymes, qui cela peut-il être ? »

L'espace d'un instant, Hubert caresse l'idée de révéler aux policiers ses soupçons envers le père d'Agathe — un homme qui était en Nouvelle-Écosse quelques mois auparavant et que sa fille cherche à soustraire à la curiosité de la police —, mais il y renonce rapidement. Ce serait le meilleur moyen de se mettre Agathe à dos. Malgré tout, il répugne à taire une information peut-être cruciale pour la sécurité de la jeune femme. Ce sont des policiers qui lui posent ces questions, pas des tueurs à gages lancés aux trousses d'Agathe…

« Nous avons l'impression que madame O'Reilly cherche à protéger quelqu'un, poursuit Lysanne Thibodeau. Savez-vous de qui il pourrait s'agir ? »

Soudain, Hubert décide de sa conduite. Il ne va pas parler du père d'Agathe aux policiers. Par contre, il va tenter de convaincre Agathe de le faire. Pour l'instant, il se contente donc de secouer la tête lorsque la sergente-détective lui demande s'il sait qui Agathe essaie de protéger.

« Je n'en ai pas la moindre idée », ajoute-t-il en espérant que son mensonge ne soit pas trop évident.

L'enquêteuse l'observe un moment en silence.

« Contactez-nous si la mémoire vous revient », dit-elle en lui tendant sa carte.

~

Le soi-disant Finnegan ne tente même pas de se rendre chez Agathe. À peine est-il arrivé à la limite ouest du marché Jean-Talon qu'il aperçoit des policiers en uniforme dans la portion de rue où vit Agathe. Il ne lui faut que quelques minutes pour constater qu'ils sonnent à toutes les portes, et il suppose que cette activité inhabituelle est liée à ce qui s'est produit chez Agathe la nuit précédente. Difficile, dans ces circonstances, d'aller sonner chez elle. Tout ce qu'il peut faire, pour l'instant, c'est s'éloigner le plus discrètement possible. Et revoir sa stratégie.

Il tourne les talons et s'apprête à traverser de nouveau le marché quand il remarque, à une quinzaine de pas de lui, quelqu'un qui change brusquement de direction et qui disparaît entre deux éventaires. Il a l'impression d'avoir déjà vu cette silhouette quelque part.

Bien qu'il n'ait aucun intérêt pour les fruits, légumes et autres produits offerts par les nombreux marchands, il prend le temps de visiter les étals et les boutiques bordant le marché, s'arrêtant devant des fromages ici, des fines herbes là, et jetant chaque fois un coup d'œil autour de lui. La silhouette n'est jamais loin, discrète mais pourtant bien présente.

Finnegan prend lentement le chemin du métro. Sera-t-il suivi jusque-là ?

~

Robert Maranda a affecté deux équipes, donc quatre agents en uniforme, pour interroger systématiquement les voisins d'Agathe O'Reilly — ceux qui vivent dans le même bout de rue, heureusement assez court, et aussi ceux qui habitent les premières maisons des rues transversales.

« Vous devriez y arriver en quelques heures, a dit le lieutenant. Vérifiez s'ils ont vu quelqu'un entrer chez Agathe O'Reilly hier — ou simplement quelqu'un de suspect. Montrez-leur la photo de Nathalie Salois en leur demandant s'ils ont déjà vu cette femme dans le coin. Hier ou à un autre moment. Réunion à quinze heures trente pour faire le point là-dessus. »

Les agents se sont partagé la tâche, et leur travail se déroule sans anicroche. Plusieurs occupants sont absents, mais ceux qui sont là répondent de bonne grâce aux questions des policiers.

Personne n'a vu d'étranger entrer chez la comédienne la veille, que ce soit pendant la journée ou durant la soirée, et la photo de Nathalie Salois n'éveille aucun souvenir. « Jamais vu cette femme-là dans le coin » est la réponse que les policiers récoltent le plus souvent.

En fait, chacun de son côté, ceux-ci ont l'impression de poser leurs questions en pure perte jusqu'à ce que Pierrette Wilson, dont l'appartement se trouve directement sous celui d'Agathe O'Reilly mais qui était absente la première fois qu'un policier a sonné chez elle, mentionne qu'elle a remarqué une femme aux cheveux gris à quelques reprises au cours des derniers jours.

« Mais elle était moins belle que la femme de la photo, affirme-t-elle. Le genre témoin de Jéhovah, si vous voyez ce que je veux dire… »

Pierrette Wilson ajoute qu'elle a pensé que cette femme pouvait avoir un lien avec un homme à l'allure suspecte qui, lui aussi, a passé pas mal de temps dans le coin depuis quelques jours.

« Je me suis dit que c'étaient peut-être des voleurs qui surveillaient les habitudes du quartier et qui attendaient le bon moment pour faire un coup… L'homme se déplaçait très lentement, comme s'il était malade, mais j'ai pensé que ça pouvait être une ruse… »

Dans la maison voisine, Lucia Cazzantini n'a aucun souvenir d'une femme aux cheveux gris, mais elle mentionne elle aussi l'inconnu à l'air suspect.

« Entre soixante et soixante-dix ans, je dirais, maigre, avec du linge trop grand pour lui et une vieille casquette… Il se tient toujours un peu penché, comme s'il voulait pas se montrer la face… »

Maintenant qu'elle y pense, Lucia Cazzantini se rappelle que l'homme passait plusieurs fois par jour, et elle a l'impression qu'il observait avec attention l'appartement d'Agathe O'Reilly. L'agent Stéphane Montreuil, qui l'interroge, prend en note sa déclaration, tout en sachant qu'il faut se méfier de ce genre d'impression : il est facile d'inventer de faux souvenirs, en toute bonne foi, ou de modifier légèrement un vrai souvenir pour lui donner le sens qu'on veut ou pour le faire coller aux événements.

L'agent Montreuil suspend toutefois sa tournée, le temps d'aller trouver ses collègues et de leur faire part des observations de Pierrette Wilson et de Lucia Cazzantini. Ensuite, quand les policiers reprennent leur porte-à-porte, ils demandent notamment aux voisins s'ils ont remarqué des gens suspects — ou même de simples inconnus — dans le quartier, ces derniers temps. La plupart n'ont rien remarqué de spécial, mais un concierge d'école primaire à la retraite, Alberto Giannini, dit que oui, en effet, il a vu à quelques reprises un inconnu assez louche (« un grand maigre, à l'air malade, avec une casquette… ») et aussi une grande femme aux cheveux châtains.

Les policiers demandent aussi aux voisins s'ils ont eu conscience des déplacements d'Agathe O'Reilly, la veille. Non, pas vraiment, pas du tout… « On ne passe pas notre temps à surveiller les voisins ! » s'exclament quelques personnes d'un air offusqué. Seule Pierrette Wilson mentionne que la jeune femme est sortie de chez elle peu après vingt-deux heures, en courant à la fine épouvante…

« En fait, c'est pour ça que j'ai remarqué quelque chose, précise-t-elle. Normalement, je ne porte pas attention aux pas dans l'escalier ou dans l'appartement d'en haut. C'est bien isolé, et on n'entend pas grand-chose, de toute façon. Mais là, elle faisait tellement de bruit en descendant l'escalier que j'ai été voir ce qui se passait. Elle courait comme une folle, et elle ne m'a pas vue.

— Elle était seule ?

— Oui. Sauf que… »

Pierrette Wilson hésite, puis elle ajoute :

« Avant de refermer le rideau, j'ai vu une auto partir dans la même direction qu'elle. Ce qui est drôle, c'est que cette auto-là allait *vraiment* lentement, comme si elle suivait Agathe… Mais peut-être que c'est juste parce que le chauffeur était en train d'attacher sa ceinture ou de vérifier un nom de rue… Je ne suis pas restée dans la fenêtre assez longtemps pour voir ce qui s'est passé après…

— Pouvez-vous me dire quelque chose sur cette auto ? La marque, la couleur… »

Pierrette Wilson secoue la tête.

« Je ne connais rien aux autos. Et puis il faisait noir… Mais elle avait l'air pas mal grosse. Vous savez, le genre station-wagon, mais en plus gros et en plus dommageable pour l'environnement…

— Un VUS — véhicule utilitaire sport ?

— Ça se peut, mais je ne suis pas sûre…

— Et le conducteur ? Avez-vous remarqué s'il s'agissait d'un homme ou d'une femme ? Avez-vous vu la couleur de ses cheveux, la forme de sa coiffure ?

— Rien, rien du tout. Je ne peux vraiment pas vous aider… »

Pierrette Wilson confirme toutefois qu'Agathe est revenue plus tard (« passé vingt-trois heures, j'étais couchée mais je ne dormais pas encore ») et qu'elle n'était pas seule.

« Il y avait deux séries de pas. Ceux d'Agathe, que je connais bien, et d'autres, plus lourds et inégaux… Plus tard, il y a d'autres gens qui sont arrivés. J'étais à moitié endormie, mais j'ai quand même trouvé ça drôle. C'est rare qu'elle reçoive beaucoup de monde, la petite rousse… À part le comédien, vous savez, celui qui jouait Pierre Surprenant dans *Le Temps des braves*, ça doit bien faire vingt ans de ça… Lui, il vient souvent chez elle… Ça fait un peu drôle, je veux dire, avec la différence d'âge et tout, mais, bon, on finit par ne plus le remarquer… Tout le monde est libre de faire ce qu'il veut, à ce qu'il paraît… »

~

« Ah, c'est vous... »

Le moins qu'on puisse dire, c'est qu'Agathe O'Reilly ne se montre pas ravie de revoir Lysanne Thibodeau et Carl Toupin.

« Vous attendiez quelqu'un d'autre? demande la sergente-détective.

— Non, pas vraiment... »

La comédienne s'écarte pour laisser entrer les policiers.

« Nous avons essayé de vous téléphoner un peu plus tôt, dit Lysanne Thibodeau, mais il n'y avait pas de réponse...

— Je suis allée faire un tour de vélo. »

La réunion de quinze heures trente avec les agents qui ont fait le porte-à-porte a suscité de nouvelles questions et de nouvelles pistes. Il a été question de l'homme à l'air négligé ou malade, et de la femme ou des femmes qui ont été vues dans le coin (cheveux châtains ou gris, peut-être grande, peut-être pas...), du véhicule très lent qui était sans doute un VUS, de la possibilité qu'Agathe O'Reilly cherche à protéger quelqu'un et qu'Hubert Fauvel soit au courant de ça. « Celui-là, au moins, n'a aucun talent de comédien, a mentionné Lysanne Thibodeau. J'ai rarement vu quelqu'un mentir aussi mal... Il est évident qu'il en sait plus que ce qu'il nous a dit. En insistant un peu, on devrait arriver à le faire parler. »

Le lieutenant Maranda, cependant, a émis des doutes quant à la nécessité de poursuivre l'enquête.

« À ton avis, a-t-il demandé à Lysanne Thibodeau, Agathe O'Reilly est-elle en danger? »

L'enquêteuse a réfléchi quelques secondes avant de répondre.

« Pour l'instant, je ne crois pas. Si Agathe O'Reilly elle-même a monté toute cette histoire, elle n'est évidemment pas en danger. Si la responsable est Nathalie Salois, elle devrait se tenir tranquille, maintenant qu'elle sait qu'on l'a à l'œil. Si l'auteur des lettres anonymes et du crime contre la tortue est quelqu'un d'autre, je suppose qu'il est conscient que la police est dans le coup et qu'il va se tenir tranquille, lui aussi, au moins pour quelques jours. »

Maranda a approuvé.

« Précisément. Je suggère donc qu'on attende des résultats de l'Identité judiciaire avant d'aller plus loin dans cette enquête. On a envoyé au SIJ les lettres anonymes et les échantillons d'écriture que nous ont fournis Agathe O'Reilly et Nathalie Salois en nous donnant les coordonnées de leurs amies respectives. Le SIJ a aussi les draps, la tortue et le couteau provenant de la scène de crime, de même que les empreintes relevées sur les lieux… Il est plus que probable que la solution va venir d'eux. »

Malgré tout, Lysanne Thibodeau a tenu à retourner chez Agathe O'Reilly pour lui poser quelques questions. Elle n'a rien contre les empreintes et les analyses graphologiques, mais il y a, dans cette histoire, des aspects psychologiques qui lui semblent essentiels et qui ne seront jamais dévoilés par des tests de laboratoire.

Une fois chez la comédienne, Lysanne Thibodeau demande de nouveau à celle-ci pourquoi elle a commencé par leur cacher l'existence des lettres qu'elle avait reçues.

« Ce matin, vous nous avez dit que c'était parce que vous ne vouliez pas compliquer les choses. Qu'entendiez-vous par là ? »

Du gros fauteuil où elle est installée, Agathe pousse un léger soupir.

« Exactement ce que j'ai dit. Les lettres n'ont sûrement rien à voir avec la mort de ma tortue, et je ne voulais pas compliquer les choses en vous lançant sur une fausse piste.

— Comment pouvez-vous affirmer que les lettres et la mort de Desdémone ne sont pas liées ? Vous savez des choses que nous ignorons ?

— Non, bien sûr que non…

— Je ne vous crois pas ! rétorque Lysanne Thibodeau, assise comme Carl Toupin sur le canapé du salon. À moins d'être complètement idiot, on ne peut pas rejeter complètement l'hypothèse d'un lien entre les deux. Or, vous n'êtes pas idiote. Qui essayez-vous de protéger ? »

Lysanne Thibodeau a posé sa question d'une voix brutale, et Agathe sursaute.

« Qu'est-ce que vous voulez dire ? balbutie-t-elle en rougissant violemment. Je n'essaie pas de protéger qui que ce soit… Je veux savoir qui a tué Desdémone, c'est sûr… »

La violence de sa réaction et la lueur de panique qui traverse son regard laissent plutôt croire à Lysanne Thibodeau qu'elle a visé juste et qu'Agathe O'Reilly cherche effectivement à protéger quelqu'un. Mais qui ?

Avant que la policière puisse poursuivre dans cette veine, Agathe contre-attaque.

« J'ai l'impression que vous passez plus de temps à essayer de me prendre en faute qu'à essayer de trouver la personne qui a assassiné Desdémone ! » lance-t-elle.

Renonçant pour l'instant à affronter Agathe O'Reilly directement, Lysanne Thibodeau lui fait part de l'enquête menée l'après-midi même dans le voisinage par quatre patrouilleurs. Elle mentionne la femme — peut-être grande, aux cheveux gris ou châtains — et l'homme à l'allure suspecte qui ont été observés dans les parages au cours des derniers jours.

« Avez-vous une idée de qui il s'agit ? demande-t-elle après avoir décrit les inconnus.

— Non.

— La femme pourrait-elle être Nathalie Salois ?

— Vous m'avez dit que les policiers ont montré sa photo à tout le monde et que personne ne l'a reconnue. Je ne vois pas comment ça pourrait être elle.

— Madame Salois a déjà été comédienne. Elle pourrait avoir modifié son apparence pour ne pas être reconnue, justement. Ça expliquerait les cheveux gris ou châtains. Elle aurait pu porter une perruque… »

Agathe O'Reilly a une moue dubitative.

« Peut-être aussi qu'il s'agit de deux femmes différentes, qui ne sont pas Nathalie et qui n'ont rien à voir avec tout ça…, dit-elle.

— Mais ce pourrait être Nathalie ? »

Du bout des lèvres, Agathe admet que *ce n'est pas entièrement impossible…*

« Selon les voisins, poursuit la policière, l'homme et la femme sont plus ou moins du même âge — entre cinquante-cinq et soixante-dix ans, disons. Ils n'ont pas été vus ensemble, mais certains ont mentionné qu'ils formaient peut-être un couple. Connaissez-vous un couple qui pourrait avoir dans ces âges-là ? »

De toute évidence, Agathe est prise au dépourvu par cette question.

« Un couple de cet âge-là ? répète-t-elle d'une voix mal assurée. Non, c'est-à-dire… pas vraiment…

— Quel âge ont vos parents ? » demande Lysanne Thibodeau.

Agathe agite la tête d'un air perplexe tout en tortillant une mèche de ses longs cheveux.

« Dans ces âges-là, finit-elle par admettre. Mais ce n'est pas eux. Je veux dire… ça ne peut pas être eux. Pour toutes sortes de raisons… Il y a longtemps qu'ils ne sont plus ensemble, ils n'habitent pas Montréal, mon père est grand et fort, ça ne peut pas être l'espèce de loque dont ils ont parlé…

— Vous-même, intervient la policière, avez-vous remarqué ces deux personnes dans les environs ? »

Agathe commence par faire signe que non, avant de se figer et de s'exclamer, d'une voix troublée :

« Le mendiant ! Mais oui, je l'ai vu !

— Un mendiant ? Qu'est-ce qui vous fait dire ça ? »

Agathe réfléchit un court instant.

« Il était vêtu pauvrement. Il se tenait courbé. Il faisait pitié. Il a tendu la main vers moi…

— Il voulait de l'argent ?

— Je ne sais pas. Je… »

Agathe rougit un peu.

« Je n'ai pas vraiment cherché à le savoir. Cet homme m'a fait peur, je ne sais pas trop pourquoi. J'étais fatiguée, préoccupée… Quand il m'a approchée, je me suis empressée de dire que je n'avais pas de monnaie. J'ai regardé droit devant moi, j'ai allongé le pas et je suis rentrée ici le plus vite possible…

— Où et quand cette rencontre a-t-elle eu lieu ?

— C'est tout récent. Il y a deux ou trois jours, je dirais... Avant-hier soir, en fait. Je revenais d'un souper chez mon amie Florence. Il commençait à faire noir, et j'avais hâte d'arriver. Je venais juste de tourner le coin de la rue quand cet homme-là m'a abordée...

— Ça ne vous a pas semblé bizarre qu'un mendiant s'installe dans votre rue ? Elle est pratiquement déserte — ce n'est sûrement pas le meilleur endroit pour solliciter les passants. Et dans le noir, en plus... Il risquait davantage de faire fuir les gens que d'empocher de l'argent. »

Agathe fronce le nez.

« Je n'avais pas pensé à ça. C'est vrai que c'est bizarre...

— Et cet homme, vous êtes sûre de ne pas le connaître ? »

Agathe pousse un soupir.

« *J'étais* sûre, mais à présent je ne suis plus sûre de rien, avoue-t-elle. Je peux seulement vous dire que, sur le coup, je me suis sentie inquiète. La proximité de cet inconnu m'a mise mal à l'aise, et je me suis sauvée, c'est tout.

— Aviez-vous peur qu'il vous attaque ? »

Agathe secoue la tête.

« Non. Physiquement, il ne semblait pas tellement dangereux. Il était vraiment maigre, et il avait l'air fragile. Une bonne poussée, et je m'en serais débarrassée...

— Qu'est-ce qui vous inquiétait, alors ? »

Agathe réfléchit.

« Je ne sais pas trop, finit-elle par dire. Cet homme-là dégageait un sentiment de misère, de malheur, d'épouvantable tristesse... Peut-être que je ne voulais pas être contaminée par ça, tout simplement... Je ne sais pas si vous comprenez... »

Agathe semble troublée, et Lysanne Thibodeau songe qu'elle aussi dégage un sentiment de tristesse. De fragilité, également. Pour la première fois depuis le début de l'enquête, et malgré l'agacement que la comédienne continue à susciter chez elle, la policière éprouve presque de la sympathie pour Agathe O'Reilly.

« Tenez-nous au courant, si jamais vous revoyez cet homme ou la femme dont nous ont parlé vos voisins, dit Lysanne Thibodeau en se levant. Ou si vous recevez une autre lettre. Ou s'il se produit quoi que ce soit d'inquiétant ou d'étrange. Sincèrement, je ne crois pas que vous soyez en danger. La dernière lettre parlait de punition. Votre tortue est morte. Tout devrait s'arrêter là. Mais soyez quand même prudente. On ne sait jamais... »

Carl Toupin se lève à son tour en fermant le calepin dans lequel il a consigné l'échange entre Lysanne Thibodeau et Agathe O'Reilly.

« Et puis, n'oubliez pas que le poste de police est tout près, rappelle-t-il. Au moindre problème, on est là en quelques minutes. »

~

Une femme, peut-être grande, aux cheveux gris ou châtains. L'homme qu'elle a pris pour un mendiant. Leur présence dans sa rue signifie-t-elle quelque chose ? Ces gens étaient-ils là par hasard, en route vers le marché Jean-Talon par exemple, ou se trouvaient-ils là pour elle, Agathe O'Reilly ? Ont-ils quelque chose à voir avec les lettres ou avec la mort affreuse de Desdémone ? Ces inconnus se connaissent-ils, et, d'ailleurs, sont-ils vraiment des inconnus ? La femme pourrait-elle être Nathalie Salois ? Et l'homme, pourrait-il être...

Agathe se secoue. Non, c'est impossible, cet homme n'est pas son père. Si les lettres ne venaient pas de Nouvelle-Écosse et s'il n'y avait pas eu cet appel téléphonique pour Pat O'Reilly — autrement dit si elle ne pensait pas constamment à son père ces jours-ci —, jamais elle n'aurait imaginé que le mendiant puisse être son père. Son père a toujours été grand et fort, un colosse à la chevelure flamboyante et au rire sonore... Bien sûr, il y a plus de seize ans qu'elle ne l'a vu, mais on ne change pas tant que ça, en seize ans... Ou peut-être que si. Peut-être que... Non, impossible, le vieillard frêle et courbé qu'elle a croisé il y a deux jours ne peut pas être Pat O'Reilly...

Soudain, Agathe a l'impression d'étouffer. Tous les bienfaits de sa balade à vélo se sont envolés d'un seul coup. Si elle reste chez elle, elle va tourner en rond, à manger des croustilles ou du chocolat et à boire trop de vin blanc, en attendant elle ne sait quoi. Qu'Hubert téléphone, que ses problèmes avec Laurent se règlent par enchantement, que les policiers trouvent l'assassin de Desdémone — idéalement, un itinérant qui passait dans le coin et qui est entré chez elle par hasard — et qu'ils la laissent enfin tranquille… Elle en a assez d'attendre. Elle va agir, pour une fois — ou au moins sortir de chez elle.

Elle agrippe son sac à dos, un chandail chaud, ses clés toutes neuves… De l'air, ça presse!

~

Laurent sonne une deuxième fois. Où Agathe peut-elle bien être? Il tourne la poignée, sans succès bien sûr. Aujourd'hui, plus que jamais, Agathe a dû s'assurer que la porte de son appartement était bien fermée à clé. Et lui, Laurent, n'a plus les clés de chez elle, merci pour ton zèle, Face de crapaud… De toute façon, ses clés ne seraient sans doute d'aucune utilité. Agathe n'a-t-elle pas mentionné un serrurier qui devait changer ses serrures?

Tout cela ne lui dit pas où est Agathe, à qui il venait offrir le réconfort dont elle a besoin après les événements traumatisants de la veille. Qui pourrait lui procurer ce réconfort, sinon lui, Laurent, qui l'aime, qui la comprend, qui connaît ses faiblesses et ses besoins mieux qu'elle-même? Elle n'est quand même pas retournée voir ce cul-de-jatte chez qui elle s'est précipitée hier soir? Hubert Fauvel… Depuis que les policiers lui ont révélé le nom du jeune homme, Laurent a tourné et retourné ce nom dans sa tête. Il l'a déjà entendu, c'est certain, mais où?

Il faut qu'il en ait le cœur net.

Laurent retourne à sa voiture et refait le chemin qu'il a pris la veille, quand il suivait Agathe. Il se gare à quelques maisons de l'appartement d'Hubert Fauvel et observe les lieux un moment. Agathe est-elle là? Il ne peut quand même pas aller sonner chez l'infirme pour le lui demander! Et il n'a aucune envie de passer des heures à surveiller l'appartement sans savoir si Agathe et lui sont là.

Tout en réfléchissant, il observe un garçon d'une dizaine d'années qui s'exerce à virer et à sauter sur le trottoir avec sa planche à roulettes. Son *skate*, comme disent les jeunes. Le garçon est petit et nerveux, et il est totalement absorbé par ce qu'il fait. Quelques mètres dans un sens, un mouvement brusque, quelques mètres dans l'autre sens… Ce garçon est un concentré d'énergie brute.

Soudain, Laurent se décide. Il prend une écharpe de soie rouge que Nathalie a oubliée sur le siège arrière, sort de sa voiture et s'approche du *skater*.

« Excuse-moi… »

Le garçon s'arrête net et lève un regard méfiant sur lui. Laurent le sent prêt à s'enfuir d'un bond si l'inconnu qu'il est se montre le moindrement menaçant.

« N'aie pas peur… Je veux juste te demander un service… Je te donne cinq dollars si tu vas sonner à la porte rouge, là-bas. Si quelqu'un te répond, tu demandes si… si le foulard que tu viens de trouver par terre appartient à quelqu'un de la maison… »

Tout en parlant, Laurent tend l'écharpe au jeune garçon.

Celui-ci le dévisage d'un air encore plus méfiant.

« Pourquoi je ferais ça ? Le foulard était pas à terre, vous l'avez pris dans l'auto… »

Laurent se fend d'un sourire qu'il veut le plus rassurant possible.

« Je sais. C'est une blague. C'est mon fils qui habite là, et je veux lui faire une surprise, mais pour ça, il faut que je sois sûr qu'il est chez lui. »

Le garçon a l'air dubitatif.

« Dix dollars ! dit Laurent en sortant un billet de son portefeuille. Dix dollars pour que tu sonnes à cette porte. Ce n'est quand même pas sorcier. »

Le garçon continue à hésiter.

« Tant pis, dit Laurent en rempochant le billet. Tu viens de perdre une belle occasion de gagner un peu d'argent… »

Il fait mine de retourner à la Volvo. À peine s'est-il éloigné de deux pas que le garçon lance, d'une voix légèrement agressive :

« Juste sonner ? C'est tout ce que j'ai à faire ? Sonner, demander si le foulard est à eux autres... »

Laurent se tourne vers lui et acquiesce d'un air grave.

« C'est tout.

— Et s'il y a personne, est-ce que j'ai l'argent quand même ?

— Oui.

— Et si... et si le monde, là, dise que c'est à eux autres, le foulard, qu'est-ce que je fais ?

— Tu le leur laisses.

— Et...

— Et, oui, tu as ton argent quand même. »

Le garçon se mord les lèvres. Manifestement, il se dit qu'il y a un piège quelque part.

« Tiens, voilà l'argent. Comme ça, tu peux être sûr que je ne partirai pas sans t'avoir payé. »

Sans un mot, le garçon rafle le billet de dix dollars, qu'il enfonce dans sa poche. Il prend ensuite l'écharpe que lui tend Laurent, puis, d'un coup de reins, il se donne l'élan nécessaire pour s'éloigner sur sa planche. Laurent l'observe à distance. Devant la maison d'Hubert Fauvel, l'enfant s'arrête. Sa planche sous le bras gauche, l'écharpe dans la main droite, il franchit les quelques pas qui le séparent des marches menant au balcon. Il monte, s'approche de la porte, rouge comme l'écharpe, et appuie longuement sur le bouton de la sonnette. Puis il recule de deux pas, un pied près du bord du balcon. Il est prêt à sauter et à s'enfuir de toute la vitesse de sa planche, songe Laurent, discrètement posté à l'ombre d'un chêne à une dizaine de mètres de là. C'est bien, il est prudent.

Son coup de sonnette n'ayant suscité aucune réaction, le garçon regarde autour de lui. Il repère Laurent et hausse les épaules en signe d'impuissance.

« Essaie une nouvelle fois ! » crie le comédien.

Le garçon avance de nouveau vers la porte rouge. Cette fois, il sonne à plusieurs reprises, et Laurent peut constater qu'il appuie vigoureusement sur le bouton.

« Ça va, finit par lancer Laurent. Il n'y a personne, je pense que c'est clair… »

Le garçon dévale les marches et revient en courant vers le trottoir. Il remonte sur sa planche et passe en coup de vent près de Laurent, à qui il lance l'écharpe sans s'arrêter.

« C'est plate pour votre surprise ! » lance-t-il avant de disparaître.

Ma surprise ? se demande Laurent. Quelle surprise ? Ah oui, la surprise que je suis censé vouloir faire à mon *fils*… Je me demande bien où il est, d'ailleurs, ce faux fils, et avec qui. Avec une dénommée Agathe, peut-être ?

Laurent remonte dans la Volvo et démarre en trombe. Si Nathalie était avec lui, elle lui dirait de se calmer. Elle n'a jamais compris son goût pour la vitesse, pour la puissance. De plus en plus souvent, il a le sentiment d'être avec une femme qui fait tout pour lui couper les ailes. Une femme qui ne le mérite pas.

En arrivant au coin de la rue, Laurent jette un coup d'œil dans son rétroviseur. Il aperçoit une femme sur le trottoir, qui disparaît de son champ de vision à peu près à la hauteur du logement d'Hubert Fauvel. S'il ne savait pas que c'est impossible, Laurent jurerait qu'il s'agit de Nathalie, justement.

~

En sortant de chez elle, Agathe commence par marcher un peu. Le marché Jean-Talon, le petit parc Dante, et puis toutes sortes de détours qui la mènent jusqu'au parc Jarry, où elle reste assise une bonne heure à observer les passants. Les couples, les familles, les solitaires. Les enfants, les jeunes, les vieillards, les personnes d'âge indéterminé. Et tous ceux qui utilisent des roues. Des roues de toutes les tailles et pour tous les usages. Roues de poussettes, de vélos, de patins, de planches à roulettes, de fauteuils roulants. Elle suit longtemps des yeux un homme d'un certain âge, quadriplégique ou atteint d'une grave maladie neurologique, qui semble fournir des efforts surhumains pour arriver à faire avancer lentement, et par à-coups, son fauteuil électrique. La tâche est longue, ardue, presque désespérée, et pourtant l'homme avance. La force de la volonté, de la persévérance. Agathe a une pensée pour Hubert. Plus tard, quand il sera vieux et faible, va-t-il pouvoir continuer à se déplacer seulement avec sa prothèse ou va-t-il devoir utiliser des cannes ? un fauteuil roulant ? Mais qu'est-ce qui lui prend, à elle, de nourrir des pensées aussi macabres ? D'ailleurs, tant qu'à nourrir quelque chose, pourquoi ne pas nourrir son estomac, qu'elle découvre bien affamé, tout à coup ? Si elle allait dans ce petit restaurant syrien qu'elle affectionne ? Elle a soudain une furieuse envie de falafels et de pita frit avec zatar et fromage d'Alep…

Les plats sont à la hauteur de ses attentes. Mais, plus encore que la nourriture, la musique ou la chaleur des lieux, Agathe apprécie le fait d'être inaccessible. Personne ne sait où elle est, personne ne peut l'appeler, la rejoindre, solliciter son aide ou sa présence. Ni les policiers, ni l'assassin de tortue, ni Laurent, ni l'équipe de la *Forêt enchantée* ou de la *Maison hantée*… Ni Hubert, malheureusement. Agathe se demande s'il fréquente lui aussi ce restaurant. Ce n'est pas loin de chez lui. C'est simple, sympathique… Peut-être qu'ils pourraient revenir ici ensemble, à un moment donné… Agathe se secoue. Danger, pente glissante. Elle devrait penser plutôt à son rôle de Madame Violetta. Elle a le texte de la pièce dans son sac et pourrait le regarder tout en sirotant son thé à la menthe.

~

Finnegan doit prendre une décision. On l'a suivi jusqu'ici, il en a maintenant la certitude. Sa chambre n'est plus sûre. Il doit la quitter le plus rapidement et le plus discrètement possible. Les choses s'accélèrent. Il n'a plus de temps à perdre.

~

Il est près de vingt-deux heures quand Agathe rentre chez elle. Dans le vestibule, elle découvre une enveloppe que quelqu'un a glissée par la fente qui sert de boîte aux lettres. Elle ramasse l'enveloppe avec précaution. Depuis qu'elle a trouvé Desdémone clouée à son lit, elle se méfie. Et si cette enveloppe cachait une mauvaise surprise — une oreille ou un doigt sectionnés, par exemple, ou des menaces plus directes qu'auparavant ?

Mais elle s'est inquiétée pour rien. L'enveloppe ne contient qu'une cassette audio et un petit mot d'Hubert :

Je suis passé, mais tu n'étais pas là. Je te laisse la cassette de Julie. Bonne soirée et bonne nuit. H.

Agathe sourit. C'est vrai, Hubert devait passer au début de la soirée. Il fallait que sa rencontre avec Lysanne Thibodeau l'ait sérieusement ébranlée pour qu'elle ne s'en soit pas souvenue.

À présent, elle va se faire couler un bain — un bain dans lequel elle va mettre une généreuse quantité de ce concentré d'algues qui lui a coûté une fortune mais qui tient toutes ses promesses, et plus encore. Chaque fois, Agathe a l'impression de se payer un voyage lointain, un bain d'exotisme et de luxe. Avec des chandelles et un fond musical qui vient vous chatouiller les sens, ce n'est plus juste du luxe, c'est de la luxuriance, de la presque luxure…

Normalement, elle choisit ses musiques avec soin, mais, cette fois, elle va mettre la cassette d'Hubert. La cassette de la sœur d'Hubert, plutôt. Cette Julie qui est morte en écoutant Emmylou Harris. Qu'aimait-elle d'autre ? Qu'a-t-elle choisi d'inclure dans cette cassette ? Quelles musiques, quelles voix, quelles atmosphères la faisaient vibrer ? C'est ce qu'Agathe va découvrir, et elle se surprend à être étrangement émue au moment d'insérer la cassette dans le lecteur et de peser sur le bouton qui va faire défiler la bande. Elle se rend ensuite jusqu'à la salle de bain, dont elle laisse la porte ouverte. Elle enlève son peignoir et se glisse dans l'eau chaude — très chaude, à la limite du supportable.

Ne dis rien, on se croirait au bout du monde
Ne dis rien, on se croirait tout seuls au monde

Claude Léveillée. Agathe ne le connaît pas tellement. Un chanteur de vieux, aurait-elle sans doute déclaré si elle avait eu à en dire quelque chose. Mais ce soir, dans son bain brûlant et enveloppant, avec les chandelles qui font des ombres tremblantes sur les murs, et les odeurs d'algues, et ces inspirations profondes qu'elle prend pour bien s'emplir de tout ça, Agathe a l'impression qu'il s'adresse à elle, seulement à elle, et elle s'en trouve réconfortée.

Ne dis rien…

Non, elle ne dira rien. Elle va écouter, s'imprégner de mots et de musiques, faire provision de calme, laisser s'envoler ses problèmes et ses inquiétudes en même temps que les vapeurs du bain. Quand l'eau va tiédir, elle va sortir de la baignoire, se sécher rapidement, enfiler son pyjama et son peignoir et ne faire que les pas nécessaires pour se rendre à son lit, dans lequel elle va se glisser en remontant les couvertures jusqu'à son nez. Et elle va s'endormir vite, bien vite, avant même que la cassette soit finie.

Chapitre 18
Vendredi 20 mai

« Tourne la tête vers la droite... fais bouger tes cheveux... Moins vite, voyons ! Souple et langoureux... il faut que ton mouvement soit souple et langoureux... C'est une annonce de shampoing, Agathe, pas un documentaire sur la dépression ou les troubles de l'attention... »

Je ne suis pas déprimée, je suis *obsédée*, aurait envie de répondre Agathe. Parce que c'est une obsession, sûrement, ça ne peut pas être autre chose. Une obsession qui lui fait voir — ou, dans ce cas précis, entendre — son père partout.

La veille au soir, son plan s'est d'abord déroulé comme prévu. La musique, le bain, l'engourdissement paisible. Une bulle de bonheur. Après Claude Léveillée, Emmylou et *Where Will I Be*, Leonard Cohen et son lancinant *Anthem*, Lucinda Williams et *Broken Butterfly*... D'autres interprètes et d'autres chansons, aussi, qu'elle ne connaissait pas et qu'elle découvrait avec ravissement. Et puis, tout à coup, au moment où elle éteignait les bougies avant de sortir du bain et de se diriger vers son lit, une voix d'homme s'est élevée.

Bonny's her lad as he walks down the street

Agathe a senti un frisson la parcourir, et ça n'avait rien à voir avec le fait qu'elle était nue et mouillée, ou que l'eau du bain refroidissait rapidement.

Cette voix… Agathe aurait juré que c'était celle de son père. Une voix qu'elle n'avait pas entendue depuis plus de seize ans, qu'elle se désolait parfois d'avoir oubliée mais qu'elle retrouvait de loin en loin dans ses rêves, des rêves trop courts, troublants, qui la laissaient désemparée et fragile. La voix de son père. Son père qui chantait pour elle toute seule l'une de ces ballades irlandaises qui ont bercé son enfance. *Molly Malone*, *Peggy Gordon*, *Danny Boy* et toutes les autres. Son père, son géant de père, avait la voix la plus rassurante du monde. C'était lui qui se tenait à côté de son lit et qui lui caressait le front quand elle avait de la fièvre ou du chagrin. *If you ever go across the sea to Ireland*, fredonnait-il doucement, et aussitôt la fièvre était moins douloureuse, le chagrin moins lourd.

Il chantait ou sifflotait quand il fendait du bois, quand il revenait de la mine, quand il marchait avec elle au bord du lac Témiscamingue. Il chantait quand il allait prendre une bière au bar de l'hôtel avec ses amis. Il chantait quand il y avait des mariages, ou des funérailles, ou des anniversaires.

Il chantait, il lançait Agathe dans les airs, il la faisait tournoyer avant de la serrer contre lui, avec sa barbe qui piquait les joues de la fillette, et son odeur de père — mélange de sueur, de tabac, de bière, de poussière et de grand air. Une odeur aussi rassurante que sa voix.

Hier soir, c'est tout ça qui lui est revenu — la stature, l'odeur, la barbe qui piquait, la présence, les chansons — en entendant cette voix qui ressemblait de façon troublante à celle de son père. Agathe a enfilé son peignoir, son épais peignoir qui aurait dû la tenir au chaud mais qui n'a pas fait cesser le tremblement qui l'avait saisie au son de cette voix et qui ne la lâchait pas. Elle a quitté la salle de bain et s'est dirigée vers le salon. Elle s'est approchée des haut-parleurs, comme si elle voulait être le plus proche possible de la voix, de la source de la voix, comme si, en étant collée sur l'appareil d'où sortait celle-ci, elle saurait avec plus de certitude si c'était son père qui chantait.

Elle a laissé la pièce se terminer, puis elle a fait reculer la bande et, après avoir retrouvé le début de la chanson, elle l'a fait jouer de nouveau.

Bonny's her lad as he walks down the street
With his hat in his hand all canny and neat
His teeth white as ivories his eyes black as sloes
Oh she loves her miner lad every one knows

D'où venait cette chanson ? De quel disque ? Qui l'interprétait ? S'agissait-il même d'un disque ? Il n'y avait pas de musique, seulement cette voix qui chantait *a cappella.* Il était question d'un mineur, ce qui rendait encore plus plausible l'hypothèse que le chanteur soit son père, qui avait été mineur toute sa vie, ou du moins durant la portion de sa vie qu'Agathe connaissait. Et, si elle avait bien interprété sa dernière carte postale, il avait continué à travailler dans des mines après sa disparition. C'était risqué, c'est sûr, puisque c'était là que la police le rechercherait en premier... Mais, en même temps, combien y a-t-il de mines au Canada ? en Amérique du Nord ? dans toutes les Amériques et dans le monde entier ? Les policiers ne pouvaient quand même pas surveiller tous les mineurs de toutes les mines du monde... Alors, cette chanson, était-ce son père qui l'interprétait ? Par moments, elle était sûre que oui. Elle reconnaissait certaines inflexions, sa façon de reprendre son souffle... La seconde d'après, elle n'était plus sûre de rien. Seize ans et demi s'étaient écoulés sans qu'elle entende la voix de son père. Son souvenir était forcément imprécis. Il suffisait qu'un homme dont la voix ressemblait à celle de Pat O'Reilly interprète un chant de mineur pour que son imagination s'emballe...

Agathe a retiré la cassette, qu'elle a examinée attentivement. Aucune indication. Rien non plus sur le boîtier. *Méli-mélo* : c'est tout ce qu'avait noté la sœur d'Hubert sur la petite fiche insérée dans le boîtier.

Peut-être y avait-il d'autres chansons interprétées par le même chanteur ? Agathe a écouté le reste de la cassette. Deux pièces plus loin, un chœur d'hommes interprétait un autre chant de mineurs. Le soliste qui aurait pu être son père était-il parmi eux ? La chanson provenait-elle du même disque ? Si oui, quel était ce disque ?

Agathe a fait jouer la cassette jusqu'au bout, et, malgré son trouble, elle a été émue aux larmes par la dernière pièce. D'abord une mélodie au violoncelle, lente et poignante, à laquelle se joignait bientôt une voix de femme d'une grande pureté.

'Tis the gift to be simple 'tis the gift to be free

'Tis the gift to come down where we ought to be

Malgré l'effet apaisant de cette chanson, Agathe savait qu'elle n'arriverait pas à dormir, tant elle était obsédée par la voix d'homme qui lui rappelait celle de son père. Il fallait qu'elle sache à quoi s'en tenir. Mais par où commencer ? À minuit passé, un jeudi soir, elle ne pouvait pas se rendre dans un magasin de disques… Et inutile de réveiller Hubert pour lui demander s'il connaissait l'interprète de la neuvième chanson de la cassette de sa sœur. Il n'avait jamais entendu parler d'Emmylou Harris et il avouait ne rien connaître à la musique. Les chances qu'il puisse répondre à ses questions étaient à peu près nulles.

Pour l'une des rares fois de sa vie, Agathe a regretté de ne pas avoir d'ordinateur ni d'accès à Internet. Depuis le temps que Florence et Laurent la talonnaient avec ça — c'était bien l'unique point sur lequel ils s'entendaient ! « Tu dois être la seule au monde à ne pas être branchée ! Non, pas la seule… La seule chez les moins de soixante-dix ans… » À en croire ces deux-là, on trouvait tout sur Internet. « Tu tapes quelques mots d'une chanson ou d'un poème, et bang !, tu trouves mille trois cent vingt-quatre sites qui parlent justement de ça. » Agathe n'avait pas besoin de mille trois cent vingt-quatre sites, juste d'un titre de disque et d'un nom… Et si elle appelait Florence ? Elle pourrait lui demander de consulter Internet à sa place… Quant à téléphoner à Laurent, il n'en était pas question. Ces jours-ci, Agathe s'efforçait d'oublier, sans trop de succès, jusqu'à l'existence de Laurent.

Une fois la panique passée (« Qu'est-ce qu'il y a ? L'assassin est revenu, c'est ça ? »), Florence n'a pu s'empêcher de rouspéter quand elle a compris qu'Agathe l'avait tirée du lit à une heure du matin pour lui faire entendre — au téléphone ! — une chanson mal enregistrée.

« Encore heureux que ce soit toi qui paies les frais d'interurbain, a-t-elle grommelé après qu'Agathe eut repris l'appareil. Cinq minutes de grésillement et de friture, ce n'est pas donné…

— Laisse tomber les sarcasmes, veux-tu? As-tu une idée de ce que c'est?

— Ce que c'est?

— La chanson! Le titre, l'interprète, le disque dont elle est tirée… Tu pourrais chercher dans Internet…

— On n'a pas accès à Internet, ici… »

Florence a poussé un long soupir, et Agathe a deviné que son amie faisait aussi toutes sortes de simagrées censées exprimer son découragement ou son exaspération.

« Florence… », a-t-elle repris, mais elle s'est vite rendu compte que celle-ci ne l'écoutait plus. De loin, elle l'entendait parler à quelqu'un d'autre. Julien, sans aucun doute. Puis Florence s'est de nouveau adressée à elle.

« Agathe? Je te passe Julien… La musique, c'est plus son rayon que le mien, après tout. Et il faut bien que sa job de journaliste culturel serve à quelque chose, de temps en temps, et pas juste à se gaver de petits fours dans les lancements et les vernissages… Et puis il n'a jamais pu résister à une rousse qui le réveille au milieu de la nuit, alors… Aïe! »

Son exclamation — qui ne s'adressait manifestement pas à Agathe — a été suivie de petits rires et de bruits de chamaillage avant que Julien s'empare finalement du récepteur.

« Agathe? Julien. Arrête, tu me chatouilles… Je parle à Florence, comme tu peux t'en douter… Bon, il paraît que tu as un problème… Mais arrête, voyons… »

Il a fallu une demi-douzaine de faux départs avant que Julien réussisse enfin à tenir une conversation sensée (comme avait si bien dit Florence, c'était Agathe qui payait les frais d'interurbain).

« Tu me fais écouter cette chanson? a-t-il dit. Avec un peu de chance, je devrais avoir une idée de ce que c'est… »

Une fois de plus, Agathe a rembobiné la cassette en partie et elle a réussi à trouver le début de la chanson, qu'elle a fait entendre à Julien en mettant le récepteur contre un haut-parleur. Ensuite, elle lui a fait écouter l'autre chanson où il était question de mines — celle qui était interprétée par un chœur d'hommes.

« Je ne jure de rien, a dit Julien quand Agathe a repris le combiné, mais ça pourrait être tiré d'un disque enregistré par un chœur de mineurs du Cap-Breton : Men of the Mines, ou quelque chose dans ce genre-là… »

Le cœur d'Agathe s'est gonflé démesurément dans sa poitrine. Le Cap-Breton ? New Waterford, d'où provenait la carte postale reçue à son dernier anniversaire, était aussi au Cap-Breton, non ? Et l'île du Cap-Breton était en Nouvelle-Écosse, tout comme Halifax…

« … Yannick… Tu vas voir, c'est un crack, et rien ne le réjouit davantage que de faire ce genre de recherche. »

Mais de quoi parlait Julien ?

« Euh… excuse-moi, j'étais un peu dans la lune, je crois… C'est qui, ce Patrick ?

— Yannick.

— Yannick, alors.

— Un maniaque de disques et de musique. Si quelque chose a été enregistré quelque part, il y a de fortes chances que Yannick l'ait entendu un jour et qu'il s'en souvienne. Ce gars-là a une mémoire phénoménale, mieux qu'un ordinateur…

— Et je le trouve où, ton Yannick ?

— Dans un magasin qui s'appelle Par Toutadisque, rue Saint-Denis, au nord d'Ontario. Mais, si j'étais toi, j'attendrais à demain matin avant d'y aller. Yannick a beau être maniaque, je suppose qu'il a une vie en dehors des disques et qu'il lui arrive de dormir la nuit, lui… »

Je me pointe là-bas à neuf heures, s'est promis Agathe en raccrochant. Puis, avec un soupçon de découragement, elle s'est rappelé qu'elle avait déjà quelque chose de prévu, à neuf heures. Cette audition pour l'annonce de shampoing. Cette audition pour laquelle Francine, son agente, lui a bien recommandé d'arriver fraîche et dispose, et la chevelure éblouissante…

À présent que l'audition tire à sa fin, Agathe a du mal à tenir en place. D'ailleurs, il faudrait peut-être parler de jeu de massacre plutôt que d'audition — Agathe n'est ni fraîche ni dispose, sa chevelure n'a jamais été aussi plate et terne, et le réalisateur de la pub semble se demander qui est l'abrutie qui a imaginé que cette mocheté nommée Agathe puisse avoir ne fût-ce qu'une once de talent ou de *sex-appeal*…

« Ça va ! lance enfin le réalisateur. Merci d'être venue. On va t'appeler si tu es choisie… »

Sa phrase se termine par des points de suspension qu'Agathe n'a aucun mal à interpréter : Mais ne passe pas trop de temps à côté du téléphone, disons… Mais n'hésite pas à dire oui si quelqu'un te propose une job en Mongolie… Mais as-tu déjà songé à devenir religieuse ? ou mieux encore nonne bouddhiste, avec le crâne rasé ?…

Où est la station de métro la plus proche, qu'elle aille enfin trouver le Sherlock Holmes de la chanson ?

~

Où Agathe court-elle comme ça ?

Va-t-elle retrouver le dénommé Hubert Fauvel, encore une fois ? Évidemment, rien ne prouve qu'elle était avec lui la veille au soir. Quand elle a fini par rentrer chez elle, vers vingt-deux heures, elle était seule. Et Laurent a eu beau poursuivre sa surveillance jusqu'à minuit, Fauvel ne s'est pas montré le bout du nez. Qu'y a-t-il entre Agathe et le cul-de-jatte ? Et où lui, Laurent, a-t-il déjà vu ce dernier ?

Ce matin, une fois de plus, Laurent est revenu se poster devant chez Agathe. C'est plus fort que lui, il faut qu'il sache où elle est, ce qu'elle fait, avec qui… Ce n'est qu'en l'ayant sous les yeux qu'il peut se sentir à peu près rassuré. Il est d'ailleurs étonné de pouvoir observer sa maîtresse aussi facilement. Avec le meurtre de Desdémone, il aurait cru que la police serait plus vigilante et qu'il lui serait difficile sinon impossible de surveiller l'appartement d'Agathe sans éveiller de soupçons. Mais sa présence semble passer entièrement inaperçue. Ce n'est pas pour lui déplaire, tout en justifiant le vague mépris qu'il a toujours entretenu envers les policiers. Ce ne sont pas Face de crapaud et Face de bébé qui vont faire grimper la police dans son estime.

Agathe est sortie de chez elle vers huit heures et elle a marché d'un pas vif jusqu'au métro Jean-Talon, où Laurent l'a suivie — bon sang, comment ça marche, ces tourniquets? Et combien coûtent les tickets, maintenant? Le temps d'acheter une lisière de tickets, il a craint d'avoir perdu Agathe... Mais non, elle était là-bas, sur le quai de la ligne orange, direction Côte-Vertu. Le bruit d'une rame de métro qui arrivait s'est fait entendre, et Laurent a eu tout juste le temps de dévaler les escaliers et de s'engouffrer en vitesse dans un wagon avant que les portes de celui-ci se referment et que la rame se mette en branle. À travers les vitres, Laurent pouvait voir Agathe dans le wagon précédent.

Heureusement, elle lui tournait le dos, et jamais, durant tout le temps où il l'a suivie, il n'a craint qu'elle l'aperçoive.

À Berri-UQAM — que Laurent appelait encore Berri-de Montigny, comme tous les gens de sa génération qui ne prennent jamais le métro —, Agathe a changé pour la ligne verte, direction Angrignon. Elle est descendue à Place-des-Arts, elle a émergé du métro au coin de Bleury et de Maisonneuve puis elle a marché vers le sud jusqu'à la rue Sainte-Catherine, qu'elle a traversée avant de tourner à droite. Quelques centaines de mètres plus loin, elle s'est engouffrée dans un gros immeuble. Au moment où Laurent est entré dans l'immeuble à son tour, il l'a vue disparaître dans un ascenseur dont les portes se sont aussitôt refermées. Il est resté un moment à regarder s'allumer les numéros des étages au-dessus de la porte d'accès à l'ascenseur, tout en sachant très bien qu'Agathe n'était pas seule à bord et qu'il n'avait aucun moyen de savoir à quel étage elle descendait.

Un coup d'œil à la liste des entreprises installées dans l'immeuble lui a été plus utile pour savoir où pouvait être Agathe: les Productions Ultima avaient un bureau au cinquième étage. Est-ce que ce n'était pas chez eux qu'Agathe devait passer une audition pour une publicité de shampoing? Un shampoing! Parfois, Laurent se demandait si Agathe avait la moindre parcelle d'amour-propre ou de dignité.

Il a téléphoné à Francine Marsolais, qui a confirmé son intuition. Oui, Agathe avait bien rendez-vous chez Ultima pour une audition à neuf heures. Au fait, comment ça allait, avec Agathe? Francine avait trouvé son coup de fil plutôt étrange, l'autre jour...

« Ça va bien. Très, très bien ! » a répondu Laurent un peu trop fort avant de raccrocher. Il n'allait quand même pas se confier à Francine Marsolais, qui était la pire commère qu'on puisse imaginer.

Son téléphone cellulaire refermé, Laurent s'est remis à attendre.

Une heure et demie plus tard, Agathe émerge de l'ascenseur, et, une fois de plus, Laurent lui emboîte le pas.

~

« ... peut-être un chœur de mineurs du Cap-Breton qui s'appellerait Men of the Mines...

— Men of the Deeps, corrige aussitôt Yannick. Mais avant de sauter aux conclusions, il vaudrait mieux que j'écoute cette chanson. Julien est super correct et il fait une job pas pire comme généraliste culturel, mais il n'est pas plus fort qu'il faut en musique... »

Agathe tend donc la cassette à l'étrange jeune homme que Julien lui a conseillé de consulter. Yannick doit avoir autour de vingt-cinq ans, mais il a un air d'adolescent mal réveillé. Les bras trop longs, les pieds qui s'emmêlent, un air vaguement ahuri, des lunettes qui ont tendance à glisser et qu'il redresse aux quinze secondes... En l'apercevant, Agathe s'est dit qu'il devait y avoir erreur sur la personne et que cet énergumène n'était pas le Yannick qu'elle cherchait, celui qui était censé être un crack en musique, celui que Julien avait qualifié de génie de la mémoire auditive. Pourtant, c'est bien lui, et il ne lui faut que quelques secondes (entre deux redressements de lunettes) pour confirmer qu'il s'agit d'une chanson tirée d'un disque des Men of the Deeps.

« Sur *Coal Fire in Winter*, je dirais. Ça doit être la cinquième ou la sixième chanson... » murmure-t-il en se levant et en invitant Agathe à le suivre.

Section Musique traditionnelle, dans les *M.* D'un geste sûr, Yannick écarte des boîtiers et saisit celui qui l'intéresse.

« *She Loves Her Miner Lad*, grommelle-t-il, j'avais raison, c'est bien sur ce disque, cinquième chanson… Tu veux l'écouter, pour être sûre ?

— Oui. »

Yannick déchire la pellicule de protection, ouvre le boîtier et en retire le CD, qu'il insère dans un poste d'écoute. Agathe ajuste les écouteurs sur sa tête et, vlam, la voix du chanteur lui emplit les oreilles, la tête, la poitrine, le corps tout entier. Cette voix qui pourrait être celle de son père…

Bonny's her lad as he walks down the street
With his hat in his hand all canny and neat

Elle a chaud, elle a le cœur qui fait le fou dans sa poitrine, elle ne sait plus où elle est, ni même qui elle est, tout en étant exagérément consciente d'émotions et de sensations qui menacent de la noyer, de l'étouffer, de la faire éclater.

Sometimes he has money sometimes not at all
But he'll share what he has be it ever so small
No laddy is better no laddy so kind
And he'll stand by his word when he's spoken his mind

Elle ferme les yeux. Elle ne se demande même plus si c'est son père, ou si la chanson parle de son père. Elle se laisse porter par la voix, tout simplement.

Oh she loves her miner lad everyone knows

« Hé ! Ça va ? »

La chanson est finie, les écouteurs pendouillent au bout de leur fil, et Yannick secoue Agathe par les épaules en l'observant d'un air inquiet.

« T'es pas en train de faire un AVC, ou une crise d'épilepsie, ou quelque chose dans ce genre-là, hein ? »

Agathe secoue la tête de droite à gauche.

« Parce que tu m'as fait peur, sais-tu… T'étais blanche comme un drap, t'avais l'air complètement paralysée, sauf pour les larmes qui n'arrêtaient pas de couler… »

Agathe porte la main à son visage et constate qu'effectivement elle a les joues trempées de larmes — et que ses larmes continuent de couler sans qu'elle y puisse quoi que ce soit. Et ce n'est qu'une question de secondes avant que son nez se mette à couler, lui aussi.

« Aurais-tu un kleenex ? »

Yannick se précipite pour lui chercher une boîte de papiers mouchoirs. Quand il revient, Agathe commence à reprendre le contrôle d'elle-même. Elle se mouche à fond, rend la boîte de kleenex à Yannick et esquisse un sourire d'excuse.

« Je ne sais pas ce qui m'a pris… »

Yannick hausse les épaules.

« C'est correct. Tant que c'était pas grave… »

Agathe lui demande ce qu'il sait de ce chœur de mineurs, Men of the Deeps.

« Grosso modo ce qu'on peut trouver dans le livret d'accompagnement… »

Ils se penchent tous les deux sur le livret, qui leur apprend que la chorale existe depuis 1966, qu'elle se compose de mineurs et d'ex-mineurs de l'île du Cap-Breton et qu'elle a pour mission de préserver et de diffuser l'héritage musical de cette région.

Les noms des chanteurs de Men of the Deeps apparaissent aux dernières pages du livret, et une photo du groupe orne l'arrière du boîtier. Le soliste de *She Loves Her Miner Lad* s'appelle Tom Finnegan, un nom qui ne dit strictement rien à Agathe. Cela ne la surprend pas. Même s'il s'agissait de son père, elle ne s'attendrait pas à ce qu'il utilise son véritable nom. La première chose qu'il a dû faire, lorsqu'il a disparu il y a seize ans et demi, ça a été de changer d'identité. Tom Finnegan ou autre chose…

Quant à la photo du boîtier, aucun des visages n'éveille le moindre souvenir chez elle. Mais les visages sont tellement petits, sur ces photos, les hommes portent des casques de mineur et certains ont même des lunettes noires… Comment savoir si son père fait partie du groupe ? D'ailleurs, de quand date ce disque ? Même si son père a déjà été membre de la chorale, cela ne signifie pas que ce soit encore le cas.

Avec un soupir, Agathe remet le disque et le livret dans le boîtier.

« Je vais le prendre, dit-elle à Yannick. Est-ce que le groupe a fait d'autres disques ?

— Deux ou trois, à ma connaissance. Je vais voir ce que j'ai ici. Ils en ont même fait un avec Rita MacNeil... Je ne crois pas l'avoir en stock, mais je peux le commander... »

Agathe achète les deux disques que Yannick a en magasin et elle commande les autres. Elle s'apprête à payer quand Yannick lui demande si ce sera tout.

« Oui... Ou plutôt... Il y a une autre chanson sur laquelle j'aimerais en savoir un peu plus. C'est la dernière de la cassette... »

~

Heureusement qu'il ne pleut pas à verse ou qu'il ne fait pas trente au-dessous de zéro, songe Laurent, posté de l'autre côté de la rue Saint-Denis, légèrement décalé par rapport au magasin de disques où Agathe est entrée il y a déjà trente-cinq minutes. Elle est sans doute en train d'hésiter entre deux disques country — l'un sur lequel, chanson après chanson, une chanteuse nasillarde et névrosée pleure son amour perdu; l'autre sur lequel un cow-boy tout aussi nasillard s'émeut de retrouver son cheval ou son Kentucky natal... Laurent n'a jamais compris ce que ce genre de musique pouvait avoir d'attirant pour quelqu'un le moindrement cultivé ou doté d'un peu de goût et de sensibilité. Par moments, il se demande même si Agathe ne continue pas à écouter cette musique par pur esprit de provocation. Elle ne peut quand même pas *aimer* toute cette... cette vulgarité et cette sensiblerie...

Si au moins elle s'y connaissait! Mais quand il lui a posé des questions sur l'histoire du country et sur ses différents courants, il s'est rendu compte qu'Agathe n'avait jamais pris la peine de creuser le sujet. Old time country, bluegrass, honky tonk, rockabilly, tradition appalachienne... Agathe avait l'air de tomber des nues en l'entendant décliner ces catégories. Elle aimait certaines choses, certains chanteurs et chanteuses, elle y allait par instinct, un peu à l'aveuglette... Et quand il lui avait proposé de l'aider à se documenter sur tout ça, elle avait décliné son offre!

Laurent avait été désagréablement surpris par ce qu'il ne pouvait interpréter que comme de la paresse intellectuelle. Non seulement Agathe était plutôt nulle dans ce domaine qu'elle disait pourtant aimer, mais elle ne voulait même pas s'améliorer ! Nathalie était comme ça, elle aussi — brouillonne, instinctive, superficielle. Est-ce que toutes les femmes étaient comme ça, ou était-ce lui qui était particulièrement mal tombé ? Le pire, c'est que toutes les deux se montraient excédées quand il essayait de parfaire leurs connaissances. De la paresse intellectuelle, oui, sans aucun doute…

~

En sortant de Par Toutadisque, Agathe se sent incroyablement légère. Elle se surprend à fredonner l'air de *Simple Gifts*, qu'elle vient d'écouter plusieurs fois d'affilée avec un bonheur total.

Quand elle a retiré ses écouteurs et rouvert les yeux, Yannick la dévisageait d'un air intrigué.

« C'est-tu une affaire genre Pavlov ? lui a-t-il demandé. Tu mets les écouteurs, tu pars la musique et tu commences à pleurer… »

Une fois de plus, Agathe a porté les mains à ses joues, qui étaient trempées de larmes, oui, et brûlantes d'embarras.

« Remarque que, là, c'était pas mal moins inquiétant. Tu souriais, t'avais l'air bien, c'est juste que tu pleurais en même temps… »

Juste ça… Agathe a senti le besoin de clarifier les choses.

« Non, je n'ai pas l'habitude de pleurer chaque fois que j'écoute de la musique, a-t-elle dit. Je ne sais pas trop ce qui m'a pris… Excuse-moi… »

Yannick a regardé ses grands pieds, il a agité ses longs bras et redressé ses lunettes avant de répondre.

« Hé, pas besoin de t'excuser ! C'est pas plus grave que ça, de pleurer… T'es pas la seule à faire des affaires bizarres en écoutant de la musique. Il y en a qui chantent à tue-tête, d'autres qui se mettent à danser, ou qui se branlent, ou qui se décrottent le nez… »

À tout prendre, Agathe préférait pleurer.

Elle a acheté ce disque-là aussi — un disque d'airs traditionnels interprétés au violoncelle par Yo-Yo Ma.

« Ah ! s'est exclamé Yannick en mettant la main sur le disque en question, après des recherches plus ardues que celles qui lui avaient permis de trouver *Coal Fire in Winter*... Il me semblait bien que ça ne pouvait venir que de lui, ce son-là, mais je ne connaissais pas ce disque... Et c'est Alison Krauss qui chante sur ce morceau... Tu l'as prise où, cette cassette ? Est-ce qu'il y a d'autres trucs intéressants dessus ? »

Finalement, elle a laissé la cassette à Yannick, après l'avoir menacé des pires sévices s'il la perdait ou s'il l'abîmait, en lui disant qu'il pouvait s'amuser à l'écouter et à identifier les pièces et les interprètes, s'il n'avait rien d'autre à faire...

« Je t'appelle quand j'ai tout trouvé, a-t-il dit. Je devrais en avoir pour deux ou trois jours...

— Prends ton temps, a répondu Agathe. J'ai de quoi m'occuper en attendant... »

À présent, tout en continuant à fredonner *'Tis the gift to be simple 'tis the gift to be free...*, Agathe se dit que la journée est trop belle pour qu'elle rentre directement chez elle. Peut-être qu'elle pourrait passer chez Hubert et lui montrer les disques qu'elle vient d'acheter. Après tout, c'est lui qui lui a prêté la cassette, et ce serait la moindre des choses que de l'en remercier et de lui faire partager d'autres musiques. C'est une question de politesse. Une simple question de politesse.

~

Quand, après cinquante minutes bien comptées, Agathe finit par émerger du magasin de disques, elle marche d'un pas allègre. Rapide sans être précipité, et avec ce qu'il faut de ressort pour faire joliment bouger ses cheveux et son beau petit cul. A-t-elle décroché ce contrat pour la publicité de shampoing, au fait ? C'est peut-être cela qui la rend si joyeuse... Et où va-t-elle, à présent ? Laurent ne détesterait pas qu'elle s'arrête quelque part pour prendre un morceau. Il va être bientôt midi, et le comédien commence à avoir faim. Peut-être aurait-il dû prévoir un sandwich ou un muffin, quand il a entrepris de surveiller Agathe. Comment font-ils, les policiers ou les détectives privés ? La surveillance elle-même n'est pas trop compliquée — moins que ce à quoi il s'attendait, en fait. Il suit Agathe d'assez loin pour qu'elle ne le repère pas, mais suffisamment proche pour ne pas la perdre de vue si elle décide de prendre le métro ou un taxi... Ce qui embêterait davantage Laurent, ce serait qu'elle utilise l'autobus. Difficile de se cacher, dans un autobus, à moins que celui-ci ne soit bondé...

Mais, pour l'instant, Agathe ne semble pas intéressée à monter dans un autobus, ce qui est bien, ni à s'arrêter dans un café ou un bistro, ce qui est moins bien. Elle se dirige une fois de plus vers le métro. Peut-être va-t-elle tout simplement rentrer chez elle.

C'est ce que Laurent continue à penser lorsqu'elle descend à la station Jean-Talon. Ce n'est que lorsqu'elle traverse du côté nord de la rue qu'il comprend que ce n'est pas le cas. Elle va peut-être prendre le lunch dans ce resto exotique qu'elle affectionne, *Le Petit Axel* ou quelque chose comme ça... Mais Agathe ne se rend pas jusqu'au resto. Elle tourne à droite quelques rues plus tôt, et Laurent sait maintenant où elle va. Chez l'infirme.

Il n'a pas surveillé sa maîtresse pour rien.

~

C'est Bruno qui vient lui ouvrir.

« Bonjour, Bruno ! »

L'enfant ouvre de grands yeux.

« Com...ment tu connais mon nom ? » articule-t-il de cette voix étrange à laquelle Agathe a du mal à s'habituer.

La comédienne se mord les lèvres. En effet, si *elle* a déjà vu Bruno, le garçon, lui, a rencontré la Chouette chevêche, et non Agathe O'Reilly.

« Je... je suis une amie d'Hubert, vois-tu, et il m'a beaucoup parlé de son neveu Bruno. Il m'a dit que c'était un très gentil garçon avec de beaux yeux bleus... Alors, je suppose que c'est toi... »

Bruno hoche la tête à plusieurs reprises, et Agathe craint chaque fois de le voir piquer du nez ou tomber à la renverse. Comme le dimanche précédent, elle constate qu'il est assez stable, finalement, malgré d'évidents problèmes d'équilibre.

« Est-ce qu'il t'a dit que j'avais un chandail... un chandail de Shrek ? »

Le garçonnet bombe le torse, visiblement très fier du t-shirt jaune qui lui tombe aux genoux et sur lequel sourit un personnage monstrueux.

« Non, il a oublié de me dire ça... »

Bruno éclate de rire, comme s'il était hilarant qu'Hubert ait pu oublier de lui faire part de ce détail important.

« Ce soir, on va regarder *Shrek*... à la télévision. Vas-tu le regarder avec nous ? Comment tu t'ap...p...pelles ?

— Agathe. Je m'appelle Agathe. »

Le petit garçon tourne les talons et, de sa démarche incertaine, se dirige vers le fond de l'appartement.

« Viens, dit-il. Hub...bert est en train de faire des sandwiches aux tomates. Aimes-tu ça, les sandwiches aux tomates ? »

~

Les sandwiches aux tomates sont suivis de muffins aux carottes accompagnés de grands verres de lait pour Bruno et Agathe et d'un café pour Hubert.

Bruno semble trouver normale la présence d'Agathe et il inclut naturellement la jeune femme dans les activités qu'Hubert et lui avaient prévues pour le restant de la journée.

« On va aller au cégep, et manger de la crème glacée, et aussi au Saint-Hub...bert, b...bien sûr...

— Bien sûr. »

Étrangement, Agathe se sent à l'aise dans cette situation. Plus à l'aise, même, que si elle était seule avec Hubert. Peut-être parce qu'elle se demande moins ce qu'elle doit faire ou ce qu'Hubert attend d'elle. Bruno a l'air content qu'elle soit là, ça lui suffit. Et, le petit garçon étant d'une curiosité insatiable, il n'y a pas de temps mort, pas de trous dans la conversation, qui bondit dans tous les sens, sans trop de logique ni de cohérence.

À un moment donné, Agathe parle de son audition ratée du matin, et Bruno trouve très drôle qu'elle n'ait pas été toute nue et qu'elle ne se soit même pas mouillé les cheveux pour faire une annonce de shampoing…

« C'est mieux tout nu, déclare-t-il d'un ton péremptoire. Sinon notre chandail est tout mouillé et ap…près on a froid.

— Tout nu aussi, on peut avoir froid », dit Hubert.

Son neveu lève les yeux au ciel.

« P…pas si on p…prend de l'eau chaude, voyons ! Et ap…près on se sèche avec une serviette chaude, comme tu fais ici, et on s'hab…bille. »

Agathe parle aussi de sa visite au magasin de disques et des découvertes qu'elle y a faites.

« J'ai laissé la cassette à Yannick, dit-elle à Hubert. J'espère que ça ne te dérange pas. Il a promis d'y faire très attention.

— Ça ne me dérange pas du tout. De toute façon, j'en ai des copies…

— J'ai au moins trouvé d'où viennent les chansons de mineurs, et aussi la dernière chanson de la cassette, celle avec le violoncelle et la voix d'Alison Krauss… »

C'est en écoutant le disque de Yo-Yo Ma que Bruno, Agathe et Hubert lavent la vaisselle avant de se livrer une chaude lutte au jeu des serpents et des échelles. Agathe est la première à arriver au ciel, et Bruno l'applaudit chaudement.

« B…bravo, Onyx ! » lance-t-il d'un air réjoui.

Agathe est interloquée. Onyx ?

Hubert, lui, a du mal à dissimuler un sourire.

« Pas Onyx, dit-il en ébouriffant les cheveux de Bruno. Elle s'appelle Agathe. »

Bruno fronce les sourcils.

« C'est p…p…pareil. L'onyx, c'est une agate…

— Oui, bravo. Pour les minéraux, tu as raison. Mais pour les gens, ce n'est pas pareil. Et le prénom *Agathe* ne s'écrit pas comme la pierre *agate*. Il y a un *h* qu'on n'entend pas: *A-g-a-t-h-e*...

— Comme dans ton nom à toi! Le *h* est au déb... au début: *H-u-b*...*b-e-r-t*!

— Exactement!»

Bruno semble ravi.

«Vous avez tous les deux un *h* muet! Tu veux voir ma collection? ajoute-t-il en direction d'Agathe. J'ai des agates et des onyx, et aussi des grenats et des op...pales. Mais les p...plus b...beaux, c'est les œils-de-lion!

— Les œils-de-tigre, corrige doucement Hubert.

— Les œils-de-tigre, répète Bruno en se dirigeant vers sa chambre. Viens, ordonne-t-il à Agathe, je vais te les montrer.»

La chambre de Bruno, dont la porte donne dans le salon et la fenêtre sur la cour, est la pièce la plus colorée de l'appartement. Un mur est bleu foncé, les autres sont blancs; la commode et le cadre du lit sont rouge vif; le store et la douillette, très bigarrés, présentent des scènes de bandes dessinées.

De sa démarche maladroite, Bruno s'approche de la table qui se trouve devant la fenêtre et sur laquelle il y a des crayons à colorier, des blocs Lego, des figurines de Shrek et une boîte plate, dont le garçon retire le couvercle. À l'intérieur, dans de petits compartiments, se trouvent des minéraux de toutes sortes.

«Un œil-de-tigre! annonce fièrement Bruno en déposant une pierre dans la main d'Agathe. Et ça, c'est une agate de Gasp...pésie. Une agate p...pas de *h*», précise-t-il bien vite.

Il lui montre aussi une turquoise, une malachite, une opale...

«J'aime ça, les b...belles couleurs. Mais, des fois, il faut attendre qu'il fasse noir et p...prendre une lumière spéciale pour voir des sup...per b...belles couleurs!»

Agathe admire comme il se doit la collection de minéraux de Bruno. Elle n'a pas à se forcer. Les pierres — ou minéraux: Agathe ne fait pas vraiment la distinction! — sont magnifiques, et l'enfant est visiblement heureux de lui apprendre tout ce qu'il connaît à leur sujet.

« Celle-là, dit-il par exemple en désignant une pierre blanche incrustée de grains noirs et vieux rose, Hub…bert l'a trouvée à la Terre de B…Baffin. Il faisait sup…per froid, et il était un p…peu découragé, et p…puis il a trouvé cette eudyalite et il a oub…blié le froid ! C'est rare, les eudyalites… »

Certaines pierres viennent du Québec — comme l'agate sans *h* que Bruno lui a montrée —, d'autres sont plus exotiques. Bruno parle de dureté, de trace, de densité… Il prête sa loupe à Agathe pour qu'elle observe de plus près certains spécimens.

Au bout d'une vingtaine de minutes, Hubert interrompt la leçon de géologie.

« Vous restez ici pendant que je vais au cégep ou vous venez avec moi ? demande-t-il. Il faut que j'aille porter mes notes et récupérer quelques trucs avant les vacances… »

Bruno semble s'illuminer.

« On va avec toi ! lance-t-il d'une voix fervente. Hein, Agathe ? C'est amusant, le cégep, c'est c… comme une grosse école ! »

Agathe regarde Hubert d'un air interrogateur.

« Tu es la bienvenue, dit-il. Je n'en ai pas pour longtemps là-bas. Et n'oublie pas qu'après on se paie une crème glacée et un repas à la rôtisserie…

— La rôtisserie Saint-Hub…bert ! précise Bruno. Comme Hub…bert ! »

Agathe jette un coup d'œil au petit garçon, qui attend sa réponse avec un mélange d'espoir et d'anxiété. Elle revient ensuite à Hubert, qui l'observe d'un air… d'un air qui lui plaît. Un air à la fois neutre et souriant. Agathe sent qu'il aimerait qu'elle les accompagne, mais il ne met aucune pression. Elle est libre d'accepter ou de refuser, Hubert n'en tirera ni fierté ni frustration, il n'en fera pas une affaire personnelle, il ne lui fera pas sentir que sa décision a toutes sortes d'implications tacites.

« Bien sûr que je vais avec vous ! Comment une fille pourrait-elle résister à de la crème glacée *et* à Saint-Hubert ? »

~

Le jeu des poupées russes se poursuit, même si la présence policière autour d'Agathe a compliqué les choses hier. Le comédien est quand même revenu ce matin, mais Pat ne s'est pas encore montré, ce qui ne me laisse guère d'autre choix que de le coincer dans sa tanière, finalement.

~

Quand Hubert prend Bruno chez lui pour quelques jours, il loue une auto, ce qui facilite grandement leurs déplacements en ville, et même à l'extérieur de la ville. Il en profite généralement pour emmener son neveu au parc du mont Saint-Bruno ou à celui des îles de Boucherville ; ils vont au Jardin botanique ou au Biodôme, à l'Insectarium ou dans la région de Rigaud, où ils peuvent faire de l'équitation. Parmi les activités recommandées pour améliorer l'équilibre de Bruno, l'équitation est une des plus efficaces.

Aujourd'hui, pourtant, les déplacements se limitent à Montréal. De l'appartement d'Hubert au cégep Ahuntsic, puis du cégep à la rue Bernard, à Outremont, où on peut trouver *la meilleure crème glacée du monde*, selon Bruno, qui a énormément de mal à choisir parmi les nombreuses saveurs offertes.

« La dernière fois, j'ai p…pris Choco-orange, et c'était sup…per b…bon. Mais là, p…peut-être que je p…pourrais p…p…prendre Cacaofolie, ou Caramêlée, ou… »

Bruno met un temps fou à se décider, et Hubert a conscience du malaise d'Agathe. Ils bloquent le chemin, ils retardent tout le monde, ils attirent l'attention… Même si elle s'efforce de n'en rien laisser paraître, il est évident qu'elle a hâte que Bruno arrête enfin son choix. Hubert comprend son malaise, mais il ne va pas brusquer son neveu pour autant. Il suggère toutefois à la jeune vendeuse de servir les autres clients.

« On vous avertira quand on sera prêts à commander… »

Au bout d'un long moment, Bruno finit par choisir la saveur Caramêlée — Hubert lui ayant dit qu'il pourrait goûter à son cornet à lui, au triple chocolat. Quant à Agathe, elle opte pour la pralinée, dans un cornet sucré.

« Si tu veux, tu p…peux goûter au mien… » dit Bruno.

Agathe décline son offre, en ajoutant que lui peut goûter à son cornet à elle, cependant, ce qui lui vaut un sourire radieux de la part du petit garçon.

Une fois servis, Agathe, Hubert et Bruno s'installent à l'une des tables de la terrasse. Il n'est déjà pas facile pour Bruno de marcher droit, s'il fallait en plus qu'il mange un cornet composé de boules de crème glacée en équilibre instable…

« Tiens, tiens… Quelle agréable surprise ! Ce n'est pas tous les jours que tu viens faire un tour dans mon coin… »

Hubert voit Agathe se raidir en entendant la voix de Laurent Bouvier. Elle prend le temps de rattraper du bout de la langue un peu de crème glacée qui coule le long de son cornet avant de lever les yeux vers le comédien, planté à côté de leur table.

« Tu ne me présentes pas tes amis ? »

D'une voix froide, Agathe fait les présentations.

« Laurent Bouvier. Hubert Fauvel et son neveu Bruno… »

Hubert se lève, et les deux hommes se serrent la main.

« On s'est déjà croisés… » dit Hubert.

Avant que Laurent puisse répondre, Bruno se lève à son tour et, de sa démarche incertaine, s'approche de Laurent en tendant une main poisseuse vers lui. Son cornet tangue dangereusement dans son autre main.

Laurent recule d'un pas tandis qu'Hubert intercepte son neveu en disant qu'il vaut mieux qu'il ne touche à personne tant qu'il a les mains pleines de crème glacée.

« Vous risqueriez de rester collés pour toute la vie. »

Bruno éclate de rire, et Laurent esquisse ce qui se veut sans doute un sourire mais qui ressemble plus à une grimace de dégoût.

« Je vous laisse à vos glaces, laisse-t-il tomber en reculant encore d'un pas. Attention, Agathe, c'est plein de calories, ces petites choses. Il ne faudrait pas en abuser… »

À partir de quand l'antipathie se transforme-t-elle en haine ? se demande Hubert en fixant le dos de Laurent qui s'éloigne dans la rue Bernard. Je déteste tout chez cet homme. Sa voix, son ton condescendant, son air méprisant, sa démarche, ses vêtements... Même ses chaussures m'énervent !

Il s'efforce de ne pas penser à ce qui l'énerve le plus chez Laurent Bouvier, c'est-à-dire son intimité avec Agathe. Que cet homme ait pu séduire des femmes comme elle et Nathalie Salois, voilà qui le dépasse.

« P...pourquoi il est fâché, le monsieur ? »

Hubert tourne les yeux vers son neveu, qui a le menton et les joues barbouillées de crème glacée et qui le regarde d'un air troublé.

« Pourquoi dis-tu qu'il est fâché ? Je pense qu'il était juste pressé... »

Mettant en péril son précaire équilibre, Bruno secoue vigoureusement la tête de gauche à droite.

« Non, il avait les yeux fâchés. Est-ce qu'il était fâché ap...près moi ?

— Non, bien sûr que non ! » s'exclament Agathe et Hubert en même temps.

Bruno les dévisage tour à tour.

« Il est fâché contre moi, ajoute Agathe en regardant Bruno dans les yeux. On a eu une chicane, et il n'est pas de bonne humeur. »

Cette fois, Bruno hoche la tête d'un air pénétré.

« Comme moi avec Arianne. On s'est chicanés, et elle veut p...plus me p...parler... »

Hubert demande à son neveu pourquoi Arianne et lui se sont querellés, et il doit se retenir pour ne pas poser la même question à Agathe.

~

On s'est déjà croisés, a dit Hubert Fauvel. Oui, en effet, ils se sont déjà croisés, et cette fois Laurent a vu le jeune homme d'assez près pour se rappeler précisément où — chez lui ! — et dans quelles circonstances — cette histoire insensée de symbolisme floral… C'est Nathalie, sa propre femme, qui lui a présenté ce garçon un peu trop présent dans la vie d'Agathe depuis quelques jours. Qu'est-ce que cela signifie? Est-ce que c'est Nathalie qui a lancé le cul-de-jatte aux trousses d'Agathe? Est-ce que c'est elle qui a manigancé pour nuire à sa relation avec Agathe et donc pour lui nuire à lui?

Soudain, il se souvient de la femme qu'il a aperçue la veille dans la rue où vit Hubert et qui lui a rappelé Nathalie. Et si c'était vraiment Nathalie qui s'était trouvée là-bas? Si…

Laurent n'aime pas la tournure que prennent les événements, ces derniers temps. Tout cela ressemble à un complot dont il serait la victime. On se moque de lui, on l'humilie, on joue avec lui comme avec un pion. Mais ça ne se passera pas comme ça. Oh non. Nathalie, l'infirme, Agathe et tous les autres vont voir que Laurent Bouvier n'est pas un pion.

~

Parti. Au moment où j'avais enfin décidé de le coincer, Pat a disparu. Évidemment, la femme qui m'a répondu ne savait pas où il était allé. Elle m'a seulement dit qu'il s'était renseigné sur les horaires d'autobus pour l'Abitibi « ou quelque part comme ça ». Pour le Témiscamingue, plus vraisemblablement. Et même pour Ville-Marie, je dirais…

Chapitre 19
Vendredi 20 mai (suite)

« Tu savais ça, toi, que la violette palmée signifie *J'aime votre modestie*?

— Je ne savais même pas que ça existait, une violette palmée… »

Hubert et Agathe feuillettent le petit livre sur le langage des fleurs que Nathalie Salois a déposé la veille dans la boîte aux lettres d'Hubert. C'est un vieux livre, écrit par une certaine Anaïs de Neuville et publié en 1878 par Bernardin-Béchet, libraire-éditeur à Paris. On trouve de tout, dans ce livre: légendes associées aux fleurs, horloge de flore — c'est-à-dire division de la journée selon l'heure à laquelle s'ouvrent les fleurs et leurs corolles —, symbolisme des couleurs, dictionnaire, table méthodique des significations… Les jeunes gens découvrent avec étonnement qu'il y a des fleurs associées à l'orgueil et à l'oubli, aux chagrins et à la calomnie, au dépit maternel et à l'adoption… Tout cela est fascinant. Le problème, c'est que la plupart des fleurs mentionnées dans l'ouvrage ne leur disent strictement rien. Némophile: *Orgueil, amour-propre.* Nyctère de l'Amazone: *Courage dans le péril.*

« Rose Agathe : *Beauté sans parure* », lit Hubert à mi-voix, et Agathe se sent rougir jusqu'à la racine des cheveux.

« Va plutôt voir ce qu'il y a pour l'œillet », s'empresse-t-elle de dire, jugeant préférable de s'éloigner des roses Agathe et des remarques (des compliments ?) un peu trop personnelles. À part la rose, l'œillet est le seul nom de fleur qui se présente à son esprit troublé.

« *Quel* œillet ? demande Hubert après avoir reculé d'une vingtaine de pages. L'œillet tout court, ou alors l'œillet de Dieu, l'œillet d'Inde, l'œillet de Paris, l'œillet des poètes, l'œillet de plume, l'œillet incarnat, l'œillet jaune, l'œillet mêlé, l'œillet mignonnette, l'œillet panaché, l'œillet ponceau, l'œillet rose, l'œillet rouge ? Ouf ! Tu te rends compte, s'il fallait que quelqu'un confonde l'œillet tout court (*amour vif et pur*) avec l'œillet jaune (*dédain*), l'œillet panaché (*refus d'amour*) ou l'œillet ponceau (*horreur*)… »

Agathe laisse échapper un petit rire. Son émoi dissipé, elle prend le livre des mains d'Hubert et le consulte à son tour.

« Et qu'arrive-t-il si l'être aimé est nul en botanique et qu'il ne comprend pas que le lycoperde signifie *Je veux vous aimer toujours* ?

— Il faudrait qu'il soit *vraiment* nul ! »

Leur fou rire s'interrompt net quand, à côté d'eux, Bruno s'exclame, d'une voix particulièrement forte :

« Hu…b…bert, tu es à moitié dans Agathe et à moitié dans moi ! »

Interloqués, Hubert et Agathe se tournent vers le garçonnet, occupé à gribouiller sur son napperon en attendant ses croquettes de poulet en forme d'animaux. Ils sont à la rôtisserie Saint-Hubert de la rue Saint-Denis. Après leur pause crème glacée, ils se sont rendus au mont Royal, où ils ont fait le tour du lac aux Castors (« il faut bien brûler toutes ces calories qu'on vient d'ingurgiter… » a dit Hubert d'un ton sentencieux qui lui a valu un regard méfiant de la part d'Agathe — est-ce qu'il était en train de se moquer d'elle… ou de Laurent ?), puis, retrouvant l'auto, ils ont pris la direction de la rôtisserie.

« À moitié dans Agathe et à moitié dans toi…, répète Hubert d'une voix prudente. Qu'est-ce que tu veux dire, au juste ? »

Bruno brandit son napperon sous le nez des deux adultes. Le rectangle de papier est couvert de grosses lettres tracées d'une main tremblante, de flèches et de cercles de différentes grosseurs, dont certains se superposent en partie. Agathe reconnaît leurs prénoms à tous les trois et toutes sortes de variations à partir des lettres qui les composent.

« C'est comme la théorie des ensembles, explique Bruno avec fierté. Toutes les lettres de HUB...BERT sont dans AGATHE ou dans B...BRUNO. Trois dans chaque... Mais AGATHE et moi, on n'a p...pas de lettres p...pareilles... Si vous avez un b...bébé, il faudrait l'app...peler avec les lettres qui restent. J'ai fait les noms. »

Et Bruno tend l'index vers une liste de mots écrits à la verticale. AGANO. OGANA. GANAO. GAONA. ANAGO. ONAGA.

« Il y en a d'autres, mais ça ne fait p...pas de très b...beaux noms p...pour un b...bébé. »

Agathe est tellement sonnée qu'elle ne sait pas par quel bout réagir. Agano, on dirait le nom de ce chef d'orchestre, Kent Nagano, qu'elle trouve particulièrement séduisant. Ce n'est qu'un détail, mais ce détail va peut-être lui permettre de se ressaisir. Qu'est-ce que c'est que cette histoire de bébé ? Et Hubert qui est à moitié en elle ? Éviter d'y voir des connotations sexuelles, surtout. Éviter d'y voir quoi que ce soit d'autre qu'un jeu de manipulation de lettres. Un genre de scrabble, finalement. Agathe prend conscience qu'elle a sous-estimé Bruno jusqu'à présent, ce qui la rend extrêmement mal à l'aise. Parce qu'il a le corps tordu, parce qu'il a du mal à marcher et à s'exprimer, parce que sa tête, quand elle ne ballotte pas dans tous les sens, forme un angle bizarre avec le reste de son corps, elle a supposé que le petit garçon était aussi handicapé sur le plan intellectuel que sur le plan physique. De toute évidence, il lui faut revoir son opinion. Un enfant de neuf ans qui jongle avec les lettres et la théorie des ensembles, qui connaît les agates, les onyx et plein d'autres cailloux aux noms étranges, qui fait preuve de persévérance, d'humour, de logique et sans doute d'un tas d'autres qualités qu'elle n'a pas encore eu l'occasion de découvrir, un enfant comme celui-là n'est pas limité ou handicapé mentalement, oh non ! Une image lui vient spontanément à l'esprit, celle de Stephen Hawking, ce scientifique de haut niveau prisonnier d'un corps déformé et affaibli par la maladie, mais qui poursuit des recherches inaccessibles à la vaste majorité des gens.

Agathe se rend également compte qu'elle est sensible à l'allure différente de l'enfant et que son comportement à elle manque de naturel depuis le début de l'après-midi. Depuis que Bruno, Hubert et elle sont dehors, en fait. En public. En représentation, en quelque sorte. Un peu honteuse, elle doit s'avouer qu'il y a une part de jeu dans son comportement des dernières heures. Elle *joue* à être à l'aise en compagnie d'un enfant handicapé. Elle fait celle que ça ne dérange pas, qui ne le remarque même pas, tout en étant exagérément consciente des regards extérieurs, des sourires de pitié comme des soupirs d'impatience. Elle souhaiterait que Bruno prenne moins de place, qu'il bouge de façon moins excentrique, qu'il parle moins fort, qu'il rie plus discrètement. Qu'il soit autre chose que ce qu'il est, quoi. Elle n'en est pas fière, elle se sent même assez minable, mais il lui faut regarder la réalité en face. Ne serait-ce que pour avoir un minimum de chance d'y changer quelque chose.

Pendant qu'elle tente de se ressaisir, Hubert admire le napperon de Bruno, où d'autres que lui ne verraient sans doute que du barbouillage.

« Tu as raison, dit-il à son neveu. La moitié des lettres de mon prénom sont dans le tien ; l'autre moitié, dans celui d'Agathe… Tu es drôlement perspicace ! Mais qu'est-ce qui t'a donné l'idée de vérifier ça ? »

Rouge de bonheur et de fierté, Bruno se dandine sur la banquette en arborant un immense sourire.

« C'est à cause du *h* muet. C'est ça qui m'a donné l'idée ! Mais Agnoa, ce n'est p…pas un b…beau nom de b…bébé. C'est p…pour ça que je ne l'ai p…pas mis. »

Encore cette histoire de bébés, songe Agathe avec panique.

Hubert, lui, se contente d'ébouriffer les cheveux de Bruno.

« Ce n'est pas *très* joli, en effet. Mais, tu sais, Agathe et moi, on n'a pas l'intention d'avoir des bébés. »

Bruno semble dévasté.

« Mais il faut ! s'écrie-t-il avec désespoir. C'est une chaîne ! Il ne faut p…pas b…briser la chaîne ! Regarde ! »

Reprenant son napperon, il tapote plusieurs fois, du bout de son index, un des ensembles qu'il a tracés. Quatre cercles se recoupent en partie pour former une chaîne fermée, comme un collier ou un bracelet. Dans chaque cercle est inscrit un prénom — les leurs, plus Agano ; aux intersections des cercles, les lettres communes entre les prénoms — BRU, THE, AGA, NO…

« La chaîne peut être ouverte, dit Hubert gentiment. Regarde…

— Non ! C'est mieux fermé ! »

Bruno a répliqué avec une violence qui surprend Agathe. Le petit garçon semble sur le point d'éclater, et Agathe se demande ce qui va l'emporter, de la colère ou des larmes. Et puis, miraculeusement, leur serveuse apparaît, des assiettes plein les bras.

« Alors, ces croquettes en forme d'animaux avec sauce aux fruits, c'est pour monsieur ou pour madame ? » demande-t-elle avec un sourire.

L'humeur de Bruno change instantanément.

« Non ! répond-il dans un éclat de rire. C'est p…pour moi !

— Excellent choix ! approuve la serveuse. Personnellement, j'ai un faible pour les lions. Et toi ? »

~

Comme d'habitude, Nathalie est dans son jardin quand Laurent revient chez lui, la tête en feu. Il a mis fin à sa surveillance quand Agathe, le cul-de-jatte et l'avorton sont entrés au restaurant. Pas question de poireauter sur le trottoir pendant des heures en attendant qu'ils ressortent. Ces trois-là lui avaient déjà fait perdre suffisamment de temps comme ça.

Avant de se réfugier dans son bureau, il observe sa femme un long moment sans que celle-ci s'en rende compte. Elle a l'air bien innocente, comme ça, à tripoter ses feuilles et ses racines, mais il n'est pas dupe. À présent qu'il a compris que c'est elle qui est à l'origine du complot, elle qui a chargé Fauvel de s'interposer entre Agathe et lui et de détruire leur amour, il va pouvoir réagir.

~

En sortant du restaurant, Agathe se dit qu'elle devrait laisser Hubert et Bruno entre eux et faire quelque chose de son côté. Le problème, c'est qu'elle n'a aucune envie de se retrouver toute seule, à ressasser sans fin les mêmes questions. Qui a tué Desdémone? Est-ce son père qui, sous le nom de Tom Finnegan, chante sur le disque de Men of the Deeps? Est-ce son père qui lui a envoyé les lettres? Si oui, pourquoi? Sinon, qui les a envoyées — et pourquoi, bien sûr? Pourquoi, pourquoi, pourquoi?

La voix de Bruno la tire de ses réflexions.

«... ton b...bout p...préféré, Agathe?»

Planté devant elle, le cou tordu dans sa direction, le petit garçon attend visiblement une réponse de sa part.

Agathe lui adresse un sourire d'excuse.

«Désolée, Bruno, j'étais dans la lune. Qu'est-ce que tu m'as demandé?

— Dans *Shrek*, c'est quoi, ton b...bout p...préféré?»

Agathe avoue n'avoir jamais vu *Shrek*, ce que Bruno trouve inimaginable.

«Quoi??? Mais il *faut* que tu le voies!» Il se tourne vers son oncle. «Vite, Hub...bert, il faut aller voir *Shrek*!»

Hubert tempère l'ardeur de son neveu.

«C'est sûr qu'on va aller voir *Shrek*, Bruno, mais ce n'est pas si urgent... Et puis, peut-être qu'Agathe a autre chose de prévu, ce soir... On ne peut pas l'obliger à regarder le film avec nous.»

Bruno tourne un regard inquiet vers Agathe.

«P...peux-tu venir? demande-t-il d'une voix anxieuse. Tu vas voir, tu vas aimer ça. C'est vraiment b...bon!»

Agathe hésite. Oui, elle aimerait passer la soirée à regarder *Shrek* avec Hubert et Bruno. Mais elle se demande si la mise en garde d'Hubert s'adressait à Bruno ou à elle. Peut-être que c'était une façon détournée de lui suggérer de les laisser seuls, Bruno et lui…

« Tu n'es pas obligée de venir, tu sais, lui dit à présent Hubert. On va comprendre si tu préfères faire autre chose. »

Agathe secoue imperceptiblement la tête.

« Non, ce n'est pas ça. C'est juste que je ne voudrais pas abuser… Peut-être que tu préfères que je vous laisse seuls, Bruno et toi. »

C'est au tour d'Hubert de secouer la tête.

« Mais non, pas du tout, tu es la bienvenue ! » Une pause, pendant laquelle il la regarde en haussant comiquement les sourcils. « Ça peut durer longtemps, ce jeu de politesses et de précautions excessives… Et c'est toujours très embêtant de ne pas savoir à quoi s'en tenir vraiment. Allons-y franchement, veux-tu ? Tu sais déjà que Bruno aimerait beaucoup que tu viennes, mais ce n'est pas une raison pour que tu te sentes obligée de venir. J'aimerais moi aussi beaucoup que tu viennes, mais ce n'est toujours pas une raison suffisante pour que tu acceptes. As-tu *envie* de regarder *Shrek* avec nous ? »

Agathe n'a pas besoin de réfléchir longtemps.

« Oui, dit-elle d'une voix ferme. J'ai envie de regarder *Shrek* avec vous. »

~

Finnegan raccroche sans laisser de message. Depuis qu'il a vu tous ces policiers autour d'Agathe, il a renoncé à l'aborder en personne. C'est donc par téléphone qu'il va devoir reprendre contact avec elle. Mais il veut lui parler directement, pas par l'intermédiaire d'une machine.

Le temps presse. Pour l'instant, il a réussi à semer l'ombre qui le suivait, mais il sait que le répit ne peut être que de courte durée. Il lui faut joindre Agathe et mettre son plan à exécution le plus vite possible. Plus que jamais, c'est une question de vie ou de mort.

~

« Tu vas voir : il va se fouiller dans le nez ! »

Bruno, qui connaît le film par cœur, commente les scènes et prévient Agathe de ce qui s'en vient. Il trouve particulièrement drôles les passages où l'ogre pète, rote ou se cure le nez. Il rit de bon cœur, la bouche cachée derrière sa main et un œil posé sur Agathe afin de voir sa réaction. Chaque fois, Agathe fait mine d'être scandalisée, et Bruno rit de plus belle.

C'est une vraie soirée de cinéma maison, avec pop-corn, boissons gazeuses, coussins sur lesquels s'appuyer, couvertures dans lesquelles s'envelopper... Hubert, qui connaît lui aussi le film par cœur, ne prête pas beaucoup d'attention à l'écran. Il observe Bruno et Agathe — Agathe plus que Bruno, peut-être —, étrangement ému de les voir aussi absorbés par le film, les yeux rivés à l'écran et la bouche entrouverte. Il essaie de prévoir les éclats de rire d'Agathe, et il est particulièrement fier de lui quand il y parvient. Il perçoit aussi son émotion quand Rufus Wainwright chante le poignant *Hallelujah* de Leonard Cohen. Agathe ne fait pas que *regarder* le film, elle l'absorbe par toutes les fibres de son être. Il n'y a pas que son visage qui trahit ses émotions, mais sa posture, ses mains, ses épaules... À un moment donné, Hubert ferme les yeux afin de refréner l'envie qu'il a de caresser la nuque d'Agathe, d'enfouir son visage dans ses cheveux, de sentir son corps contre le sien. Ce n'est pas sexuel — pas *d'abord* sexuel, même si, bien sûr, la perspective de tenir Agathe contre lui éveille certaines sensations, certaines images, qui, elles, sont très nettement sexuelles...

« Ça va ? »

Il ouvre les yeux pour découvrir le visage d'Agathe tourné vers lui, son regard gris-vert un peu inquiet.

Ça ne va pas, non, je t'aime comme un fou et jamais je n'oserai te l'avouer, jamais je ne trouverai les mots pour traduire ce que je ressens, ça prendrait quelqu'un de plus brillant, de plus original que moi pour te dire ça... Ça ne va pas, je suis envahi de bouffées d'amour qui me font mal au ventre et qui me donnent envie de m'envoler, de rire et de pleurer en même temps...

« Ça va, répond-il plutôt. Un peu de fatigue, c'est tout... »

~

Nathalie est en train de manger tranquillement son saumon accompagné d'asperges et de lentilles à la moutarde ancienne quand Laurent fait irruption dans la salle à manger, l'air belliqueux.

« C'est toi, hein ?, toi qui as manigancé pour qu'Agathe et le cul-de-jatte se rencontrent... Hypocrite ! Tu n'attaques pas de front, non. Perfide et insidieuse, voilà ce que tu es... »

Nathalie dépose sa fourchette, découragée d'avance d'avoir à se défendre de cette accusation à laquelle elle ne comprend rien. Laurent poursuit, d'une voix emphatique :

« *Toutes les femmes sont perfides, artificieuses, vaniteuses...*

— ... *curieuses et dépravées*, conclut Nathalie en même temps que lui. Laisse Musset de côté, veux-tu, ou alors laisse-moi dire avec lui que *tous les hommes sont menteurs, inconstants, faux, bavards, hypocrites, orgueilleux ou lâches, méprisables et sensuels...* De toute façon, on détourne ces mots de leur contexte et de leur sens, et j'aimerais qu'on délaisse le théâtre et les généralités, et que tu me dises de quoi tu m'accuses, exactement. Perfide et insidieuse peut-être, mais encore faut-il que je sache pourquoi. »

Laurent ne répond pas tout de suite, mais cela ne signifie pas qu'il se soit calmé. La rage émane de lui de façon tangible. Elle s'exprime dans son corps ramassé, dans ses poings serrés, dans sa mâchoire crispée, dans cette façon qu'il a de regarder Nathalie comme s'il voulait la mettre en pièces, là, tout de suite.

« Arrête de faire l'innocente. Je sais que c'est toi. Il n'y a que toi pour concocter une vengeance aussi insidieuse, aussi...

— ... perfide, d'accord, j'ai compris. Mais qu'est-ce que je suis censée avoir fait, au juste ? »

Laurent la dévisage avec tellement de hargne que Nathalie a peur, brusquement. Laurent ne l'a jamais frappée — pas vraiment, il l'a seulement brassée avec rudesse une fois ou deux —, mais en ce moment elle sent que son mari pourrait être dangereux. Pourtant, elle tente de se raisonner. L'homme qui se trouve devant elle n'est pas un inconnu, quand même. Ce n'est pas une brute aveuglée par la haine. C'est Laurent, son mari, le père de ses enfants, l'homme avec qui elle vit depuis trente ans. Un homme intelligent, civilisé, cultivé, *raisonnable*… À peine Nathalie a-t-elle formé cette pensée qu'elle se demande qui elle essaie de tromper. Elle n'est plus sûre de rien, justement. Depuis quelques semaines, depuis quelques jours surtout, Laurent *est* un étranger pour elle. Il n'est pratiquement jamais à la maison, et quand il est là, il a cet air absent, préoccupé, tourmenté. Nathalie s'arrête juste avant d'ajouter : cet air dément, possédé…

« C'est toi qui les as présentés l'un à l'autre… » insiste Laurent d'une voix rageuse.

Nathalie s'efforce de rester calme.

« Mais de qui parles-tu ? Tu as mentionné Agathe…

— Agathe et le cul-de-jatte ! »

Nathalie grimace.

« Quel cul-de-jatte ?

— *Quel cul-de-jatte ?* répète Laurent d'une ridicule voix de tête avant de reprendre sa voix normale. Hubert Fauvel ! crache-t-il avec mépris. Tu connais d'autres culs-de-jatte, peut-être ? »

Nathalie fronce les sourcils.

« Hubert Fauvel ? Pourquoi l'appelles-tu le cul-de-jatte ?

— *Pourquoi l'appelles-tu le cul-de-jatte ?* répète une fois de plus Laurent d'une voix de fausset. Parce que c'est ce qu'il est ! lance-t-il ensuite avec mépris. Un cul-de-jatte, encombré d'un petit morveux gluant et bavant…

— C'est de Bruno que tu parles ? s'entend demander Nathalie d'une voix altérée.

— Bruno, oui, c'est comme ça qu'il s'appelle, le morveux, le moron, l'avorton… »

Nathalie ne réfléchit pas, elle ne décide rien, elle ne sait même pas qu'elle va frapper Laurent avant de se retrouver en train de lui marteler la poitrine à coups de poing furieux. C'est un réflexe, une réaction viscérale. Les mots de Laurent, et plus encore son ton rageur et méprisant, ont atteint Nathalie en plein cœur, en plein ventre. Son sang n'a fait qu'un tour, se gonflant en une vague d'une violence inouïe. Les coups sont partis tout seuls, maladroits, désordonnés, pas vraiment efficaces... Ce n'est pas seulement sa rage qu'elle exprime, c'est sa douleur, sa peur, son impuissance. Et aussi sa détermination à protéger Bruno et les autres *avortons*, les autres *morons*, tous ces enfants qu'elle côtoie à Sainte-Justine, qu'elle aime inconditionnellement et dont elle admire sans réserve le courage, la dignité, la ténacité face à la douleur et à la maladie. Elle est la maman lionne prête à tout pour protéger ses petits.

Ses coups s'arrêtent aussi brutalement qu'ils ont commencé. Laurent a saisi les poignets de Nathalie et il les immobilise en les serrant avec force. Nathalie a l'impression que ses os sont sur le point de se rompre.

« Tu veux jouer dur ? gronde-t-il en accentuant sa pression. Parfait. Mais tu vas voir que je peux jouer à ce jeu-là, moi aussi. »

~

Bruno insiste pour que ce soit Agathe qui le borde.

« Mais tu p...peux être là aussi ! » ajoute-t-il, magnanime, en direction d'Hubert.

Les adultes échangent un regard amusé. Le roi Bruno a parlé...

Le roi Bruno qui, par ailleurs, est épuisé par la journée qu'il vient de passer. Malgré sa passion pour *Shrek*, il luttait visiblement contre le sommeil pendant la dernière demi-heure du film. Ses yeux se fermaient petit à petit, sa tête s'alourdissait, mais, chaque fois, il réussissait à se redresser avec un sursaut. Après le film, Hubert a suggéré un bain express — « on fait couler deux pouces d'eau, je te passe une débarbouillette sur le corps, en trente secondes c'est fini » — et un dodo rapide.

« Et les dents, a ajouté Bruno. Il faut que je me b...brosse les dents. »

À présent, débarbouillé et les dents propres, Bruno est allongé dans son lit, et Agathe rabat soigneusement les couvertures autour de lui. Pour finir, elle lui pose un léger baiser sur le front.

« Bonne nuit, bons rêves, pas de puces, pas de punaises », murmure-t-elle.

Bruno entrouvre les paupières.

« On est comme une vraie famille, hein ? »

Puis il referme les yeux, un sourire de pur bonheur éclairant son visage.

Une fois de plus, Agathe reste figée après une remarque de Bruno. Une famille. Une vraie famille. Elle voudrait protester, émettre plein de mises en garde, mais comment dire ce qu'elle ressent sans faire cruellement souffrir le petit garçon ? Elle tourne les yeux vers Hubert, qui semble aussi troublé qu'elle.

Le jeune homme s'accroupit — difficilement — près du lit de Bruno, puis il pose une main sur la tête de son neveu.

« Toi et moi, on est une vraie famille, dit-il doucement. Agathe, c'est une amie. On est très chanceux de l'avoir pour amie. On a passé une bonne journée ensemble. Peut-être qu'on va en passer d'autres. Mais elle ne fait pas partie de notre famille... »

Bruno ne réagit pas. Un tic agite son visage, mais rien ne prouve qu'il ait été provoqué par les paroles de son oncle. Peut-être que l'enfant dort déjà, assommé par la fatigue et les émotions de la journée.

Une dernière caresse dans les cheveux de Bruno — une caresse un peu rude, une caresse d'homme qui n'a pas l'habitude des effusions —, et Hubert entreprend de se relever en s'appuyant contre le lit.

Agathe, immobile à ses côtés, le regarde se démener pour accomplir ce mouvement qui devrait être tellement naturel. Elle a le cœur qui lui fait mal, à force d'être trituré dans tous les sens. Elle devrait être reconnaissante à Hubert d'avoir répondu à Bruno comme il l'a fait, d'avoir tenté de mettre fin au malaise créé par les paroles de son neveu. Alors pourquoi se sent-elle orpheline, tout à coup ? « Elle ne fait pas partie de notre famille. » C'est la vérité, la stricte vérité, c'est ce qu'elle-même aurait voulu répliquer quand Bruno a parlé de famille, alors pourquoi perçoit-elle ces paroles comme un rejet ?

« Il dort. Tu viens ? »

~

Pria del dubbio l'indagine,
dopo il dubbio la prova…

Laurent monte le volume. Fort, plus fort, plus fort encore, de sorte que les mots et la musique de Verdi se mêlent aux battements de son cœur, à la pulsation de son sang. Que les tourments d'Othello et les siens s'expriment d'une même voix. *Avant le doute, l'enquête. Après le doute, la preuve…* Nathalie n'a pas nié, ce qui est un aveu de culpabilité. Une preuve.

La colère habite encore Laurent, mais c'est une colère froide, sans rage. Avec la certitude est venu l'apaisement. Que disaient ces lettres anonymes qu'Agathe a reçues, déjà? La trahison et les mensonges sont toujours punis — quelque chose dans ce genre-là. La trahison et les mensonges entraînent la vengeance. Tu as trahi, tu vas être punie.

Tout en effleurant en une longue caresse la lame de son *wakizashi*, Laurent songe qu'il pourrait faire siennes ces quelques phrases.

Vous avez trahi, vous serez punis.

~

Agathe ne s'attarde pas. Une fois Bruno endormi, elle aide Hubert à ramasser les plats et les verres qui traînent dans le salon puis elle annonce son désir de rentrer chez elle.

Hubert, qui avait imaginé qu'ils écouteraient les disques qu'Agathe a achetés et qui se réjouissait à la perspective d'un tête-à-tête avec elle, tente de cacher sa déception. Il adore son neveu, mais celui-ci peut être très accaparant et, aujourd'hui, il était clair que la présence de leur invitée avait sur lui un effet électrisant. Un moment de tranquillité avec Agathe aurait été le bienvenu.

« On écoutera tes disques une autre fois, dit-il. Mais pourquoi avoir acheté ces disques-là et pas d'autres, au fait? Pourquoi deux disques de ce chœur de mineurs, et aucun de Claude Léveillée? Parce que ton père était mineur?... »

Agathe passe les mains dans ses cheveux comme si elle venait de se réveiller.

« Oui…, commence-t-elle d'une voix hésitante. Et aussi… » Elle se mordille les lèvres, puis secoue doucement la tête. « J'avoue que les disques et les chansons m'étaient sortis de l'esprit. Je me sens un peu bizarre, en fait…

— Ce sont les remarques de Bruno qui te font peur? Ses idées de famille et de bébé? »

Agathe grimace un sourire.

« Ça ne te fait pas peur, à toi? »

Hubert donnerait cher pour dire ce qu'il pense vraiment, c'est-à-dire que oui, ça lui fait peur, ça le terrorise, même, tout en l'attirant très fort. Oui, lui aussi, comme Bruno, rêverait d'une famille avec Agathe, une famille à trois pour commencer, et pourquoi pas à quatre ou à cinq d'ici quelques années. Mais comme il ne tient pas à inquiéter Agathe davantage, il se contente d'une réponse qui, tout en étant parfaitement honnête, ne couvre qu'une partie de ce qu'il ressent.

« C'est troublant, disons… »

Il cherche désespérément une façon de dédramatiser tout ça. Marc-André, dans la même situation, trouverait le moyen de s'en tirer par une pirouette, une plaisanterie qui ferait naître un sourire sur les lèvres d'Agathe, qui effacerait ce sillon creusé entre ses sourcils froncés.

« Ne t'en fais pas avec ça, ajoute-t-il tout en se désolant d'être aussi terne, aussi sérieux. Dès demain, je vais expliquer à Bruno encore une fois que, toi et moi, on est seulement amis. Il devrait comprendre, il est loin d'être bête, tu sais…

— Je sais. En fait, ce serait difficile de ne pas le remarquer… »

Avec un sourire contraint, Agathe remercie ensuite Hubert *pour la belle journée* — on dirait qu'elle remercie sa tante Huguette, songe Hubert, Huguette la tante un peu fatigante que tout le monde endure en silence et avec laquelle, pour compenser, tout le monde se montre toujours tellement poli.

« Ça a été une belle journée pour nous aussi. Pour *moi* aussi. »

Un hochement de tête, un sourire tremblant, puis Agathe prend congé.

En refermant la porte, Hubert a l'impression qu'il vient de perdre une partie de lui-même, et il se demande si c'était une si bonne idée que ça d'inviter Agathe à les accompagner, Bruno et lui. Et pourtant…

Il revoit son air à la fois absorbé et abandonné lorsqu'elle regardait *Shrek* avec Bruno, ses yeux brillants quand elle s'est attaquée à son cornet de crème glacée, la patience qu'elle a manifestée envers Bruno, la tendresse avec laquelle elle a bordé l'enfant…

Il songe surtout au sentiment de plénitude qui l'a habité, lui, tout au long de cette journée. L'impression d'être là où il devait être, avec qui il devait être. L'impression d'être au cœur de la dernière chanson de la cassette faite par Julie — cette chanson qu'Agathe lui a dit avoir aimée, elle aussi, et dont elle a même acheté le disque.

'Tis the gift to be simple 'tis the gift to be free
'Tis the gift to come down where we ought to be
And when we find ourselves in the place just right
'Twill be in the valley of love and delight

Tout au long de la journée, il a eu l'impression d'être *in the place just right.* Il craint toutefois qu'Agathe ne partage pas cette impression.

Puis une phrase de Marc-André lui revient à l'esprit.

« Fais-toi confiance, Hubert. Fais-*lui* confiance. »

~

L'avantage, avec les remarques de Bruno, c'est qu'Agathe est tellement occupée à combattre la panique que celles-ci ont fait naître qu'elle en a oublié tout le reste — Desdémone, Men of the Deeps, les lettres, ses problèmes avec Laurent…

Une famille. Un bébé. Hubert qui est *à moitié dans elle et à moitié dans Bruno.* Encore une fois, Agathe se répète qu'elle ne doit pas y voir quelque chose de sexuel, il est évident que Bruno n'avait rien de sexuel en tête quand il leur a exposé sa découverte, sa théorie, sa... Agathe ne sait trop comment nommer la manipulation de lettres à laquelle s'est livré Bruno, mais elle sait que cet étrange exercice la trouble plus qu'elle ne le voudrait. Peut-être parce qu'elle-même se permet de patauger dans ces eaux-là quand elle laisse son esprit vagabonder à sa guise, quand elle imagine d'autres journées en compagnie d'Hubert, quand des visions fugitives d'Hubert près d'elle, en elle, la laissent sans souffle, le ventre brûlant et les jambes molles.

Plus elle voit Hubert, plus elle a envie de le voir encore plus, plus elle a envie de s'en approcher davantage. Quand elle est avec lui, elle a l'impression que l'air est plus léger, et en même temps plus solide, plus palpable. Elle a l'impression d'être enfin arrivée à destination, alors qu'elle n'avait pas conscience d'être en route pour quelque part. Elle ne saurait même pas expliquer pourquoi Hubert plutôt qu'un autre. Ce n'est pas une question de qualités ni de caractéristiques particulières — elle connaît plein d'hommes dotés d'un tas de qualités. Alors quoi? *Parce que c'était lui, parce que c'était moi.* Montaigne? Oui, Montaigne, tentant d'expliquer son amitié avec La Boétie. A-t-on jamais besoin d'autres raisons, en amour comme en amitié? La conviction que *c'est ça* et qu'on n'y peut pas grand-chose. C'est simple, dans le fond.

Tellement simple qu'Agathe se demande pourquoi elle a passé tant d'années à fuir toute intimité, à craindre tout rapprochement. Elle ne voulait pas reproduire l'exemple de ses parents, d'accord, cet amalgame malsain d'amour, de jalousie et de possessivité, mais l'amour mène-t-il nécessairement à ça?

Évidemment, la présence de Bruno complique les choses, ou plutôt elle leur confère un poids qu'elles n'auraient pas eu autrement, une gravité certaine. Agathe n'imagine pas entrer dans la vie d'Hubert à la légère. Il n'y aurait pas seulement Hubert et elle en cause, mais aussi Bruno, qu'il importe de protéger, ou du moins de ne pas blesser inutilement.

Tout en réfléchissant de la sorte, Agathe arrive chez elle. Comme chaque fois qu'elle ouvre la porte depuis deux jours, elle est saisie d'une crainte subite. Et si l'assassin de Desdémone était revenu ? S'il se cachait derrière la porte de sa chambre, ou dans un placard, ou derrière le rideau de douche ? Mais, comme chaque fois, elle se secoue. Elle a changé les serrures, les policiers sont à deux pas, les voisins sont aux aguets... Et, de toute façon, la personne qui a tué Desdémone — cette personne qui *doit* être Nathalie, parce qu'aucune autre possibilité n'est acceptable —, cette personne, donc, ne veut pas lui faire de mal, elle voulait simplement lui donner un avertissement... Elle-même, Agathe, n'a donc aucune raison de s'inquiéter en rentrant chez elle.

Elle referme et verrouille soigneusement la porte extérieure, monte l'escalier conduisant au troisième, ouvre puis referme la porte qui donne dans le salon, en prenant soin de la verrouiller, elle aussi. Puis elle allume les lumières et fait systématiquement le tour de l'appartement avant de se remettre à respirer normalement.

Elle a eu trois appels durant son absence. Florence, qui s'inquiète à son sujet et qui l'invite à passer quelques jours à Saint-Jovite avec Julien et elle. Laurent, qui lui demande d'une voix acerbe si elle s'est mise au bénévolat.

« C'est récent, ce goût pour les infirmes, ou tu nourris depuis toujours des penchants un peu morbides ? » a-t-il lancé avant de raccrocher.

Quant au troisième appel, impossible de savoir de qui il provient. La personne qui a composé son numéro a raccroché sans prononcer un seul mot.

Le temps qu'Agathe se dise que ça se produit souvent, ces jours-ci, et qu'elle devrait peut-être en aviser la police, le téléphone sonne de nouveau.

Agathe décroche.

« Agathe. *It's me. I'm back.* Je suis revenu. »

Troisième partie

Retours

Chapitre 20
Dimanche 22 mai

Halifax ou Ville-Marie? Hier matin, quand Hubert a formulé cette question, la réponse s'est imposée d'elle-même. Les lettres anonymes avaient peut-être été postées à Halifax, mais l'enfance d'Agathe, elle, s'était déroulée à Ville-Marie. C'était donc là qu'il devait aller pour découvrir ce qui s'était passé quand elle avait dix ans — quand, selon les mots mêmes d'Agathe, sa vie avait basculé. Hubert était persuadé que cet événement pourtant lointain était au cœur des mystères qui avaient envahi la vie de la jeune femme ces dernières semaines.

Ce matin, pourtant, en se réveillant dans la chambre 143 du motel Louise, Hubert se demande ce qui lui a pris de venir au Témiscamingue et, surtout, pourquoi il a entraîné Bruno jusqu'ici. Bruno qui dort encore, pelotonné contre lui, la bouche entrouverte et le menton barbouillé de salive.

Après avoir remis sa prothèse, Hubert se lève avec d'infinies précautions. Il veut à tout prix éviter de réveiller son neveu, qui était à bout de fatigue — et à bout de nerfs — quand ils ont fini par arriver hier soir, après onze heures de route. Normalement, il faut compter environ huit heures pour couvrir les six cent cinquante kilomètres qui séparent Montréal de Ville-Marie. Mais la présence de Bruno a obligé Hubert à faire des arrêts de plus en plus fréquents à mesure que les heures passaient. Le chemin le plus rapide pour le Témiscamingue passant par l'Ontario, ils se sont ainsi arrêtés à Ottawa, à Pembroke, à Deep River, à Mattawa, puis, de retour au Québec après avoir traversé la rivière des Outaouais, à Témiscaming, avant d'arriver à Ville-Marie, à vingt-trois heures passées… Bruno, qui s'était plaint pendant une bonne partie du trajet — *j'ai faim, j'ai soif, j'ai mal aux jambes (ou au dos, ou au cœur), j'ai envie de pipi, quand est-ce qu'on arrive?* —, venait à peine de s'endormir, et il s'est réveillé d'humeur massacrante quand Hubert a stoppé la voiture devant le motel. Il était plus de minuit quand le garçonnet s'est finalement endormi pour de bon. Et, ce matin, Hubert se dit que plus longtemps il dormira, mieux cela vaudra. D'où ses précautions pour sortir du lit et faire sa toilette.

Tout en urinant, il songe à la brève conversation — la brève *et sèche* conversation — qu'il a eue avec Agathe la veille, et qui a mené à ce voyage impromptu au Témiscamingue.

Hubert a téléphoné à la jeune femme en fin de matinée pour lui proposer une visite au Biodôme ou à l'Insectarium. Bruno s'était levé en réclamant sa nouvelle amie.

« Bonjour, Agathe. C'est Hubert. Je ne te dérange pas ? »

Un court silence au bout du fil. Puis :

« Oui, en fait. J'allais sortir.

— Je peux te rappeler plus tard… »

Un autre silence, plus long que le premier.

« Non, ne rappelle pas. Je… je vais être très occupée, ces jours-ci, et… »

Elle n'a pas fini sa phrase, mais son message était clair : elle n'avait aucune envie de lui parler ou de le voir. Pas maintenant. Peut-être plus jamais ? Une angoisse sourde a envahi Hubert, une angoisse qui lui a noué le ventre et comprimé la poitrine. C'était fini, c'est ça ? fini avant même d'avoir commencé ? Bruno et lui avaient fait peur à Agathe, la veille, en se montrant trop accaparants, trop *famille* ? Elle s'était sentie coincée et elle avait décidé de prendre ses distances ? Hubert avait pourtant l'impression qu'elle avait passé de bons moments avec eux. Il n'a pas imaginé ses fous rires, quand même, ni l'émotion qui l'a saisie à quelques reprises... Ou peut-être que si. Peut-être que la complicité et même la tendresse qu'il a cru sentir entre eux étaient à sens unique. Agathe avait besoin d'air ? Il allait lui laisser de l'air. Il ne voulait surtout pas risquer de la faire fuir à tout jamais en se montrant trop pressant.

« OK, a-t-il réussi à articuler. À... à un de ces jours, alors... Rappelle-moi quand ça t'adonnera...

— C'est ça, oui. *Ciao !* »

Puis elle a raccroché.

Ciao. Ce mot — et le ton désinvolte sur lequel il a été prononcé — a fait grimacer Hubert, qui a eu l'impression d'entendre une craie crisser sur un tableau noir.

« Elle ne va p...pas venir, Agathe ? »

Hubert a déposé doucement le combiné avant de répondre à Bruno.

« Non. »

Puis, devant l'air déçu de son neveu, il a ajouté :

« Mais ça ne nous empêche pas de passer du bon temps, toi et moi. Et plutôt que d'aller au Biodôme ou à l'Insectarium, qu'est-ce que tu dirais de... de partir en vacances pour quelques jours ? »

Le visage de Bruno s'est illuminé.

« En vacances ? Où ça ? »

C'est à ce moment que s'est posée la question *Halifax ou Ville-Marie ?*, à laquelle Hubert n'a pas eu besoin de réfléchir longtemps avant de répondre.

« Au Témiscamingue.

— Sup...per ! » a dit Bruno, qui entendait parler du Témiscamingue pour la première fois de sa vie mais qui était prêt à aller n'importe où avec Hubert et à trouver ça super.

À présent, en revenant vers le lit où dort encore son neveu, Hubert se demande pourquoi il n'a pas choisi d'aller ailleurs, dans un endroit qui n'aurait rien eu à voir avec Agathe et qui aurait mieux convenu à un enfant. À Ogunquit, par exemple, qui aurait permis à Bruno de découvrir la mer. Ou encore à Québec ou à Ottawa, des villes avec des musées, des parcs, des magasins, des restaurants… Autrement dit, de quoi occuper un garçon de neuf ans. Au lieu de ça, les voici à Ville-Marie, au Témiscamingue, où il n'y a pas grand-chose à faire au mois de mai, s'il se fie au dépliant touristique qu'il a consulté avant de s'endormir la nuit dernière. S'ils étaient venus l'été, ils auraient pu se baigner dans le lac Témiscamingue, visiter la Maison du colon et le Lieu historique national du Fort-Témiscamingue et s'adonner à de nombreuses activités de plein air. Mais en mai… À part chasser les mouches noires, Hubert ne voit pas trop ce qu'il va pouvoir faire avec Bruno. D'autant plus qu'il ne doit pas oublier son but premier, qui est de découvrir le passé d'Agathe.

Avant de quitter Montréal, Hubert a d'abord réglé certains détails pratiques : téléphoner à Sophie, la mère d'accueil de Bruno, pour la prévenir qu'il emmenait celui-ci en vacances pour quelques jours ; prolonger le contrat de location de la voiture ; faire les bagages… Ensuite, il a voulu téléphoner à Mariette Soucy-O'Reilly, la mère d'Agathe, pour prendre rendez-vous avec elle, mais le numéro qu'Agathe lui avait fourni, à sa première visite chez lui, ne lui a été d'aucune utilité. *Le numéro composé n'est pas en service…* Hubert a été déçu, mais pas vraiment étonné. Agathe n'ayant pas eu de contact avec sa mère depuis des années, celle-ci avait pu déménager sans que sa fille le sache. Il a consulté l'assistance-annuaire, sans succès. Il n'y avait pas plus de Mariette Soucy-O'Reilly parmi les abonnés de Ville-Marie que de M. Soucy ou de M. O'Reilly. Tant pis, s'est-il dit en raccrochant, je pars quand même. Une fois sur place, il lui serait plus facile de trouver la mère d'Agathe.

Hier soir, dès son arrivée au motel, il a demandé au jeune homme de la réception — un dénommé Éric, d'après le nom épinglé à sa chemise — s'il connaissait Mariette Soucy.

« Jamais entendu ce nom-là, a répondu Éric.

— Mariette O'Reilly, alors ?

— O'Reilly ? C'est pas le nom du tueur, ça ? »

Hubert s'est figé, l'esprit en alerte malgré sa fatigue. Le tueur? S'agissait-il du père d'Agathe — ce père dont sa fille avait déjà dit qu'il *n'existait plus*, mais qu'elle tenait à tout prix à protéger de la curiosité des policiers? Si c'était lui, et s'il avait commis son ou ses crimes quand Agathe avait dix ans, cela expliquerait que la vie de la fillette ait *basculé* à cette époque. Mais avant de sauter aux conclusions, Hubert a voulu en savoir davantage.

« Le tueur? a-t-il répété. Qu'est-ce que tu veux dire? »

Malheureusement, les connaissances d'Éric se sont révélées plutôt minces.

« Ça s'est passé quand j'étais petit. Tout ce que je sais, c'est qu'il y a eu un meurtre, que le coupable s'appelait O'Reilly et qu'il a disparu sans laisser de traces… »

La possibilité qu'il s'agisse du père d'Agathe tenait toujours. Agathe avait maintenant vingt-sept ans. Si le meurtre avait eu lieu quand elle avait dix ans, cela signifiait qu'il avait été commis dix-sept ans auparavant, alors qu'Éric devait être encore bien jeune, en effet. Et si le tueur n'avait jamais été retrouvé, on pouvait supposer que c'était parce qu'il se cachait hors du Témiscamingue et même hors du Québec. En Nouvelle-Écosse, par exemple…

« Connaîtrais-tu quelqu'un qui pourrait m'en dire plus long à ce sujet? » a demandé Hubert.

Éric s'est gratté la tête.

« Ma mère, probablement… Mais je ne peux pas l'appeler à cette heure-ci. De toute façon, elle n'est pas en ville. Elle est partie voir sa sœur à Québec. »

Le jeune homme a ensuite remis à Hubert la clé de la chambre 143.

« Le déjeuner est servi à partir de six heures », a-t-il précisé.

À présent, en attendant que Bruno se réveille, Hubert se demande — comme il l'a fait une partie de la nuit — si c'est le père d'Agathe qui a envoyé les lettres anonymes et tué Desdémone. Et il regrette, une fois encore, de ne pas avoir insisté pour qu'Agathe parle de son père aux policiers. S'il fallait que cet homme lui fasse du mal! Hubert est plus que jamais déterminé à rencontrer Mariette Soucy, qui pourra non seulement le renseigner sur ce qui s'est produit dix-sept ans plus tôt, mais également lui dire si son mari, ou ex-mari, représente une menace pour Agathe. Et, pour trouver Mariette Soucy, il va poser des questions ici et là — au restaurant du motel, dans différents commerces, à l'hôtel de ville, à l'église… — en espérant tomber sur quelqu'un qui la connaît. On est dimanche, l'hôtel de ville est sûrement fermé. L'église, par contre, pourrait être un bon filon. Agathe ne lui a-t-elle pas dit que sa mère était très religieuse ? Toute église catholique qui se respecte propose au moins une messe le dimanche matin à ses paroissiens, non ?

La voix de Bruno, qui vient de se réveiller, interrompt ses réflexions.

« J'ai faim. »

Hubert sourit à son neveu.

« Dépêche-toi de t'habiller, alors, pour qu'on aille déjeuner. »

~

« Mariette Soucy ou O'Reilly ? Ça ne me dit rien… »

Conrad Sirois, curé de la paroisse Notre-Dame-du-Rosaire, secoue la tête d'un air désolé.

« Il faut dire que je ne suis dans la région que depuis trois ans », précise-t-il à Hubert, qui l'a abordé sur le parvis de l'église après la messe de onze heures, « et que je dessers aussi Lorrainville. Si cette femme n'a pas fréquenté l'église récemment, je n'ai pas eu la possibilité de la rencontrer. Mais je peux m'informer, si vous voulez. Certains de mes paroissiens sauraient sûrement… »

Le curé s'interrompt soudain, et un sourire illumine son visage rougeaud.

« Monsieur Bergeron ! lance-t-il d'une voix forte en faisant de grands signes à un vieillard qui vient de sortir de l'église par une porte latérale. Venez, nous aurions besoin d'un renseignement… »

L'homme est grand et maigre, et il doit frôler les quatre-vingts ans. Malgré son âge, il marche d'un pas assuré vers le trio formé par le curé, Hubert et Bruno. Pendant qu'il s'approche, le curé Sirois explique que la femme de Wilbrod Bergeron, Jeannine, est une mine de renseignements sur l'histoire de la région. Elle a toujours vécu à Ville-Marie, elle a enseigné durant plus de trente-cinq ans, elle est présidente de la Société d'histoire du Témiscamingue et elle s'occupe activement du Centre des archives...

« Alors, Wilbrod, dit le curé quand le vieillard n'est plus qu'à quelques pas, Jeannine ne vous accompagne pas, ce matin ?

— Eh non ! monsieur le curé, elle est à la pêche avec Jean-Paul, notre plus vieux !

— Comme les trois quarts de mes paroissiens, j'ai l'impression... Avec le temps de chien qu'on a eu la fin de semaine passée pour l'ouverture de la saison de pêche, on dirait que tout le monde a décidé d'aller sur les lacs cette semaine. L'assemblée des fidèles était plutôt chétive, ce matin...

— Plus que d'habitude, vous voulez dire ? »

Le curé éclate de rire, et Wilbrod Bergeron adresse un clin d'œil amusé à Hubert.

Conrad Sirois désigne Hubert.

« Ce jeune homme cherche une femme qui s'appelle Mariette Soucy ou O'Reilly. Ça vous dit quelque chose ? »

Wilbrod Bergeron n'a pas une seconde d'hésitation.

« Bien sûr. Difficile d'oublier ce nom-là, avec ce qui s'est passé. » Il secoue la tête. « Triste histoire. *Terrible* histoire... C'est vrai que c'était avant votre temps. Ça doit bien remonter à quinze ans... Plus que ça, même. C'était avant la mort de ma sœur Yvette, qui nous a quittés il y a seize ans... »

Triste histoire, terrible histoire...

« Quelqu'un m'a parlé d'un meurtre, intervient Hubert. Le tueur s'appelait O'Reilly. C'est à ça que vous faites référence ? »

Wilbrod Bergeron le dévisage un court moment avant de lui poser une question à son tour.

« Pourquoi voulez-vous retrouver Mariette O'Reilly, au juste ? »

Hubert sent le vieillard sur ses gardes, et il s'efforce de le rassurer.

« Je suis un ami de sa fille Agathe, explique-t-il. Elle a des ennuis, et sa mère pourrait sûrement l'aider. »

Wilbrod Bergeron hoche la tête.

« Agathe, murmure-t-il. Une belle petite rouquine, un peu gênée… Ça a dû être épouvantable pour elle, cette histoire-là. Surtout que… »

Il se tait brusquement, et Bruno en profite pour s'immiscer dans la conversation.

« Je la connais, Agathe, dit-il. C'est vrai qu'elle est b…belle ! »

Le vieil homme sourit au petit garçon avant de revenir à Hubert.

« Malheureusement, je ne peux pas vous aider, dit-il. Il y a bien longtemps que je n'ai pas pensé à Mariette O'Reilly, et je ne sais pas où vous pourriez la trouver. Jeannine le saurait peut-être, mais elle ne sera pas là avant deux ou trois jours…

— Quelqu'un d'autre de la Société d'histoire ? » suggère le curé.

Wilbrod Bergeron réfléchit un moment.

« Suzelle est à l'hôpital, finit-il par dire. Cécile est en visite chez sa fille, à Ottawa… »

Hubert ne veut pas le brusquer, mais il n'a pas vraiment envie de connaître l'emploi du temps de tous les vieillards de Ville-Marie.

« Monsieur le curé a mentionné le Centre des archives dont s'occupe votre femme, dit-il à Wilbrod Bergeron. Est-ce que le Centre est ouvert le dimanche ? Je pourrais sûrement y trouver des renseignements utiles… »

Le vieil homme se gratte la tête.

« Normalement, le Centre est fermé le dimanche. Il faudrait que vous attendiez à demain. De toute façon, je ne crois pas que vous découvrirez l'adresse de Mariette O'Reilly là-bas… »

Hubert décide de jouer le tout pour le tout.

« S'il vous plaît, monsieur Bergeron, il faut que j'aie accès au Centre des archives le plus vite possible. C'est vraiment important. Je vous l'ai dit, Agathe a des ennuis, peut-être même qu'elle est en danger. Je veux l'aider et, pour ça, il faut que je sache exactement ce qui s'est passé quand elle avait dix ans. Et si je ne peux pas parler à Mariette O'Reilly, je vais me contenter des journaux de l'époque pour me renseigner ! »

Wilbrod Bergeron hésite.

« Je ne sais pas si je devrais… D'un côté, je ne vous connais pas, et le Centre des archives est fermé le dimanche… D'un autre côté, c'est quand même du domaine public, cette histoire, et tout le monde a le droit de consulter les archives… Et si, en plus, vous me dites que c'est important…

— *Très* important ! Très important et très urgent… »

Le vieil homme soupire.

« Je sais où Jeannine met ses clés, dit-il. Suivez-moi, le Centre se trouve tout près d'ici, dans le sous-sol du Palais de justice, rue Saint-Gabriel… »

~

Pendant que Bruno est occupé à colorier, Hubert consulte l'épais registre qui contient les cinquante-deux numéros de l'hebdomadaire régional *Le Témiscamien* pour l'année 1988, année au cours de laquelle le meurtre impliquant le père d'Agathe a vraisemblablement été commis si, comme l'a dit Agathe, sa vie a basculé quand elle avait dix ans.

Le Centre des archives est logé dans une vaste salle éclairée par des néons à l'entrée de laquelle une affiche interpelle les visiteurs : *DEVENEZ MEMBRE de la Société d'histoire du Témiscamingue.* Le mobilier comprend deux tables de consultation, dont une avec ordinateur, quelques bureaux et armoires, un vieux secrétaire, un fauteuil et un divan offerts par Jeannine Bergeron et provenant du *Météor*, un bateau ayant longtemps assuré le transport sur le lac Témiscamingue, un téléviseur, un meuble à grands tiroirs où sont classés les cartes et les plans… Les rayons, impeccablement tenus, recèlent des trésors pour qui s'intéresse à l'histoire de la région : journaux, ouvrages d'histoire et de généalogie, œuvres d'écrivains témiscamiens, photos des événements marquants de la région depuis les débuts de la colonisation, à la fin du dix-neuvième siècle…

S'il disposait de plusieurs heures, Hubert éplucherait chacun des numéros du *Témiscamien* publiés en 1988. Il risque cependant d'avoir à interrompre ses recherches rapidement. Pour le moment, Bruno est concentré sur son dessin, mais Hubert sait par expérience que la patience de son neveu — comme celle de la plupart des garçons de neuf ans, handicapés ou non — n'est pas illimitée. Dans vingt minutes ou une demi-heure, Bruno va montrer des signes d'impatience. Hubert a donc intérêt à commencer par jeter un coup d'œil à la première page de chaque numéro, un meurtre ayant forcément fait la une de l'hebdo régional. Quand il aura trouvé ce qu'il cherche, il pourra examiner plus à fond le journal de cette semaine-là et ceux des semaines suivantes.

Premier numéro, celui du mercredi 6 janvier 1988. Cette semaine-là, Gilles Baril revient en politique, la Caisse populaire de Ville-Marie fait peau neuve, les villages de Moffet, Laforce et Belleterre ont été isolés pendant trois jours à cause d'une tempête de neige, et la chorale Les Voix du Témis a su émouvoir les pensionnaires d'un foyer pour vieillards.

Au fil des semaines, Hubert apprend toutes sortes de choses sur la vie dans la région. En février, le Festival du poisson à Angliers attire trois mille personnes ! En mars, le Parti conservateur annonce que l'environnement prendra une place importante dans les débats des assises annuelles. En avril, les femmes agricultrices veulent devenir partenaires dans l'entreprise agricole, une compagnie de Vancouver annonce qu'elle a découvert un gisement de cuivre et de zinc exceptionnellement riche au nord-est de Ville-Marie, et le nom *Patrick O'Reilly* apparaît pour la première fois dans la légende d'une photo de la chorale Les Voix du Témis (celle-là même qui avait ému des vieillards en janvier). Hubert scrute attentivement le visage qui correspond au nom O'Reilly, cherchant une ressemblance avec Agathe (l'épaisse chevelure bouclée, peut-être, et qu'il imagine blond-roux), mais il n'y a pas grand-chose à tirer de cette photo : la chorale compte une vingtaine de personnes, les visages sont minuscules, l'impression est de piètre qualité, le papier est jauni par le temps… Peut-être qu'avec une loupe…

Hubert insère un bout de papier dans le registre à la page où apparaît la photo. Pour l'instant, c'est tout ce qu'il a. C'est peu, mais rien ne dit que ça ne se révélera pas utile à un moment donné.

Les semaines passent, et les petits et grands événements de la région défilent sous les yeux d'Hubert. Des décès, des faillites, des mises à pied. Des récompenses et des projets d'expansion. Le 1er juin, une Témiscamienne est lauréate d'un prix provincial d'excellence en histoire. Le 15 juin, les Algonquins discutent de droits territoriaux et d'autonomie. Certains titres titillent la curiosité d'Hubert, mais il résiste à la tentation de lire les articles pour en savoir davantage — il est là pour découvrir ce qui est arrivé à Agathe et à sa famille, pas pour apprendre quel est le *record phénoménal* que Léandre Arpin a battu en juin, ni ce qu'est exactement ce Festival de la grande bouffe qui a été une réussite malgré la pluie, ni même ce qui a causé une *terrible déception* aux Filles d'Isabelle à la mi-août. Le 21 septembre, entre un portrait de Saint-Bruno-de-Guigues et une publicité pour un spectacle de Dan Bigras à la salle Augustin-Chénier, un titre l'intrigue davantage: **Mine d'or près du lac Simard?** Parle-t-on d'une véritable mine d'or, comme celles qu'on trouve le long de la faille de Cadillac, plus au nord, ou ne s'agit-il que d'une figure de style? Le géologue qu'est Hubert va voir le court article de la page 3, qui commence par rappeler qu'un gisement de cuivre et de zinc a été découvert quelques mois auparavant près de Ville-Marie par une compagnie de Vancouver, avant de faire part de rumeurs voulant que des gisements comparables existent aussi près du lac Simard et que le sous-sol de certaines terres au nord du lac n'appartienne pas à la Couronne, ce qui pourrait se révéler très lucratif pour les propriétaires desdites terres. Étonnant, mais pas entièrement impossible. Y a-t-il eu des développements de ce côté par la suite? Hubert n'en a aucun souvenir. Avec un haussement d'épaules, il passe au numéro suivant, bien décidé à ne plus se laisser détourner de l'objet de ses recherches. Cette semaine-là, les travaux de réfection de la route 391 occupent la première page. Début octobre, il est question d'accusations d'inceste, et on rappelle que le concours de la plus grosse citrouille se termine sous peu, mais qu'il est encore temps de s'y inscrire, de même qu'à celui de la citrouille la mieux décorée. Quelque chose me dit que les citrouilles gagnantes vont être présentées dans *Le Témiscamien* dans quelques semaines, songe Hubert. Mais quand il arrive au numéro suivant, celui du mercredi 12 octobre, ce n'est pas une photo de citrouille qu'il découvre, mais un titre qui prend la moitié de la page: **MEURTRE SAUVAGE À L'ÎLE GIRARD!!!** En plus petit : **L'assassin présumé est en fuite.** Et, plus bas, une photo accompagnée d'une légende: **Patrick O'Reilly, 44 ans, est recherché relativement au meurtre de Réjean Turgeon, 35 ans, un géologue de passage dans la région.**

Cette fois, Hubert n'a pas besoin de loupe pour distinguer les traits de Patrick O'Reilly, père d'Agathe et assassin présumé. La photo révèle un homme vigoureux à l'épaisse chevelure bouclée et à l'air jovial, un homme qui ne ressemble en rien à l'idée qu'Hubert se fait d'un assassin. Mais peut-être n'est-il pas un assassin, non plus... Le journal parle d'assassin *présumé*. Comme tout le monde, Hubert sait que chacun est considéré comme innocent tant qu'on n'a pas établi la preuve de sa culpabilité. Cette preuve a-t-elle été établie dans le cas de Patrick O'Reilly?

Impatient d'en apprendre davantage, Hubert tourne la page.

Une scène d'horreur !

Robert Duguay

C'est vers dix-neuf heures trente, le lundi 10 octobre, que Pauline Sanscartier, une résidante de l'île Girard, entre Ville-Marie et Saint-Bruno-de-Guigues, a découvert une scène d'horreur devant chez elle. Un de ses voisins, Patrick

Il vient à peine de commencer le premier article quand il est interrompu.

« J'ai fini. »

Bruno, qu'il n'a pas entendu s'approcher, lui tend une feuille.

« Regarde. J'ai dessiné Agathe et nous deux. »

La tête encore pleine des mots *meurtre sauvage*, *assassin* et *scène d'horreur*, Hubert a du mal à revenir au présent. Il prend machinalement le dessin, dans lequel trois personnages (il suppose que celui aux longs cheveux retroussés représente Agathe) se tiennent par la main en arborant d'énormes sourires.

« Wow, dit-il d'une voix qu'il s'efforce de rendre enthousiaste. Ils ont l'air contents…

— Mets-en ! » répond Bruno avec une ferveur qui arrache un sourire à son oncle.

Hubert se dit qu'il serait sans doute plus honnête de sa part de tempérer l'ardeur de Bruno, de lui répéter, encore une fois, qu'Agathe n'est qu'une amie, pas plus, et qu'il ne doit pas s'attendre à ce qu'elle partage trop souvent leurs activités, mais il n'a pas le cœur à jouer les éteignoirs. Il a, lui aussi, l'esprit occupé par Agathe — l'Agathe de maintenant et celle d'octobre 1988, quand l'horreur a fait irruption dans sa vie. Elle avait dix ans, et son père était soupçonné de meurtre… Hubert essaie d'imaginer Agathe à dix ans. Il voit une tignasse blond-roux, un visage fin et pâle, de grands yeux gris-vert. Et, dans ces yeux, la peur, la peine, l'incompréhension — tout le désarroi du monde. Comment Agathe a-t-elle vécu ces jours-là ? Sa mère, elle aussi plongée dans la tourmente, était-elle en mesure de s'occuper d'elle, de répondre à ses questions, de la consoler ? Les rapports actuels d'Agathe avec sa mère sont distants, pour ne pas dire inexistants, mais qu'en était-il à cette époque ?

« J'ai fini, répète Bruno. Quand est-ce qu'on s'en va ? »

Hubert doit se retenir pour ne pas répondre sèchement. Ce n'est pas la faute de Bruno, quand même, si son oncle a eu l'idée saugrenue de l'emmener avec lui dans sa quête du passé d'Agathe. Lui, Hubert, qui est un adulte responsable et supposément raisonnable, aurait dû prévoir que la situation impliquerait quelques désagréments pour l'un comme pour l'autre. Et des compromis.

« J'ai besoin de plus de temps, explique-t-il à Bruno. Tout à l'heure, en faisant le tour de la salle, j'ai vu une télé. On va demander à monsieur Bergeron si tu peux regarder une émission pendant que je passe à travers ces journaux-là… »

Bruno évalue l'épaisseur du registre d'un air soupçonneux.

« Ça va p…prendre combien de temps ? J'ai faim ! »

Il est presque treize heures, et Hubert reconnaît qu'il serait l'heure de dîner, en effet, même si lui-même n'a pas particulièrement faim. Mais il ne veut pas sortir du Centre des archives avant d'en savoir davantage sur le meurtre de Réjean Turgeon et sur Patrick O'Reilly, l'assassin présumé. Wilbrod Bergeron a eu la gentillesse de leur donner accès au Centre, mais rien ne garantit qu'il accepterait de les accompagner de nouveau dans quelques heures.

« Laisse-moi trois quarts d'heure », dit donc Hubert à Bruno.

Il voit aussitôt le visage de son neveu se renfrogner.

« C'est long, trois quarts d'heure… Quinze minutes ! »

Compromis, se répète Hubert.

« *Trente* minutes », concède-t-il.

Bruno accepte d'un signe de tête, tout en jetant un coup d'œil à l'énorme montre (une montre *super-techno*, comme il se plaît à le répéter) qui alourdit son poignet gauche.

« Jusqu'à treize heures vingt-cinq… »

Mais son oncle n'entend pas les choses ainsi.

« Trente minutes à partir du moment où tu commences à regarder la télé », précise-t-il d'une voix ferme. Il y a des limites aux compromis.

~

Une fois Bruno installé devant la télé, Hubert revient au numéro du mercredi 12 octobre.

Une scène d'horreur !

Robert Duguay

C'est vers dix-neuf heures trente, le lundi 10 octobre, que Pauline Sanscartier, une résidante de l'île Girard, entre Ville-Marie et Saint-Bruno-de-Guigues, a découvert une scène d'horreur devant chez elle. Un de ses voisins, Patrick

O'Reilly, venait de frapper mortellement à coups de fourche un géologue de passage dans la région, Réjean Turgeon. En apercevant le macabre spectacle, Mme Sanscartier s'est mise à hurler, ce qui lui a sans doute sauvé la vie. Alertés par ses cris, deux fermiers qui passaient heureusement à proximité, Marcel Chartier et son fils Julien, ont engagé leur véhicule dans le chemin menant au domicile de Mme Sanscartier. Presque aussitôt, leurs phares ont éclairé une scène dont ils se souviendront toute leur vie — le corps sanglant de Réjean Turgeon étendu en travers du chemin, et Pat O'Reilly, l'air hagard, qui a laissé tomber la fourche qu'il tenait encore dans ses mains avant de prendre la fuite dans le boisé qui sépare la maison de Mme Sanscartier de la sienne. Un peu plus loin, à peine visible dans le noir, Pauline Sanscartier continuait à hurler…

Depuis, Patrick O'Reilly n'a pas été revu. Malgré des recherches intensives, le présumé meurtrier reste introuvable. Comme le drame s'est produit en bordure du lac Témiscamingue, la police étudie la possibilité que le suspect ait traversé le lac en chaloupe afin de trouver refuge en Ontario, d'où il est originaire. O'Reilly a longtemps vécu à Timmins et à Kirkland Lake, et il a travaillé dans plusieurs mines du nord-est ontarien avant d'épouser en 1971 Mariette Soucy, de Ville-Marie. Le couple Soucy-O'Reilly vit à l'île Girard depuis ce temps-là.

Patrick O'Reilly, 44 ans, mesure 5 pieds 11 pouces et pèse environ 180 livres. Il a les cheveux roux et bouclés, le teint coloré et les yeux gris-vert. Il s'exprime avec un fort accent anglais. Au moment de sa disparition, il portait des jeans et un coupe-vent noir. Quiconque aurait aperçu le suspect ou aurait des renseignements à son sujet est prié de communiquer avec le poste local de la Sûreté du Québec, au numéro…

12 octobre 1988

Le meurtre de Réjean Turgeon n'aurait pas été prémédité

Robert Duguay

Pour l'instant, tout porte à croire que Réjean Turgeon, brutalement assassiné lundi dernier, s'est simplement trouvé au mauvais endroit au mauvais moment. « Patrick O'Reilly venait juste de sortir de chez moi, et il était fou furieux », nous a confié Pauline Sanscartier, qui a été témoin de la fin du drame. La femme de 38 ans, qui a emménagé dans la maison voisine de celle du suspect en juillet dernier, est une amie intime de Mariette Soucy, la femme de Patrick O'Reilly. « Mariette et son mari vivaient une situation familiale extrêmement difficile, ces temps-ci, et Pat était persuadé que j'avais monté Mariette contre lui. Ce soir-là, il est arrivé chez moi très en colère, et j'ai commencé par lui dire que je ne discuterais pas avec lui tant qu'il ne se serait pas calmé. Mes paroles ont semblé l'enrager encore plus, et il s'est mis à hurler et à frapper sur tout ce qu'il voyait. J'ai eu peur qu'il s'en prenne à moi, et j'ai couru vers la porte pour me sauver. En même temps, je criais de toutes mes forces. Pat m'a rattrapée et il m'a projetée contre le mur de la maison. Je suis tombée, et je pense que j'ai perdu connaissance un court instant. Quand je suis revenue à moi, j'ai entendu des cris et des bruits inquiétants dans le chemin qui mène à la route principale. Il faisait noir, et je ne voyais pas grand-chose. J'ai eu peur. J'ai pensé que Mariette était venue aux nouvelles et qu'elle était tombée sur son mari. Enragé comme il l'était, il risquait de lui faire du mal. J'ai avancé jusqu'au chemin, et là, malgré la noirceur, j'ai été capable de distinguer Pat, penché sur quelqu'un étendu par terre. Quand il s'est relevé, j'ai vu qu'il avait une fourche dans les mains. Je me suis remise à hurler. J'étais sûre qu'il venait de tuer Mariette. C'est juste après, quand Marcel Chartier est arrivé, que j'ai su que ce n'était pas Mariette, mais Réjean Turgeon qui était là. Je suppose qu'il avait entendu des cris et qu'il était venu voir ce qui se passait. Le pauvre, il n'a eu aucune chance… »

Pour ce qui est de la fourche qui a servi à tuer Turgeon, Mme Sanscartier précise que c'est une fourche qui lui appartient et qui est presque toujours appuyée contre le mur de sa maison. « Je n'ai pas vu ce qui s'est passé, mais je suppose que Pat a paniqué quand il a entendu quelqu'un s'approcher. Il a dû prendre la fourche, et… »

Réjean Turgeon, un géologue-conseil auprès de la compagnie Allotta Ressources, de Vancouver, était dans la région depuis la mi-septembre afin d'évaluer le potentiel minier du territoire situé aux alentours du lac Simard et du réservoir Decelles.

Selon les renseignements dont dispose présentement la police, l'homme de 35 ans était célibataire, et c'était son premier séjour au Témiscamingue. Réjean Turgeon et Patrick O'Reilly ne se connaissaient vraisemblablement pas, et seul le plus malheureux des hasards a mis le géologue sur la route de celui qui allait devenir son meurtrier.

12 octobre 1988

Le numéro suivant du *Témiscamien* faisait des révélations-chocs tant sur Patrick O'Reilly que sur Réjean Turgeon. Deux grands titres se partageaient la première page. Du côté gauche : **Rumeurs troublantes au sujet de Patrick O'Reilly** ! ! ! Du côté droit : **Réjean Turgeon, victime et escroc ?**

Hubert va voir à l'intérieur. La page 2 est consacrée à O'Reilly, la page 3, à Turgeon.

Rumeurs troublantes au sujet de Patrick O'Reilly!!!

Louise Héroux

Depuis la disparition de Patrick O'Reilly, la semaine dernière, des rumeurs extrêmement troublantes ont commencé à circuler sur l'homme de 44 ans, que tous, jusqu'à présent, considéraient comme un citoyen au-dessus de tout soupçon: honnête, travailleur, bon mari et bon père… Il semblerait que les apparences aient été trompeuses et que Pat O'Reilly, sous ses dehors de bon gars, ait caché des penchants inavouables. Des sources fiables nous ont confié qu'au moment du meurtre de Réjean Turgeon, le 10 octobre dernier, O'Reilly faisait l'objet d'une enquête policière. La nature de cette enquête ne peut pas être révélée, mais les accusations portées contre lui sont très graves. Nous avons aussi appris que, pour la durée de cette enquête, O'Reilly n'avait accès à son domicile que sous certaines conditions et que ses contacts avec sa femme et sa fille étaient régis par des règles très strictes. Selon nos sources, O'Reilly a très mal réagi aux accusations et aux restrictions qui lui étaient imposées. Cet homme, que certains de ses amis décrivent comme un «doux géant», serait entré dans une rage folle, qui aurait nécessité une intervention musclée. O'Reilly aurait également nourri une forte rancœur envers Pauline Sanscartier, une amie de sa femme, qui aurait encouragé celle-ci à le dénoncer à la police. On comprend mieux l'état d'esprit d'O'Reilly lorsqu'il s'est présenté chez Mme Sanscartier le soir du 10 octobre, quelques instants avant le drame. L'homme vivait sans doute la période la plus sombre de sa vie. Démasqué, accusé, traqué, il savait qu'il était sur le point de tout perdre, et il a voulu décharger sa colère et sa frustration sur celle qu'il tenait en partie responsable de son malheur. Une fois en présence de

Mme Sanscartier, il semble avoir complètement perdu la tête. On connaît la suite…

19 octobre 1988

Hubert a lu cet article avec un malaise grandissant. De quoi Patrick O'Reilly avait-il été accusé, au juste, peu de temps avant le meurtre ? Pourquoi ne pouvait-il pas s'approcher librement de sa femme et de sa fille ? Pourquoi la journaliste ne pouvait-elle pas révéler la nature de l'enquête menée contre lui ? Spontanément, Hubert pense à quelque chose de sexuel — quelque chose de sexuel impliquant une ou des personnes d'âge mineur, ce qui expliquerait que la presse ne puisse pas en dire davantage. N'a-t-il pas été question d'inceste, dans un numéro précédent du *Témiscamien* ?

Hubert n'a pas besoin de chercher bien longtemps avant de trouver ce qu'il cherche, un court article — un entrefilet, plutôt — dans le numéro du 5 octobre.

Accusations d'inceste !

Des accusations d'attentat à la pudeur et d'inceste pèsent contre un homme de 44 ans de la région de Ville-Marie. Les actes qui lui sont reprochés auraient été commis à l'égard de sa fille de 10 ans. C'est la femme de l'accusé, également mère de la fillette, qui a porté plainte contre lui. Une enquête policière est présentement en cours.

5 octobre 1988

Hubert a l'impression de manquer d'air, tout à coup. Agathe. Agathe à dix ans. Agathe à peine plus vieille que Bruno maintenant… Il n'a pas la *certitude* qu'il s'agit d'elle, mais tous les indices la désignent comme victime. Un homme de quarante-quatre ans accusé d'inceste sur sa fille de dix ans. Patrick O'Reilly, âgé de quarante-quatre ans, qui est père d'une fille de dix ans et qui fait l'objet d'une enquête dont on ne peut rien révéler. Brusquement, Hubert se demande à quoi Agathe faisait référence quand elle lui a dit que sa vie avait basculé quand elle avait dix ans. Au meurtre, ou à un autre genre de crime que son père aurait commis envers elle ?

Hubert voudrait laisser tomber les journaux et courir vers Agathe pour la consoler, la rassurer, la guérir de toutes ses blessures. Mais il sait bien que ça ne marche pas comme ça, qu'il ne suffit pas d'aimer quelqu'un très fort et de souhaiter que toutes ses peines s'envolent pour que cette personne soit miraculeusement soulagée. On ne peut ni vivre à la place des autres ni porter leurs blessures pour eux. On ne peut que les écouter, les soutenir, les assurer de notre amour — et espérer que notre présence allégera un peu leur souffrance.

De toute façon, même s'il le voulait, Hubert ne peut pas se précipiter vers Agathe en ce moment. Plusieurs centaines de kilomètres les séparent, et Agathe lui a aussi fait comprendre qu'elle ne voulait pas le voir. Pour l'instant, tout ce qu'il peut faire pour l'aider, c'est découvrir si elle est en danger ou pas et, le cas échéant, s'efforcer de la protéger. Ce qu'il vient d'apprendre au sujet de Patrick O'Reilly n'est pas très rassurant.

Au prix d'un grand effort, Hubert cesse de penser à Agathe et revient aux journaux d'octobre 1988.

Consternation et incrédulité chez les amis de Patrick O'Reilly

Frédéric Lapierre

Pour ceux qui connaissent Patrick O'Reilly, les récents événements sont incompréhensibles. Consternation et incrédulité, voilà ce qu'éprouvent les amis, les collègues et les voisins de Patrick O'Reilly, dont le rire et les chansons sont aussi légendaires que la chevelure de feu. « Pat a un tempérament bouillant, a confié Paul Baril, qui travaille à la

Dorobi avec lui, mais il n'est pas méchant. Je ne peux pas croire qu'il ait attaqué un étranger à coups de fourche.» Quant aux autres rumeurs qui circulent depuis quelque temps à son sujet, elles suscitent stupéfaction et horreur. «Je ne peux pas le croire», a dit Suzanne Gironne, qui, comme O'Reilly, fait partie de la chorale Les Voix du Témis depuis plusieurs années.

Fils unique d'immigrants irlandais arrivés au Canada à la fin des années 30, Patrick O'Reilly est né à Sudbury en 1944. Son père était mineur, et le petit Patrick a vécu dans différents villages miniers du nord-est ontarien avant de devenir mineur à son tour. Il a travaillé pour la Hollinger, à Timmins, et pour LAC Minerals, à Kirkland Lake, avant de s'établir au Témiscamingue en 1971, au moment de son mariage avec Mariette Soucy. O'Reilly, qui a été au service de la Noranda pendant plus de quinze ans, travaille depuis deux ans à la carrière de chaux et de silice de la Dorobi inc., à Saint-Bruno-de-Guigues. Partout où il est passé, O'Reilly était considéré comme un mineur vaillant et consciencieux. Patrick O'Reilly et Mariette Soucy ont une fille, née en 1978.

Doux géant, cœur d'or, prompt mais bon, toujours de bonne humeur, honnête, franc, travailleur… Ce sont là les qualificatifs qui reviennent le plus souvent quand ses collègues et amis parlent de lui. Que s'est-il passé pour que ce doux géant se transforme en tueur? Convaincus qu'il y a une explication derrière tout ça, les amis de Patrick O'Reilly souhaitent de tout cœur que celui-ci donne signe de vie et qu'il fournisse enfin sa version des faits — des faits qui, ils en sont sûrs, feront éclater l'innocence d'O'Reilly au grand jour.

19 octobre 1988

Qu'ont pensé les amis de Patrick O'Reilly quand ils ont compris que celui-ci ne reviendrait pas? se demande Hubert. Ont-ils conclu qu'il était coupable de tout ce qu'on lui reprochait? Ont-ils répété ce qu'on entend si souvent au sujet de tueurs en série, de violeurs ou de kidnappeurs, de la part de gens qui les ont côtoyés: *Il avait pourtant l'air si gentil… Jamais je n'aurais imaginé…*

En lisant l'article de la page 3 sur Réjean Turgeon dans le même numéro du *Témiscamien*, Hubert découvre que, parmi les acteurs des événements d'octobre 1988, Patrick O'Reilly n'était pas le seul à n'être pas vraiment celui qu'il prétendait être…

Réjean Turgeon, victime et escroc ?

Frédéric Lapierre

Une semaine après le meurtre de Réjean Turgeon, le mystère s'épaissit. L'homme de 35 ans, qui prétendait être un géologue-conseil au service de la compagnie minière Allotta Ressources, n'apparaît pas sur la feuille de paye de cette compagnie de Vancouver, et personne, chez Allotta, n'a jamais entendu parler de lui. De plus, son nom n'apparaît dans aucune liste de membres des différentes associations de géologues au pays. En fait, il semble de plus en plus probable que Réjean Turgeon a été un escroc avant d'être une victime! *Le Témiscamien* a appris de source sûre que Turgeon aurait fait croire à plusieurs personnes de la région que des terres au nord du lac Simard recelaient des gisements exceptionnels de cuivre et de zinc — comme d'autres terres identifiées il y a quelques mois par Allotta Ressources près de Ville-Marie. Il leur aurait aussi fait croire que les droits miniers de certaines de ces terres n'appartenaient pas à la Couronne. Enfin, il aurait réussi à convaincre ces personnes de s'associer à lui pour créer une société *offshore* aux îles Caïmans — une société qui aurait ensuite acheté les terrains du lac Simard et obtenu les permis nécessaires pour exploiter une mine… Pour couronner le tout, Turgeon aurait persuadé ses « associés » de lui remettre près de deux cent mille dollars ***en***

argent comptant pour mener à bien toutes ces démarches !

Le Témiscamien a mis la main sur les documents préparés par Turgeon pour appuyer ses dires : dépliant sur les sociétés *offshore*, les coûts liés à leur enregistrement et les avantages qu'elles procurent (revenus non imposables, actions non nominatives, secret bancaire, etc.) ; carte des claims miniers de la région, levés géophysiques et géochimiques au sol, levés géophysiques aériens, rapports d'échantillonnage ; actes de vente des terrains visés… Vérification faite auprès d'experts, ces documents seraient un habile mélange de vrai et de faux — des faits véridiques et vérifiables entremêlés de faussetés présentées de façon très convaincante… Les spécialistes consultés sont unanimes : cette histoire sent l'arnaque à plein nez.

D'après nos sources, les personnes que Réjean Turgeon avait convaincues de s'associer à son projet venaient tout juste de lui remettre leur argent quand il a été tué. S'il avait vécu, le faux géologue se serait certainement volatilisé avec l'argent. Or, il est mort, mais son magot a quand même disparu ! Selon la police, Turgeon n'avait qu'une trentaine de dollars sur lui au moment de mourir, en plus de deux cartes de crédit. Une question cruciale se pose donc : où sont passés les deux cent mille dollars ? Turgeon les aurait-il cachés avant d'aller porter secours à Pauline Sanscartier et de subir le sort qu'on sait ? Patrick O'Reilly se serait-il enfui avec l'argent ? Il semblerait que cette dernière hypothèse emporte l'adhésion de ceux qui se sont fait escroquer. Notons à cet égard que personne n'a porté plainte dans cette histoire. Personne n'a même officiellement admis s'être fait prendre dans cette arnaque. Il faut dire que la combine mise au point par Turgeon était à la limite de la légalité… et rares sont ceux qui ont envie de se vanter d'être à la fois crédules et magouilleurs !

Nous savons de source sûre que Turgeon a tenté d'intéresser Patrick O'Reilly à son projet de compagnie minière, mais que celui-ci a refusé net. *Le Témiscamien* a également appris qu'O'Reilly, qui flairait une arnaque, avait commencé à monter un dossier pour démasquer Turgeon. A-t-il changé d'idée en cours de route et décidé d'arnaquer l'arnaqueur plutôt que de le dénoncer? Quoique séduisante, cette hypothèse laisse plusieurs questions sans réponses: Comment O'Reilly pouvait-il savoir que Turgeon tenterait d'intervenir dans sa querelle avec Pauline Sanscartier, ou même que Turgeon venait d'empocher l'argent et qu'il l'avait avec lui? Pourquoi la voiture de Turgeon a-t-elle été retrouvée à plus d'un kilomètre du lieu où il a été tué? Dans la confusion qui a suivi l'arrivée de Marcel Chartier et de son fils — et la découverte du corps sans vie de Réjean Turgeon —, O'Reilly serait-il tombé sur la voiture de Turgeon et l'aurait-il utilisée pour s'éloigner du lieu du crime? Si c'est le cas, pourquoi n'en a-t-il pas profité pour se sauver beaucoup plus loin?

Sans doute faudra-t-il attendre que Patrick O'Reilly refasse surface pour avoir des réponses à ces questions... et à beaucoup d'autres!

19 octobre 1988

Le 26 octobre, l'hebdomadaire présentait des réactions aux révélations de la semaine précédente.

« J'ai tout perdu! » nous confie une des victimes de Turgeon

Frédéric Lapierre

Un résidant de Latulipe qui a perdu toutes ses économies aux mains de Réjean Turgeon a été profondément blessé par l'article publié la semaine dernière dans *Le Témiscamien.* «Je ne suis pas malhonnête! Jamais je n'aurais embarqué dans ce projet si j'avais su que ce que proposait Turgeon était illégal, soutient l'homme de 62 ans qui désire garder l'anonymat. Il disait que ça créerait des emplois dans la région et que ça profiterait à toute la communauté… Il disait que si Allotta Ressources mettait la main sur ces terres, ils enverraient les profits en Colombie-Britannique… C'était mieux que les profits reviennent à du monde d'ici… »

Il semble que Turgeon, qui était doté d'un charisme exceptionnel, ait appâté ses victimes en leur faisant miroiter des gains faramineux, mais qu'il ait également réussi à apaiser leurs scrupules en leur faisant croire que la communauté tout entière bénéficierait de ces gains…

26 octobre 1988

« Réjean n'était pas un escroc ! »

Une jeune institutrice pleure son amour perdu

Louise Héroux

Esther Corriveau, 28 ans, de Laverlochère, refuse de croire que Réjean Turgeon, assassiné il y a un peu plus de deux semaines, était un escroc. La jeune institutrice, qui venait de remettre sa démission auprès de l'administration scolaire, s'apprêtait à partir pour l'Argentine avec Turgeon, dont elle était tombée éperdument amoureuse. « Entre nous, ça a été le coup de foudre, nous a-t-elle confié à travers ses larmes. Réjean était tellement beau, gentil, prévenant, intelligent… Je ne peux pas croire qu'il ait fait ce dont on l'accuse. Je suis sûre qu'il y a une erreur… »

La jeune femme est persuadée que Turgeon était de bonne foi. « S'il a trompé des gens, soutient-elle, c'est sûrement sans le savoir. Il devait être manipulé par quelqu'un d'autre… Et je suis certaine que c'est cette personne qui a pris l'argent… »

Selon Esther Corriveau, Turgeon venait d'obtenir un poste important dans une compagnie minière argentine et il lui avait demandé de l'accompagner là-bas. « On devait se marier à Noël… Là-bas, à Noël, c'est l'été… » précise-t-elle en nous montrant leurs billets d'avion pour Buenos Aires. Elle ajoute que Turgeon lui avait confié vouloir repartir à neuf. « Il disait qu'on serait tellement heureux, en Argentine. On aurait une grande maison avec des serviteurs, une piscine, un terrain avec des arbres fruitiers… Et des enfants. On en voulait trois… »

Le rêve de la jeune institutrice s'est brisé le 10 octobre dernier, quand Réjean Turgeon a été sauvagement assassiné.

26 octobre 1988

Non à la chasse aux sorcières !

Robert Duguay, rédacteur en chef

Depuis quelques semaines, une atmosphère malsaine règne au cœur des familles et de la communauté témiscamienne tout entière. Si quelqu'un éprouve des problèmes financiers, il est aussitôt soupçonné d'être l'un des *pigeons* plumés par Réjean Turgeon avant sa mort brutale. Les femmes interrogent leur mari sur leur gestion des finances familiales (et vice-versa), les beaux-frères s'épient, les enfants demandent à voir le compte de banque de leurs parents vieillissants… Les rumeurs concernant untel ou unetelle font vite le tour des villages, et des gens parfaitement innocents sont inutilement persécutés.

Des articles précédents du *Témiscamien* ont pu laisser entendre que l'hebdomadaire considérait les victimes de Turgeon comme des escrocs en puissance, motivés par le seul appât du gain et prêts à contourner la loi pour s'enrichir sans payer d'impôts. Nous tenons aujourd'hui à préciser que, pour la direction du *Témiscamien*, les victimes de Réjean Turgeon sont exactement cela, des victimes ! Ce ne sont pas des bandits, ce sont des gens qui ont fait confiance à un escroc et qui, pour la plupart, ont perdu les économies de toute une vie. Ils ont besoin de notre compassion et de notre aide, pas de notre mépris.

Enfin, n'oublions pas que pendant qu'on gaspille toute cette énergie à pourchasser des innocents, l'assassin, lui, court toujours !

26 octobre 1988

« Ça fait trente-trois minutes ! »

Hubert vient de terminer le numéro du 26 octobre et il s'apprête à consulter le numéro suivant quand Bruno le rappelle à l'ordre.

« Tu avais dit trente minutes, et ça fait déjà trente-trois minutes ! En p...plus, il n'y a p...pas d'émissions intéressantes p...pour les enfants, ici ! »

Hubert est tiraillé entre son désir de respecter son engagement envers Bruno et sa crainte de rater un développement important du drame qui s'est déroulé en octobre 1988 s'il abandonne sa lecture des journaux maintenant.

« Laisse-moi juste regarder les titres des premières pages des numéros qui restent, dit-il à son neveu. Il n'y en a pas beaucoup, ajoute-t-il après les avoir comptés. Neuf seulement... »

Bruno commence par rouspéter, mais Hubert réussit à l'amadouer en lui promettant un cornet de crème glacée *et* la permission de se coucher une demi-heure plus tard le soir même.

« Fais ça vite ! » précise cependant le petit garçon d'un air boudeur.

Tout en songeant qu'il va lui falloir revoir ses méthodes d'éducation, Hubert se plonge dans *Le Témiscamien* du 2 novembre 1988.

Des victimes de Turgeon se dévoilent !

Louise Héroux

Incapable de résister, Hubert laisse son regard balayer l'article.

Après maintes hésitations, certaines des victimes de Réjean Turgeon ont accepté de dévoiler leur identité afin de mettre un terme aux suppositions souvent farfelues qui se multipliaient depuis quelques semaines. Parmi eux, **Jacynthe Caron**, médecin ; **Marcel Chartier**, agriculteur ; **Robert Duguay**, rédacteur en chef du *Témiscamien*; **Mario Gaudet**, propriétaire d'une concession d'une chaîne de restauration rapide ; **Martine Loiselle** et **Lucien McFadden**, propriétaires du motel Beau-rivage ; **Louis Rannou**, agriculteur ; **Jacques Ringuette**, propriétaire du dépanneur Chez Jack ; **Pauline Sanscartier**, rentière ; **Ghislain Tasset**, vendeur de machinerie agricole ; **Sylvain Tremblay**, propriétaire de pourvoirie. D'autres qu'eux ont-ils également été dépouillés par le soi-disant géologue ? Auront-ils eux aussi

La plupart des noms ne disent rien à Hubert. D'autres, par contre, le laissent songeur. Pauline Sanscartier, chez qui est mort Turgeon, et qui aurait à elle seule fourni — et par conséquent perdu — près de cent mille dollars, hérités de son mari, un homme d'affaires décédé six mois plus tôt. Marcel Chartier, le fermier qui, en compagnie de son fils, s'est présenté chez Pauline Sanscartier juste après le meurtre de Turgeon. Robert Duguay, enfin, qui avait écrit ce texte si magnanime dans *Le Témiscamien*, la semaine précédente, pour défendre les victimes de Turgeon… On n'est jamais si bien servi que par soi-même…

« Tu triches ! Tu ne regardes p…pas juste les titres ! »

Rappelé à l'ordre, Hubert passe au numéro suivant.

Et si Pat O'Reilly était innocent ?

Frédéric Lapierre

(Difficile de ne pas tricher, comme dit Bruno, avec un article qui porte un titre pareil !)

Patrick O'Reilly, dont on n'a aucune nouvelle depuis le 10 octobre dernier, servirait-il de bouc émissaire aux véritables meurtriers de Réjean Turgeon ?

La divulgation, la semaine dernière, des noms des victimes de Turgeon a donné naissance à de nouvelles hypothèses sur le meurtre du soi-disant géologue. Certains jugent étrange que deux de ses victimes, Pauline Sanscartier et Marcel Chartier, se soient trouvées à proximité de Turgeon quand celui-ci est mort. Il est également étrange que la voiture de la victime ait été retrouvée à plus d'un kilomètre du lieu du crime. L'une des hypothèses qui circulent présentement veut que Turgeon ait été tué par un ou plusieurs des investisseurs qu'il venait de flouer. Peut-être l'un d'eux a-t-il compris qu'ils s'étaient fait avoir et a-t-il voulu se venger de l'arnaqueur. Peut-être l'un d'eux, sans même soupçonner l'arnaque, a-t-il décidé de suivre Turgeon, après que chacun des « associés » lui eut remis sa part en argent, avec l'idée de supprimer le géologue et de mettre la main sur le magot… Quoi qu'il en soit, on peut supposer que l'investisseur ou les investisseurs en question aient tué Turgeon, qu'ils se soient débarrassés de sa voiture et qu'ils aient eu l'intention de se débarrasser également du corps… mais qu'ils aient été dérangés par l'arrivée inopinée de Patrick O'Reilly. Celui-ci a-t-il disparu après avoir tué Turgeon, comme on nous le répète depuis un mois, ou a-t-il été supprimé par les assassins de Turgeon ? N'oublions pas que ce sont principalement les témoignages de Pauline Sanscartier, de Marcel Chartier et du fils de ce dernier qui incriminent Patrick O'Reilly… Celui-ci ne serait-il pas en définitive la seule victime innocente de toute cette histoire ? Plutôt que de rechercher O'Reilly en Ontario ou ailleurs au Canada, ne ferait-on pas mieux de vérifier s'il ne serait pas enterré quelque part près du lac Témiscamingue… ou immergé au plus profond de celui-ci dans un sac lesté de pierres ?

9 novembre 1988

L'hypothèse émise par le journaliste est séduisante… sauf qu'Hubert sait pertinemment que Patrick O'Reilly est toujours vivant — si, du moins, c'est bien lui qui a envoyé à Agathe les cartes postales adressées à des héroïnes de chansons irlandaises. Pourquoi aurait-il pris la fuite, si ce n'était pas lui qui avait tué Turgeon ? Et pourquoi ne se serait-il pas manifesté depuis ? Hubert a beau souhaiter que le père d'Agathe ne soit pas un meurtrier, il a du mal à croire à son innocence.

Du coin de l'œil, Hubert se rend compte que Bruno l'observe d'un air réprobateur. Devinant que son neveu s'apprête à rouspéter une fois de plus, il s'empresse de parcourir les premières pages des journaux suivants.

Toutes nos excuses !

Robert Duguay, rédacteur en chef

En mon nom personnel et au nom du *Témiscamien*, je tiens à m'excuser auprès de toutes les victimes de Réjean Turgeon, et particulièrement auprès de Marcel Chartier et de Pauline Sanscartier, pour les insinuations contenues dans un article écrit la semaine dernière par un journaliste du *Témiscamien*, Frédéric Lapierre, qui a depuis remis sa démission. Aucune des victimes de Réjean Turgeon — dont je fais moi-même partie, je l'avoue avec humilité — n'a apprécié les « hypothèses » dénuées de fondement et extrêmement blessantes émises par Lapierre. Certaines personnes ont d'ailleurs menacé d'intenter une poursuite en diffamation contre le journaliste et l'hebdomadaire s'ils ne se rétractaient pas, et je dois dire que je les comprends ! À tous ceux et celles que les propos de notre ex-collègue ont blessés, je réitère donc nos excuses les plus sincères.

16 novembre 1988

Les preuves contre O'Reilly s'accumulent !

Robert Duguay

Désireux de mettre un frein aux hypothèses les plus farfelues qui ne cessent de proliférer, le chef local de la Sûreté du Québec, Roger Charron, a fait savoir qu'après avoir étudié différentes pistes relativement au meurtre de Réjean Turgeon — dont celle d'un investisseur floué qui se serait vengé, qu'ils ont ***entièrement rejetée***, toutes les personnes concernées ayant été blanchies sans l'ombre d'un doute — les policiers recherchent plus que jamais Patrick O'Reilly. Le chef Charron a d'ailleurs révélé que la chaloupe de Paul Demers, qui avait disparu le soir du drame, a été retrouvée quelques jours plus tard du côté de l'Ontario et que les empreintes relevées sur les rames sont identiques à celles qui ont été trouvées sur la fourche ayant causé la mort de Réjean Turgeon. Des traces de sang ont également été détectées, et les analyses ont révélé qu'il s'agissait du sang de Turgeon.

23 novembre 1988

« Laissez-nous vivre en paix ! » implore Mariette Soucy

23 novembre 1988

L'assassin court toujours !
Six semaines après le meurtre de Réjean Turgeon, Patrick O'Reilly, le principal suspect dans cette affaire, reste introuvable.

23 novembre 1988

Rien de neuf dans l'enquête sur le meurtre de Turgeon

30 novembre 1988

Deux mois après le meurtre, la vie a repris son cours

7 décembre 1988

À l'approche des fêtes, spectaculaire hausse des ventes dans les commerces locaux !

14 décembre 1988

À la fin de l'année 1988, le meurtre de Réjean Turgeon a été relégué à la cinquième page, où un entrefilet informe les lecteurs que l'enquête n'a rien révélé de nouveau au cours des dernières semaines. Patrick O'Reilly, dont on est toujours sans nouvelles, reste le principal suspect. Et les deux cent mille dollars recueillis par Turgeon n'ont toujours pas refait surface.

Chapitre 21
Dimanche 22 mai (suite)

En sortant du Centre des archives, Hubert est plus troublé que jamais. Même s'il n'a pas vécu le drame directement, et même si seize ans et demi se sont écoulés depuis le meurtre de Réjean Turgeon, il a du mal à absorber le choc. Sans doute parce que, tout au long de sa lecture, il continuait à se demander comment Agathe avait réagi à l'époque. Il a d'ailleurs vu quelques photos d'Agathe, des photos jaunies, mal cadrées et mal imprimées, de mauvaises photos qu'il a pourtant détaillées avec avidité en tentant de deviner ce qui se cachait derrière le petit visage fermé. Que pensait Agathe à ce moment précis? Comment se sentait-elle?

De tout ce qu'Hubert a lu, ce sont les allusions à des rapports incestueux entre Patrick O'Reilly et sa fille qui l'ont le plus bouleversé. Inceste. Un mot laid et brutal, qui désigne une réalité encore plus laide et plus brutale. Un mot, une réalité qu'Hubert tente de toutes ses forces de ne pas laisser prendre toute la place quand il pense à Agathe. Comment un homme, un père, a-t-il pu abuser de l'amour et de la confiance d'une enfant, une enfant qui était

Agathe ? Nuance : une enfant qui était *sans doute* Agathe. Hubert n'a pas la preuve que c'était vraiment Patrick O'Reilly qui était accusé *d'attentat à la pudeur et d'inceste.*

« Tu vas trop vite ! »

Les mots que Bruno a lancés d'une voix plaintive font prendre conscience à Hubert qu'il marche vite, en effet — trop vite pour Bruno, en tout cas —, et aussi qu'il a les poings et la mâchoire fortement crispés. Il n'a jamais été du genre batailleur, mais en ce moment, dans cette rue Notre-Dame bordée de belles maisons victoriennes qu'il ne prend pas la peine de regarder, il écrabouillerait avec plaisir Patrick O'Reilly, qu'il ne connaît pas mais qui a fait du mal à Agathe.

« Où est-ce qu'on va manger ? »

Hubert respire à fond en s'efforçant de détendre ses muscles contractés. Bruno. Il ne doit pas oublier Bruno, qu'il a entraîné jusqu'ici et qui ne mérite pas d'être négligé. Manger, oui, bien sûr… Mais après ? Hubert a-t-il encore quelque chose à faire à Ville-Marie ? Il serait sans doute plus utile à Montréal, où il pourrait au moins tenter de protéger Agathe de la malveillance de son père — si c'est bien celui-ci qui lui a envoyé les lettres anonymes et qui a tué sa tortue. Pourquoi aurait-il agi ainsi ? Par vengeance ? Les lettres parlent de trahison. Est-ce Agathe qui a révélé à sa mère que son père abusait d'elle ? Patrick O'Reilly s'est-il senti trahi par sa fille ? Une révélation comme celle-là n'est probablement pas du genre à plaire à un père… Mais pourquoi avoir attendu si longtemps avant de se venger ?

Soudain, sans trop savoir comment cette pensée lui est venue, Hubert se demande si les abus sexuels dont Agathe a vraisemblablement été victime durant son enfance expliquent son attitude actuelle face aux hommes et à la sexualité — cette fâcheuse tendance à ne prendre pour amants que des hommes mariés et nettement plus âgés qu'elle, par exemple. Il n'est pas psychologue, mais c'est le genre de comportement qui lui semblerait logique — Agathe perpétuerait le modèle implanté dans son enfance, ou quelque chose dans ce genre-là…

« Il y a un restaurant, là ! »

Bruno désigne l'une des maisons imposantes qui bordent la rue Notre-Dame. *Chez Eugène*, auberge et restaurant.

« On y va?

— On y va. »

~

« Est-ce qu'on va jouer dans le p...parc? »

À peine sont-ils sortis du restaurant que Bruno s'inquiète de ce qu'ils vont faire du reste de l'après-midi. Hubert s'apprête à lui répondre qu'ils pourraient en effet profiter du grand parc qui borde le lac Témiscamingue — le ballon de soccer qu'il a traîné toute la journée dans son sac à dos servirait au moins à quelque chose! — quand une plaque posée sur la façade de la maison voisine attire son attention. *Oscar Imbeault, notaire.* Un notaire, ça connaît forcément un tas de gens dans la communauté. Contrats divers, ventes de maisons, testaments... Et un notaire qui se prénomme Oscar est probablement établi là depuis des siècles. Si quelqu'un, à Ville-Marie, a des chances de savoir où habite Mariette Soucy, épouse O'Reilly, c'est sûrement lui... Or, Hubert n'a pas entièrement renoncé à rencontrer la mère d'Agathe, qui est la personne la plus indiquée pour le renseigner sur le danger que Patrick O'Reilly représente pour sa fille. Peut-être même qu'elle pourrait l'aider à retrouver son ex-mari avant qu'il sévisse de nouveau.

« On va aller au parc plus tard, répond donc Hubert. Avant, je voudrais poser quelques questions à la personne qui reste ici... »

Le temps d'amadouer Bruno en lui affirmant que son entretien avec le notaire ne durera pas trop longtemps, Hubert s'approche de la porte principale. Il ne s'attend pas à ce que Maître Imbeault travaille le dimanche, mais comme la maison est immense et qu'elle sert probablement aussi de résidence, il se dit qu'avec un peu de chance le notaire sera là et qu'il acceptera de répondre à une ou deux questions...

« Je peux vous aider? »

La porte s'est ouverte avant même qu'Hubert appuie sur la sonnette. Une fille, une jeune femme plutôt, se tient dans l'encadrement. De toute évidence, elle s'apprêtait à sortir. Elle est équipée pour faire du patin à roues alignées — patins aux pieds, casque protecteur, protège-poignets, coudières, genouillères, short et maillot de lycra —, et Hubert ne peut s'empêcher d'admirer son corps ferme et musclé de sportive. Elle n'est pas vraiment jolie, mais elle dégage une impression de santé, de vitalité et de bonne humeur qui a quelque chose de très attirant. En les apercevant, Bruno et lui, elle a semblé surprise, mais pas hostile ni même méfiante. Elle a eu un sourire bien franc, et quand elle a demandé si elle pouvait les aider, Hubert a senti que ce n'était pas une formule creuse.

« J'aimerais voir le notaire Imbeault. »

La jeune femme hoche imperceptiblement la tête.

« C'est moi », dit-elle.

Interloqué, Hubert jette un coup d'œil à la plaque posée près de la porte puis à la jeune femme athlétique qui se trouve devant lui.

« Vous vous appelez Oscar ? »

La femme a un sourire mi-figue mi-raisin.

« Il serait peut-être temps que je change la plaque, reconnaît-elle. Je m'appelle Geneviève. Oscar, c'était mon père. Quand il est mort, je suis revenue ici pour faire du ménage dans ses affaires. Je ne voulais pas rester. Je voulais juste mettre ses dossiers en ordre pour celui ou celle qui prendrait la relève, donner ses effets personnels, vendre la maison, ce genre de choses… » Elle secoue la tête d'un air incrédule. « Ça fait trois ans… Mais on dirait que je ne me décide pas à admettre que je suis ici pour de bon. Tant que c'est le nom de mon père qui est gravé sur cette plaque, il me semble que je peux partir quand je le veux… »

Geneviève Imbeault a prononcé les dernières phrases avec un soupçon de mélancolie qui semble inhabituel chez elle. À présent, elle inspire à fond et demande, d'une voix plus ferme :

« Et qu'est-ce que la notaire Geneviève Imbeault peut faire pour vous ? »

Si ça fait seulement trois ans qu'elle est notaire dans le coin, les chances sont minces pour qu'elle connaisse la mère d'Agathe, se dit Hubert, qui pose malgré tout sa question.

« Savez-vous où je pourrais trouver une femme qui s'appelle Mariette Soucy ou O'Reilly ? »

Geneviève Imbeault ne répond pas tout de suite. Sans en être sûr, Hubert a l'impression que la notaire est maintenant sur ses gardes.

« Et pour quelle raison voulez-vous voir cette femme ? »

La question a été posée d'une voix neutre, et Hubert décide de rester lui aussi le plus neutre possible.

« C'est au sujet de sa fille. »

La réaction de Geneviève Imbeault est instantanée.

« Il est arrivé quelque chose à Agathe ? » demande-t-elle d'une voix inquiète.

Bingo ! songe Hubert. Geneviève Imbeault connaît Agathe, elle sait que Mariette Soucy est sa mère, elle va sûrement pouvoir lui dire où trouver cette femme.

« Agathe va bien, s'empresse-t-il de dire pour rassurer la notaire. Mais… »

D'un geste, Geneviève Imbeault lui fait signe d'attendre. Elle continue son geste, qui les englobe tous les trois — Hubert, Bruno et elle, toujours plantés de part et d'autre du cadre de porte –, et dit, avec un sourire :

« Et si on parlait de tout ça à l'intérieur, en prenant un café ou un jus ? Peut-être même un verre de lait et des biscuits… » ajoute-t-elle en direction de Bruno, qui approuve d'un vigoureux signe de tête.

Le sourire de la notaire s'élargit.

« Tu préfères les biscuits aux pépites de chocolat ou les biscuits feuilles d'érable ? »

Bruno n'a aucune hésitation.

« Les deux ! »

~

« Le temps de me changer, et je reviens », dit Geneviève Imbeault après avoir conduit Hubert et Bruno à l'arrière de la maison, dans une grande pièce qui tient autant de la serre que de la salle à manger. La pièce est évidemment très lumineuse, et il y a des plantes partout. Avant de s'éclipser, Geneviève Imbeault prend soin de sortir le lait et les biscuits — les biscuits aux pépites de chocolat *et* les biscuits feuilles d'érable, bien sûr, mais aussi des biscuits à la noix de coco, des sablés, des biscuits fondants aux amandes… « Je pense que je suis accro aux biscuits », explique-t-elle d'un air vaguement coupable.

« On dirait qu'on est au jardin b…botanique, dit Bruno après le départ de la notaire.

— En effet », acquiesce son oncle, qui a une pensée pour Nathalie Salois. La femme de Laurent Bouvier serait heureuse dans un endroit comme celui-ci, et sans doute serait-elle ravie de discuter horticulture avec Geneviève Imbeault. Les deux femmes n'ont pas le même âge et elles ne se ressemblent pas, mais Hubert a le sentiment qu'elles auraient des choses en commun. Il examine la pièce où ils se trouvent et qui renferme, outre la table et les chaises de la salle à manger, un fauteuil confortable, une causeuse et une table basse sur laquelle s'empilent livres, journaux, recueils de mots croisés et de sudokus. Un dictionnaire ayant beaucoup servi est posé sur un bras de la causeuse. L'un des murs est couvert de rayonnages où s'entassent livres et CD. Cette fois, Hubert a une pensée pour Agathe — qui occupe de toute façon son esprit en permanence, parfois en sourdine, parfois, comme maintenant, de manière plus aiguë. Agathe et Geneviève Imbeault ont-elles des goûts similaires en matière de lecture et de musique ? Agathe lui a avoué avoir un faible pour les romans policiers et la musique country. Est-ce aussi le cas de la notaire ? Hubert résiste à l'envie de se lever pour examiner de plus près la bibliothèque de Geneviève Imbeault. Déjà qu'il commet beaucoup d'indiscrétions à l'égard d'Agathe, il ne va pas commencer à fouiller l'intimité de toutes les jeunes femmes qu'il rencontre.

Puis Geneviève Imbeault vient les rejoindre, et Hubert retrouve aussitôt les préoccupations qui l'ont conduit à Ville-Marie, et qui n'ont pas grand-chose à voir avec les goûts littéraires ou musicaux de la notaire.

« D'abord, dit celle-ci en prenant place à un bout de la table et en se versant un grand verre de lait, je suggère qu'on se tutoie. Partager des biscuits feuilles d'érable, ça crée des liens… »

Bruno, la bouche pleine de miettes, agite vigoureusement la tête de haut en bas tout en marmonnant quelque chose d'indistinct. Son oncle acquiesce plus discrètement.

« Donc, reprend Geneviève Imbeault en direction d'Hubert, tu connais Agathe O'Reilly et tu cherches sa mère, Mariette Soucy. C'est ça ?

— C'est ça, approuve Hubert. Il… il s'est passé des choses étranges dans la vie d'Agathe ces derniers temps, et j'ai l'impression que sa mère pourrait aider à les expliquer.

— C'est Agathe qui t'envoie ?

— Non. Elle ne sait même pas que je suis ici. En fait… »

Hubert s'interrompt, avec un regard préoccupé vers Bruno. La présence de son neveu l'empêche de parler aussi franchement qu'il le voudrait. Il n'a aucune envie de mentionner l'assassinat de Desdémone devant lui, pas plus que les détails du meurtre de Réjean Turgeon ou les allégations d'inceste envers Agathe. Geneviève Imbeault, qui semble avoir deviné son problème, vient à sa rescousse.

« Dis-moi, Bruno, est-ce que tu aimes ça, les trains électriques ? »

Bruno fait signe que oui.

« Quand tu auras fini tes biscuits, je vais te montrer quelque chose qui devrait t'intéresser. Mon père avait une passion pour les trains électriques, et, dans le sous-sol, il a aménagé une pièce complète pour ses trésors. Il y a des gares, des villages miniatures, plusieurs circuits… Je ne permets pas à n'importe qui d'entrer là et de faire fonctionner les trains, mais comme tu as l'air d'un garçon fiable, je vais te laisser y aller pendant que ton père et moi on parle de choses sérieuses et ennuyeuses de grandes personnes… »

Bruno éclate de rire.

« C'est p…pas mon p…père ! C'est mon oncle ! Il est où, le train électrique ? »

~

Hubert a ouvert des yeux aussi grands que ceux de son neveu en découvrant les trains d'Oscar Imbeault, et Geneviève se dit qu'il passerait sans doute de longues heures au sous-sol, lui aussi, à explorer l'univers créé par un notaire qui, dans les dernières années de sa vie, consacrait l'essentiel de son temps à développer sa collection et ses circuits. Mais le jeune homme n'est pas venu pour ça, et il remonte au rez-de-chaussée après avoir recommandé à Bruno de faire très attention à tout ce qui se trouvait dans cette pièce de rêve.

« Si tu as un problème ou si tu ne te rappelles plus comment fonctionnent les trains, tu viens nous le dire, d'accord ? On va être dans la pièce du fond, celle où on a mangé les biscuits.

— Le jardin b…botanique, précise le petit garçon avec sérieux. Je vais faire attention, ne t'inquiète p…pas. »

Le temps de dire à Bruno qu'elle-même n'éprouve aucune inquiétude, Geneviève monte rejoindre Hubert Fauvel. Elle est intriguée par cet homme qui a traîné son neveu handicapé jusqu'au Témiscamingue pour tenter de retrouver la mère d'Agathe. Quels sont ses liens avec Agathe ? S'agit-il d'un ami ou d'un amoureux — d'un mari même ? Geneviève a perdu contact avec Agathe il y a des années, mais, à l'époque, celle-ci évitait toute relation qui aurait pu devenir sérieuse. Il faudrait qu'elle ait beaucoup changé pour s'engager dans une histoire d'amour avec Hubert Fauvel, qui dégage sérieux et solidité, et qui est donc le genre d'homme que l'Agathe d'antan aurait eu tendance à éviter. Mais pourquoi se perdre en suppositions quand on peut savoir à quoi s'en tenir beaucoup plus facilement ?

« Il y a longtemps que tu connais Agathe ? » demande donc Geneviève aussitôt qu'Hubert et elle sont revenus au jardin botanique, comme dit Bruno. Elle s'est installée dans son fauteuil préféré — un vieux fauteuil recouvert de velours bourgogne un peu fané mais très doux; Hubert s'est assis avec précaution à un bout de la causeuse.

Il répond sans la moindre hésitation à la question de Geneviève.

« Depuis le 5 mai, il y a dix-sept jours exactement. En fait, ce jour-là — ce soir-là, plutôt —, on s'est juste parlé au téléphone. On s'est vus pour la première fois le lendemain, le 6... » Une pause imperceptible, puis: « Il a suffi que je la voie. Ça a pris une seconde, même pas, et... » Une nouvelle pause. « J'ai l'impression d'être plus vivant depuis que je la connais. Je ne sais pas si tu comprends ce que je veux dire... »

Oh oui, je comprends, songe Geneviève qui a elle-même été obsédée par Agathe pendant des années. À l'époque, par contre, je n'ai pas compris tout de suite. J'avais onze ans, et je ne comprenais rien, en fait, sinon la douleur et l'extase mêlées quand Agathe était là, et la douleur toute nue quand on était séparées. Plus tard, j'ai lutté de toutes mes forces pour ne pas comprendre, ou pour faire en sorte que ce que j'avais compris n'existe pas. Mais je n'ai jamais été très douée, finalement, pour guérir d'Agathe.

Voilà ce que se dit Geneviève, mais elle juge plus simple de garder les détails pour elle.

« Je comprends, se contente-t-elle de répondre. Danger, accoutumance instantanée. » Elle laisse passer quelques secondes avant d'ajouter: « Et Agathe, est-ce qu'elle se sent plus vivante, elle aussi, depuis qu'elle te connaît? »

Hubert a un sourire d'une fraîcheur désarmante, qui lui donne un air très jeune et particulièrement vulnérable.

« Je ne sais pas. Par moments, j'ai l'impression que oui. D'autres fois, pas du tout... » Il s'interrompt, hausse une épaule. « Mais on n'est pas là pour parler de ma vie sentimentale. Bruno est occupé pour l'instant, mais ça ne dure jamais longtemps. Aussi bien passer tout de suite à la raison de ma présence ici. Ces derniers temps, Agathe a reçu des lettres anonymes... »

Avec concision, Hubert relate ce qui s'est passé dans la vie d'Agathe depuis quelques semaines: les lettres, les soupçons d'Agathe envers Nathalie Salois, la femme de son amant, la mort de Desdémone, les réticences d'Agathe à parler de sa famille, les détails pouvant laisser croire que l'auteur des lettres était son père… Hubert ajoute que c'est pour en savoir davantage qu'il a décidé de venir au Témiscamingue.

« J'avais l'impression que la clé du mystère se trouvait ici, et ce que je viens de découvrir au Centre des archives confirme cette impression.

— Et qu'est-ce que tu as découvert ?

— Que Patrick O'Reilly, le père d'Agathe, a tué un homme, il y a seize ans et demi, qu'il s'est enfui tout de suite après — sans doute avec deux cent mille dollars en poche — et qu'on ne l'a jamais retrouvé. Et aussi… »

Hubert Fauvel s'interrompt, et Geneviève voit ses poings se serrer et son regard se durcir. Le jeune homme vulnérable d'il y a quelques instants a maintenant quelque chose d'implacable.

« Et aussi…, répète Geneviève.

— Et aussi qu'il abusait sans doute sexuellement d'Agathe », articule Hubert d'une voix sourde.

Geneviève tapote le bras du fauteuil d'un air songeur.

« Je ne suis pas sûre que Patrick O'Reilly ait déjà volontairement causé du tort à Agathe », finit-elle par dire.

Hubert fronce les sourcils.

« Mais… » commence-t-il.

Avant qu'il aille plus loin, Geneviève précise qu'elle connaît les rumeurs qui ont circulé au sujet d'Agathe et de son père.

« Sauf que ça ne colle pas avec ce qu'Agathe a pu me dire plus tard, ajoute-t-elle. Selon elle, son père n'a jamais rien fait de mal, et ça la mettait dans une rage folle quand quelqu'un soutenait le contraire.

— Mais je ne me trompe pas en pensant que c'était son père, Patrick O'Reilly, qui faisait l'objet d'une enquête pour *attentat à la pudeur et inceste* au moment où Réjean Turgeon a été tué ? »

Geneviève approuve d'un signe de tête.

« C'était bien lui, mais… » Elle pousse un petit soupir avant de poursuivre. « Agathe a toujours été très troublée par cette histoire. D'après ce qu'elle m'a raconté par la suite, elle-même ne savait pas trop quoi penser à l'époque. Il s'était produit quelque chose, une fois, un truc probablement anodin, mais équivoque. Pat, son père, était très *physique* — je ne sais pas comment dire ça autrement. Agathe et lui avaient toujours été très proches. Agathe lui sautait au cou et aimait se coller contre lui. Lui la faisait danser ou tournoyer dans les airs, il l'embrassait facilement et l'étreignait très fort quand il était fier d'elle… Et, une fois, au cours d'un de ces contacts, sa main s'est posée sur la poitrine d'Agathe. Elle avait dix ans, presque onze, et elle était plutôt développée pour son âge… Son père a tout de suite retiré sa main, mais il y a eu un malaise. Un malaise qui a pris des proportions démesurées quand Mariette, la mère d'Agathe, s'en est mêlée… Mariette se méfiait des rapports entre Agathe et Patrick. Elle les trouvait trop colleux et ne manquait pas une occasion de leur dire de se séparer… Elle bombardait Agathe de questions et de mises en garde, elle lui parlait sans cesse de pureté et de péché, elle lui répétait de se méfier de tous les hommes, *sans exception*… Et, un jour qu'elle lui demandait avec insistance, une fois de plus, si son père l'avait touchée à de mauvais endroits, Agathe a parlé de cette main sur son sein, et ça a déclenché la tempête que tu sais. Agathe était bouleversée et elle avait du mal à absorber, et même à comprendre, tout ce qui se passait. Son père, qu'elle adorait, était accusé de lui avoir fait du mal et il disparaissait de sa vie du jour au lendemain. Des inconnus lui posaient des questions bizarres à son sujet. Elle a été interrogée par des policiers, des psychologues, des travailleurs sociaux et je ne sais qui d'autre. Des années après, elle m'a dit qu'elle ne saisissait pas où ils voulaient en venir ni ce qu'ils attendaient d'elle. La plupart du temps, elle ne comprenait même pas leurs questions. Ils parlaient de secrets que son père et elle auraient partagés, d'attouchements, de caresses… Des secrets? Quels secrets? Les confidences innocentes qu'elle faisait à son père? Les mots tendres qu'il lui adressait? Et qu'entendaient-ils par caresses, à part l'épisode qui avait tout déclenché? La main que son père passait dans ses cheveux ou dans son dos? Son étreinte vigoureuse quand il était particulièrement de bonne humeur? Ces secrets, ces étreintes, est-ce que c'était mal? Sa mère prétendait que oui, elle qui voyait des péchés partout et qui lui reprochait sa coquetterie et ce qu'elle appelait ses aguicheries… Agathe en était venue à douter de tout — de son père, d'elle-même, des instants de tendresse qu'ils avaient partagés. Ça lui a pris des années pour arriver à la conclusion qu'il n'y avait rien de malsain dans l'amour que lui portait son père.

— Peut-être qu'elle a transformé ses souvenirs après coup pour éviter d'avoir à faire face à un passé insoutenable, intervient Hubert. C'est une réaction assez fréquente chez les victimes d'inceste ou d'abus sexuels… »

Geneviève Imbeault lève les mains en signe d'impuissance.

« Moi, tout ce que je sais, c'est ce qu'Agathe m'a confié par la suite… Elle se sentait tellement coupable d'avoir parlé à sa mère de cette main posée sur sa poitrine ! Elle avait le sentiment d'avoir trahi son père. Et, comme il a disparu pour de bon peu de temps après, elle n'a jamais pu lui expliquer ce qui s'était passé, ce qu'elle avait dit et comment ça avait été interprété. À la limite, elle se sentait responsable du meurtre de Turgeon ! C'était à cause d'elle que Pat était traqué et malheureux, et s'il avait tué cet homme, ça ne pouvait être que parce qu'il était désespéré… Elle n'aurait sûrement pas réagi de cette façon si elle avait été agressée par son père. Même si elle avait effacé ses mauvais souvenirs, comme tu le suggères, il me semble qu'il serait resté quelque chose de tout ça dans son inconscient — un inconfort, disons — et qu'elle en aurait quand même voulu à son père, ne serait-ce qu'un tout petit peu… Mais jamais je n'ai senti ça de sa part. Au contraire, elle a toujours parlé de lui avec amour, avec fierté, elle le défendait férocement chaque fois que quelqu'un l'attaquait…

— D'après moi, l'inconfort dont tu parles se manifeste dans ses rapports avec les hommes…

— Qu'est-ce que tu veux dire ? »

Hubert fait part à Geneviève de la réflexion qui lui est venue un peu plus tôt au sujet de la propension d'Agathe à ne fréquenter que des hommes mariés et beaucoup plus vieux qu'elle.

« Elle reproduirait le modèle qu'elle a connu dans son enfance, quand son père abusait d'elle… »

La notaire n'est pas convaincue.

« Ça paraît logique, c'est sûr, mais j'ai du mal à y croire... En fait, j'ai plutôt l'impression que c'est le contraire : Agathe tente de toutes ses forces *de ne pas reproduire* le modèle qu'elle a connu dans son enfance. »

C'est au tour d'Hubert de demander :

« Qu'est-ce que tu veux dire ?

— Durant toutes les années où je l'ai connue, l'une des choses qu'Agathe redoutait le plus, c'était de ressembler à sa mère. C'était une obsession chez elle.

— Ressembler à sa mère dans quel sens ?

— Dans le sens de la jalousie et de la possessivité maladives... Je n'ai pas connu les parents d'Agathe quand ils étaient ensemble — je ne suis arrivée à Ville-Marie qu'en 1989, un an après la disparition de Pat —, mais Agathe m'a dit que c'était très pénible. Mariette épiait les moindres gestes de son mari et elle l'accusait de coucher avec toutes les femmes du village, ou presque — il avait souri à une caissière du supermarché, ou il faisait de l'œil à l'institutrice d'Agathe, ou il avait regardé d'un air *concupiscent* la réceptionniste du CLSC... Dans la rue, Agathe a entendu des dizaines de fois Mariette siffler à son mari, alors qu'ils venaient de croiser une femme ou une jeune fille : *Tu lui as souri ! Ne nie pas, je t'ai vu. Tu couches avec elle, c'est ça ?* Le soir, de son lit, Agathe l'entendait crier, pleurer, exiger de Pat qu'il confesse ses fautes et qu'il cesse de lui mentir. Elle était même jalouse de sa propre fille ! Déjà, quand Agathe était toute petite, Mariette se sentait rejetée. Elle se méfiait de la complicité qui unissait le père et la fille, elle leur tenait rigueur de leurs jeux, de leurs chansons, de leurs fous rires... *Vous riez de moi, c'est ça ?* Et quand Agathe a été plus grande — à partir de huit ans, à peu près —, Mariette est devenue carrément hystérique. *Arrête de toucher à la petite. Ça suffit, de la prendre dans tes bras. Pas question que tu la fasses danser*... Elle n'arrêtait pas de dire à Agathe de faire attention, de ne pas sauter au cou de son père, de ne pas bouger de telle ou telle façon, que ce n'était pas distingué... Pour Mariette, qui était elle-même très *distinguée*, c'était le critère numéro un pour juger les gens. Unetelle était distinguée, donc fréquentable. Untel, par contre, n'était vraiment pas distingué...

— Tu appartenais à la catégorie des gens distingués, je suppose… »

Geneviève Imbeault a un petit rire.

« Au début, oui. La fille du notaire, ce n'était pas rien ! Après… Après, elle a jugé qu'Agathe passait trop de temps avec moi, et que nos rapports étaient trop émotifs, et que tout ça était louche… J'étais beaucoup moins distinguée, tout à coup, et plus du tout bienvenue chez elle… »

Geneviève songe à sa rencontre avec Agathe. C'était leur solitude commune qui les avait rapprochées. À l'époque, sa mère venait de mourir, et le père d'Agathe avait disparu depuis près d'un an. Elle ne connaissait personne à Ville-Marie, et Agathe était ignorée par la plupart des gens. Elle a vu Agathe la première fois le jour de la rentrée scolaire, au début de leur sixième année. Alors que la majorité des enfants couraient et se bousculaient dans la cour de récréation, il y avait cette fille qui lisait, appuyée contre le mur de l'école. Le soleil faisait flamboyer sa chevelure, et Geneviève aurait tout donné pour avoir des cheveux comme ceux-là. Elle s'est approchée et a jeté un coup d'œil au livre que lisait l'inconnue : c'était *L'Histoire d'Helen Keller*, qu'elle-même venait de terminer et qui l'avait bouleversée. Elle a demandé à la fille rousse si elle avait déjà lu le passage où Helen fait le lien entre l'eau — la vraie eau — et le mot *eau*, que son institutrice épelle dans sa main à l'aide d'un alphabet spécial. La fille a levé les yeux de son livre et a dévisagé Geneviève un moment avant de dire, d'un air très sérieux, qu'elle connaissait ce passage, oui, étant donné qu'elle lisait le livre pour la *quatrième* fois. Ça avait beaucoup impressionné Geneviève. Presque autant que ses cheveux et que ses yeux, qui étaient d'une couleur qu'elle n'avait jamais vue. Plus tard, quand elle a entendu *Ostende*, la chanson de Léo Ferré, elle a tout de suite pensé aux yeux d'Agathe. *Ni gris ni vert, comme à Ostende et comme partout*… Il y avait beaucoup d'Agathe, dans cette chanson, pas juste ses yeux. La beauté sauvage et désolée, la tristesse, l'ailleurs… Agathe et son idéal de pureté, de loyauté… Agathe qui récitait des passages entiers d'*Antigone*, les joues inondées de larmes… Ça a pris un bon moment à Geneviève avant de comprendre que c'était sûrement à cause de son père qu'Agathe s'identifiait autant à ce personnage. Antigone, la fille d'Œdipe, *l'orgueil d'Œdipe* selon les mots d'Anouilh, est condamnée à mort pour avoir donné une sépulture à son frère, malgré l'interdiction du roi. Dans cette pièce, seule contre tous, Antigone reste obstinément loyale à son frère. Dans la vie, Agathe restait obstinément fidèle à son père…

« Agathe, donc, ne voulait pas ressembler à sa mère… »

La voix d'Hubert tire Geneviève de ses souvenirs. Le jeune homme n'est pas là pour admirer le décor pendant qu'elle se remémore les bons et les moins bons moments avec Agathe.

« En fait, Agathe était terrifiée à l'idée de ressembler un jour à sa mère. *Jure-moi*, me disait-elle quand on avait quinze ou seize ans, *jure-moi que si jamais je menace de devenir comme elle tu vas m'en empêcher. Jure-moi que si tu vois chez moi le moindre petit soupçon de jalousie ou de possessivité tu vas me le dire.* Et puis il y a eu Jonathan, et elle est devenue encore plus obsédée par cette idée de ne pas ressembler à sa mère. *La seule solution, c'est de ne plus jamais tomber amoureuse*, a-t-elle décrété à ce moment-là. *Pas d'attaches, pas d'attachement, pas de jalousie…* Si je me fie à ce que tu m'as dit, elle s'en tient encore à ce programme…

— Il serait peut-être temps qu'elle passe à autre chose, commente Hubert à mi-voix. Jonathan… Agathe a mentionné son nom, mais je ne sais rien d'autre à son sujet. Qu'est-ce qui s'est passé avec lui ?

— Il s'est passé qu'Agathe est tombée amoureuse de lui — je n'ai d'ailleurs jamais compris ce qu'elle pouvait lui trouver, mais peut-être que je ne suis pas bien placée pour juger de ça. Bref, elle est amoureuse. Follement amoureuse. Elle dessine des cœurs dans ses cahiers et écrit le nom de Jonathan partout. Elle va le voir jouer au hockey et passe ses soirées à attendre qu'il lui téléphone. Elle ne lui demande rien, elle n'exige rien, elle ne dit pas un mot quand elle le surprend en train d'embrasser Sylvie Cadotte dans un party — même qu'elle se sent coupable d'en éprouver quelque chose comme de la peine (*ne pas ressembler à Mariette, surtout ne pas ressembler à Mariette !*)... Et puis un jour, le 20 février très précisément, Agathe dit à Jonathan que le lendemain, pour son anniversaire, ce qui lui ferait le plus plaisir, ce serait de passer la soirée avec lui. *Ben, là, wo! j'ai une partie de hockey, moi, demain!* Le soir d'après, alors... *Pas question, on va chez Gingras avec toute la gang pour regarder des vidéos, c'est prévu depuis longtemps...* Agathe a le mauvais goût d'insister. Pour ma fête, j'aimerais tellement ça qu'on soit ensemble, tu pourrais voir la gang une autre fois... *'stie que t'es castrante! Pire que ta mère!*

Quel épais!

— Mon opinion, tout à fait. Sauf que les paroles de cet épais ont complètement traumatisé Agathe. Je ne crois pas qu'elle ait pleuré Jonathan très longtemps — elle était amoureuse, d'accord, mais quand même pas débile. Par contre, la crainte de ressembler à sa mère s'est transformée en hantise. Elle s'est juré que plus personne, jamais, ne pourrait l'accuser d'être *castrante*... Le pire, c'est qu'on n'était pas sûres de ce que Jonathan entendait par là, et on le soupçonnait de ne pas le savoir vraiment lui-même... On a cherché dans le dictionnaire, quelques jours plus tard, et le mot n'était même pas là! Il y avait *castratrice*, qui relevait de la psychanalyse et dont le sens ne nous semblait pas très clair... Bizarre, quand même, qu'un mot qui n'existe pas puisse constituer une injure aussi blessante. Violente, même.

— Probablement parce qu'il évoque une réalité pour le moins violente... »

Les jeunes gens sentent en même temps un frisson leur parcourir l'échine.

« Brrrr! émet Hubert.

— Mon opinion, tout à fait! répète la notaire. Bon, pour en revenir à Agathe qui choisit toujours des hommes mariés et plus vieux qu'elle, d'après moi, c'est parce qu'elle ne risque pas d'en tomber amoureuse et de reproduire les comportements de sa mère, et non parce qu'elle aurait été victime d'inceste de la part de son père... Comme je te l'ai déjà dit, elle défendait celui-ci avec passion.

— Même pour ce qui est du meurtre de Réjean Turgeon? »

Geneviève Imbeault fourrage un moment dans ses cheveux avant de répondre.

« Agathe n'a jamais compris ce qui s'était passé le 10 octobre 1988, finit-elle par dire, mais elle a toujours soutenu son père. Elle répétait qu'il ne pouvait pas avoir tué quelqu'un, sinon par accident — et parce qu'il était malheureux et révolté à cause d'elle, bien sûr. Le problème, c'est qu'elle n'a trouvé aucune explication satisfaisante — même à ses propres yeux — à la disparition de Pat O'Reilly après le meurtre. S'il était innocent, pourquoi s'était-il enfui ? S'il avait tué Réjean Turgeon accidentellement, pourquoi n'était-il pas resté pour s'expliquer ? Fuir n'arrangeait rien, bien au contraire — que ce soit pour les accusations de meurtre ou pour les accusations d'inceste. En fuyant, il semblait confirmer sa culpabilité. De plus, ça donnait de lui une image extrêmement négative, une image de lâche qui n'avait rien à voir avec le Patrick O'Reilly qu'Agathe connaissait, avec ce père droit et courageux qu'elle aimait et qu'elle admirait. Elle ne comprenait pas qu'il ait disparu, et encore moins qu'il ne lui ait jamais donné de nouvelles. À un moment donné — on devait avoir treize ou quatorze ans —, elle a échafaudé toute une histoire autour de ça. Elle disait que son père avait sûrement été victime d'un complot, qu'il ne s'était pas enfui mais que quelqu'un l'avait assassiné pour l'empêcher de révéler ce qu'il savait. Dans un tiroir de sa mère, elle avait trouvé des articles de journaux qui mentionnaient cette hypothèse. Les mêmes journaux, quelques semaines plus tard, avaient démoli cette théorie, mais Agathe refusait de tenir compte de ce qui ne faisait pas son affaire. Chaque semaine, elle inventait une nouvelle explication ou un nouveau complot possible — mais je pense qu'elle n'y croyait pas vraiment elle-même. C'était juste une façon un peu maladroite d'arriver à supporter l'abandon de son père… »

Un haussement d'épaules, puis :

« C'est tout, conclut Geneviève Imbeault. Je ne vois pas vraiment ce que je peux te dire d'autre. »

Quand Hubert reprend la parole, après quelques instants, c'est pour parler à la notaire des cartes postales qu'Agathe reçoit pour son anniversaire depuis quatre ans.

« Tu vois, Agathe a fini par avoir des nouvelles de son père… »

Geneviève sourit.

« Je suis contente pour elle, murmure-t-elle. Mais, d'après ce que tu m'as dit un peu plus tôt, Agathe craint secrètement qu'il ne lui ait *aussi* envoyé les lettres de menace anonymes...

— Oui. Et moi, je me demande s'il aurait pu tuer sa tortue... Qu'est-ce que tu en penses ? »

Petite grimace de la part de la notaire.

« Sincèrement, je ne sais pas. N'oublie pas que je n'ai jamais rencontré Patrick O'Reilly. Ce que je connais de lui, c'est ce qu'Agathe m'en a dit — et ce que le reste du monde raconte à son sujet. La version agathienne de Pat O'Reilly n'aurait jamais pu faire une chose pareille. Par contre, je ne vois pas ce qui empêcherait le Pat O'Reilly-assassin-voleur-et-incestueux de terroriser sa fille et d'occire une tortue...

— C'est pour ça que je veux retrouver Mariette Soucy. Elle pourrait sûrement me renseigner... »

Geneviève Imbeault n'a pas une seconde d'hésitation.

« Dans l'état où elle est, ça m'étonnerait. »

Chapitre 22
Dimanche 22 mai, en soirée

En route pour Les Mésanges, le foyer de personnes âgées où vit Mariette Soucy-O'Reilly, atteinte d'une forme précoce de la maladie d'Alzheimer, Hubert se demande si la mère d'Agathe est aussi perdue que le prétend Geneviève Imbeault. Si oui, il ne pourra pas en tirer grand-chose. Mais peut-être aussi qu'elle a des moments de lucidité et qu'elle pourra émettre une opinion éclairante sur Patrick O'Reilly. Les vieillards qui oublient ce qu'ils ont fait la veille ou une demi-heure plus tôt n'ont-ils pas parfois tendance à se souvenir dans les moindres détails de scènes qui se sont déroulées un demi-siècle auparavant ? Hubert souhaite que ce soit le cas de Mariette Soucy.

Geneviève Imbeault lui a offert de garder Bruno pendant qu'il va rencontrer la mère d'Agathe.

« Elle vit dans un foyer qui se trouve à Saint-Bruno-de-Guigues, à une quinzaine de kilomètres d'ici, a précisé la jeune femme. Je peux téléphoner à Pauline Sanscartier, la propriétaire, pour lui dire que tu aimerais rencontrer Mariette. Ça ne devrait pas poser de problème.

— Pauline Sanscartier? a répété Hubert. C'est la femme qui a été plus ou moins témoin du meurtre de Réjean Turgeon, non? C'était aussi une de ses victimes, si je me fie aux journaux que j'ai lus...

— Exact, a confirmé Geneviève Imbeault. Après la mort de Turgeon et la disparition de Pat, Pauline Sanscartier et Mariette Soucy se sont beaucoup rapprochées. Agathe n'a jamais aimé Pauline, mais elle admettait que, sans elle, sa mère aurait été très seule, et complètement désemparée. Dans la région, tout le monde se méfiait de Mariette. Il y en a qui disaient qu'elle était complice de son mari et qu'elle attendait juste le moment propice pour aller le retrouver et profiter de l'argent qu'il avait dérobé à Turgeon — et par conséquent aux pigeons plumés par Turgeon. Mais Pauline l'a soutenue, et, toutes les deux, elles ont ouvert une résidence pour personnes âgées. En mettant leurs ressources en commun, elles avaient un bon fonds de départ. Mariette avait eu un héritage intéressant de ses parents — son père possédait des motels à la grandeur de l'Abitibi-Témiscamingue —, et Pauline avait encore un peu d'argent qui lui venait de son mari — heureusement qu'elle n'avait pas tout investi dans le projet de Turgeon! D'après Agathe, sa mère se sentait tellement coupable que Pat soit parti avec l'argent de Pauline et des autres qu'elle voulait à tout prix racheter la faute de son mari en contribuant à une bonne œuvre. Bref, Pauline et Mariette ont ouvert Les Mésanges il y a une quinzaine d'années, et c'est vraiment une résidence modèle. Les bâtiments et le terrain sont magnifiques, le personnel est qualifié et chaleureux, l'atmosphère est agréable... C'est le genre d'endroit où j'espère me retrouver, le jour où je ne pourrai plus vivre seule. Au début, c'était uniquement une résidence pour personnes autonomes, mais quand Mariette a commencé à montrer des signes d'Alzheimer, Pauline a décidé d'élargir la gamme des services offerts. Elle a acheté les propriétés voisines et fait construire un foyer pour les gens en perte d'autonomie, avec une clinique sur place, une pharmacie, une piscine, des salles de rééducation... Avec des dizaines de personnes à son service, le complexe Les Mésanges est un des employeurs les plus importants de la région. Et, crois-moi, ça ne va pas changer de sitôt:

il y a une longue liste d'attente, autant du côté des personnes autonomes que du côté des vieillards qui nécessitent des soins plus poussés. Évidemment, c'est là que vit Mariette.

— Elle a été chanceuse d'avoir Pauline Sanscartier auprès d'elle, si je comprends bien, a observé Hubert.

— C'est ce que je crois aussi. Sans Pauline, Mariette serait complètement abandonnée.»

Hubert a ensuite demandé à Geneviève Imbeault si Agathe savait que sa mère était atteinte d'Alzheimer. La notaire a avoué son ignorance.

«Il y a des années que je ne suis plus en contact avec Agathe, a-t-elle précisé. À l'époque, elle était en conflit permanent avec sa mère…

— Mais Pauline Sanscartier a dû l'avertir…

— À condition qu'elle ait eu les coordonnées d'Agathe. Comme je te l'ai dit, Agathe ne l'a jamais aimée.

— Pourquoi?

— Elle trouvait que Pauline avait une trop grande influence sur sa mère.»

Pour sa part, Hubert avait l'impression que Pauline Sanscartier avait eu une influence positive sur la mère d'Agathe. Elle l'avait soutenue dans un moment difficile, et toutes deux avaient contribué au bien-être de la région… Évidemment, on peut à la fois réaliser des choses admirables et tomber sur les nerfs d'une adolescente! Une chose était sûre, cependant: indépendamment de l'opinion d'Agathe sur Pauline Sanscartier, lui-même était très curieux de rencontrer cette femme, qui avait été la dernière à parler à Patrick O'Reilly avant sa disparition. Même si Mariette Soucy n'était pas en mesure de lui révéler quoi que ce soit, peut-être que Pauline Sanscartier pourrait lui fournir des informations sur le père d'Agathe et sur le danger qu'il représentait pour elle.

Aussi s'est-il réjoui quand, après avoir téléphoné à Pauline Sanscartier, Geneviève Imbeault lui a adressé un grand sourire.

«Pauline t'attend aux Mésanges à dix-neuf heures trente, a-t-elle annoncé. Elle dit de ne pas fonder trop d'espoirs sur ton entretien avec Mariette, mais elle-même a hâte de faire ta connaissance et d'avoir des nouvelles fraîches d'Agathe…

— Dix-neuf heures trente…

— Je peux garder Bruno pendant ce temps-là… Si on soupe vers dix-sept heures trente, on va pouvoir manger sans trop se presser. En partant d'ici à dix-neuf heures, tu devrais être là-bas à temps…

— C'est vraiment gentil de ta part. Ça ne te dérange pas, tu es sûre ? Il me semble qu'on t'envahit pas mal… »

Geneviève Imbeault a eu un sourire taquin.

« Ça n'a rien à voir avec la gentillesse, mais plutôt avec la curiosité : je vais garder Bruno en otage et je ne te le rendrai que lorsque tu m'auras tout raconté de ta rencontre avec Mariette et Pauline ! »

~

Il fait encore clair quand Hubert arrive aux Mésanges, et il en profite pour détailler les lieux. Geneviève Imbeault a raison : le terrain est magnifique, et les bâtiments forment un ensemble harmonieux. Certains sont modernes, d'autres datent de plus longtemps, mais tous sont impeccablement entretenus. Le bâtiment le plus proche, dans lequel se trouvent les bureaux administratifs, est une imposante maison en bois, avec toit mansardé et lucarnes, bien pourvue en fenêtres et flanquée d'une galerie couverte qui fait le tour de la maison. Des fauteuils confortables sont disposés sur cette galerie, et quelques bancs de même qu'une balançoire ont été placés dans le jardin juste à côté.

Pendant qu'Hubert examine les lieux, une femme sort de la maison et s'approche de lui.

« Monsieur Fauvel, je suppose ? dit-elle en lui tendant la main. Pauline Sanscartier. Bienvenue aux Mésanges. Si vous voulez bien me suivre, je vais vous conduire auprès de Mariette. La notaire Imbeault vous a parlé de son état, n'est-ce pas ? N'ayez pas trop d'attentes à son égard, ça vous évitera des déceptions… »

La poignée de main est vigoureuse, à l'image de Pauline Sanscartier elle-même. Hubert aurait du mal à donner un âge à cette femme grande et osseuse qu'il imagine très bien en mère supérieure d'un couvent. Des cheveux gris coiffés avec soin, un regard direct, une affabilité teintée de réserve, quelque chose d'imposant dans le port de tête et dans la démarche. Cette femme semble fiable, solide et efficace, mais pas exagérément chaleureuse. Pour la caractériser, des expressions qu'il n'a pas eu l'occasion d'utiliser souvent dans sa vie viennent à l'esprit du jeune homme : femme de tête, maîtresse femme… C'est la première fois qu'Hubert voit ces expressions incarnées de façon aussi convaincante. Il sent que Pauline Sanscartier n'a pas l'habitude de tourner autour du pot et qu'elle attend la même chose de ses interlocuteurs. Il y a quelque chose de reposant à avoir affaire à quelqu'un qui affiche précisément ses couleurs, et Hubert prend lui aussi le parti de la transparence.

« Je veux rencontrer Mariette Soucy, bien sûr, même si je ne me fais pas d'illusions sur ce qu'elle pourra me dire, mais j'espère pouvoir discuter également avec vous. Vous connaissiez Patrick O'Reilly, et je sais que vous avez été la dernière à lui parler avant sa disparition : vous êtes donc bien placée pour éclaircir certains points à son sujet. »

Pauline Sanscartier ne montre ni étonnement ni curiosité.

« Je vais d'abord vous présenter Mariette. Elle se couche à vingt heures, il vaut donc mieux que vous la voyiez maintenant. Après, on aura tout le loisir de parler, vous et moi. »

~

« … Agathe, votre fille… Vous vous souvenez d'Agathe, non ? »

C'est décourageant. La femme qui est devant lui, et dont Hubert a du mal à croire qu'elle est la mère d'Agathe tant les deux femmes sont différentes, ne semble même pas se rendre compte que quelqu'un lui parle et que ce quelqu'un s'attend à une réponse de sa part. Depuis qu'Hubert est entré dans la chambre, Mariette Soucy, les yeux rivés sur le téléviseur éteint, se balance d'avant en arrière en chantonnant. Pas une seule fois elle n'a tourné les yeux vers le visiteur.

« Est-ce qu'elle est toujours comme ça ? demande-t-il à Pauline Sanscartier, qui se tient légèrement en retrait.

— De plus en plus souvent, malheureusement. Certains jours, elle réagit un peu plus, elle se promène dans le jardin ou elle jette des regards autour d'elle en souriant, mais ça ne dure pas.

— Il y a longtemps qu'elle est atteinte d'Alzheimer ?

— Cinq ou six ans. Évidemment, son état s'est beaucoup dégradé depuis cette époque, et ça ne peut aller qu'en empirant.

— Est-ce qu'Agathe l'a déjà vue comme ça ?

— Non. La dernière fois qu'Agathe est venue au Témiscamingue, Mariette commençait à avoir des problèmes de mémoire, mais, dans l'ensemble, elle fonctionnait normalement.

— Mais vous avez contacté Agathe, quand même ? Elle sait à quel point sa mère est atteinte ? »

Une légère hésitation, pendant laquelle Hubert a le sentiment que Pauline Sanscartier cherche la meilleure façon de répondre honnêtement tout en n'accablant pas Agathe.

« Au début, Mariette ne voulait pas inquiéter sa fille. Elle a toujours cherché à la protéger, même si Agathe n'interprète pas nécessairement les choses ainsi. Elle m'avait donc demandé de ne pas contacter Agathe. Je sais qu'elle espérait malgré tout que celle-ci vienne la voir plus souvent, mais elle ne voulait pas exercer trop de pression sur elle. Agathe est tellement indépendante ! Et puis son métier l'accapare, c'est sûr... »

Elle ne travaille quand même pas vingt-quatre heures sur vingt-quatre douze mois par année, songe Hubert. Si elle ne vient pas voir sa mère, ça ne peut pas être une simple question d'horaire.

« Mais depuis ?

— Je lui ai téléphoné, il y a deux ans, et elle m'a raccroché au nez. Mais si nous allions dans mon bureau pour parler ? Nous serions plus à l'aise. »

~

« Agathe tient Mariette pour responsable de la disparition de son père. C'est complètement irrationnel, bien sûr, mais Agathe a toujours été une enfant émotive et excitable. » Le regard de la directrice des Mésanges se durcit tandis qu'elle ajoute : « Évidemment, la conduite de Pat à son égard n'a rien arrangé… Quand Mariette a fini par comprendre ce qui se passait, Agathe était déjà très perturbée…

— Geneviève Imbeault m'a dit qu'Agathe niait que son père lui ait fait du mal. »

Pauline Sanscartier secoue la tête avec tristesse.

« Réflexe de survie, je suppose… Tant mieux pour elle si elle a vraiment tout oublié de cette époque… Mais, évidemment, ça rendait les choses encore plus difficiles pour Mariette. Vous vous rendez compte ? Elle venait de découvrir que son mari avait abusé de sa fille et elle se sentait terriblement coupable — coupable de ne pas avoir compris la situation plus tôt ; coupable de ne pas avoir protégé sa fille ; coupable d'avoir dénoncé son mari ; coupable de ne pas avoir su prévenir le naufrage de leur couple et de leur famille. Elle avait l'impression que les choses ne pouvaient pas aller plus mal. Et puis, dans un accès de rage, son mari commet un meurtre et un vol avant de disparaître complètement du paysage. Tout le monde, dans la région, s'est mis à la considérer comme une pestiférée. Et, pour couronner le tout, sa propre fille — sa fille qu'elle adorait et qu'elle tentait à tout prix de protéger — se détournait d'elle comme si c'était elle, et non son père, qui lui avait causé un tort immense !

— Geneviève m'a dit que Mariette Soucy était d'une jalousie maladive… »

Pauline Sanscartier nuance cette opinion.

« Ni plus ni moins qu'une autre, indique-t-elle. Une dose raisonnable de jalousie peut être très saine, vous savez. Ça permet de noter des signes qu'on n'aurait pas vus autrement… et de réagir avant qu'il soit trop tard. Dans le cas qui nous occupe, ça a permis à Mariette de se rendre compte de ce qui se passait entre Pat et Agathe, et d'y mettre fin avant que les dégâts soient irrémédiables. »

Hubert ne sait plus que penser. Qui doit-il croire, Geneviève Imbeault ou Pauline Sanscartier ? Geneviève, qui n'a jamais rencontré Pat O'Reilly, ou Pauline, qui l'a affronté juste avant sa disparition? Mais plutôt que de s'appesantir sur ce qu'a fait ou non Patrick O'Reilly il y a seize ans et demi, Hubert décide de consulter la propriétaire des Mésanges sur ce qu'il pourrait avoir fait au cours des dernières semaines.

« À votre avis, Patrick O'Reilly peut-il représenter une menace pour Agathe, même après toutes ces années? »

Pauline Sanscartier ne répond pas tout de suite, mais Hubert la sent très attentive, tout à coup. Elle le dévisage un long moment, comme si elle se demandait jusqu'à quel point elle pouvait lui faire confiance.

« Avez-vous une raison particulière de me demander cela? » finit-elle par dire.

Hubert sort de sa poche quelques feuilles pliées en quatre, qu'il tend à Pauline Sanscartier. Celle-ci déplie les feuilles, prend connaissance de ce qu'il y a dessus et reporte ensuite son attention vers Hubert, qui lui explique qu'il s'agit de photocopies de lettres qu'Agathe a reçues dans les dernières semaines.

« Il y a eu ces lettres, précise-t-il, et aussi quelque chose de plus grave: mercredi soir dernier, en rentrant chez elle, Agathe a trouvé sa tortue clouée au milieu de son lit au moyen d'un grand couteau.

— Quoi!? »

Jusque-là, Pauline Sanscartier a gardé son calme, mais elle est visiblement troublée en apprenant la mort de Desdémone et la façon dont elle a été tuée.

« Sa tortue… sa tortue assassinée! murmure-t-elle. Mais… »

Puis, se ressaisissant, elle revient à Hubert.

« Vous m'avez demandé si, à mon avis, Patrick O'Reilly représentait une menace pour Agathe.

— Oui.

— J'ai quelque chose à vous montrer, moi aussi. »

La propriétaire des Mésanges se lève pour fouiller dans un classeur qui se trouve dans un coin du bureau. Elle retire un dossier du classeur, puis une lettre du dossier.

« Après avoir lu ceci, dit-elle en tendant la lettre à Hubert, vous n'aurez pas besoin de mon avis. Je crois que vous serez en mesure d'évaluer vous-même le danger que Patrick O'Reilly représente pour sa fille. »

Ma femme je suis malade peutêtre je va mourir. Cancer de poumon. Avant je meur traison et mensonge vont être puni. Avant je meur je veut revenge.

Le papier est identique à celui des lettres qu'Agathe a reçues, l'écriture est la même, le contenu donne une désagréable impression de déjà vu.

« Cette lettre, adressée à Mariette, est arrivée il y a une quinzaine de jours, raconte Pauline Sanscartier. Elle avait été envoyée à son ancienne adresse, mais les nouveaux propriétaires me l'ont apportée. Comme vous avez pu le constater, Mariette n'est pas apte à gérer ses affaires, et c'est moi qui m'occupe de tout — elle m'a signé une procuration au début de sa maladie. C'est donc moi qui ai pris connaissance de cette lettre, qui ne peut venir que de Pat O'Reilly. »

Hubert abonde dans son sens.

« Il est le seul à pouvoir s'adresser à Mariette Soucy en disant *ma femme,* remarque-t-il.

— Le seul aussi à faire autant de fautes en si peu de mots, ajoute Pauline Sanscartier. Mais je ne suis pas charitable — à sa décharge, il ne faut pas oublier qu'il est anglophone et qu'il n'a jamais vraiment eu l'occasion d'écrire en français. »

Hubert hoche lentement la tête.

« Oui, ça nous a frappés, Agathe et moi, les tournures anglaises, les fautes bizarres…

— Et qu'en avez-vous conclu ?

— Pas grand-chose. Évidemment, Agathe a envisagé un instant que les lettres aient été envoyées par son père, mais elle a vite rejeté cette idée.

— Pourquoi ?

— Elle est certaine que jamais il ne lui ferait du mal. »

Pauline Sanscartier médite cette réponse quelques instants.

« Comme dit le proverbe, il n'est pire sourd que celui qui ne veut pas entendre, finit-elle par laisser tomber. Patrick lui a pourtant déjà fait beaucoup de mal. Mais comme elle refuse de l'admettre… »

Hubert interrompt ces considérations psychologiques.

« Il faut agir, et vite ! » dit-il.

Cette nouvelle lettre — et la confirmation qu'elle provient de Patrick O'Reilly — lui donne la chair de poule. Cet homme est persuadé qu'il a été trahi par sa femme et par sa fille, et il veut se venger. Agathe est en danger, Hubert en est maintenant certain, et il n'a aucune envie de rester assis à discuter, alors qu'il pourrait faire quelque chose pour la protéger.

« Avez-vous averti la police quand vous avez reçu cette lettre ? » demande-t-il à Pauline Sanscartier.

Celle-ci fait signe que non.

« Je trouvais ça prématuré. J'ai quand même demandé à quelques amis sûrs de garder l'œil ouvert, au cas où Pat se montrerait dans le coin.

— Et Agathe ? Vous n'avez pas pensé à avertir Agathe ?

— Franchement, j'avais l'impression que seules Mariette et moi étions visées par ces menaces, indique Pauline Sanscartier. Jamais je n'ai imaginé qu'Agathe pouvait être en danger, elle aussi. Avoir su… »

Elle ne termine pas sa phrase. Un coup discret vient de se faire entendre à la porte de son bureau.

« Madame Pauline ? C'est monsieur Ringuette, il recommence à faire du trouble. Il a arraché sa couche et il est en train de beurrer les murs avec… »

Pauline Sanscartier lance un regard qui n'est pas dénué d'humour en direction d'Hubert.

« Vous m'excusez ? Je dois régler une urgence…

— Bien sûr, dit Hubert. De toute façon, j'allais partir, ajoute-t-il en se dirigeant vers la porte.

— Vous allez avertir Agathe du danger qu'elle court ?

— Oui. Je vais lui téléphoner dès ce soir. Je vais aussi avertir la police — c'est bien de dire à Agathe d'être prudente, mais ça ne remplace pas la protection de la police. Vous devriez faire la même chose par rapport à sa mère.

— Oui, vous avez raison. »

Pauline accompagne Hubert jusqu'à la porte.

« Tenez-moi au courant s'il se produit quelque chose de nouveau, dit-elle.

— J'allais vous demander la même chose… »

Un sourire. Une poignée de main bien franche. Puis Pauline Sanscartier redevient madame Pauline, l'efficace et respectée propriétaire-directrice de la résidence Les Mésanges, qui doit maintenant s'occuper de monsieur Ringuette.

~

Aussitôt revenu chez Geneviève Imbeault, Hubert téléphone à Agathe, mais il tombe sur son répondeur. Il raccroche sans laisser de message en se disant qu'il va la rappeler plus tard.

« Mariette Soucy a, elle aussi, reçu une lettre de menace de Patrick O'Reilly », annonce-t-il avant de rapporter à la notaire sa conversation avec la directrice des Mésanges.

Geneviève tique un peu quand Hubert mentionne que Pauline Sanscartier considère que Mariette n'était *ni plus ni moins jalouse qu'une autre*, mais elle passe vite à un sujet qui la préoccupe davantage : la sécurité d'Agathe.

« Tu vas la rappeler bientôt ? demande-t-elle à Hubert.

— Dès mon arrivée au motel.

— Bruno et toi pouvez passer la nuit ici, dit-elle. Ce ne sont pas les chambres qui manquent.

— Merci, mais je préfère retourner au motel. Toutes nos affaires sont là-bas… »

Après avoir récupéré Bruno, endormi à côté des trains électriques (« J'ai voulu le coucher dans un lit, mais il tenait mordicus à rester ici, explique Geneviève. J'espère qu'il ne sera pas trop courbaturé… »), Hubert retourne au motel Louise, où Bruno lui décrit dans le détail les circuits des trains électriques, et l'ingéniosité avec laquelle on peut faire passer les trains d'un rail à l'autre, et la beauté des différents édifices construits par Oscar Imbeault pour reproduire un village québécois typique…

« Elle est gentille, Geneviève, murmure-t-il au moment de s'endormir. Elle n'est p…pas aussi b…belle qu'Agathe et elle ne sent p…pas aussi b…bon, mais ce n'est p…pas grave. Je l'aime *p…presque* autant… Toi, est-ce que tu l'aimes autant ?

— Presque autant ! répond son oncle d'un ton léger. Bonne nuit.

— B…bonne nuit. »

À présent, le téléphone sonne chez Agathe, et Hubert a le cœur qui bat plus fort à l'idée d'entendre la voix d'Agathe. Belle Agathe, Agathe qui sent bon…

« Bonjour, vous êtes bien au… »

C'est la voix d'Agathe, mais pas sa voix vivante, seulement sa voix répondeur. Hubert est déçu. Inquiet, aussi. Comment se fait-il qu'Agathe ne soit pas chez elle à vingt-deux heures dix un dimanche soir ? Évidemment, elle a le droit de sortir, ou de prendre un bain, ou de décider de ne pas répondre au téléphone… Elle est peut-être avec Laurent Bouvier…

« Agathe, c'est Hubert. On est dimanche soir, un peu après vingt-deux heures, et je t'appelle du Témiscamingue. J'ai la confirmation que c'est ton père qui t'a envoyé les lettres. Il te veut du mal, Agathe. Tu es en danger. Rappelle-moi aussitôt que tu prendras mon message, quelle que soit l'heure. Je suis au motel Louise, dans la chambre 143, et le numéro de téléphone est le… »

En raccrochant, Hubert se demande brusquement si son avertissement n'arrive pas trop tard. Et si Agathe ne répondait pas parce qu'elle ne *peut* pas répondre ? Parce qu'elle est blessée — ou pire… La veille, quand il lui a parlé, elle semblait mal à l'aise. Parlait-elle librement ou répétait-elle simplement les mots qu'un autre lui dictait ? Un autre qui était peut-être son père…

Préoccupé par le sort d'Agathe, Hubert voudrait partir pour Montréal sur-le-champ, mais il a parfaitement conscience que ce serait inutile. Même en partant maintenant — ce qui est impossible parce qu'il devrait d'abord réveiller Bruno, faire les bagages, trouver de quoi se nourrir —, il lui faudrait au moins huit heures pour atteindre Montréal. Si Agathe est en danger, huit heures, c'est interminable.

De toute façon, est-il en mesure de protéger Agathe, lui qui n'a rien d'un héros ? Il n'est qu'un géologue unijambiste flanqué d'un neveu handicapé. Côté protection, on peut trouver mieux. La police, par exemple.

Après avoir vidé le contenu de son portefeuille sur le lit, Hubert trouve enfin le petit rectangle de carton qu'il cherchait.

Il reprend le téléphone et compose une série de chiffres.

« La sergente-détective Lysanne Thibodeau, s'il vous plaît… C'est urgent… C'est une question de vie ou de mort ! Pouvez-vous lui demander de me rappeler, au moins ? Hubert Fauvel, elle me connaît, c'est au sujet d'Agathe O'Reilly… O'Reilly, oui. *R-E-I-L-L-Y*. Elle peut me joindre dans le code régional 819, au numéro suivant… »

Chapitre 23
Lundi 23 mai

Lysanne Thibodeau a mal dormi. Après l'appel d'Hubert Fauvel, la veille au soir, elle a tenté de joindre Agathe O'Reilly par téléphone, elle aussi, puis elle est allée sonner chez la comédienne, au cas où celle-ci, tout en étant chez elle, aurait simplement décidé de ne pas répondre au téléphone. Aucune réaction à son coup de sonnette. Pas de lumière qui aurait éclairé l'appartement plongé dans le noir. Pas de grésillement qui aurait accompagné le déverrouillement de la porte. La policière a sonné une deuxième fois, puis une troisième, avant de renoncer. Agathe O'Reilly n'était pas chez elle. Pour l'instant, Lysanne Thibodeau se refusait à envisager l'autre possibilité — que la jeune femme soit là, mais dans un état qui l'aurait empêchée de répondre à des visiteurs.

Lysanne Thibodeau est donc rentrée chez elle et elle s'est mise au lit, bien décidée à terminer ce thriller commencé des semaines auparavant et sur lequel elle s'endormait invariablement au bout de deux pages. Ce soir-là, elle ne s'est pas endormie sur son livre, elle a même tourné une bonne trentaine de pages avant de déposer son roman et de fermer la lumière, mais elle aurait été bien en peine de dire ce qu'elle avait lu. La pensée d'Agathe O'Reilly ne la laissait pas tranquille. Et si Hubert Fauvel avait raison ? Si la comédienne était en danger ? C'était quand même troublant, cette histoire que Fauvel lui avait racontée. Patrick O'Reilly, père incestueux et assassin présumé, qui, seize ans et demi après son crime, refaisait surface avec l'intention de se venger. Envoi de lettres de plus en plus menaçantes, mise à mort de la tortue de sa fille... Et s'il avait franchi une nouvelle étape en s'attaquant directement à Agathe ? Décidément, Fauvel avait réussi à lui communiquer ses angoisses. Dès le lendemain, elle allait examiner tout ça de plus près.

À présent, on est le lendemain. Il ne fait pas encore vraiment clair, mais, officiellement, c'est le matin. Lundi matin, cinq heures. Il est toujours un peu gênant de téléphoner si tôt chez les gens, mais ça reste le moment idéal pour les trouver chez eux.

D'abord une nouvelle tentative auprès d'Agathe...

« Madame O'Reilly ? Lysanne Thibodeau, du SPVM. Lundi matin, cinq heures. Rappelez-moi dès que vous trouverez mon message. »

... puis auprès de son cercle d'amis et de connaissances.

« Monsieur Bouvier ? Sergente-détective Lysanne Thibodeau, du SPVM. On s'est déjà rencontrés. Excusez-moi de vous réveiller... Non ? Vous êtes matinal... Oui, c'est vrai... J'aimerais savoir si Agathe O'Reilly est avec vous en ce moment. J'ai absolument besoin de lui parler... Non ? Et quand l'avez-vous vue pour la dernière fois ? Vendredi... Avec Hubert Fauvel... Non, je n'ai pas essayé chez lui... Vous croyez que... Bon, merci... Samedi ? Vers quelle heure ?... Merci. Oh ! monsieur Bouvier ? J'aimerais que vous me contactiez si jamais vous aviez d'autres nouvelles de madame O'Reilly... Je vous rappelle mon numéro... »

« Florence Lavoie, s'il vous plaît... Lysanne Thibodeau, sergente-détective au SPVM... Non, il n'y a rien de grave, ne vous inquiétez pas. Savez-vous où est Agathe O'Reilly en ce moment ? J'aurais quelque chose à lui demander et je n'arrive pas à la joindre... Où ça ?... Avez-vous un numéro où... ? Merci, ça me rassure... Excusez-moi de vous avoir réveillée, mais ça en valait la peine, croyez-moi. »

« Monsieur Germain Dostie ? Désolée de vous appeler à une heure aussi matinale… Lysanne Thibodeau, sergente-détective au Service de police de la Ville de Montréal… Qui ?… Non, il n'est rien arrivé à votre conjoint. Pas que je sache, en tout cas. Je cherche seulement à contacter Agathe O'Reilly, une des comédiennes de la pièce que vous dirigez cet été. Son amie Florence Lavoie m'a dit qu'elle était déjà à Sutton pour les répétitions… Non ?… Pas avant la semaine prochaine ? Et quand vous a-t-elle annoncé ça ?… Elle vous a donné des explications ?… À votre avis, quel était son état d'esprit à ce moment-là ?… Non, je comprends… Merci pour votre aide… Oui, c'est vraiment utile. Et, monsieur Dostie ? Si jamais Agathe O'Reilly reprenait contact avec vous, pourriez-vous me le faire savoir ? Mon numéro est le… Non, pas Andréanne, Lysanne. Lysanne Thibodeau. Merci. »

Après avoir raccroché, Lysanne Thibodeau mordille le bout de son stylo tout en fixant les notes qu'elle vient de prendre.

Laurent Bouvier a parlé brièvement à Agathe au téléphone samedi, vers quatorze heures, mais c'est la veille — le vendredi — qu'il l'a vue pour la dernière fois, en compagnie d'Hubert Fauvel. Il a d'ailleurs suggéré à la policière de contacter celui-ci pour savoir où était Agathe. Comme Lysanne Thibodeau sait déjà qu'Hubert Fauvel ignore où est Agathe, elle va oublier cette suggestion. Par contre, elle ne peut s'empêcher de songer que la situation sentimentale de ces trois-là semble s'être considérablement compliquée depuis quelques jours. Intéressant sur le plan *People*… mais pas nécessairement utile pour son enquête.

De ce point de vue, les deux autres appels retiennent davantage son attention. Samedi matin, Agathe a téléphoné à Florence Lavoie pour lui dire qu'elle partait pour Sutton le jour même afin de participer aux répétitions de la pièce *La Maison hantée*. Samedi après-midi, elle a appelé Germain Dostie, le metteur en scène, pour lui annoncer qu'elle ne serait pas là avant une dizaine de jours. Cherchez l'erreur. Et quand Dostie, irrité par son manque de professionnalisme, a exigé des explications, Agathe a prétexté des obligations familiales. Enfin, pour ce qui était de l'état d'esprit d'Agathe, Dostie a dit qu'il ne connaissait pas suffisamment la comédienne pour pouvoir en juger. Elle lui a semblé embarrassée, peut-être un peu tendue…

Pourquoi cet embarras ? se demande à présent Lysanne Thibodeau. Pourquoi cette tension ? Parce qu'elle n'aime pas mentir, parce qu'elle se sentait coupable de ne pas respecter ses obligations professionnelles, ou bien parce qu'elle se trouvait dans une situation délicate ou même dangereuse — en compagnie de son père, par exemple, qui l'obligeait à brouiller les pistes, de sorte que personne ne s'inquiète de son absence avant un long moment ?

Lysanne Thibodeau n'a plus le choix. Elle doit retrouver Agathe O'Reilly. Et l'endroit le plus logique pour commencer ses recherches, c'est l'appartement de la comédienne.

~

Il est sept heures dix quand Lysanne Thibodeau et l'agent Carl Toupin se présentent au logement de l'avenue Shamrock en compagnie d'un serrurier. La sergente-détective a prévenu le lieutenant Maranda de son intention d'entrer chez Agathe O'Reilly, dont elle a des raisons de croire qu'elle est en danger, en insistant sur l'urgence d'agir. Elle a aussitôt obtenu son feu vert — ainsi que le soutien de Toupin, dont elle se serait bien passée.

Avant d'enjoindre au serrurier de leur ouvrir, Lysanne Thibodeau appuie à quelques reprises sur le bouton de la sonnette, sans plus de résultat que la veille. Une bouffée d'adrénaline lui fait battre le cœur plus vite. C'est ici, maintenant, que se met véritablement en branle l'enquête pour retrouver Agathe O'Reilly.

« Allez-y… » dit-elle au serrurier.

Quelques instants plus tard, elle et l'agent Toupin accèdent à l'escalier intérieur qui mène au troisième. Le jour a fini par se lever, mais le temps est à l'orage et il fait particulièrement sombre dans la cage d'escalier.

« Où est le commutateur ? grommelle Carl Toupin. Il doit y avoir moyen de s'éclairer… Je suis sûr qu'il y avait une lumière, la nuit où on est venus pour la tortue… Ah, voici ! Là, au moins, on va voir où on met les pieds… Parlant de tortue, pourvu qu'on ne trouve pas Agathe dans le même état que sa tortue. Comment elle s'appelait, déjà ? Cardamome ?

— Desdémone.

— *Whatever*… En tout cas, c'était vraiment *weird*, cette tortue plantée au milieu du lit… Surtout avec des draps aussi beaux…

— Il serait peut-être temps que tu en reviennes, des draps…

— Vous n'avez pas trouvé ça *weird*, vous ? »

Oui, bien sûr qu'elle a trouvé ça *weird*, étrange, bizarre, inquiétant… Mais elle ne va pas passer le restant de ses jours à ressasser ces images. Et puisqu'ils sont rendus en haut de l'escalier et qu'ils n'ont plus qu'une porte à ouvrir avant d'être dans l'appartement d'Agathe O'Reilly, Lysanne Thibodeau rappelle à son jeune collègue qu'il vaut mieux qu'ils se concentrent sur ce qu'ils vont trouver maintenant, et non sur ce qu'ils ont vu cinq jours plus tôt.

Le serrurier déverrouille la porte qui donne directement dans l'appartement.

« Tu es prêt ? demande Lysanne Thibodeau à Carl Toupin. Un, deux, TROIS… »

La porte qui s'ouvre à toute volée, les policiers qui font irruption dans le salon, le pistolet au poing, le dos collé au mur, l'œil aux aguets.

« Police, que personne ne bouge ! »

Personne ne bouge, pour la bonne raison que l'appartement est vide, comme ont tôt fait de le constater les deux policiers. Il n'y a personne, pas plus vivant que mort.

« Fiou ! » lance Carl Toupin une fois qu'ils se sont assurés que la chambre à coucher ne recelait aucun cadavre. Son regard s'attarde sur le lit d'Agathe, cependant, et Lysanne ne peut s'empêcher de penser qu'il meurt d'envie de vérifier de quoi ont l'air ses draps, aujourd'hui. Chacun ses fantasmes.

Le seul mouvement que peuvent observer les policiers, c'est le clignotement rouge du répondeur téléphonique qui se trouve sur la table de travail d'Agathe, dans un coin de la chambre. Lysanne Thibodeau s'approche de l'appareil et appuie sur une touche.

« Agathe, ma chérie, je ne comprends pas ce qui se passe... Pourquoi m'as-tu raccroché au nez ? Est-ce que je t'ai blessée ? Si oui, excuse-moi, tu sais bien que ce n'était pas dans mes intentions... Rappelle-moi, et on pourra en parler plus longuement. On est samedi, il est quinze heures. Je suis chez moi et j'attends ton appel. Je t'aime, Agathe. Je t'aime tellement... »

Celui qui assure Agathe de son amour ne s'est pas nommé, mais impossible de ne pas reconnaître la voix de Laurent Bouvier.

« Agathe, es-tu là ? Si oui, décroche, s'il te plaît, c'est important... Je suis bouleversé, ce qui ne devrait pas t'étonner... Tu sais que je t'aime, alors tu dois comprendre à quel point ça m'a fait mal quand je t'ai vue avec cet homme, hier... Je m'inquiète pour toi. Il y a quelque chose de louche chez ce type... Rappelle-moi, je t'en supplie. »

Laurent Bouvier, encore.

« Agathe... »

Bon, il n'a pas une mise en scène à préparer, lui ? Pas étonnant qu'il doive passer ses nuits à travailler s'il occupe ses journées à laisser des messages sur le répondeur de sa maîtresse.

« ... que je ne vis pas quand tu es loin de moi. Je te sens tellement lointaine... Je sais que c'est à cause de ce type, Hubert Fauvel. Je suis sûr qu'il est de mèche avec Nathalie... Ces deux-là veulent notre perte. Méfie-toi d'eux, Agathe, ma chérie... Et rappelle-moi ! »

« Agathe, où es-tu, bon sang ? Je suis fou d'inquiétude. J'ai été sonner chez toi, un peu plus tôt, mais tu n'étais pas là... Tu es avec cet Hubert Fauvel, je suppose... Il est de mèche avec Nathalie, je te dis ! Il ne t'aime pas, il veut seulement nous séparer, toi et moi. Il veut notre perte. Je sais qu'il connaît Nathalie et je suis sûr qu'il y a quelque chose de louche entre les deux. Ne te laisse pas avoir, Agathe... Ne te laisse pas emberlificoter par ce beau parleur... Jamais personne ne pourra t'aimer comme je t'aime... »

Le message suivant a aussi été laissé par Laurent Bouvier, de même que celui d'après... Protestations d'amour, reproches, lamentations, accusations de complot...

« Je ne suis pas une fille, mais il me semble que ça me tomberait sur les nerfs, quelqu'un qui insiste à ce point-là... »

Lysanne Thibodeau regarde Carl Toupin d'un air surpris. C'est la première fois qu'elle l'entend émettre une opinion aussi sensée.

« Oui, moi aussi, ça me tomberait sur les nerfs… »

Cette admission l'étonne elle-même. Il y a quelques jours à peine, elle enviait Agathe O'Reilly et Nathalie Salois d'être aimées par quelqu'un comme Laurent Bouvier. Mais elle se sent de plus en plus mal à l'aise en écoutant les messages qui se succèdent sur le répondeur d'Agathe et qui révèlent un Laurent Bouvier inquiet, jaloux, possessif, sinon franchement paranoïaque…

« Agathe, c'est Hubert. On est dimanche soir, un peu après vingt-deux heures, et je t'appelle du Témiscamingue… »

Le message d'Hubert, qui arrive après la série de messages de Laurent Bouvier, est immédiatement suivi de celui que Lysanne Thibodeau a laissé la veille au soir.

« Madame O'Reilly ? Lysanne Thibodeau… »

Ensuite, trois autres messages de Laurent Bouvier (en pleine nuit : ce n'est plus de l'insistance, c'est du harcèlement, songe la policière), le message que Lysanne Thibodeau a laissé à l'aube, un autre message de Bouvier (« Je suis terriblement inquiet, ma chérie. Cette policière disgracieuse vient d'appeler, tu sais, Face de crapaud, qui est venue pour Desdémone, Sylviane quelque chose… Elle te cherche. J'ai peur pour toi, Agathe… Où es-tu ? Pourquoi ne me rappelles-tu pas ? Je suis mort d'inquiétude, je t'aime tellement, ma chérie… Ne laisse pas Nathalie et Fauvel détruire notre amour. Rappelle, ma belle chérie, rappelle… »), puis plus rien.

Lysanne Thibodeau — alias Face de crapaud — reste un moment à observer le répondeur. À part lui avoir fait prendre Laurent Bouvier en grippe — avant même qu'il l'affuble de ce sobriquet si flatteur —, l'exercice lui a révélé qu'Agathe O'Reilly n'a pas écouté ses messages depuis samedi après-midi, Bouvier ayant laissé son premier message à quinze heures ce jour-là. Où est la jeune femme depuis samedi après-midi ? Avec qui ?

Les messages — et le malaise qu'ils ont engendré — lui font aussi réaliser qu'il y a d'autres pistes possibles que celle de Patrick O'Reilly surgissant du passé pour se venger.

« Et si Laurent Bouvier n'était pas paranoïaque ? réfléchit-elle à voix haute. Si ses accusations étaient fondées et que Nathalie Salois et Hubert Fauvel étaient vraiment en train de comploter pour leur faire du tort, à Agathe et à lui ? Hubert pourrait m'avoir téléphoné en disant qu'il s'inquiétait de la disparition d'Agathe simplement pour brouiller les pistes… En réalité, il saurait précisément où se trouve celle-ci — dans une tombe creusée dans la forêt, par exemple, ou au fond d'un lac, dans un sac de couchage ou un sac vert lesté de grosses pierres… »

Carl Toupin réfléchit à peine quelques secondes avant de répondre que c'est possible, bien sûr, mais que ça lui paraît improbable.

« Hubert Fauvel et Nathalie Salois, de dangereux criminels ? Je ne sais pas pour vous, mais dans mon esprit à moi, ça ne colle pas tellement… »

Lysanne Thibodeau est forcée d'admettre qu'elle aussi a du mal à y croire.

« Il y a aussi la possibilité que ce soit Laurent Bouvier lui-même qui se soit débarrassé d'Agathe, suggère-t-elle.

— Pardon ?

— Tu as entendu comme moi tous les messages qu'il a laissés sur son répondeur, explique l'enquêteuse. Bouvier est jaloux, c'est évident. S'il ne peut pas avoir Agathe, peut-être qu'il s'est dit que personne d'autre n'allait l'avoir — et surtout pas Hubert Fauvel… Alors il s'est débarrassé d'elle.

— Mais pourquoi laisser tous ces messages s'il sait qu'Agathe ne pourra jamais les prendre ?

— Pour brouiller les pistes. Il sait que la police écoutera ces messages, un jour ou l'autre, et il s'arrange pour qu'on croie qu'il ignorait tout de ce qui était arrivé à Agathe et qu'il s'inquiétait pour elle… »

Carl Toupin grimace.

« Il me semble que vous avez beaucoup recours à l'hypothèse *brouillage de pistes*, ce matin, dit-il en rougissant. De toute façon, ça non plus, ça ne colle pas, il me semble. Tous ces messages, c'est *trop*… Laurent Bouvier est plus subtil que ça… S'il voulait vraiment brouiller les pistes, il n'aurait pas laissé autant de messages et, surtout, il n'aurait pas manifesté sa jalousie à ce point-là. Il se serait montré inquiet et malheureux, c'est tout. Pour l'instant, tout ce qu'il a réussi à faire, c'est se mettre sur la liste des suspects. »

Pas bête, le nouveau, songe Lysanne avant de pousser un cran plus loin l'*hypothèse brouillage de pistes*, comme dit Toupin.

« À moins qu'il ne se soit dit qu'on allait tenir précisément le raisonnement que tu viens de faire et qu'on l'éliminerait du même coup de la liste des suspects…

— Répétez un peu ça, pour voir?... »

Lysanne Thibodeau pousse un petit soupir.

« Bon, d'accord, c'est tordu comme raisonnement, admet-elle. N'empêche que je n'aime pas comment cet homme-là mène sa vie amoureuse…

— S'il fallait que tous les gars qui gèrent mal leur vie amoureuse soient considérés comme des criminels, il ne resterait plus beaucoup d'hommes en liberté…

— Je ne te le fais pas dire ! » approuve Lysanne Thibodeau, qui, dans le privé, a le don de tomber sur des sous-doués de la relation sentimentale. « Mais tout ça ne nous apprend pas où se trouve Agathe O'Reilly… »

À tout hasard, elle décroche le combiné du téléphone et appuie sur la touche de recomposition automatique. Ils savent qui a téléphoné à Agathe depuis samedi après-midi. Mais à qui Agathe a-t-elle téléphoné, elle, avant de disparaître ?

Pendant que le dernier numéro composé par Agathe — ou du moins à partir du téléphone d'Agathe — se recompose avec un joli accompagnement de petits bips, la policière se demande sur qui elle va tomber. Une pizzeria, Laurent Bouvier, Germain Dostie… ?

La sonnerie se fait entendre une fois, deux fois…

« Allô ? »

C'est une voix d'homme, que Lysanne Thibodeau ne reconnaît pas.

« Qui êtes-vous ? » demande-t-elle.

La réplique ne se fait pas attendre.

« Je vous ferai remarquer que c'est vous qui m'avez appelé ! dit l'homme d'une voix sèche. Qui êtes-*vous* ? Et à qui voulez-vous parler ? »

Bon, un petit malin…

« Écoutez, je n'ai pas de temps à perdre. Je m'appelle Lysanne Thibodeau et je suis sergente-détective au Service de police de la Ville de Montréal. Je suis présentement dans l'appartement d'Agathe O'Reilly, dont j'ai des raisons de croire qu'elle est en danger. Je viens d'appuyer sur la touche *Redial* de son téléphone et je suis tombée sur vous. Je répète donc ma question : *Qui êtes-vous ?* »

~

Il est huit heures trente et, dans la salle à manger du motel Louise, Hubert et Bruno prennent leur petit déjeuner. Bruno a opté pour les crêpes aux bleuets avec double portion de sirop d'érable ; Hubert se contente d'un café — ou, plutôt, de plusieurs cafés. Il n'a pratiquement pas dormi de la nuit et il a l'estomac noué par l'inquiétude. Même s'il le voulait, il serait incapable d'avaler quoi que ce soit.

« Est-ce qu'on va retourner chez Geneviève ? demande Bruno. Tu p…pourrais jouer avec les trains électriques, toi aussi !

— On va repasser par chez elle, mais juste pour la saluer. En fait, on va rentrer à Montréal dès ce matin.

— À Montréal ? répète Bruno d'une voix désolée. Les vacances sont finies ? On ne va p…pas aller dans la Forêt enchantée ? »

La veille, Geneviève Imbeault lui a parlé de cette forêt, qui est l'un des attraits de la région, et Bruno s'est aussitôt imaginé qu'il pourrait y voir la princesse Chicorée et la Chouette chevêche.

« Je les connais ! a expliqué le petit garçon avec fierté. Elles sont venues à ma fête ! »

Geneviève s'est empressée de dire que c'était *une autre* Forêt enchantée, dans laquelle ni la princesse Chicorée ni la Chouette chevêche n'avaient jamais mis les pieds, mais ses explications n'ont pas entièrement convaincu Bruno, qui espère toujours les rencontrer là-bas. Après tout, Geneviève est bien gentille, mais elle n'est pas *toujours* dans la Forêt enchantée et elle ne peut pas avoir vu toutes les créatures qui y vivent. Et puis, la Princesse et la Chouette n'ont pas de raison particulière de se montrer à Geneviève, qu'elles ne connaissent pas. Pour lui c'est différent : ce sont ses *amies.*

« Je veux aller dans la Forêt enchantée ! »

Hubert est très embêté. C'est lui qui a entraîné Bruno ici en lui promettant un beau voyage, et il a le sentiment de l'avoir beaucoup négligé depuis leur arrivée. Avant de retourner à Montréal, ils pourraient sans doute s'arrêter dans cette fameuse Forêt enchantée, qui est composée de thuyas aux formes étranges et qui fait partie du lieu historique du Fort-Témiscamingue, à quelques kilomètres de Ville-Marie. Ce n'est même pas un détour : ils doivent passer à proximité pour rentrer à Montréal. Hubert se demande toutefois si le site est accessible à cette période de l'année. Et, à supposer qu'ils puissent aller là-bas, comment Bruno va-t-il réagir quand il va se rendre compte que Geneviève a raison et que ce n'est pas *sa* Forêt enchantée ? En voulant éviter un drame, Hubert sèmerait-il les graines d'un drame plus grand encore ?

« Tu sais que tu ne verras ni la Chouette chevêche ni la princesse Chicorée... », rappelle-t-il à son neveu. Il s'étonne d'ailleurs que Bruno, qui ne croit plus au père Noël depuis longtemps, soit à ce point convaincu de l'existence de ces personnages de série télévisée. Le fait de les avoir déjà rencontrés y est peut-être pour quelque chose...

Bruno comprend que la partie est gagnée, et son visage se fend d'un grand sourire.

« Je le sais, oui », dit-il sur le ton de celui à qui on ne la fait pas.

Son oncle regarde sa montre.

« Dépêche-toi de finir de déjeuner, dit-il. Il faudrait qu'on parte bientôt... »

Au même instant, un homme entre en coup de vent dans la salle à manger, qu'il balaie du regard avant de se diriger d'un pas rapide vers Hubert et Bruno. L'homme, qui doit avoir une soixantaine d'années, est petit, rond et chauve. Son visage moustachu exprime un mélange de fébrilité et de détermination.

« Hubert Fauvel ?

— Oui.

— Frédéric Lapierre, dit l'homme en lui tendant la main. Je dois absolument vous parler. C'est au sujet d'Agathe. On n'a pas une minute à perdre. »

~

Un peu plus tard, après avoir confié une fois de plus son neveu à Geneviève Imbeault, Hubert téléphone à Pauline Sanscartier.

« J'ai eu des nouvelles d'Agathe, annonce-t-il. Elle est dans l'autobus qui arrive à Ville-Marie à dix heures cinquante. Je vais aller l'attendre au terminus et j'ai pensé que vous seriez intéressée à être là, vous aussi… Mais avant, il faut que je vous parle de certaines choses. Pourriez-vous me rejoindre au café Cosmos, au coin de Sainte-Anne et de Dollard, dans une trentaine de minutes ? Dix heures quinze, ça vous irait ?… Parfait. À bientôt, alors… »

Au café, en attendant l'arrivée de Pauline Sanscartier, Hubert commande un double espresso.

« Et un muffin aux carottes ! » ajoute-t-il en direction de la serveuse qui vient de prendre sa commande et qui a déjà commencé à s'éloigner. Il n'est pas encore dix heures, et il en est à son cinquième ou sixième café de la journée — c'est trop, surtout sur un estomac vide. Il n'a toujours pas faim, mais il va faire un effort. Il doit être en forme pour affronter les heures qui viennent.

~

« Agathe ne sait même pas que je suis ici, explique Hubert à Pauline Sanscartier un peu plus tard. J'ai pris mes messages téléphoniques à distance, et il y en avait un d'Agathe, qui semblait paniquée. Le message datait d'hier soir. Elle disait que son père lui avait téléphoné, qu'il tenait des propos complètement délirants et qu'elle avait peur.

— Quel genre de propos ? »

Hubert répond qu'il n'en sait rien.

« Son message n'était pas très long, précise-t-il. Elle a ajouté qu'elle n'avait pas peur seulement pour elle, mais aussi pour sa mère, et qu'elle allait partir pour Ville-Marie par l'autobus de vingt-trois heures quinze. Ensuite, elle a dit qu'elle m'appelait parce qu'elle voulait que quelqu'un sache où elle était *si jamais il lui arrivait quelque chose.* Avant de raccrocher, elle a répété que son père était revenu et qu'elle avait peur de lui… En fait, si je ne vous avais pas parlé hier, je n'aurais pas compris grand-chose à son message. »

Pauline Sanscartier hoche lentement la tête.

« Ainsi, Pat a contacté sa fille… J'ai hâte de savoir ce qu'il lui a dit, exactement.

— Moi aussi. Mais je vous avoue que j'ai surtout hâte de voir Agathe saine et sauve. Il va falloir prendre des moyens pour les protéger, elle et sa mère… Je suppose que ce n'est qu'une question de jours avant que Patrick O'Reilly aboutisse ici…

— De jours, ou peut-être même d'heures, remarque Pauline Sanscartier d'un air soucieux. Quand a-t-il téléphoné à Agathe, exactement ? Et où était-il à ce moment-là ? »

Hubert avoue son ignorance.

« Autrement dit, il peut aboutir ici n'importe quand, conclut Pauline Sanscartier. Il est peut-être même déjà là… »

En entendant cela, Hubert se montre inquiet.

« Avez-vous eu le temps d'avertir la police ? demande-t-il. Hier, vous m'aviez dit que vous le feriez…

— Pas encore, répond Pauline Sanscartier. On va d'abord accueillir Agathe et la conduire auprès de sa mère. Après, on contactera la police. »

~

L'autobus d'Agathe devant arriver à dix heures cinquante, Hubert Fauvel et Pauline Sanscartier se présentent au dépanneur Au cagibi, qui sert de terminus, quelques minutes plus tôt.

« Onze heures et demie d'autobus, murmure Hubert. Elle va être crevée… »

Il a vérifié le trajet auprès de la compagnie d'autobus Maheux, qui dessert la région : partie de Montréal, Agathe a d'abord traversé les Laurentides puis l'Abitibi avant de redescendre vers le Témiscamingue… Encore heureux qu'elle n'aille pas jusqu'à North Bay, deux heures et demie plus loin !

Effectivement, Agathe semble exténuée quand elle descend de l'autobus, qui arrive avec une dizaine de minutes de retard. Elle est pâle, elle a les traits tirés, elle peine à déplacer sa grosse valise.

« Laisse, je vais t'aider… »

Agathe lève un regard surpris sur Hubert.

« Mais… qu'est-ce que tu fais là ?

— Je t'attendais. »

Agathe secoue la tête d'un air abasourdi.

« Tu as eu mon message et tu as décidé de venir à Ville-Marie toi aussi, c'est ça ? Tu as roulé toute la nuit…

— Pas exactement, mais ce n'est pas important. Je t'expliquerai plus tard… »

Pendant ce temps, Pauline Sanscartier s'est approchée d'Agathe, elle aussi.

« Bonjour, Agathe. »

Agathe se tourne vers elle, les yeux légèrement plissés à cause du soleil. En reconnaissant la femme qui se trouve devant elle, elle fronce davantage les sourcils.

« Madame Sanscartier ! Qu'est-ce que vous faites là ? » Elle porte une main à sa bouche. « Il est arrivé quelque chose à ma mère, c'est ça ? J'arrive trop tard ? »

Pauline Sanscartier la rassure immédiatement.

« Ne t'inquiète pas, Mariette va bien — ou du moins aussi bien qu'elle peut aller…

— Mais qu'est-ce que… ? »

Agathe fait un geste qui les englobe tous les trois, Hubert, Pauline Sanscartier et elle. De toute évidence, elle se demande par quel hasard les deux autres sont là, ensemble, pour l'accueillir.

« Je vais te conduire aux Mésanges, auprès de ta mère, dit Pauline Sanscartier, et je t'expliquerai la situation en chemin. Mais j'aime autant t'avertir : tu vas avoir un choc en voyant Mariette. Elle a beaucoup changé depuis la dernière fois que tu es venue. »

Y a-t-il un reproche dans sa voix ? Avant qu'Agathe puisse réagir, Pauline Sanscartier empoigne la valise qu'Hubert a déposée par terre et elle se dirige vers sa voiture d'un pas vif tout en invitant la jeune femme à la suivre.

« Non ! »

La protestation a jailli spontanément des lèvres d'Agathe.

Pauline Sanscartier se tourne vers la jeune femme en haussant les sourcils.

« Excusez-moi, mais… ça va trop vite pour moi, explique Agathe. Je ne comprends pas ce que vous faites là, je suis fatiguée, j'ai mal partout, je me sens sale et poisseuse… Depuis qu'on est partis de Rouyn-Noranda, je ne pense qu'à une chose : prendre une douche.

— Aucun problème, répond Pauline Sanscartier. Dès qu'on sera aux Mésanges, tu pourras prendre ta douche… »

Mais Agathe secoue la tête avec véhémence.

« Je ne veux pas prendre ma douche aux Mésanges. Je veux prendre ma douche dans la chambre que j'ai réservée au motel Louise.

— Mais pourquoi payer pour une chambre de motel, alors que tu peux loger gratuitement à la résidence où se trouve ta mère ? Tu pourrais t'installer dans sa chambre…

— Je ne veux pas être dans la même chambre que ma mère !

— Ou alors je peux te trouver un coin libre quelque part…

— Je veux ma chambre à moi, ailleurs que dans la maison où vit ma mère ! Je ne sais pas si vous vous en souvenez, mais elle et moi, on n'est pas exactement les meilleures amies du monde ! »

Agathe furieuse est plutôt formidable à voir — c'est du moins l'opinion d'Hubert, qui ne l'a encore jamais vue en colère —, mais ça ne semble pas impressionner Pauline Sanscartier.

« Je m'en souviens, oui. Je me souviens aussi que tu as toujours eu ton petit caractère, ajoute-t-elle avec un mince sourire.

D'accord, je vais d'abord te conduire au motel Louise, où tu pourras prendre cette fameuse douche. *Après*, on ira aux Mésanges voir ta mère. Ça te va ? »

L'air buté, Agathe accepte la proposition de Pauline Sanscartier, qui se tourne ensuite vers Hubert.

« Vous venez avec nous ?

— Pas tout de suite. Je veux d'abord passer voir Bruno, que j'ai laissé chez une amie… »

Réaction étonnée d'Agathe.

« Bruno ? Tu as traîné Bruno jusqu'ici ?

— Je t'expliquerai.

— Et qu'est-ce que c'est que cette *amie* ? Tu as eu le temps de te faire des amies dans le coin ?

— Ça aussi, je t'expliquerai… Mais je pense que tu devrais suivre madame Sanscartier et aller prendre cette douche… J'irai vous rejoindre au motel un peu plus tard. Ou… »

Il se gratte la tête.

« Je ne sais pas exactement combien de temps ça va me prendre avec Bruno. Disons que je vais *essayer* de vous retrouver au motel. Si je ne suis pas là dans une demi-heure, rendez-vous aux Mésanges sans moi. Je vous rejoindrai directement là-bas.

— Mais qu'est-ce que tu as à faire aux Mésanges ? demande Agathe. C'est ma mère qui est là, pas la tienne.

— Ta mère pour laquelle tu t'inquiètes, précise Hubert. N'oublie pas que ton père peut surgir d'un instant à l'autre. On ne sera pas trop de trois pour réfléchir à la meilleure façon de vous protéger, ta mère et toi. »

~

L'allusion à son père et à la raison pour laquelle elle est venue à Ville-Marie semble avoir ébranlé Agathe, qui adopte aussitôt un comportement d'extrême prudence. Pauline la voit jeter des regards soupçonneux autour d'elle et observer les alentours avant de descendre de la voiture et de se rendre à la réception du motel.

Et, une fois dans la chambre 131, la jeune femme insiste pour que les rideaux restent fermés.

« De cette façon, personne ne peut voir dans la chambre, explique-t-elle. Je me sens plus en sécurité... »

Tandis qu'Agathe prend enfin cette douche à laquelle elle tenait tant, Pauline Sanscartier l'attend dans la chambre. Les choses se mettent en place, songe-t-elle. Il ne manque plus que Patrick O'Reilly pour que l'histoire amorcée il y a près de dix-sept ans connaisse enfin son dénouement. Il y a longtemps que Pauline n'a pas ressenti une telle fébrilité.

Au bout d'une vingtaine de minutes, Agathe sort de la salle de bain, vêtue d'un peignoir blanc et la tête entourée d'une serviette. Elle a le teint rosi par la douche, et des vapeurs odorantes s'échappent en même temps qu'elle de la pièce gorgée d'humidité.

« Pas de nouvelles d'Hubert ?

— Non. »

Agathe dénoue la serviette, l'utilise pour essorer ses cheveux puis, assise sur le lit du fond, entreprend de démêler sa chevelure à l'aide d'un peigne à longues dents. Pauline l'observe en silence. Elle doit admettre que c'est une belle fille, malgré son fichu caractère. Il serait dommage qu'il lui arrive quelque chose.

Soudain, un coup se fait entendre à la porte de la chambre.

« Ce doit être Hubert », dit Agathe.

Pauline va ouvrir. À peine a-t-elle entrebâillé la porte qu'elle pousse une exclamation étouffée.

« Bonjour, Pauline, dit le visiteur en avançant dans la chambre. *It's been a long time.* Je pense c'est le temps qu'on finit la discussion de seize années passées... »

Et Patrick O'Reilly, alias Tom Finnegan, referme la porte derrière lui.

Chapitre 24
Lundi 23 mai (suite)

L'homme qui vient d'arriver n'est qu'un pâle reflet du gaillard solide qui a disparu de Ville-Marie seize ans et demi auparavant. Il a soixante ans, mais il en paraît vingt de plus. Sa haute taille s'est tassée; sa silhouette a fondu; ses traits se sont creusés; il a le teint gris, le regard fiévreux, le cheveu ras et terne — c'est peut-être ce qui est le plus frappant, la disparition de la crinière flamboyante dont Agathe a hérité et sans laquelle Pat O'Reilly n'est plus que le fantôme de lui-même.

Il jette un coup d'œil autour de lui. Son regard effleure Agathe, assise sur le lit du fond et que la surprise semble paralyser, avant de revenir vers Pauline, qui a vite recouvré ses esprits.

«Assieds-toi», dit-elle à O'Reilly en désignant un fauteuil à côté de la porte. Elle-même prend place sur le lit le plus proche.

Sans quitter Pauline des yeux, l'homme s'assoit avec précaution.

«Ça m'a pris beaucoup des années avant que je comprends, commence-t-il d'une voix rauque — et si basse que Pauline doit tendre l'oreille pour bien l'entendre. Presque dix-sept années. Mais maintenant je comprends, je reviens pour la justice. Pas le revenge, la justice…

— La justice, c'est que tu vas passer la fin de tes jours en prison pour le crime que tu as commis», réplique froidement Pauline Sanscartier.

Patrick O'Reilly secoue la tête.

«Pauline, Pauline, tu sais tu dis des mensonges. Tout le monde, il pense j'ai tué Réjean Turgeon, mais toi tu sais j'ai pas tué lui. Tu sais c'est toi qui as tué Turgeon.»

Ses paroles provoquent un haussement de sourcils chez la femme qui se trouve devant lui.

«Et pourquoi j'aurais tué ce pauvre Réjean Turgeon? Je ne le connaissais même pas…

— Oh oui, tu connaissais lui! C'est ça que je savais pas, dix-sept années passées. Mais maintenant je sais. *And as soon as I found out that you knew him, everything fell into place…*»

Lentement, de cette voix rauque et haletante qui est maintenant la sienne, Patrick O'Reilly raconte l'escroquerie dont a été victime un ami à lui, Gordon MacIntosh, un mineur de New Waterford, en Nouvelle-Écosse. Il y a près de vingt ans, Gordon et une dizaine d'autres villageois se sont fait arnaquer par un homme qui prétendait être géologue. Cet homme, Normand Bigras, affirmait qu'un riche gisement de charbon avait été découvert sur des terres dont le sous-sol n'appartenait pas à la Couronne, et il avait réussi à convaincre Gordon et ses amis de lui confier d'importantes sommes d'argent pour mettre sur pied une société *offshore* qui, par la suite, achèterait lesdites terres, puis obtiendrait tous les permis et lettres patentes nécessaires pour en faire la prospection, le jalonnement et l'exploitation minière… Il faudrait emprunter gros, au début, pour tout mettre en marche — mais le potentiel était tellement énorme que les prêteurs se bousculeraient à leur porte. Investissement modeste, profits illimités, aucun impôt à payer… Et cela en toute légalité — Bigras avait des documents pour le prouver! Leur société *offshore* serait un peu comme une coopérative, finalement, et toute la région bénéficierait des profits… Gordon MacIntosh et ses amis ont fait confiance à Bigras et ils lui ont confié toutes leurs économies. Et — surprise ! — Normand Bigras s'est volatilisé dès qu'il a eu l'argent…

« Ça rappelle quelque chose à toi, Pauline ? » demande Patrick O'Reilly quand il a terminé son récit, un récit souvent interrompu par des accès de toux qui semblent l'épuiser.

La propriétaire des Mésanges, qui l'a écouté en silence, répond d'une voix très calme.

« Ça ressemble étrangement à ce qui s'est passé ici il y a seize ans et demi, dit-elle. Sauf qu'ici Normand Bigras s'appelait Réjean Turgeon.

— *Right.*

— Mais je ne vois pas où tu veux en venir, avec cette histoire. On savait déjà que Turgeon était un escroc. Là, tu m'apprends qu'une arnaque semblable s'est produite ailleurs, mais ça ne change rien au fait que tu as tué Turgeon.

— Non, Pauline, non… *Tu* as tué Turgeon. »

Pauline Sanscartier émet un rire sec.

« Décidément, c'est une idée fixe chez toi ! J'ai écouté ton histoire avec attention, mais je ne vois pas en quoi ça me concerne.

— Attends, j'ai pas fini », dit O'Reilly avant d'être secoué par un nouvel accès de toux. « Écoute encore, OK ? » reprend-il d'une voix faible quand il retrouve enfin son souffle. Le mouchoir avec lequel il s'est essuyé les lèvres est taché de sang. « Deux mois passés, Gordon MacIntosh a mouru. Cancer de poumon, comme moi. Les mines, c'est pas bon pour le poumon. J'ai été aux funérailles. J'ai parlé avec Kathleen, la femme de Gordon. *A good woman*, Kathleen MacIntosh, et qui aimait son homme. C'est elle qui a raconté à moi l'histoire de Normand Bigras. Je savais que Gordon haïssait un homme de ce nom-là — *Bigrass*, il disait quand il avait bu trop de bière, *Bigrasshole* –, mais je savais pas pourquoi. »

La veuve de Gordon a donc raconté l'histoire de Normand Bigras à l'homme qu'elle connaissait sous le nom de Tom Finnegan. L'histoire a semblé terriblement familière à celui-ci, qui a demandé à quoi ressemblait Bigras.

« Kathleen a montré une photo à moi. C'était Réjean Turgeon…

— On s'en doutait un peu, avec l'histoire que tu viens de raconter…

— Attends, j'ai pas fini, dit O'Reilly. Après, j'ai vu une autre photo. Une photo qui a fait mon cœur s'arrêter. »

Une crise de toux l'oblige à s'interrompre une fois encore.

« Tu veux savoir quelle photo, Pauline ? demande-t-il ensuite en essuyant son front trempé de sueur.

— Que je le veuille ou non, je sens que ça ne changera pas grand-chose. Alors arrête tes effets oratoires et dis ce que tu as à dire. »

O'Reilly esquisse un pâle sourire.

« La photo d'une femme. Une belle femme, avec des longs cheveux auburn et des yeux de feu. J'ai demandé à Kathleen qui était la femme. Elle a dit son nom était Martine Cormier… »

Pauline Sanscartier redresse brusquement les épaules. Réaction à ce que dit Patrick O'Reilly ou simple mouvement destiné à combattre une raideur ?

« J'ai voulu savoir plus sur Martine Cormier, *you know*… »

Il a donc posé des questions à Kathleen MacIntosh, qui ne s'est pas fait prier pour répondre à ses questions, surtout qu'il s'agissait de vanter les mérites de Martine Cormier, une femme extraordinaire… Cette femme, une veuve qui vivait à New Waterford depuis quelques mois lorsque Bigras avait fait son apparition, avait vite gagné la confiance de tout le monde au village. Généreuse, aidante, fiable, elle était très active au sein de divers organismes communautaires et rêvait de mettre sur pied un centre pour les jeunes, une résidence pour les personnes âgées ou un refuge pour les femmes battues. Peut-être même un centre qui répondrait à tous ces besoins, et à d'autres encore. Il faut dire que Martine Cormier était riche, résultat de son récent veuvage.

Patrick O'Reilly regarde Pauline Sanscartier bien en face.

« Cette Martine Cormier ressemblait beaucoup à quelqu'un j'avais connu au Témiscamingue, *you know*… Je sais pas si tu vois qui je veux dire, *Pauline*… »

Cette dernière soutient le regard d'O'Reilly, qui semble avoir pris encore dix ans depuis le début de leur conversation. Il a le teint encore plus gris, les yeux plus fiévreux, il ne lui reste plus qu'un filet de voix…

« Continue, dit Pauline. Je suis curieuse de voir où tu veux en venir. »

Martine Cormier, donc, avait entendu parler du projet de Normand Bigras par Kathleen, qui trouvait son mari bien imprudent de vouloir investir toutes leurs économies dans cette affaire compliquée et plutôt hasardeuse. Grâce à feu son mari, qui était un homme d'affaires prospère, Martine Cormier s'y connaissait en investissements et en entreprises de toutes sortes. Elle avait donc proposé d'examiner le projet de Bigras. Peu après, elle était revenue voir Kathleen pour lui dire non seulement que l'entreprise valait le coup, mais aussi qu'elle-même avait décidé de s'y associer : elle allait investir cent mille dollars dans la société *offshore* que Normand Bigras voulait fonder. C'était beaucoup, mais elle croyait à cette société et aux retombées positives qu'elle allait avoir dans la communauté. *When Bigras disappeared with all that money, Martine was devastated*, a conclu Kathleen. Parce qu'elle avait perdu beaucoup d'argent, bien sûr, mais surtout parce qu'elle se sentait responsable des pertes encourues par Gordon MacIntosh et ses amis, qu'elle avait encouragés à investir… Et qu'était devenue cette Martine Cormier ? avait demandé l'homme que Kathleen connaissait sous le nom de Finnegan. Elle était restée au village encore un mois ou deux, avant de se résigner à partir, la mort dans l'âme. Elle n'avait plus les moyens de mettre sur pied les projets dont elle avait rêvé pour la communauté, elle croisait constamment des gens qui avaient tout perdu dans cette affaire et, chaque fois, elle sentait se raviver son sentiment de culpabilité… Elle avait donc quitté New Waterford en espérant trouver du travail à Sydney ou à Halifax. Depuis, Kathleen avait perdu tout contact avec elle.

« Toi, Pauline, est-ce que tu sais où Martine Cormier est maintenant ? »

Pas de réponse.

« Ah oui, j'oubliais… J'ai demandé à Kathleen qu'elle donne à moi la photo de Martine Cormier. Peut-être tu veux la voir, *Pauline*? »

Il déplie sa carcasse, se lève avec précaution et franchit les quelques pas qui le séparent de Pauline Sanscartier. Sans un mot, celle-ci prend la photo qu'il lui tend et l'examine attentivement.

« On ne voit pas grand-chose, laisse-t-elle finalement tomber. Ça pourrait être n'importe qui. Moi, ma cousine, Katharine Hepburn, la voisine d'en face, la propriétaire du club vidéo…

— Tu as raison, concède Patrick O'Reilly. Et c'est vrai j'ai toujours trouvé tu ressemblais Katharine Hepburn. J'étais triste quand elle a mouru. *She was a great lady… Anyway,* c'est pas grave qu'on voie pas bien toi sur cette photo. J'ai d'autres, ici. » Il tapote la poche intérieure de son blouson, un blouson brun et élimé qui flotte autour de son corps amaigri. « Pauline Sanscartier et Réjean Turgeon à Ville-Marie en 1988. Martine Cormier et Normand Bigras à New Waterford en 1986. Céline Sauvageau et Bertrand Saint-Onge à Wabamum, Alberta, en 1983… »

En entendant ces derniers noms, Pauline Sanscartier réagit enfin.

« Qu'est-ce que tu veux, O'Reilly? De l'argent? »

Patrick O'Reilly a un petit rire qui déclenche une nouvelle quinte de toux.

« Je vas mourir, Pauline. Qu'est-ce tu veux que je fais avec de l'argent? »

Son interlocutrice a un mouvement d'impatience.

« Tu veux te venger, c'est ça? Tu veux me tuer? »

Une fois de plus, O'Reilly arrive à émettre un semblant de rire.

« C'est pas moi qui tue, Pauline, c'est toi. Je t'ai dit au début: je veux la justice, pas le revenge. Je veux vivre mes jours qui restent avec ma femme et ma fille et que tout le monde sait je suis innocent. C'est tout.

— Mais pour que tu sois considéré comme innocent, ça prend quelqu'un d'autre qui soit coupable.

— *Right.*

— Et quelque chose me dit que tu voudrais me faire jouer ce rôle-là. »

Patrick O'Reilly secoue lentement la tête sans quitter Pauline des yeux.

« Je veux rien, moi. C'est toi toute seule qui as joué ce rôle-là, Pauline. Personne t'a obligée, *you know…* »

~

Jusque-là, Pauline a réussi à conserver son calme. Tant qu'elle ne savait pas exactement ce que Pat avait découvert, la meilleure stratégie consistait à se taire et à le laisser parler. À présent que la voilà fixée, elle va enfin pouvoir exprimer tout ce qu'elle retient depuis près de dix-sept ans. Sa fureur, sa haine, sa désillusion, sa douleur… Sa fierté, aussi — la fierté d'avoir élaboré des scénarios qui étaient des merveilles de précision et d'ingéniosité, et de les avoir appliqués à la lettre ; la fierté de ne pas avoir été démasquée durant toutes ces années ; la fierté d'avoir su se relever après avoir été abominablement trahie…

Personne t'a obligée, a dit O'Reilly.

« C'est *lui*, lui qui m'a obligée, crache-t-elle d'une voix mauvaise. Appelle-le comme tu veux : Bertrand Saint-Onge, Normand Bigras, Réjean Turgeon… C'est lui qui, en me trahissant, m'a obligée à le tuer. »

Elle se lève brusquement et commence à arpenter la chambre de motel de long en large, entre Pat et Agathe O'Reilly silencieux.

« Il m'a trahie. Après toutes ces années. Après tous les risques qu'on a pris ensemble. Après tous ces coups menés de main de maître… C'est moi qui l'ai découvert, alors qu'il n'était qu'un petit joueur de poker doué mais indiscipliné. Je l'ai formé, je lui ai tout appris, tout ! Dieu qu'il était beau ! Je l'aimais comme une folle. J'aurais tout fait pour lui. Et lui, lui… il s'est amouraché de l'institutrice, Esther Corriveau. Une oie blanche, une sotte, une imbécile prête à gober n'importe quoi. Oh, il avait bien manigancé son coup, j'ai failli ne rien voir. C'est Mariette, ta femme, qui m'a ouvert les yeux sans le savoir. Elle m'a annoncé qu'elle s'était peut-être trompée en imaginant que vous aviez une liaison, l'institutrice et toi, étant donné qu'elle avait surpris celle-ci en train d'embrasser Réjean Turgeon, le géologue d'Allotta Ressources. Au début, je ne voulais pas y croire. J'ai essayé de trouver des explications. Esther se montrait peut-être trop curieuse, et Réjean avait imaginé un bon moyen d'étouffer ses soupçons... J'ai décidé de parler à Esther, je lui ai dit qu'on racontait toutes sortes de choses, au village, sur elle et Turgeon. Elle a rougi, elle a bafouillé, au début elle a essayé de nier — Réjean lui avait recommandé d'être discrète, on peut comprendre ! Et puis, c'était plus fort qu'elle — on cherche tous les prétextes pour parler de l'être aimé, au début —, elle a admis que, oui, il y avait quelque chose... En fait, ils allaient partir ensemble dans moins de quarante-huit heures, elle avait déjà remis sa démission, c'était un peu court comme délai, bien sûr, et les autorités scolaires n'étaient pas contentes, mais rien ne pouvait l'arrêter. Les billets d'avion pour l'Argentine étaient déjà achetés, elle les avait là, dans son sac. Elle me les a montrés, pour mieux me convaincre. Esther Corriveau et Réjean Turgeon. Des billets pour Buenos Aires, départ le 11 octobre de l'aéroport Pearson, à Toronto. *Réjean a obtenu un contrat pour une compagnie minière, là-bas. On va avoir une grande maison et des domestiques. C'est le printemps, là-bas, vous vous rendez compte, madame Sanscartier, cette année, je vais avoir connu deux printemps... et deux étés.* Elle a pouffé de rire, la petite sotte. *Deux printemps... est-ce que ça veut dire que je vais vieillir plus vite ?* Elle était là, devant moi, avec ses vingt-huit printemps pétants de santé, et elle parlait de vieillir ! Je lui ai dit de ne pas s'en faire, que le printemps ça gardait jeune, que c'était l'hiver qui nous courbait l'échine... J'ai dit n'importe quoi, en fait, n'importe quoi pour qu'elle débarrasse enfin le plancher et que je puisse réfléchir en paix. On était le 9 octobre. Selon le plan établi, c'est le 11 au soir que nos pigeons devaient gentiment remettre leur argent à Réjean. On avait une belle brochette d'oiseaux à plumer cette fois: un propriétaire de pourvoirie, le rédacteur en chef de l'hebdo régional, les propriétaires du motel Beaurivage, des fermiers, une jeune femme médecin, le concessionnaire de machinerie agricole... Et moi, bien sûr, la riche veuve prête à mettre une part importante de son héritage dans le projet de société minière… Réjean aurait ensuite pris la poudre d'escampette, tout le monde se serait senti floué — moi y compris — et en aurait voulu à mort à Réjean Turgeon, mais sans oser porter plainte officiellement, étant donné que toute l'opération était à la limite de la légalité. C'était ça, la beauté de l'affaire. On accrochait les pigeons, on les appâtait avec la perspective de s'enrichir, on tranquillisait leur conscience en parlant de retombées positives dans la région, mais en même temps on laissait planer des zones d'ombre… Quand Réjean — ou Normand, ou Bertrand, ou Fernand — finissait par disparaître avec l'argent, les victimes hésitaient à porter plainte. D'abord parce que tous ceux qu'on avait plumés étaient gênés de s'être fait avoir de si belle manière, et aussi parce qu'ils craignaient de passer pour ce qu'ils étaient : des êtres cupides et sans scrupules. »

Frémissante de colère quand elle a commencé à parler de la trahison de son complice, Pauline ne peut cacher sa fierté en révélant les détails de l'arnaque que Turgeon et elle avaient mise sur pied et dont elle était le cerveau. C'est elle qui avait pensé à appâter les gens avec cette idée d'un gisement se trouvant pratiquement sous leurs pieds et grâce auquel ils pourraient s'enrichir. « Qui n'a pas déjà rêvé de découvrir un trésor ? Cette mine qu'on leur faisait miroiter, c'était la réalisation de tous leurs rêves d'enfant… » C'est elle, aussi, qui avait établi les paramètres de l'opération. Beaucoup de patience, une préparation minutieuse, un laps de temps prudent — et une bonne distance ! — entre les interventions. Ils choisissaient soigneusement la région dans laquelle ils allaient sévir, puis l'endroit précis où se trouverait le gisement présumé. L'idéal, comme au Témiscamingue en 1988, c'était quand ils pouvaient bâtir leur arnaque autour de faits réels — dans ce cas, la découverte, quelques mois plus tôt, de gisements importants de cuivre et de zinc à proximité de Ville-Marie. Puis, pendant que Turgeon mettait au point les documents qui lui serviraient à convaincre leurs victimes (« Il n'avait pas réussi à obtenir son diplôme de géologue, mais il n'avait pas son pareil pour dessiner des plans extraordinairement convaincants ou pour émailler son discours de termes juridiques, économiques ou techniques qui faisaient toujours beaucoup d'effet… »), Pauline se rendait sur place pour tâter le pouls du village. « J'avais besoin de savoir qui était riche et qui rêvait de le devenir, qui était honnête et qui était corruptible, qui avait de l'influence et qui se laissait influencer… Je fréquentais l'église, les comités de bienfaisance, les bingos et les bazars. Ça me permettait de rencontrer les gens de bien et les grenouilles de bénitier, comme Mariette, ta femme. Réjean arrivait un mois ou deux après moi, et il se spécialisait plutôt dans les bars d'hôtel, où il devenait rapidement très copain avec les piliers de taverne, les soûlons, les gueulards, les frustrés et les insatisfaits… Nos mondes ne se croisaient jamais. Personne n'aurait pu soupçonner que nous nous connaissions. Mais les renseignements recueillis par chacun se complétaient admirablement bien. Nos rôles se complétaient admirablement bien… Oh, le délicieux frisson quand toute cette mécanique se mettait en branle et que les pigeons tombaient, les uns après les autres… »

Pauline a un léger sourire aux lèvres et un soupçon de nostalgie dans le regard.

« Du grand art… » murmure-t-elle. Puis son regard se durcit. « Mais il a fallu que Réjean gâche tout en s'amourachant de cette sotte… Je ne pouvais pas laisser faire ça. Je ne pouvais pas le laisser anéantir l'œuvre de ma vie. » Elle secoue la tête. « On était donc le 9 octobre, et les billets d'avion étaient pour le 11. Réjean n'étant pas la tête pensante de l'équipe, j'ai supposé qu'il suivrait le plan habituel — mais un jour plus tôt que ce que nous avions planifié. Il rencontrait les pigeons le 10, à mon insu, et prenait la poudre d'escampette dans les heures suivantes avec sa dulcinée. Le 11, à vingt-trois heures trente, il montait dans l'avion pour Buenos Aires, et… salut la compagnie. Bonne chance, Pauline, et débrouille-toi comme tu pourras dans ce trou perdu ! »

Elle a un rire désenchanté.

« J'ai convoqué Réjean chez moi, le 10, en disant qu'il y avait une urgence, que Lapierre et O'Reilly se montraient plus coriaces que prévu… »

Une pause, pendant laquelle Pauline dévisage longuement Patrick O'Reilly.

« Tu auras été la plus grande erreur de ma vie, finalement… Ça a commencé par une petite erreur de jugement de ma part, il y a près de dix-sept ans, et regarde où on en est maintenant…

— Une erreur ? répète O'Reilly, dont le souffle se fait de plus en plus laborieux.

— L'erreur d'adopter sans réserve le portrait que Mariette m'avait tracé de toi. Le mari volage et irresponsable, le coureur de jupons, le mineur raté qui trouve consolation dans l'alcool et les chansons braillardes — et peut-être aussi dans les petites culottes de sa fille… » Elle secoue la tête. « L'erreur de ne pas comprendre que c'était sa jalousie maladive qui parlait, déformant tout ce qui te concernait. L'erreur d'avoir réalisé trop tard que tu étais dangereux.

— Dangereux ? »

O'Reilly répète ce mot en fronçant les sourcils.

« Le Pat O'Reilly que m'avait décrit Mariette était le pigeon parfait pour notre entreprise, explique Pauline. Un homme faible, sans scrupules, que l'appât du gain ferait frétiller. Et comme je savais que Mariette elle-même avait hérité de ses parents une jolie somme d'argent, j'envisageais une intéressante contribution de votre part à notre petite caisse… Imagine ma surprise — et mon inquiétude — quand Réjean m'a dit que tu te montrais sceptique… et très curieux. *Trop* curieux. Je me suis rendu compte de ça quand un autre de nos pigeons — Robert Duguay, le rédacteur en chef du *Témiscamien* — a dit à Réjean qu'un des journalistes de l'hebdomadaire, Frédéric Lapierre, lui avait parlé de son intention de monter un dossier sur une affaire un peu louche que lui avait signalée Pat O'Reilly. Une affaire de société *offshore* qui exploiterait une mine de cuivre et de zinc… Réjean a réussi à tranquilliser Duguay — il n'y avait rien de louche dans cette affaire : le gisement existait, voyez les données recueillies lors de la phase d'exploration par Allotta Ressources ; il se trouvait sur des terres dont le sous-sol n'appartenait pas à la Couronne, voyez le cadastre et les actes de vente dont je vous ai remis copie ; la société qu'ils s'apprêtaient à fonder dans un paradis fiscal était parfaitement légale, relisez le document que je vous ai donné, et l'article 60.1 (c) de la Loi de l'impôt… Il a quand même conseillé à Duguay de décourager Lapierre de monter son dossier. Quant à moi, je me suis dit qu'il fallait trouver un moyen de nous débarrasser de toi, ou plutôt de détourner ton attention. Une bonne affaire de mœurs — des accusations d'inceste, par exemple —, ça devrait t'occuper un moment…

— *So, that's what it was all about*», murmure O'Reilly.

Pauline lève les mains, comme pour minimiser le rôle qu'elle a pu jouer dans cette histoire.

« Ce n'est pas moi qui ai mis ça dans la tête de Mariette… Je n'ai fait que bâtir autour de ses craintes et de ses soupçons à elle.

— J'ai jamais touché Agathe, jamais !

— Si tu savais comme je me fiche de savoir si tu as agressé ta fille ou non ! Mariette le croyait, elle, c'est tout ce qui m'importait. Et, après quelques séances de questions plutôt pénibles avec Agathe, la petite avait elle aussi l'impression qu'il se passait des choses assez troubles avec son père… »

Une exclamation étouffée, de la part d'Agathe, fait naître un rictus méprisant sur les lèvres de Pauline.

« Ma pauvre enfant, tu n'avais aucune chance face à Mariette. Je n'ai jamais vu quelqu'un d'aussi doué pour semer le doute dans les esprits… Ta mère avait décidé que Pat et toi étiez complices dans le péché, et elle a réussi à te troubler suffisamment pour que tu ne saches plus à quoi t'en tenir… Les crises que tu nous as faites, pendant ces séances… ! Mais, à la fin, tu admettais toi-même que ton père avait eu des gestes déplacés à ton égard. Ta main sur son sein, Pat, c'était parfait pour la plainte que Mariette a fini par déposer auprès de la police… et, par voie de conséquence, parfait pour Réjean et moi… »

Agathe a les joues inondées de larmes, et son père a encore plus de mal à respirer qu'avant.

« Tu es le diable ! réussit-il pourtant à articuler.

— C'est aussi ce que tu m'as dit, ce soir-là, quand tu m'as sauté en plein visage…

— Le 10 octobre.

— Le 10 octobre, oui…, répète Pauline d'une voix songeuse. J'avais dit à Réjean de venir chez moi vers dix-sept heures trente, croyant qu'il rencontrerait nos pigeons plus tard ce soir-là. En fait, il les avait déjà rencontrés, et son plan initial était de rejoindre Esther tout de suite après puis d'aller directement à Toronto. Ma convocation contrecarrait ses plans. Comme il me l'a avoué pendant notre brève mais intense conversation, il avait failli ne pas venir, mais il a eu peur que je ne découvre trop rapidement sa trahison et que je ne sonne l'alarme avant qu'il ait eu le temps de quitter le pays. Après avoir dissimulé sa voiture à une bonne distance de chez moi — nous nous rencontrions toujours en cachette, évidemment, il ne fallait surtout pas que quelqu'un soupçonne que nous nous connaissions —, il est arrivé avec l'intention d'écouter ce que j'avais à dire sur Lapierre et toi, de me servir quelques banalités pour me rassurer, puis de disparaître au plus vite. Il a été plutôt surpris quand j'ai attaqué en lui demandant des nouvelles d'Esther. *Esther? Quelle Esther?* a-t-il balbutié. *Esther ta maîtresse, avec laquelle tu pars pour Buenos Aires demain soir.* Il me connaissait assez pour savoir qu'il ne lui servirait à rien de prétendre qu'il ne comprenait pas de quoi je parlais. *Tu es forte. Encore plus forte que je ne le pensais. Je ne suis pas inquiet pour toi, tu vas vite retomber sur tes pattes.* Il avait un petit sourire, un horrible petit sourire condescendant, en disant ça. Et il a continué. *J'aurais préféré tout garder, évidemment, mais je dois admettre que tu mérites une part du magot.* Il a pris une grosse enveloppe dans sa mallette d'homme d'affaires important, il en a sorti une pile de billets de cent dollars et il l'a posée sur la table devant moi. *Tu ne pourras pas dire que je n'ai pas été* fair *avec toi…* Puis il s'est levé et il est parti, sa mallette à la main. Il n'avait pas élevé la voix, il ne s'était pas défendu, il ne s'était pas excusé non plus. Douze ans de ma vie qu'il balayait comme ça, du revers de la main, et pour lesquels il condescendait à m'abandonner quelques billets. Comme à une pute. Je me suis levée à mon tour et j'ai couru après lui. *Attends, tu ne peux pas partir comme ça!* Il s'est tourné à demi vers moi. *Oh oui, je peux.* Toujours cette voix posée et ce sourire insupportable. J'ai senti la rage m'envahir. C'était comme une vague, une vague monstrueuse qui détruit tout sur son passage. Et pendant que Réjean continuait à s'éloigner, j'ai saisi la fourche qui était appuyée contre le mur de la maison et j'ai couru vers lui, la fourche tendue devant moi. En m'entendant arriver, il s'est retourné, mais il n'a pas pu éviter le coup. Quand il est tombé, son sourire avait disparu. »

Pauline a terminé son récit avec détachement.

« C'est après ça que j'ai arrivé... » dit Patrick O'Reilly.

Pauline opine d'un léger mouvement de la tête.

« En effet... Quand tu es entré chez moi en furie, après avoir pratiquement arraché la porte de la cuisine, je venais tout juste de déposer la mallette de Réjean dans ma chambre et je m'apprêtais à me débarrasser du corps. J'ai d'abord cru que tu avais découvert le cadavre de Réjean, peut-être même que tu m'avais vue le tuer, et que tu voulais me dénoncer à la police. Imagine mon soulagement quand tu as commencé à me parler d'inceste et de fausses accusations... Je n'ai d'ailleurs jamais compris comment il se faisait que tu n'aies pas aperçu Réjean en arrivant — il était au beau milieu du chemin. Je sais bien qu'il commençait à faire noir et que tu étais bouleversé, mais quand même...

— J'avais passé par le petit bois, en arrière la maison. C'était un *shortcut* entre chez nous et chez vous. Agathe était pas là, ce soir-là, et Mariette avait dit je pouvais aller chercher mes affaires à la maison. Quand j'étais là, elle a aussi dit que tu avais encouragé elle d'aller voir la police. Ça a enragé moi. J'ai sorti en courant, j'ai passé dans le bois, j'ai arrivé chez vous...

— Tu aurais dû repasser par le petit bois, en partant... Tu te serais évité bien des ennuis.

— Je pouvais pas savoir... Et puis, *you know*, il faisait trop noir pour passer par le bois.

— Pauvre Pat, au mauvais endroit au mauvais moment... Pour moi, par contre, ton arrivée s'est révélée providentielle, finalement. Quel bon coupable tu faisais ! Et, en plus, tu as pris la fuite. Oui, vraiment, le coupable idéal. Jusqu'à ce matin, bien sûr. Là, j'avoue que tu me compliques légèrement l'existence, surtout avec Agathe dans le décor. Quel dommage que je ne t'aie pas trouvé à Halifax !

— À Halifax ? »

Patrick O'Reilly est visiblement décontenancé.

« À Halifax, oui, où je me suis rendue peu après avoir reçu la lettre si touchante que tu as envoyée à Mariette. *Mariette, ma femme, je veut voir toi et Agathe avant je meur…* Très émouvant. J'aimais moins le passage où tu disais avoir la preuve que tu avais été *encadré par la femme Sanscartier.* Encadré ? J'ai mis un quart de seconde à comprendre. Oh, *framed* ! Méfie-toi des traductions trop littérales, Pat. Comme tu avais eu le bon goût d'indiquer que tu passerais quelque temps à Halifax pour des traitements de radiothérapie avant de te rendre à Montréal pour une visite surprise à Agathe, j'ai décidé de te faire une visite surprise, moi aussi, pendant ton séjour à Halifax. Une visite au cours de laquelle tu aurais malencontreusement perdu la vie. Ça n'aurait pas été une grande perte pour l'humanité — tu es mourant, de toute façon —, et moi, j'aurais pu poursuivre en toute quiétude l'œuvre que je bâtis patiemment depuis plus de seize ans. Seize ans au service de la communauté, Pat, il n'y a pas grand monde qui puisse en dire autant. Seize ans à faire le bien autour de moi, à m'occuper de vieillards dont personne ne s'occuperait autrement, et surtout pas leur famille — heureusement que Mariette ne compte pas trop sur vous deux, si tu vois ce que je veux dire ! Je donne de l'emploi à des dizaines de personnes dans la région, sans compter les emplois indirects. J'ai créé quelque chose de grand, Pat, quelque chose d'utile, et je ne laisserai pas une loque comme toi gâcher tout ça ! »

D'un mouvement preste, Pauline saisit son sac à main. Elle en sort un revolver, qu'elle braque en direction d'O'Reilly. Puis, d'un signe, elle ordonne à Agathe d'aller rejoindre son père. Tous deux se trouvent maintenant entre elle et la porte.

« Comme je te l'ai dit, reprend Pauline en secouant la tête d'un air de regret, dommage que je ne t'aie pas trouvé à Halifax, Pat. Ça m'aurait évité d'inquiéter Agathe… et surtout de l'éliminer ! »

Patrick O'Reilly lui présente ses mains, paumes ouvertes.

« Tue-moi. Tue-moi, je me défendrai pas. Mais tue pas Agathe. Tu pourras dire que j'ai attaqué vous deux et que tu t'as défendue. *Self defense, you know…*

— Ça, c'est ce que j'avais prévu dire si j'étais tombée sur toi à Montréal au moment de tes retrouvailles avec Agathe… »

Exclamation étouffée d'Agathe.

« Vous êtes venue à Montréal ?

— Eh oui ! Sympathique, le quartier où tu habites…

— C'est vous qui m'avez envoyé les lettres ? »

Petit rire de la part de Pauline Sanscartier.

« *Traison et mensonges sont toujours puni, Tu a trahie tu va être puni*, et tout le tralala ? Oui, bien sûr que c'est moi. Mais toi, il fallait que tu croies qu'elles venaient de ton père, si je voulais pouvoir dire par la suite que j'avais supprimé celui-ci en situation de légitime défense. *Oh ! Messieurs les policiers, c'est terrible, peut-être que j'aurais dû vous avertir, mais j'espérais malgré tout que Patrick O'Reilly ne donnerait pas suite aux menaces contenues dans la lettre qu'il a envoyée à sa femme — une lettre que j'ai justement avec moi, voyez… Je suis venue jusqu'ici pour prévenir Agathe, mais j'ai failli arriver trop tard, Pat était déjà là. Je n'avais pas d'autre choix que de tirer sur lui avant qu'il s'en prenne à sa fille…*

— C'était pas cette lettre-là j'ai envoyée à Mariette.

— Non, bien sûr, je ne suis pas suicidaire. C'est une lettre que j'ai écrite moi-même en m'inspirant de la tienne. La tienne était un peu molle, finalement : *Je veut justice, pas revenge.* Celle que j'ai forgée en te l'attribuant avait plus de nerf : *Avant je meur traison et mensonge vont être puni. Avant je meur je veut revenge.*

— Mais tu as pas trouvé moi à Montréal. J'ai aperçu toi au marché Jean-Talon, Pauline. J'ai parti de ma chambre.

— J'ai bien vu ça. En fait, j'ai cru que tu étais revenu ici plus tôt que prévu, et j'ai décidé de transposer mon plan à Ville-Marie. J'espérais encore invoquer la légitime défense le jour où tu tenterais de t'approcher de Mariette. Je ne suis pas un monstre, Pat, et j'aurais préféré te supprimer sans nuire à ta femme et à ta fille, mais à présent, par ta faute, je n'ai plus le choix : il faut aussi que je me débarrasse d'Agathe. Évidemment, j'aurais pu tirer sur toi dès que tu as mis le pied dans la chambre, mais j'ai préféré attendre un peu. J'étais curieuse de savoir ce que tu avais découvert, exactement.

— J'ai découvert tout.

— Oui, et je dois dire que je suis plutôt épatée. Bravo. Dommage que ça ne te serve à rien, finalement. Quand la police va te retrouver, ou plutôt quand elle va retrouver ton corps sans vie, elle ne va pas retrouver Patrick O'Reilly le justicier, mais Patrick O'Reilly l'assassin, revenu au pays plus de seize ans après le crime pour se venger de sa femme et de sa fille, qui l'ont trahi et qui ont fait courir les pires bruits à son sujet. Il est entré dans la chambre de motel où se trouvait sa fille et il a abattu celle-ci de sang-froid, avant d'être désarmé et abattu à son tour par la très respectable Pauline Sanscartier, qui se trouvait sur les lieux. Fin de l'histoire, une histoire qui sera d'autant plus crédible qu'elle était prévisible, comme pourra en témoigner Hubert Fauvel, un ami d'Agathe à qui j'ai fait lire la lettre que tu as supposément écrite… »

Pendant que Pauline parlait, Agathe a jeté un coup d'œil vers la porte extérieure. Pauline l'a remarqué et, le revolver toujours pointé sur la jeune femme et son père, elle les oblige à s'en éloigner.

« Si tu penses que vous allez pouvoir vous sauver, ma petite, tu te trompes… Plus loin, allez jusqu'au fond, oui… »

Soudain, la porte s'ouvre avec fracas.

« Police ! Déposez votre arme immédiatement. »

Saisie, Pauline sursaute, et son doigt effleure la détente.

Dans la petite pièce, le coup de feu est assourdissant.

Chapitre 25
Lundi 23 mai (suite)

« Agathe ! »

Hubert est dehors, à quelques pas de la chambre où se trouvent Agathe, son père et Pauline Sanscartier. Quand le coup de feu a éclaté, il a eu l'impression que son cœur s'arrêtait de battre du même coup, avant de repartir en fou. Il sent son pouls palpiter jusqu'au bout de ses doigts, jusqu'à la racine de ses cheveux.

« Agathe ! »

Il voudrait entrer dans la chambre, mais un policier l'en empêche.

« Ce n'est pas la place d'un civil… »

Au même instant, un ordre se fait entendre de l'intérieur.

« Une ambulance, vite ! »

Dans la confusion qui s'ensuit, Hubert peut enfin franchir le seuil et découvrir où en est la situation dans la chambre 131 du motel Louise.

Aux côtés du lieutenant Justin Francœur, responsable du poste de la Sûreté du Québec à Ville-Marie, Hubert a suivi l'affrontement entre Patrick O'Reilly et Pauline Sanscartier à partir de la chambre voisine, sur l'écran d'un moniteur relié à la caméra installée en toute hâte le matin même dans un coin de la chambre 131. Il a assisté, fasciné, aux aveux de cette femme à qui il aurait donné le bon Dieu sans confession — une expression à laquelle il n'aurait sans doute jamais pensé si Pauline Sanscartier n'avait pas eu ce côté mère supérieure qui l'avait tant impressionné la veille au soir. Sitôt établi le rôle de Pauline dans la mort de Réjean Turgeon, Hubert s'est dit qu'il serait temps que les policiers procèdent à l'arrestation de la propriétaire-directrice des Mésanges. C'est d'ailleurs ce qu'il s'est permis de suggérer à quelques reprises au lieutenant Francœur. « Vous avez votre confession. Tout est enregistré. Qu'est-ce qu'il vous faut de plus ? » Chaque fois, Francœur lui a répondu de lui laisser faire son travail en paix, que plus ils avaient de détails sur les actions passées de Pauline Sanscartier et sur ses intentions pour l'avenir, mieux cela valait. Oui, mais ce n'est pas la femme que vous aimez qui est dans la même pièce que cette meurtrière, avait envie de répliquer Hubert. Et quand Pauline a sorti un revolver de son sac, il aurait volontiers tordu le cou du policier assis à ses côtés et qui a semblé aussi surpris que lui par ce rebondissement. « Oh *shit*, oh *shit*, oh *shit* ! » a répété Justin Francœur avant de commander une ambulance — « et du personnel médical, pour parer à toute éventualité » — et de revoir le rôle de chacun des membres de son équipe quand viendrait le temps de donner l'assaut. Hubert a d'ailleurs trouvé qu'ils retardaient exagérément cet assaut. « Trop dangereux, a dit Francœur quand Hubert lui a demandé pourquoi ils ne se précipitaient pas dans la pièce. O'Reilly et sa fille sont entre Pauline Sanscartier et la porte, autrement dit en plein dans le champ de tir. Forcer la porte maintenant équivaudrait à signer leur arrêt de mort. Ce n'est pas ce que vous voulez, n'est-ce pas ? » Non, bien sûr que ce n'était pas ce qu'Hubert voulait. Ce qu'il voulait, c'était Agathe saine et sauve. Agathe ailleurs que dans cette pièce, dans la mire de cette femme étrangement calme et formidablement dangereuse. Agathe vivante. Agathe contre lui…

« Enfin ! » a murmuré Francœur quand Agathe et son père se sont déplacés vers le fond de la pièce, au bout d'un laps de temps qui a semblé interminable à Hubert.

Le lieutenant a donné le feu vert à son équipe pour investir la chambre 131.

La porte s'est ouverte à toute volée. L'ordre a été lancé à Pauline Sanscartier de poser son arme. Puis le coup de feu a éclaté, ce coup de feu qui résonne encore aux oreilles d'Hubert, et dans tout son être, au moment où il pénètre enfin dans la pièce où se trouve Agathe.

Il a d'abord du mal à s'orienter dans cette chambre de dimensions pourtant restreintes. Mais l'angle est différent de celui donné par la caméra, et il y a du monde partout. Des policiers qui maîtrisent Pauline Sanscartier et d'autres qui saisissent avec précaution le revolver abandonné sur le sol, le sac à main de Pauline, d'autres objets qu'Hubert ne prend pas la peine de détailler. Des ambulanciers qui s'affairent dans un coin.

« De l'oxygène, vite ! »

« Un garrot ! »

« Une civière ! »

« Contactez l'urgence. On leur amène quelqu'un. Blessure par balle au thorax. Hémorragie importante… »

« Je n'ai plus de pouls ! »

« … en chirurgie dès notre arrivée ! »

« OK, j'ai retrouvé un pouls. Très *très* faible, mais présent… »

Agathe, où est Agathe ?

Des brancardiers qui viennent d'arriver bousculent Hubert. Sans même avoir à se parler, avec des gestes rapides et précis, ils déposent Pat O'Reilly sur la civière. Pat, pas Agathe, note Hubert avec soulagement. Mais où est Agathe ?

Les brancardiers s'éloignent avec leur fardeau, et Hubert découvre enfin Agathe, sur laquelle se penche une ambulancière. Elle est assise par terre, le dos appuyé au mur, et son peignoir blanc est maculé de sang. Il y en a trop, ce n'est pas possible, ça ne peut pas être uniquement le sang de son père. Comme dans un rêve — un cauchemar —, d'un pas lourd et raide, Hubert s'avance vers Agathe et se met maladroitement à genoux près d'elle.

« Agathe, tu n'as rien ? »

Agathe, le regard fixe, n'a aucune réaction.

Hubert sent la panique le gagner.

« Agathe, réponds-moi, je t'en supplie... »

En même temps, et tandis que l'ambulancière lui conseille de laisser à la jeune femme le temps de récupérer, il avance ses mains tremblantes vers le peignoir souillé, vers cette immense tache rouge et visqueuse qui semble continuer à s'étendre sous ses yeux. Sans vraiment se rendre compte de ce qu'il fait, il écarte les pans du peignoir, dénudant ainsi la poitrine d'Agathe, une poitrine pâle et douce, à la peau miraculeusement intacte.

Agathe réagit enfin.

« Hubert ! » souffle-t-elle en refermant son peignoir.

« Monsieur ! » s'exclame en même temps l'ambulancière.

Ce n'est qu'à ce moment qu'Hubert réalise ce qu'il vient de faire. Il sent une intense chaleur l'envahir.

« Excuse-moi ! arrive-t-il à balbutier tout en entreprenant de se relever. Je ne sais pas ce qui m'a pris... J'ai vu tout ce sang et j'ai pensé... j'ai pensé... »

Les mains toujours serrées sur les revers du peignoir, qu'elle tient hermétiquement fermé, Agathe se relève à son tour.

« Mon père... il faut que j'aille le rejoindre... »

Elle se dirige vers la porte.

« Agathe ! »

Elle s'arrête.

Hubert, toujours rouge d'embarras, désigne son peignoir.

« Tu ne peux pas aller à l'hôpital comme ça. Prends le temps de te changer. Après, je te conduirai là-bas. »

~

En route vers le Centre de santé Sainte-Famille, Agathe répète à plusieurs reprises, comme une incantation :

« Il ne peut pas mourir. Pas quand je viens juste de le retrouver... »

En arrivant à l'hôpital, Hubert et elle apprennent que Patrick O'Reilly est en salle d'opération.

« On vous fera signe dès qu'il sera sorti du bloc opératoire », leur dit la responsable de la salle d'urgence.

Assis côte à côte sur des chaises de plastique orange aussi laides qu'inconfortables, Agathe et Hubert attendent en silence. Ce ne sont pourtant pas les sujets de conversation qui manquent. À vrai dire, c'est peut-être l'excès de sujets possibles qui les rend muets. Par où commencer, en effet, entre les révélations-chocs des dernières heures, l'état précaire de Patrick O'Reilly, les diverses décisions qu'il leur faudra prendre tôt ou tard, les émotions qui n'en finissent plus de bousculer leur vie ?

Enfin, le père d'Agathe est conduit en salle de réveil.

Le chirurgien qui l'a opéré, le docteur Vincent, explique que l'intervention s'est bien déroulée, mais que le pronostic à long terme n'a rien d'encourageant.

« La balle a frôlé les côtes, dit-il à Agathe, sans toutefois toucher d'organe vital. Mais votre père est âgé, et déjà très malade. Pour l'instant, son état est stable, et je ne crains pas pour sa vie dans les heures ou les jours qui viennent. On va le garder un petit moment aux soins intensifs, mais, si tout va comme je l'espère, il pourra quitter ce service dans quelques jours. Je pense cependant que vous devriez dès à présent songer à lui trouver une place dans un établissement de soins prolongés ou au service des soins palliatifs. Cet homme-là ne pourra plus jamais être laissé à lui-même. »

Agathe accueille ces propos sans surprise. Son père lui a déjà dressé un portrait très sombre de sa santé ravagée, et elle-même a vu son état se dégrader considérablement au cours de la soixantaine d'heures qu'ils viennent de passer ensemble.

« Merci.

— Vous devriez rentrer chez vous et vous reposer un peu, dit le médecin avec gentillesse. De toute façon, votre père ne sera pas conscient de votre présence avant des heures… »

Mais Agathe tient à rester sur place, au moins jusqu'à ce que son père soit installé au service des soins intensifs.

« Mais, toi, tu peux partir, dit-elle à Hubert. Tu n'es pas obligé de rester, tu sais. »

Le jeune homme secoue la tête.

« Je reste, dit-il. Sauf si tu préfères que je m'en aille, bien sûr. »

Agathe secoue la tête à son tour.

« Non, je préfère que tu sois là. »

Une phrase à laquelle Hubert essaie de ne pas accorder trop d'importance.

Attente et silence, encore. Et une étonnante impression de sérénité, malgré tout.

Un peu plus tard, Agathe s'inquiète de Bruno.

« C'est vrai, Bruno ! s'exclame Hubert d'un air coupable. Et Geneviève. J'avais promis de lui donner des nouvelles le plus vite possible.

— Geneviève ? demande Agathe.

— Geneviève Imbeault. C'est elle, l'amie qui garde Bruno. Elle devait l'emmener dans la Forêt enchantée… »

Un soupçon de sourire aux lèvres, Agathe répète le nom que vient de mentionner Hubert.

« Geneviève Imbeault. Pourquoi est-ce que je ne suis pas surprise… ? »

~

« Est-ce qu'il va mourir, le p…père d'Agathe ? »

Hubert est incapable de mentir à son neveu.

« Je ne sais pas.

— Il a eu un accident ?

— Oui.

— Comme maman ?

— Non, pas exactement comme Julie… »

Il est vingt heures. Patrick O'Reilly est au service des soins intensifs depuis la fin de l'après-midi. Il est branché à toutes sortes de tubes et d'appareils, et il n'est pas sorti de sa léthargie depuis son opération. C'est normal, disent les infirmières, avec l'anesthésie, et les analgésiques, et plein d'autres choses, dont un cancer avancé du poumon et un état d'épuisement extrême consécutif aux activités et aux émotions des derniers jours.

Geneviève Imbeault est arrivée vers dix-neuf heures trente, accompagnée de Bruno et de Mariette Soucy, qu'elle est allée chercher aux Mésanges. Elle a tendu des sandwiches à Hubert et Agathe.

« Quelque chose me dit que vous avez probablement oublié de manger… »

Hubert a englouti son sandwich en quelques bouchées. Agathe, elle, a remercié Geneviève d'un signe de tête, mais elle n'a rien avalé, trop occupée à absorber le choc causé par l'apparition de sa mère. Elle savait par Pauline Sanscartier que Mariette était atteinte de la maladie d'Alzheimer, mais elle ne s'attendait pas à la voir diminuée à ce point. Mariette ne reconnaît ni sa fille ni son mari, et Agathe se demande même si elle comprend ne serait-ce que quelques mots de ce qu'on lui dit. Elle est assise sur une chaise devant le lit de Pat, elle se balance machinalement d'avant en arrière, les yeux dans le vide, la bouche à moitié ouverte, et elle triture sans arrêt le bord de son cardigan vert pomme.

« Et sa mère, à Agathe, demande Bruno, elle a eu un accident, elle aussi ?

— Elle a un problème au cerveau,

— Comme moi ? Elle a manqué d'oxygène ?

— Non, pas comme toi. Il y a toutes sortes de problèmes différents qui peuvent nuire au cerveau… »

Et, comme si la vie ne recelait pas déjà suffisamment de problèmes et d'accidents qu'on pourrait qualifier de *naturels*, certaines personnes s'ingénient à en créer d'autres — pour nuire, pour faire peur, pour blesser ou tuer. Hubert a l'impression de vivre dans un monde très dangereux, tout à coup, et il donnerait cher pour avoir l'assurance de pouvoir toujours protéger ceux qu'il aime.

Avec un soupir, il ébouriffe les cheveux de Bruno.

« Tu viens, mon grand ? On va rentrer au motel. Tu dois être fatigué après ta journée dans la Forêt enchantée…

— P…pas trop… C'était b…beau, la Forêt enchantée. Mais ce n'était p…pas la *vraie* Forêt. Geneviève avait raison. La p…princesse Chicorée et la Chouette chevêche n'étaient p…pas là. » Il se tourne vers Agathe. « Est-ce que je t'ai déjà dit que je connais la p…princesse Chicorée et la Chouette chevêche ? Elles sont venues à ma fête…

— Tu me l'as déjà dit, oui.

— L'année p…prochaine, est-ce que tu vas venir à ma fête de dix ans ? P…peut-être que tu vas p…pouvoir les rencontrer…

— Peut-être… »

Agathe a répondu d'une toute petite voix, et ses yeux se sont remplis de larmes. Elle est tellement fatiguée et bouleversée qu'elle doit avoir du mal à savoir ce qu'elle va faire dans dix minutes, songe Hubert, alors ce n'est peut-être pas le moment de lui demander de planifier ce qu'elle va faire dans un an — surtout si l'activité prévue exige qu'elle arrive à se dédoubler d'ici là.

« Agathe est fatiguée, Bruno. On parlera de ça une autre fois… »

Puis, se tournant vers Agathe :

« Est-ce que je peux te conduire quelque part ? Tu ne vas pas rester ici toute la nuit ? »

Agathe passe une main dans ses cheveux. Son geste est las, son bras semble peser une tonne.

« Je ne sais pas…

— Il va falloir ramener ta mère aux Mésanges, intervient Geneviève Imbeault. Je peux faire ça toute seule, mais tu peux aussi venir avec moi. Tu pourrais sans doute passer la nuit là-bas, si tu veux…

— Non !

— ... ou alors venir chez moi… Une chose est sûre, je ne te laisserai pas toute seule ici ou dans ta chambre de motel ! »

Agathe a un tout petit sourire.

« Tu n'as pas perdu ton côté cheftaine, à ce que je vois, murmure-t-elle. OK, je veux bien aller chez toi… »

~

Un bain chaud, un pyjama trop grand mais confortable, un fauteuil dans lequel se pelotonner sous une couverture extraordinairement douce, des biscuits, du Cointreau, les *Suites pour violoncelle seul* de Bach… Et Geneviève, qui vient de passer une heure à la bichonner, à l'écouter, à la réconforter. Agathe s'étonne de se sentir aussi bien, compte tenu des circonstances. Elle fait part de son étonnement à son amie, qui se réjouit de savoir qu'elle va mieux et qui en profite pour passer à une nouvelle phase.

« Récapitulons ! » lance donc Geneviève d'une voix un peu trop forte — conséquence probable des trois cognacs qu'elle a engloutis depuis une heure. « Vendredi soir dernier, après une journée et un bout de soirée passés avec Hubert et Bruno, tu es rentrée chez toi, où tu as reçu un appel de ton père.

— Oui.

— Il t'a annoncé qu'il était à Montréal et qu'il fallait absolument qu'il te voie. Il a ajouté que Pauline Sanscartier était aussi dans les parages et qu'il fallait que tu te méfies d'elle parce que c'était une meurtrière.

— Oui.

— Et tu l'as cru ?

— Oui.

— Tu n'as pas pensé que c'était peut-être de lui que tu devais te méfier, étant donné qu'il était peut-être l'auteur des lettres anonymes ?

— Non. Ou plutôt... C'est compliqué...

— J'ai toujours été douée pour les histoires compliquées...

— C'était *comme si* les lettres venaient de mon père, mais je savais qu'elles ne pouvaient pas venir de lui.

— Et pourquoi ?

— Parce qu'elles étaient menaçantes et que jamais mon père ne m'aurait menacée.

— Tu aurais pu te tromper.

— Non.

— Il aurait pu changer.

— Pas pour ça. De toute façon, je ne vois pas pourquoi tu t'acharnes à me convaincre qu'il aurait fallu que je me méfie de lui, étant donné que la suite des événements m'a donné raison.

— Tu marques un point. Revenons donc à vendredi soir. Ton père t'appelle et il te demande d'aller le voir. Tu y vas, en fille obéissante que tu es, et vous vivez des retrouvailles bouleversantes, pleines de larmes, d'embrassades et autres moumouneries du même genre.

— Tu sais vraiment trouver les mots pour rendre l'émotion de ce moment-là.

— Merci. Bon, après le braillage, et les excuses de ton père, qui avait cru te protéger davantage en restant au loin qu'en revenant subir ses procès pour meurtre, vol et inceste, Pat te raconte ce qu'il a découvert il y a deux mois, après seize ans et demi de cavale: Pauline Sanscartier et Réjean Turgeon étaient des escrocs qui, avant de s'en prendre aux bonnes gens de Ville-Marie, avaient sévi en Nouvelle-Écosse et ailleurs.

— Bonne synthèse.

— De plus, sachant à présent que Pauline et Turgeon se connaissaient, ton père soupçonnait fortement la première d'avoir tué le deuxième, ce qui expliquait la présence du cadavre dudit deuxième sur le terrain de ladite première.

— C'est logique.

— Tellement logique qu'on se demande pourquoi personne n'a soupçonné la vérité avant. C'est d'ailleurs étrange, tu ne trouves pas? Quand Turgeon a été assassiné, personne n'a pensé à un crime passionnel. La jalousie ou l'amour déçu sont pourtant à l'origine de bien des meurtres, non? Mais, bon, revenons à ton père qui, il y a deux mois, après avoir découvert que c'était sans doute Pauline qui avait tué Turgeon, écrit à sa femme, ta mère, pour lui faire part de ses soupçons. Le problème, c'est qu'il ignore que ta mère est atteinte d'Alzheimer, qu'elle vit dans une résidence tenue par Pauline et que c'est cette dernière qui prend connaissance de la lettre destinée à Mariette.

— Il l'ignorait d'ailleurs encore au moment où on s'est retrouvés et où il m'a raconté son histoire. Moi, je lui ai montré les lettres bizarres que j'avais reçues…

— Et tous les deux, parce que vous êtes super brillants, vous vous êtes dit que c'était sûrement Pauline qui t'avait écrit ces lettres, mais de façon à laisser croire qu'elles venaient de Pat.

— Ce qui nous a aidés à être brillants, comme tu dis, c'est que mon père s'était rendu compte que Pauline était à Montréal et qu'elle le suivait.

— Vous en avez conclu que Pauline tenterait sans doute de te faire du mal, mais en s'arrangeant pour incriminer ton père. La culpabilité de ce dernier serait d'autant plus vraisemblable que tout le monde croirait que c'était lui qui t'avait envoyé les lettres de menace… Est-ce que c'est clair ?

— Il me semble que oui, pour autant que je puisse en juger après avoir ingurgité tout cet alcool. À ton avis, j'en suis à mon deuxième ou à mon troisième Cointreau ?

— Troisième, je dirais. Mais il me semble qu'on s'égare. Revenons encore une fois à ton père. Dans la lettre qu'il a envoyée à ta mère, mais qui en fait a été lue par Pauline la pas fine, il disait aussi qu'il était malade et qu'il allait subir des traitements de radiothérapie pour un cancer du poumon, mais qu'après il allait se rendre à Montréal, puis à Ville-Marie pour que justice soit faite.

— Voilà.

— Je suppose que Pauline n'a pas vraiment aimé lire ça.

— Tu supposes bien.

— Alors, elle s'est rendue à Halifax en espérant retrouver ton père et le zigouiller avant qu'il puisse lui nuire, mais elle ne l'a pas trouvé. Frustrée, elle s'est rabattue sur son plan numéro deux, dans lequel, sans t'en douter encore, tu allais jouer un rôle important. Elle a commencé par t'envoyer des lettres bizarres et anonymes à partir de Halifax, puis elle s'est précipitée à Montréal pour te surveiller et, par la même occasion, retrouver ton père le jour où il te contacterait. Selon les circonstances, elle allait te tuer ou non — ça n'avait pas vraiment d'importance…

— Merci bien !

— … mais elle allait tout faire pour tuer ton père et présenter ça comme un cas de légitime défense, ou un acte de courage, ou quelque autre noble action comme celle-là. Mais la rencontre père-fille tardait à se produire, alors Pauline, frustrée une fois de plus, a probablement décidé de faire monter la tension d'un cran en trucidant Perséphone, déesse des tortues.

— Desdémone.

— Si tu veux mon avis, c'est nul comme nom de tortue.

— Je ne veux pas ton avis.

— C'est quand même nul. Bon, revenons à ton père qui, entre-temps, est arrivé à Montréal.

— Mardi dernier, oui.

— Il essaie plusieurs fois de te contacter, mais ça ne marche jamais, et il ne veut pas laisser de message sur ton répondeur, il veut te parler directement.

— Exact. »

Agathe songe au jour où Pat s'est approché d'elle et où elle l'a pris pour un mendiant et, comme chaque fois qu'elle revoit cette scène, elle est submergée de honte.

« Le jeudi, ton père a l'impression qu'une femme le suit. Il revient jusqu'à son hôtel en faisant plusieurs détours, question de vérifier si son intuition est juste, et il se rend compte *primo* que la femme continue à le suivre et *secundo* que la femme en question est Pauline. Il ne sait pas comment il se fait qu'elle est là…

— ... étant donné qu'on n'a pas encore mis nos connaissances en commun…

— … mais il sait qu'il n'aime pas ça du tout. Pauline est dangereuse, et il ne veut pas la mener jusqu'à toi…

— Tu vois que j'avais raison, durant toutes ces années : mon père ne m'a jamais voulu que du bien.

— … alors, après avoir attendu quelques heures, question d'être sûr que Pauline n'est plus dans les parages, il quitte sa chambre et en loue une nouvelle dans un autre quartier de la ville en se disant qu'il ne sortira pas de là tant qu'il ne t'aura pas parlé. Comme il est déjà près de minuit, il n'ose pas te téléphoner. Le lendemain, vendredi, il commence à tenter de te joindre dès le matin, mais tu n'es pas là.

— J'étais en train de passer une audition pour une publicité de shampoing.

— Tu pourrais leur suggérer de prendre la bande que la police a enregistrée ce matin. Il paraît qu'on te voit te brosser les cheveux pendant un long moment et que c'est très sexy.

— Maître Imbeault, par moments, vos remarques frôlent le mauvais goût.

— Je sais, oui : il y a déjà longtemps que ta mère m'a appris que je manquais de distinction. Mais, bon, pendant que ton père se terre dans sa chambre de motel de Pointe-aux-Trembles, toi, tu te fais aller les couettes devant des caméras de télévision. Toute la journée ?

— Quand même pas, non. Ça leur a pris moins de temps que ça pour décider que j'étais nulle. Après, je me suis arrêtée chez un disquaire, puis je me suis rendue chez Hubert, avec qui j'ai passé le restant de la journée.

— Et Bruno.

— Et Bruno.

— Et c'est quand tu es revenue de chez Hubert que ton père a enfin pu te parler, d'où retrouvailles émues et mise en commun de renseignements. Vous réalisez que Pauline, qui est peut-être toujours dans les parages, n'a pas l'intention de se laisser dénoncer et qu'elle est dangereuse. Vous n'avez pas pensé à appeler la police ?

— Évidemment, mais mon père trouvait ça prématuré. Il voulait piéger Pauline et l'amener à avouer son crime, pour avoir des preuves à fournir aux policiers. Mais, pour ça, il avait besoin d'aide. Il a donc décidé de contacter Frédéric Lapierre, autrefois journaliste au *Témiscamien.*

— Et le seul, à part toi, qui avait tenté de le défendre au moment de sa disparition.

— Le seul, aussi, qui était susceptible de croire son histoire et de l'aider à piéger Pauline.

— Ton père et toi avez donc passé toute la nuit de vendredi à samedi à discuter. Samedi matin, en prenant d'infinies précautions pour être sûre que Pauline ne te voie pas, tu rentres chez toi pour régler quelques trucs et mettre en branle l'opération Piégeons Pauline. Tu téléphones entre autres à Frédéric Lapierre.

— Oui.

— Pendant que tu es chez toi, tu reçois un appel d'Hubert qui, n'ayant aucune idée de tout ce qui s'est produit dans ta vie au cours des douze dernières heures, s'imagine que tu meurs d'envie de le revoir, après les délicieux moments que vous avez passés ensemble la veille, et qui est donc complètement déboussolé par ton accueil glacial.

— Pauvre Hubert, j'ai été dure avec lui.

— C'est un grand garçon, il devrait s'en remettre. Mais, à ta place, je ferais quand même attention à lui. Il est équilibré, honnête, sensible, responsable, généreux, propre de sa personne et plutôt joli garçon. Sans compter qu'il t'aime. Tu ne trouveras pas des hommes comme ça à tous les coins de rue.

— Il a aussi de très belles mains.

— Alors, là, plus d'hésitation possible : tu l'épouses.

— Il me semble qu'on dévie un peu de notre sujet principal.

— À peine. Hubert, donc, déboussolé par ton accueil glacial...

— Pas besoin d'insister !

— ... cherche à se consoler et il décide de venir noyer sa peine au Témiscamingue, *terre du 'lac aux eaux profondes' aux paysages bucoliques dignes des tableaux de Monet*, selon Tourisme Québec. Accessoirement, il veut savoir quel est le squelette que tu caches dans ton placard et qui semble t'empoisonner la vie. Il consulte donc le Centre des archives local et votre humble servante — qui se révèlent extrêmement utiles —, ainsi que la perfide Pauline — qui, elle, lui raconte plein de mensonges sur ton père et toi. Persuadé que tu cours un grave danger, il tente en vain de te joindre pour te dire de te méfier de ton père. Il téléphone alors à une policière de Montréal...

— Lysanne Thibodeau.

— ... qui a la bonne idée de prendre ses craintes au sérieux — même si, on le sait maintenant, lesdites craintes se trompaient de cible.

— Des craintes qui se trompent de cible... L'image me semble boiteuse...

— C'est de la poésie. Lysanne Thibodeau part à ta recherche. Ce faisant, elle tombe téléphoniquement sur Frédéric Lapierre, et tous deux se livrent à un très fructueux échange d'information. Lapierre apprend à Thibodeau que ton père et toi êtes dans l'autobus pour Ville-Marie et que c'est Pauline, et non Pat, qui représente une menace pour toi. Thibodeau apprend à Lapierre qu'Hubert est à Ville-Marie et qu'il est dans les bonnes grâces de Pauline. Tous deux conviennent que les conditions sont réunies pour tendre un piège à Pauline — à condition de réfléchir vite et d'agir plus vite encore.

— Là aussi, ça me semble boiteux…

— Tu n'as jamais entendu parler de Lucky Luke?

— Ça n'a rien à voir, il me semble…

— Dis donc, qui est-ce qui fait cette récapitulation? Toi ou moi? Bon. Où en étais-je?

— À agir avant d'avoir réfléchi.

— Ce n'est pas *exactement* ça que j'ai dit. Bon, Lapierre et Thibodeau imaginent une façon de piéger Pauline. Le problème, c'est qu'ils ne disposent que de quelques heures pour tout mettre au point… et que Thibodeau, à Montréal, est pas mal loin du lieu de l'action. Lapierre suggère donc à Thibodeau de contacter le chef de la SQ à Ville-Marie, un super bon gars qui s'appelle Justin Francœur et à qui Lapierre a déjà glissé un mot de l'histoire, pour lui faire part des derniers développements. Pendant ce temps, Lapierre lui-même part à la recherche d'Hubert, qu'il trouve dans la salle à manger du motel Louise. Réunion d'urgence dans les locaux de la SQ, mise au point du plan, branle-bas de combat pour tout mettre en place avant dix heures cinquante, heure prévue de votre arrivée à Ville-Marie, à ton père et à toi. Des techniciens installent une caméra dans la chambre 131 du motel Louise et un poste d'observation dans la chambre d'à côté. Lapierre et un agent de la SQ se précipitent à Notre-Dame-du-Nord pour intercepter l'autobus à bord duquel vous vous trouvez, ton père et toi. Ils vous kidnappent, ton père jusqu'à Ville-Marie, toi jusqu'à Guigues, à vingt kilomètres au sud de Notre-Dame-du-Nord. Entre Notre-Dame-du-Nord et Guigues, où tu remontes seule à bord de l'autobus, Lapierre vous explique le plan. Hubert et Pauline t'attendent à Ville-Marie. Tu dois te montrer surprise de les voir. Ensuite, tu dois à tout prix t'arranger pour te rendre au motel Louise avec Pauline Sanscartier, par exemple en disant que tu veux prendre une douche. La jeune femme de la réception sera une agente de la SQ et elle te donnera la clé de la chambre 131. Hubert te laissera seule avec Pauline, qui devra entrer dans la chambre avec toi. À ce moment, ton père, Francœur et d'autres policiers de la SQ sont déjà installés dans la chambre voisine, où Hubert ira les rejoindre lorsqu'il sera sûr que Pauline ne peut pas le voir. Toi, une fois dans la chambre, tu prendras ta douche comme prévu, crédibilité oblige. Quand tu sortiras de la salle de bain, ton père viendra frapper à la porte, puis il manœuvrera pour que Pauline fasse les aveux les plus complets possibles. À partir de ce moment, ton rôle se réduira à celui d'une potiche.

— Ça s'appelle une figuration, tu sauras, et c'est extrêmement important, bien que peu payant !

— Après, tout aurait dû marcher comme sur des roulettes. Aveux, arrestation, réjouissances générales… Malheureusement, Pauline cachait une surprise dans son sac… »

Agathe est brutalement ramenée aux moments de terreur qui ont suivi. Pauline qui les menace de son arme, son père et elle, la porte qui s'ouvre en catastrophe, la semonce, puis, soudain, le coup de feu qui éclate — le bruit assourdissant, l'odeur, son père qui s'écroule, et ce sang, tout ce sang…

Agathe s'efforce de penser à autre chose.

« Tu aurais dû voir la tête d'Hubert, quand il s'est rendu compte qu'il venait pratiquement de m'arracher ma robe de chambre ! Ce n'est pas du tout comme ça que j'imaginais la première fois où il me déshabillerait.

— Lui non plus, probablement. »

~

Après la récapitulation sont venus les souvenirs, d'autres cognacs et d'autres Cointreau, des fous rires et des accès de nostalgie.

Agathe a déclamé des bouts d'*Antigone.*

« Tu te souviens, quand on s'imaginait que tu allais conquérir toutes les scènes du monde…

— … et que, toi, tu défendrais la veuve et l'orphelin… »

Geneviève s'étouffe avec un biscuit.

« J'ai très bien défendu l'orphelin depuis deux jours, déclare-t-elle quand elle retrouve son souffle… Pour la veuve, c'est moins évident…

— C'est sûr : tu as contribué à la faire arrêter ! »

Nouveau fou rire, puis :

« Il y a trop longtemps qu'on n'a pas ri comme ça ensemble, soupire Agathe. Pourquoi on a cessé de se voir, déjà ? »

Une pause imperceptible.

« Peut-être parce que, à notre dernière rencontre, je t'ai assaillie avec une déclaration d'amour enflammée, suggère Geneviève.

— Peut-être, oui… »

Une autre pause, un peu plus longue, celle-là.

« Je pensais que tu savais depuis toujours que j'étais amoureuse de toi…

— Non…

— J'ai bien vu ça. Si j'ai bonne mémoire, tu m'as traitée de malade, de perverse et de tordue... On aurait dit ta mère.

— J'ai honte...

— Avec raison. Mais comme je suis magnagn... magnagna... magnanime, ouf !, je te pardonne...

— Je me sens mal... »

Geneviève hausse les épaules.

« Oublie ça. Je n'aurais pas dû te sauter dessus comme ça, aussi. Mais j'étais jeune, fougueuse et terriblement maladroite, à cette époque... »

Agathe secoue précautionneusement la tête.

« Non, je me sens *vraiment* mal... Je... je pense que je vais être malade... »

Elle a tout juste le temps de se rendre aux toilettes.

« C'est la faute aux mélanges, dit doctement Geneviève en lui soutenant la tête au-dessus de la cuvette. Ne jamais mêler feuilles d'érable et pépites de chocolat : on aurait pourtant dû savoir ça. »

~

Le lendemain après-midi, en route vers Montréal, Agathe doit encore combattre une vague nausée. Elle se serait bien installée sur la banquette arrière, les yeux fermés, pendant que Bruno et Hubert étaient assis devant, mais Bruno n'a pas voulu en entendre parler.

« Il faut que tu sois devant, comme une vraie famille. Le p…père et la mère devant. L'enfant derrière. »

Elle n'a pas eu la force de protester.

Le matin même, après une nuit trop courte et peu réparatrice, elle s'est rendue à l'hôpital, où le docteur Vincent lui a confirmé que son père était hors de danger pour l'instant, mais qu'il n'en avait plus pour très longtemps. Il lui a de nouveau conseillé de prévoir une place dans un CHSLD ou un service de soins palliatifs.

Ensuite, Geneviève l'a conduite aux Mésanges, dont le personnel assure le fonctionnement en attendant de savoir ce qui va se passer avec l'établissement, à présent que la propriétaire-directrice est accusée de meurtre, de tentative de meurtre et de quelques autres délits, dont le vol. La résidence a vu le jour en grande partie grâce à l'argent soutiré jadis par Réjean Turgeon — le reste ayant été fourni par Mariette Soucy. Depuis la veille, tout le monde se demande à qui, légalement, appartient la résidence Les Mésanges.

« Beaucoup de plaisir en perspective ! » a commenté Geneviève à ce sujet.

En voyant ses yeux qui brillaient, Agathe a compris que, pour la notaire, ce n'étaient pas des paroles en l'air.

Rassurée pour l'immédiat sur le sort de ses parents, Agathe a décidé de retourner à Montréal en même temps qu'Hubert afin de régler un certain nombre de choses. Se retirer officiellement de la distribution de *La Maison hantée*, avertir son propriétaire qu'elle va s'absenter pour quelques mois et prendre des mesures en conséquence — notamment faire suivre son courrier et ses factures chez Geneviève, chez qui elle va s'installer. Patrick O'Reilly a déjà manifesté le désir de finir ses jours à Ville-Marie, et Agathe a l'intention de respecter ce désir. Elle a également l'intention d'être à ses côtés jusqu'à la fin. Ils ont presque dix-sept ans à rattraper.

« Tu vas finir directrice des Mésanges si tu ne fais pas attention, a prédit Geneviève quand Agathe lui a parlé de ses plans.

— Ça m'étonnerait beaucoup.

— C'est vrai qu'il y a le beau Hubert dans le décor… »

Agathe a senti les larmes lui monter aux yeux — les abus de la veille combinés au manque de sommeil et aux émotions des derniers jours se faisaient sentir, la laissant particulièrement vulnérable. Hubert? Oui, sans doute, mais…

« Je ne sais pas, a-t-elle murmuré. Et si ça ne marchait pas, avec lui? »

Geneviève l'a serrée brièvement dans ses bras.

« Et si ça marchait? a-t-elle rétorqué. Tu ne peux pas le savoir d'avance. Tu voudrais quoi, exactement? La garantie que tout va être parfait tout le temps? Oublie ça, Agathe. Il n'y a ni perfection ni garanties. As-tu le goût d'être avec Hubert et de bâtir quelque chose avec lui? Finalement, c'est la seule chose qui compte… »

Oui, Agathe avait le goût d'être avec Hubert. Mais pas tout de suite, pas avant d'avoir mis un peu d'ordre dans le chaos de sa vie. Tout était tellement douloureux et incertain en ce moment.

Une certitude, cependant. Elle n'avait pas besoin de Laurent Bouvier dans sa vie. Avoir un revolver pointé sur soi peut aider à prendre conscience de ce qui est important et de ce qui l'est moins. Laurent appartenait indubitablement à la deuxième catégorie. Rompre avec Laurent était donc tout en haut de sa liste des choses à faire au cours de son séjour à Montréal.

« As-tu envie d'écouter quelque chose en particulier? »

La voix d'Hubert tire Agathe de ses réflexions. Ils roulent déjà depuis près de trois heures. Sur la banquette arrière, Bruno s'est endormi. Un peu plus tard, ils s'arrêteront pour souper. Pour l'instant, ils sont dans une bulle, la bulle d'une Echo rouge qui roule sur la route 17, quelque part entre Mattawa et Pembroke.

« As-tu la cassette de Julie?

— Regarde dans la boîte à gants. »

Claude Léveillée, Emmylou, Leonard Cohen…

Ring the bells that still can ring
Forget your perfect offering
There is a crack, a crack in everything
That's how the light gets in

Après Geneviève, voilà Leonard Cohen qui se charge de lui rappeler que le monde n'est pas parfait, mais que c'est justement par les innombrables fêlures de la vie que la lumière se fraie un chemin jusqu'à nous. Oublie la perfection, Agathe, et bâtis quelque chose à partir de ce que tu es et de ce que tu as — tes failles, tes limites et tes peines, mais aussi tes espoirs, tes talents, ta bonne volonté, ton amour…

Quelques chansons plus tard, c'est la voix de son père qui s'élève — oui, c'est bien lui qui chante sur ce disque, avec sa voix d'avant. *Bonny's her lad when he walks down the street…* Des larmes coulent sur les joues d'Agathe. La bande continue à défiler. Richard Desjardins, *Tu m'aimes-tu?* Men of the Deeps, *Tramp Miner.* Marianne Faithfull, *She…* Et, pour finir, le violoncelle de Yo-Yo Ma qui vient vous fouiller jusqu'au fond de l'âme, la voix si pure d'Alison Krauss et les mots simples et émouvants de *Simple Gifts,* dont Geneviève a trouvé sur Internet qu'ils avaient été écrits en 1848 par un Shaker nommé Joseph Brackett.

When true simplicity is gained
To bow and to bend you shan't be ashamed…

« Tu pleures… »

Avec un sourire, Agathe essuie ses larmes.

« C'est pas grave. C'est pavlovien. »

Quatrième partie

Larmes blanches

Temete, signor, la gelosia!
È un'idra fosca, livida, cieca,
col suol veleno sè stessa attosca,
vivida piaga le squarcio il seno.

Craignez, seigneur, la jalousie!
C'est une hydre ténébreuse, maligne, aveugle,
de son venin elle s'empoisonne elle-même,
une plaie vive lui déchire le sein.

Otello, acte 2
Opéra de Verdi, livret d'Arrigo Boito,
d'après la tragédie de Shakespeare

Chapitre 26
Nuit du mardi 24 au mercredi 25 mai

Il est vingt-deux heures quand Hubert laisse Agathe devant chez elle.

« On s'appelle demain ? » suggère Agathe.

Hubert sourit.

« Oui.

— Peut-être même qu'on pourrait se voir… »

Le sourire d'Hubert s'accentue.

« Demain matin, je vais reconduire Bruno dans sa famille d'accueil. On pourrait dîner ensemble…

— Oui.

— À demain, alors. Bonne nuit.

— Bonne nuit. »

Ils ne s'étreignent pas. Ils ne s'embrassent pas. Ils rapprochent simplement leurs paumes jusqu'à ce que leurs doigts se frôlent — un contact fluide, aérien, qui ne mérite même pas le nom de caresse, et pourtant Agathe a l'impression de s'embraser tout entière, et elle a le cœur qui bat très fort en arrivant chez elle. Demain…

En attendant, il y a ce soir. Et, ce soir, en entrant dans sa chambre, elle aperçoit le voyant du répondeur qui clignote sans discontinuer. Elle n'a aucune envie d'écouter ses messages. Elle voudrait juste se pelotonner sous ses couvertures et sombrer dans le sommeil. Mais peut-être que c'est important. Peut-être que l'hôpital a appelé pour dire que son père va plus mal, ou mieux. Ou qu'il est mort…

Elle appuie sur la touche d'écoute.

« Agathe, ma chérie, je ne comprends pas ce qui se passe… »

Il y a d'abord les messages que Lysanne Thibodeau a écoutés la veille, puis six autres, qui, à l'exception d'un seul — « Salut ! C'est Yannick, de Par Toutadisque. J'ai trouvé tout ce que tu cherchais. Rappelle-moi. » —, proviennent de Laurent et qui apparaissent à Agathe de plus en plus délirants. Il continue à parler de complot et de trahison, et ses propos sont parsemés de citations qu'il déclame avec emphase.

« *Aimer pour être toujours trahi, par l'objet de mon amour et par la vie… Serpents, engeance de vipères ! Mais je rétribuerai, oh oui, je rétribuerai ! Ô ma vengeance ! qu'il y a longtemps que tes ongles poussent ! La paix, la paix, l'heure va venir…* »

Troublée, Agathe se demande si Laurent est fou.

« Rappelle-moi, mon ange, ma colombe, mon Agathe aux cheveux de feu. Il faut que je te voie. Il faut absolument que je te voie. »

Elle va le rappeler, oui, mais pas ce soir. Demain. Pour lui dire, sans aucune ambiguïté, qu'elle ne veut plus le revoir. Jamais.

Pour l'instant, elle va se contenter d'effacer les messages qui s'accumulent depuis trois jours.

À ce moment, le téléphone se met à sonner.

Elle hésite. Non, pas Laurent, elle n'a pas la force d'affronter Laurent. Mais peut-être aussi que c'est l'hôpital. Ou Hubert. Pourquoi n'a-t-elle jamais cru bon de s'abonner au service d'afficheur ?

Elle décroche après trois sonneries.

« Agathe, enfin, tu es là ! Je t'ai laissé une tonne de messages. Il faut que tu viennes, c'est urgent ! »

Il est tard, elle est épuisée, et Laurent est la dernière personne qu'elle a envie de voir ce soir.

« Non.

— Viens, Agathe, je t'en supplie. Il est arrivé quelque chose à Nathalie. »

~

Lysanne Thibodeau fixe distraitement l'écran de son ordinateur. Que répondre à Justin Francœur qui, dans son dernier courriel, lui a demandé si ça lui tenterait d'aller faire un tour au Témiscamingue, l'été prochain ? Il y a des lacs magnifiques, et la pêche est miraculeuse, ou presque…

Elle ne comprend pas ce qui lui arrive. Quarante-huit heures plus tôt, elle n'avait jamais entendu parler du lieutenant Justin Francœur, chef du poste de la SQ à Ville-Marie, au Témiscamingue. Elle lui a téléphoné la première fois hier matin, en espérant qu'il ne lui éclaterait pas de rire au nez quand elle lui annoncerait que le plan dont Lapierre, O'Reilly et lui avaient établi les grandes lignes devrait être mis à exécution plus vite que prévu — c'est-à-dire trois heures plus tard. Francœur s'est révélé un redoutable homme d'action. Il a posé des questions judicieuses, il a proposé des solutions intelligentes, il a agi rapidement et efficacement. Une fois l'opération terminée, il a rappelé Lysanne pour lui rapporter ce qui s'était passé. Le plan qui s'était d'abord déroulé comme prévu — l'arrivée d'Agathe, l'irruption d'O'Reilly dans la chambre 131 du motel Louise, la confession détaillée de Pauline Sanscartier — avant de déraper considérablement quand Pauline avait sorti une arme et blessé Pat O'Reilly. Il a précisé que ce dernier reposait dans un état stable au Centre de santé Sainte-Famille, à Ville-Marie, et que Pauline Sanscartier avait été transférée au quartier général de la SQ de la région de l'Abitibi-Témiscamingue, à Rouyn, où elle subirait son interrogatoire officiel, qui serait enregistré sur vidéo. Avant de raccrocher, le lieutenant Francœur a dit qu'il la tiendrait au courant des développements. Il avait une belle voix, un peu rocailleuse, et Lysanne lui a fourni toutes ses coordonnées, y compris son adresse de courriel personnelle et son numéro de cellulaire. Depuis, Francœur et elle ont échangé quelques messages, dont certains n'avaient rien à voir avec Pauline Sanscartier ou l'enquête en cours. Lysanne sait maintenant que Francœur a trente-huit ans, qu'il est divorcé et père de deux petites filles dont il a la garde une fin de semaine sur deux et un mois pendant l'été. Elle sait aussi qu'il aime pêcher — mais pas chasser — et qu'il court dix kilomètres pratiquement tous les matins. Il passe beaucoup de temps à bricoler sur sa maison et sur son *shack*, comme il appelle le chalet qu'il a construit de ses mains au bord du lac aux Sables et où il passe le plus clair de son temps libre. Il n'est pas fou de théâtre ni de lecture, même s'il lit régulièrement les journaux et qu'il apprécie les revues qui traitent de pêche ou de nature. Je cours aussi trois ou quatre fois par semaine, lui a répondu Lysanne, mais je me contente de cinq kilomètres. J'ai trente-deux ans et je n'ai pas d'enfants. J'aime bien la lecture, surtout les polars et les romans historiques. Je vais assez souvent au théâtre et au cinéma. Pour mes vacances, je choisis surtout des destinations nature — des endroits où je peux faire de la randonnée, du vélo, du kayak… C'est à la suite de ce message que Francœur lui a demandé si elle n'aurait pas envie d'aller au Témiscamingue pour ses prochaines vacances.

Woups ! Sans doute devrait-elle lui répondre qu'il est un peu trop vite en affaires. Mais a-t-elle vraiment envie de répondre ça? Le gars lui semble sympathique, et les prétendants ne se bousculent pas à sa porte. Ça fait d'ailleurs partie des raisons pour lesquelles elle hésite à aller plus loin avec Justin Francœur. Elle n'a pas l'habitude de… des aventures sentimentales, disons, et elle se méfie d'elle-même. Il suffit qu'un homme soit gentil avec elle, et elle s'imagine que c'est le bon. Elle a peur de mettre trop d'espoirs dans ce gars-là qui, en la voyant pour la première fois, risque de ne pas être capable de cacher sa déception. Elle n'est pas belle, c'est un fait, et il vaudrait mieux mettre cartes sur table tout de suite, de façon à éviter les malentendus. Le problème, c'est qu'elle ne sait pas trop comment présenter ça. *Laurent Bouvier m'a surnommée Face de crapaud…* Ce n'est pas de l'honnêteté, c'est du suicide. Et puis, elle n'est pas *si* repoussante que ça. Son corps est tout à fait passable — et, Dieu merci, elle ne porte plus l'uniforme depuis qu'elle a été promue sergente ! Celui qui a conçu le pantalon du SPVM voulait sans doute favoriser l'humilité chez les policières. Même une fille comme Agathe O'Reilly aurait l'air d'une patate dans ce pantalon. Mais, bon, du moment qu'elle ne se présente pas devant Francœur en uniforme, ça devrait aller. En fait, pour être vraiment à son avantage, il faudrait qu'elle se montre à lui flambant nue. Bizarrement, c'est encore comme ça qu'elle est le mieux. Elle est tout aussi massive, mais au moins on peut voir que la masse est constituée de muscles, et non de graisse. Finalement, c'est peut-être dans un camp de nudistes qu'elle aurait le plus de chances de rencontrer l'âme sœur. *J'ai hâte que tu me voies nue…* Elle éprouve comme une petite gêne à l'idée d'écrire ça à Justin Francœur, qui risquerait de mal l'interpréter.

Le temps passe, avec tout ça. Il est presque minuit, et elle n'a toujours pas répondu à Justin.

Bon, un peu de courage.

À: Justin Francœur
Objet: Vacances

Je ne dis pas non à l'idée d'aller au Témiscamingue cet été, mais je vais attendre un peu avant de fixer mes plans — ne serait-ce que pour m'assurer que tu n'es ni un serial killer, *ni un manipulateur qui est parmi nous, ni un accro du Réseau des sports.*
Lysanne
P.-S. : J'aime autant t'avertir : je n'ai rien d'une top model.

Elle envoie le message, ferme son ordinateur et se prépare à se mettre au lit. Elle est en train de se passer la soie dentaire quand le téléphone sonne.

Lysanne décroche.

« C'est pas grave. Moi non plus, je n'ai rien d'une top model, dit la belle voix rocailleuse. Mais en attendant de pouvoir comparer nos défauts respectifs, on a quelque chose d'un peu moins agréable à faire. Ça tombe bien que tu m'aies envoyé ce message parce que j'hésitais à te téléphoner à cette heure-là, surtout que je ne suis pas sûr de ce que signifie le détail que je viens d'apprendre en parlant avec le collègue qui a mené l'interrogatoire de Pauline Sanscartier.

— Quel détail ?

— Elle nie avoir tué la tortue d'Agathe O'Reilly. Elle dit qu'elle n'est même jamais entrée chez elle et qu'elle se contentait de la surveiller.

— Peut-être qu'elle ment…

— J'y ai pensé, sauf que ça ne tient pas debout : elle avoue sans sourciller le meurtre de Réjean Turgeon ainsi que son intention de tuer Patrick et Agathe O'Reilly, mais elle aurait des scrupules à reconnaître le meurtre d'une tortue ? ? ?

— Tu as raison, ça ne tient pas debout. Et Pauline avait-elle une explication concernant cette tortue ?

— La question ne lui a même pas été posée. Si c'était moi qui avais conduit l'interrogatoire, j'aurais sûrement fouillé un peu de ce côté, mais Breton, le collègue qui l'interrogeait, a choisi de se concentrer uniquement sur les crimes commis ou planifiés par Pauline elle-même — il faut dire que ça l'occupait déjà pas mal. » Un court silence, puis Justin Francœur poursuit. « Je vais essayer d'en savoir davantage dès maintenant. Ça signifie que je vais probablement devoir me rendre à Rouyn, mais peu importe. Ça m'agace, ce détail qui cloche. Comme je me connais, je n'arriverai pas à dormir tant que je n'aurai pas d'explication satisfaisante.

— Appelle-moi dès que tu en sauras un peu plus long. Je n'arriverai pas à dormir, moi non plus.

— On est faits pour s'entendre ! »

~

Dans le taxi qui la conduit chez Laurent et Nathalie, Agathe songe plusieurs fois à dire au chauffeur de faire demi-tour. Elle n'a aucune, mais aucune envie de voir Laurent Bouvier ce soir, et c'est ce qu'elle lui a dit et répété au téléphone. Mais le comédien a insisté.

« Je t'en supplie, Agathe, viens vite ! Tu es la seule qui puisse m'aider… Si tu savais… Nathalie…

— Qu'est-ce qui est arrivé à Nathalie ?

— Je ne peux pas te dire ça au téléphone. Il faut que tu viennes. »

Agathe a craint une ruse de la part de Laurent. Si ça se trouve, Nathalie n'était même pas à la maison. Mais Laurent avait vraiment l'air bouleversé.

« J'arrive. »

À présent, elle se demande pourquoi elle ne lui a pas plutôt conseillé de composer le 911. S'il est arrivé quelque chose à Nathalie, elle, Agathe, n'est sûrement pas la personne la plus qualifiée pour lui venir en aide.

Une vingtaine de minutes plus tard, elle est accueillie par Laurent. Il la conduit jusqu'à son bureau, d'où s'échappe un air d'opéra, le volume au maximum.

« Tu étais en train de travailler ?

— Si on veut… »

Quand ils sont dans la pièce, Laurent referme la porte derrière eux.

~

En attendant que Justin Francœur la rappelle, Lysanne Thibodeau tue le temps en jouant à Démineur sur son ordinateur. Voilà quelque chose qu'elle n'a pas encore révélé au lieutenant de la SQ. Après *Aime la marche, la course et le vélo*, elle aurait pu ajouter *Accro à Démineur, Solitaire, Sudoku, Yahtzee* — bref, à tous ces jeux qui semblent avoir été expressément conçus pour la visser des nuits entières sur sa chaise, le dos et les fesses en compote, les yeux larmoyants, les doigts gonflés et le cerveau de la grosseur d'un petit pois, obnubilé par l'écran, fermé à tout ce qui n'est pas le jeu. Aucune présence à autre chose, aucune ouverture, aucun intérêt pour quoi que ce soit ou qui que ce soit d'autre, le monde se réduit à cette tête d'épingle que sont les petites cases, les chiffres, les cartes… Lysanne n'est pas particulièrement fière d'elle — en fait, elle s'en veut à mort — quand elle perd son temps de cette façon, et elle prend fréquemment la résolution d'arrêter, mais il faut croire que c'est plus fort qu'elle. Elle ouvre l'ordi, et son doigt clique automatiquement sur l'icône des jeux. Juste une partie, une seule… Quand elle veut se rassurer, elle se dit que ce serait pire si elle était dépendante à l'alcool ou à l'héroïne, au vidéo-poker ou aux sites porno. Au fond d'elle-même, elle n'est pas sûre que ce soit si différent.

Cette nuit, au moins, elle ne se sent pas (trop) coupable de s'adonner à son vice préféré — elle serait incapable de se concentrer sur quoi que ce soit d'autre en attendant que Justin la rappelle. Et, pendant qu'elle tente d'éviter les mines tout en jouant de la souris le plus rapidement possible pour battre son record de vitesse, une question tourne en boucle dans sa tête : Qui a tué la tortue d'Agathe O'Reilly ? Avec, de temps en temps, une sous-question : Et pourquoi ?

~

Elle est d'abord assaillie par le bruit — par la musique et les voix poussées à leur maximum. Le bureau de Laurent est équipé du matériel le plus sophistiqué, et il y a des enceintes acoustiques un peu partout dans la pièce. Agathe serait bien en peine de dire s'il s'agit de stéréophonie, de quadriphonie ou d'ambiophonie, mais elle est en mesure d'en apprécier les résultats. L'opéra — elle suppose que c'est *Otello*, l'opéra que Laurent doit mettre en scène — l'envahit de partout. Il lui martèle les tympans, bien sûr, mais elle le sent aussi vibrer dans tout son corps — dans son crâne, dans son ventre et jusque dans ses yeux.

« Peux-tu baisser le volume, s'il te plaît ? »

Elle doit hurler pour se faire entendre.

Laurent s'exécute, et Agathe laisse échapper un soupir de soulagement. Elle a l'impression qu'elle va pouvoir se remettre à penser, maintenant qu'elle n'est plus agressée par la musique —

elle en est sûre, à présent : elle est allergique à l'opéra. Elle se tourne vers Laurent, décidée à en finir au plus vite avec la raison pour laquelle il l'a fait venir ici ce soir, de façon à rentrer chez elle le plus rapidement possible.

C'est alors qu'elle aperçoit Nathalie.

~

Il est deux heures trente quand le téléphone sonne enfin. Lysanne Thibodeau décroche aussitôt.

« Oui ?

— Je viens de parler à Pauline Sanscartier, dit Justin Francœur. Elle a dit, et je cite : *Ce doit être cet homme qui surveillait constamment Agathe, un acteur vieillissant dont le nom m'échappe.* »

La policière ferme les yeux un instant. Laurent Bouvier. Elle aurait dû y penser.

« Ça te dit quelque chose ? demande Francœur.

— Oui. Mais je ne crois pas qu'il aimerait être qualifié d'acteur vieillissant... »

Elle explique à Francœur qui est Bouvier et lui donne une idée des messages que celui-ci a laissés sur le répondeur d'Agathe. Jalousie, possessivité, harcèlement, paranoïa, délire de persécution... Mélange explosif, comme chacun sait — ou comme elle aurait dû le savoir.

« Il m'est pourtant passé par l'esprit qu'il pouvait être dangereux... Mais c'était une possibilité parmi d'autres. Et une fois qu'on a eu Pauline Sanscartier dans notre mire, j'ai complètement oublié Bouvier. On avait trouvé notre méchante, et, automatiquement, j'ai présumé qu'elle était responsable de tout. Plutôt limité comme vision. *Shit.*

— Ne perds pas de temps à t'en faire pour ça. À peu près tout le monde aurait réagi comme toi. *Moi*, j'aurais réagi comme toi. L'important, c'est qu'on s'en soit rendu compte avant qu'il soit trop tard. Il va falloir dire à Agathe O'Reilly d'éviter ce Bouvier.

— Il m'appelle Face de crapaud. »

Voilà, c'est dit.

« Pardon ? »

Lysanne voudrait se battre. Qu'est-ce qui lui a pris de sortir ça ? Trop de Démineur, sans doute. Ou alors le désir inconscient de saboter une relation naissante avec un type qui se révèle de plus en plus intéressant, mais dont elle craint aussi de plus en plus qu'il ne se détourne d'elle au premier regard. Elle songe parfois qu'un psy aurait de quoi s'amuser longtemps avec elle.

« Laurent Bouvier. Il m'a surnommée Face de crapaud. »

Un petit rire au bout du fil. Ni bêtement hilare, ni embarrassé — juste un rire amusé et complice. Rassurant.

« Mes amis m'ont toujours appelé Frog, à cause de mes grands bras et de mes grandes jambes… On est faits pour s'entendre, je te dis… »

Il ne pourra pas lui reprocher de ne pas l'avoir prévenu. Mais, bon, ils n'ont pas que ça à faire, se conter fleurette au milieu de la nuit.

« Tu ferais mieux d'avertir Agathe dès demain matin, suggère Lysanne à Francœur.

— Tu es mieux placée que moi pour le faire.

— Comment ça ?

— Agathe O'Reilly est à Montréal. Elle est retournée là-bas aujourd'hui — à l'heure qu'il est, je devrais plutôt dire hier —, avec Hubert Fauvel. »

~

Nathalie Salois est recroquevillée dans un coin, les yeux clos, les mains liées derrière le dos, le crâne maladroitement rasé, le visage et les bras parsemés de stries rouges dont Agathe découvre, en s'approchant, qu'il s'agit de coupures, de fines coupures d'où suinte le sang. Une odeur âcre, mélange d'urine et de sueur malsaine, frappe brusquement Agathe et la sort de l'hébétude horrifiée dans laquelle l'a plongée cette vision. Nathalie est parfaitement immobile — morte, peut-être. Un gros chat noir est lové contre elle.

« Madame Salois…, souffle Agathe en s'agenouillant près d'elle. Nathalie ! »

La femme ouvre lentement les yeux. Dieu merci, elle est vivante !

« J'ai soif. »

Un filet de voix râpeux, comme si sa gorge était tapissée de sable. Elle a les lèvres pâles, craquelées, ourlées de salive séchée.

Agathe lève les yeux vers Laurent, dont elle sent la présence à côté d'elle.

« Mais qu'est-ce qui lui est arrivé ?

— Il lui est arrivé qu'elle m'a trahi. Elle a pactisé avec l'ennemi et elle a tout mis en œuvre pour me détruire, pour *nous* détruire… *Ô ma vengeance ! qu'il y a longtemps que tes ongles poussent !* »

La tête rasée, les liens, les coupures…

Alors, seulement, Agathe prend conscience que Laurent a quelque chose à voir dans tout ça, que c'est lui qui a infligé ces tortures à Nathalie Salois, sa femme.

« Tu es un monstre ! »

Agathe a du mal à reconnaître sa propre voix. Elle se penche vers Nathalie et lui caresse doucement le front.

« Je vais vous détacher, dit-elle en s'efforçant de retenir ses larmes. Je vais vous donner à boire. Je vais vous sortir d'ici… »

Le rire de Laurent la glace tout entière.

« Tu ne feras rien de tout ça », crache-t-il en lui saisissant les mains et en les ramenant avec rudesse derrière son dos.

Toujours collé contre Nathalie, le chat noir se hérisse.

~

Deux heures quarante-cinq du matin. Agathe O'Reilly doit être dans son lit, en train de dormir bien tranquillement. Lysanne n'a aucune raison de croire qu'il puisse en être autrement. Bon, d'accord, Laurent Bouvier, son amant, a transpercé sa tortue d'un grand couteau de cuisine moins d'une semaine auparavant et il a laissé une foule de messages bizarres sur son répondeur, mais ça ne veut pas dire qu'Agathe est en danger *en ce moment même.* D'après Justin Francœur, elle et Hubert sont partis de Ville-Marie au milieu de l'après-midi. Autrement dit, ils n'ont pas pu arriver à Montréal avant la fin de la soirée. Agathe devait être épuisée et, en toute logique, elle a choisi de se coucher plutôt que de rencontrer Laurent Bouvier. Oui, mais celui-ci surveillait *constamment* Agathe, selon Pauline Sanscartier. Peut-être attendait-il son retour, tapi dans l'ombre? Peut-être s'était-il introduit chez elle et lui avait-il fait subir le même sort qu'à Desdémone? Non, sûrement pas. Il y a déjà quelques jours qu'Agathe est partie de chez elle, Bouvier n'a quand même pas passé tout ce temps à épier un appartement vide…

Plus elle y réfléchit, plus Lysanne se dit qu'Agathe dort bien au chaud dans son lit et qu'elle-même devrait l'imiter. Il va falloir qu'elle soit en forme, demain — dans quelques heures! —, pour affronter Laurent Bouvier au sujet de la tortue assassinée.

Dormir, oui. C'est ce qu'elle a de mieux à faire pour l'instant. Demain matin, à la première heure, il sera bien temps d'avertir Agathe.

~

« Toi aussi, c'est la coupe qui te convient le mieux. La coupe des traîtresses, des vendues, des chiennes qui passent à l'ennemi. »

Les cheveux d'Agathe jonchent le sol autour d'elle. Laurent les a coupés par pleines poignées, au moyen de ce petit sabre japonais dont il est si fier — un *wakizashi*, comme il l'a répété à plusieurs reprises en lui disant que c'était un honneur qu'il lui faisait d'utiliser une arme aussi noble pour la tondre. Il maniait le sabre avec rudesse, et plus d'une fois Agathe a senti la lame lui frôler le cuir chevelu.

« Traîtresse, vendue… *À moi la vengeance… C'est moi qui rétribuerai…* »

Ce n'est pas vrai, se répète Agathe. Ça ne peut pas être vrai. C'est un cauchemar.

Mais elle sait très bien que ce n'est pas un cauchemar. Un cauchemar ne dure pas aussi longtemps, et il n'est pas aussi... cohérent. Parce que ce qu'elle est en train de vivre est cohérent, malgré tout. Délirant, fou, excessif, horrible. Mais cohérent. Elle doit à tout prix tenter de rester cohérente, elle aussi, si elle veut amener Laurent à les relâcher, Nathalie et elle. Depuis combien de temps retient-il Nathalie prisonnière ? Combien de temps faut-il pour en arriver à l'état de faiblesse et de déshydratation qui est le sien ? Deux jours ? Trois jours ?

« Il faut que tu donnes à boire à Nathalie, dit-elle à Laurent. Elle ne va pas pouvoir tenir comme ça encore longtemps. »

Pas de réaction.

« Elle souffre, c'est évident. Tu ne peux pas faire ça à ta femme, Laurent, à la mère de tes enfants...

— Je punis la traîtresse, la vendue... *Serpent, engeance de vipère*, elle n'échappera pas à mon juste courroux !

— Elle ne mérite pas le traitement que tu lui fais subir. Personne ne mérite ça.

— Tais-toi, tu ne sais rien de tout ça ! Tu n'as pas voix au chapitre ! »

Laurent a hurlé la dernière phrase. Agathe lui a fait perdre son calme. Elle ne sait pas si c'est une bonne ou une mauvaise chose.

« Elle s'est acoquinée avec ce Fauvel, et tous deux ont comploté pour nous détruire.

— Mais non, voyons, elle et Hubert se connaissent à peine.

— Oh si, ils se connaissent ! Ils se sont rencontrés à Sainte-Justine et, depuis, ils complotent pour me détruire. »

Cela rappelle vaguement quelque chose à Agathe. Nathalie faisait du bénévolat à l'hôpital pour enfants, et Hubert y était allé souvent lorsque Bruno s'était fait opérer pour un problème au dos, quelques mois auparavant.

« Ils se sont croisés, c'est tout...

— Il est venu ici sous un prétexte complètement bidon, elle est allée chez lui quelques jours plus tard, j'ai même trouvé un message de Fauvel, samedi, qui la remerciait *pour tout ce qu'elle avait fait...* Un aveu, un aveu qui va les perdre !

— Elle lui a apporté un livre sur le langage des fleurs ! »

En entendant ces paroles, Laurent éclate d'un rire qu'Agathe ne peut qualifier que de dément.

« Ah ! C'est ce qu'elle a dit, elle aussi, mais je ne suis pas dupe ! Un livre sur le langage des fleurs, quelle farce ! Trahison, trahison, trahison ! Ils sont amants, tous les deux, c'est clair ! Probablement qu'elle le paie pour qu'il accepte de coucher avec elle… Ça ne me dérange pas, remarque, il y a longtemps qu'elle ne m'attire plus, mais c'est le mensonge, tu comprends, la trahison, la duplicité… *Leur gosier est un sépulcre béant, leur langue trame la ruse. Un venin d'aspic est sous leurs lèvres, la malédiction et l'aigreur emplissent leur bouche !!!* »

Laurent a déclamé d'une voix grondante les dernières phrases, dont Agathe suppose qu'elles sont tirées de la Bible.

« Et tu t'es fait prendre à leur jeu, Agathe, poursuit-il d'un ton las. Tu t'es laissé séduire par ce Fauvel et tu t'es éloignée de moi. Tu n'avais pas le droit de faire ça, Agathe, pas le droit. Tu m'as trahi, toi aussi. Je t'ai donné une chance, pourtant, avec Desdémone, mais tu n'as pas su la prendre… »

Qu'est-ce que Desdémone vient faire dans cette histoire ?

« Desdémone ? »

Laurent se plante devant Agathe et l'imite en la caricaturant.

« *Desdémone ?* répète-t-il d'une voix aiguë. Oui, Desdémone, ta tortue, que j'ai sacrifiée en espérant sauver notre amour.

— C'est toi qui as tué Desdémone ?!

— Évidemment que c'est moi qui ai tué Desdémone ! C'est toujours moi qui tue Desdémone…

— Mais pourquoi ?

— *Mais pourquoi ?* répète encore une fois Laurent de la même voix aiguë. Pour te donner la chance de te racheter, voilà pourquoi ! »

Abandonnant sa voix de crécelle, Laurent a hurlé les derniers mots.

« *J'ai laissé à Jézabel le temps de se repentir*, reprend-il d'une voix plus sourde, *mais elle refuse de se repentir… Voici, je vais la jeter sur un lit de douleur, et ses compagnons de prostitution dans une épreuve terrible, s'ils ne se repentent pas de leur conduite…* »

Jézabel, compagnons de prostitution? Agathe secoue la tête en espérant s'éclaircir les idées.

« Je ne comprends pas.

— C'est pourtant bien simple », explique Laurent tout en fignolant la coupe grossière qu'il a effectuée sur la tête d'Agathe. Il saisit une touffe de cheveux, la tire à la verticale, puis glisse la lame de son couteau le plus près possible du crâne. Chaque fois, Agathe se dit que c'est la fin, qu'il va lui planter le couteau dans la tête comme il en a déjà planté un dans la carapace de Desdémone. « Tu m'avais dit que tu voulais qu'on cesse de se voir pour un certain temps, que tu voulais prendre du recul. Je savais bien que tu ne le pensais pas vraiment, que c'était une ruse pour m'inquiéter et me rendre plus docile, plus attentionné que je ne l'étais déjà. Je ne savais pas encore, à ce moment-là, que Nathalie et ce Fauvel avaient commencé leur travail de sape auprès de toi. Je ne savais pas qu'ils useraient d'autant de ruses et d'artifices pour détruire notre amour. Je t'ai suppliée de m'accorder une soirée, une dernière soirée avant cette pause que tu me demandais. Quand tu as accepté, j'ai eu la confirmation que tu ne voulais pas vraiment rompre, que tu faisais des caprices, c'est tout. Cet après-midi-là, je suis allé chez toi pendant que tu étais à ta réunion pour ton théâtre d'été. J'ai refait ton lit avec les draps que je t'ai donnés, des draps magnifiques, des draps dignes de l'autel sacré de notre amour. » Laurent a cessé de hurler et de déclamer, il s'exprime d'une voix posée, il tient des propos apparemment sensés, mais Agathe continue pourtant de se dire qu'il délire. *L'autel sacré de notre amour…* C'est de son lit qu'il parle! « J'ai posé Desdémone au milieu de ces draps d'apparat puis je l'ai transpercée au moyen de ton couteau. J'aurais voulu sacrifier cette pauvre bête avec une arme plus noble qu'un couteau de cuisine — pas avec ce *wakizashi*, évidemment, qui est une arme de samouraï, de seigneur —, avec un *kriss* malais muni d'une lame flamme, peut-être, ou encore avec un *jambya* ou un *kummya*, des armes à la fois primitives et sophistiquées, des armes qui ont une histoire, des armes qui ont peut-être déjà caressé le cuir d'une chèvre ou d'un serpent… » précise-t-il en effleurant le crâne d'Agathe du plat de sa lame. « Mais je ne voulais quand même pas que tu devines trop vite que c'était moi qui avais occis ta tortue... Un peu plus tard, je suis allé te rencontrer au restaurant. Tu m'as parlé de la pièce assez nulle dans laquelle tu devais jouer, et, comme toujours, je t'ai écoutée et je t'ai encouragée. Je te sentais si proche de moi, ce soir-là, si douce et tendre. Comme tu n'aurais jamais dû cesser de l'être. Quand je t'ai ramenée chez toi, je savais ce que tu trouverais dans ta chambre, et je suis resté un bon moment devant ta porte, dans ma voiture, à attendre le cri qui me précipiterait vers toi. Peut-être m'appellerais-tu sur mon cellulaire, peut-être courrais-tu hors de chez toi en espérant que je sois encore là... J'étais ému. J'avais le cœur qui battait très fort en pensant à l'intensité de nos retrouvailles. Je savais que ta découverte te bouleverserait, mais je savais aussi que la force de mon amour te ferait vite oublier ta frayeur. Je t'envelopperais d'amour et de tendresse, je te consolerais, je te rassurerais... Je t'aimais tellement, Agathe, tellement ! Tu ne peux pas savoir ce que c'est que d'aimer autant... » Il secoue tristement la tête, tout en continuant à lui caresser le crâne de son *wakizashi*. « Tu n'as pas idée de la douleur et du désarroi qui m'ont envahi quand tu es passée près de moi sans me voir, quand tu es allée chercher du réconfort auprès de cet infirme, de ce cul-de-jatte que Nathalie t'a envoyé pour te détourner de moi. Tu n'as donc pas compris que cet homme-là est un faux jeton — un menteur et un hypocrite à la solde de Nathalie ! »

Agathe n'a cessé de se répéter que Laurent était fou, vraiment fou, pendant qu'il lui expliquait, comme si c'était la chose la plus naturelle du monde, qu'il avait tué Desdémone pour pouvoir lui prouver à quel point il l'aimait. Elle ne peut s'empêcher de penser que c'est la deuxième fois, en moins de quarante-huit heures, qu'elle se trouve enfermée avec quelqu'un qui est armé et dangereux. À Ville-Marie, au moins, elle savait que des policiers se trouvaient dans la pièce voisine, prêts à intervenir. Et Pauline Sanscartier l'effrayait moins que Laurent. Elle avait tué un homme, certes, mais elle avait un motif, la jalousie, et cette jalousie était fondée. De plus, elle avait attaqué Réjean Turgeon sous l'emprise de la colère, sans l'avoir prémédité. D'une certaine façon, son crime était compréhensible, et même rationnel. Les agissements de

Laurent, eux, apparaissent totalement irrationnels à Agathe — et ça la terrifie. Jusqu'où va-t-il aller ?

« Tu as eu ta chance, reprend Laurent, mais tu ne l'as pas saisie. Tu aurais pu revenir vers moi, mais tu as choisi d'aller vers ce Fauvel. Là encore, je t'ai donné une chance — surtout quand j'ai compris que tu n'étais pas responsable de tes actes, que tu étais le jouet de Nathalie et de Fauvel, une marionnette entre leurs mains immondes. J'ai essayé de t'avertir, je t'ai dit de te méfier, je t'ai laissé le loisir de constater ton erreur et de me revenir… Je me disais ce n'est pas possible, elle va comprendre, elle va revenir vers moi et me supplier de la reprendre… Mais tu n'as pas compris, et maintenant il est trop tard. Maintenant tu vas payer, toi aussi. *Si ton œil droit est pour toi une occasion de péché, arrache-le et jette-le loin de toi… Et si ta main droite est pour toi une occasion de péché, coupe-la et jette-la loin de toi…* »

Malgré sa terreur, Agathe s'efforce de garder son calme. Il faut qu'elle réfléchisse à une façon de les sauver, Nathalie et elle. Quelle heure peut-il être ? Deux heures, trois heures du matin ? Peut-être même pas. Elle doit voir Hubert demain, ils sont censés dîner ensemble, il va s'inquiéter s'il n'arrive pas à la joindre. Le problème, c'est que le dîner est encore loin et que Laurent a amplement le temps de les tuer d'ici là — le comédien, lui, parlerait sans doute de les *sacrifier.*

Elle ne veut pas mourir. Elle ne *peut* pas mourir. Pas ici, pas maintenant, pas comme ça. Elle a encore tellement de choses à faire. Pas des choses exceptionnelles — pas conquérir les grandes scènes du monde ou passer à la postérité, comme elle en a déjà rêvé —, juste des choses ordinaires, qui se bâtissent jour après jour, un instant à la fois, et qui donnent un sens à la vie. *Forget your perfect offering…* À peine ces paroles de Leonard Cohen se sont-elles insinuées dans son esprit qu'Agathe songe à Antigone. Antigone qui voulait tout, tout de suite, et que tout soit parfait — ou mourir. Tout ou rien. Pauvre, pauvre Antigone. Si jeune, si intransigeante. Si morte. Tristement et inutilement morte. Elle, Agathe, espère avoir encore beaucoup de temps avant de mourir. Du temps pour rire, chanter, pleurer, apprendre des rôles, sourire à des inconnus dans le métro, partager des fous rires et des confidences, écouter de la musique, tenter de rendre la vie un peu plus douce à ceux qui l'entourent. S'occuper de sa mère, le mieux possible, avec le plus d'amour possible, malgré tout ce qui les a longtemps opposées. Accompagner son père dans ses derniers mois, être avec lui quand il va mourir et lui tenir la main. Dire à Hubert qu'elle l'aime, avoir des bébés et vieillir avec lui — et donner une *vraie famille* à Bruno, comme il dit, lui servir de mère à la place de Julie, qu'elle n'a jamais rencontrée mais qu'elle a l'impression de connaître intimement à travers les musiques qu'elle aimait. Vibrer aux mêmes musiques et aux mêmes mots, ça crée des liens. Tout comme souffrir aux mains du même homme, songe-t-elle avec un regard vers Nathalie. Pour Nathalie aussi, elle doit rester vivante.

« Tu es en colère, Laurent, je peux comprendre ça. Mais il ne faudrait pas que ta colère t'amène à faire des choses que tu vas regretter… Il n'est pas trop tard, Laurent. Tu n'as commis aucun crime. Tu es surmené, tu te sens trahi, tu es dépassé par les événements. Avec de l'aide, je suis sûre que tout ça peut s'arranger. Détache-nous, donne à boire à Nathalie, on va parler, on va trouver une solution pour t'aider… »

Avec un cri de rage, Laurent lui frappe la tête contre le mur.

« Tu me parles comme à un demeuré ! Tu penses que je suis fou, c'est ça ? Tu veux que j'aille chercher de l'aide auprès d'un pauvre imbécile de psychiatre qui va essayer de me faire rentrer dans le moule, qui va tout mettre en œuvre pour étouffer mon génie et me rabaisser au niveau commun, vulgaire, allez, un mouton parmi tous les moutons, bêêê bêêê bêêê… »

Laurent arpente la pièce en gesticulant et en continuant à hurler bêêê bêêê bêêê.

Agathe serre les paupières. Ne pas pleurer, surtout. Ne pas lui donner ce plaisir.

… la gelosia ! È un'idra osca, livida, cieca…

La musique et les voix lui frappent les tympans avec la violence d'un coup de canon.

Laurent a remis le volume d'*Otello* au maximum.

Les paupières toujours serrées, Agathe se tasse sur elle-même, en essayant de rentrer la tête le plus possible, dans le vain espoir de se boucher les oreilles avec ses épaules. Elle n'a pas conscience que Laurent a saisi le téléphone et qu'il sort du bureau pour passer un coup de fil.

~

À cinq heures, Lysanne Thibodeau cesse de tergiverser. Elle n'a pas réussi à s'endormir, malgré tous ses efforts, et, comme deux jours auparavant, elle se dit que cinq heures, ce n'est plus la nuit mais le matin, autrement dit une heure *presque* décente pour téléphoner à quelqu'un. Le pire qui puisse arriver, c'est qu'Agathe O'Reilly l'engueule pour l'avoir réveillée aussi tôt.

« Bonjour, vous êtes bien au… »

Lysanne Thibodeau a une impression de déjà vu, ou plutôt de déjà entendu. Elle raccroche, compose le numéro de nouveau, tombe encore sur le répondeur. Elle se force à faire la même séquence une troisième fois. Peut-être qu'Agathe dormait très profondément ou qu'elle était aux toilettes.

« Bonjour, vous êtes… »

OK, pas de panique, rien ne sert de sauter tout de suite aux conclusions les plus dramatiques. Elle est revenue de Ville-Marie la veille avec Hubert Fauvel. Le jeune homme est visiblement amoureux d'elle. Peut-être que les événements tragiques qu'ils viennent de vivre les ont rapprochés. Peut-être qu'Agathe dort aux côtés de Fauvel, épuisée après de torrides ébats amoureux, pendant qu'elle, Lysanne, passe une nuit blanche à s'inquiéter de son sort. Elle reprend le téléphone, compose le numéro d'Hubert Fauvel. Tout comme quarante-huit heures auparavant, elle a l'impression d'errer dans un labyrinthe en répétant à tout moment *Où est Agathe? Où est Agathe?* — la version *live* de ces albums dont raffole son neveu Hugo, *Où est Charlie?* Peut-être que c'est son destin. Peut-être que la semaine prochaine, le mois prochain, ou même dans quinze ans, elle va encore passer une partie de ses nuits à téléphoner à gauche et à droite en demandant où est Agathe…

« Allô ? »

C'est une femme qui a répondu — une femme qui n'est pas Agathe —, et Lysanne se demande si elle a composé le bon numéro.

« Hubert Fauvel, s'il vous plaît.

— Il n'est pas ici pour l'instant. Est-ce que… est-ce que je peux prendre le message ? »

Il est évident que la femme se demande qui veut parler à Hubert Fauvel à cinq heures du matin. Mais qui peut bien être cette femme ? Nathalie Salois ? Les accusations de Laurent Bouvier sont-elles fondées, et Nathalie est-elle la maîtresse de Fauvel ? Mais, non, ce n'est pas la voix de Nathalie Salois, plutôt celle d'une femme plus âgée.

« Je m'appelle Lysanne Thibodeau, et je suis sergente-détective au Service de police de la Ville de Montréal. Il faut absolument que je parle à Hubert Fauvel. Savez-vous où je peux le joindre ?

— C'est au sujet d'Agathe ? »

Lysanne sent tout son corps se tendre. Pourquoi cette femme croit-elle que la police veut parler à Fauvel *au sujet d'Agathe* ?

« Oui, en quelque sorte. Je me demandais si monsieur Fauvel savait où était Agathe O'Reilly en ce moment. J'ai des raisons de croire qu'elle pourrait être en danger.

— Elle est chez Laurent Bouvier, le comédien. C'est aussi là-bas qu'Hubert est parti. »

Pendant que la policière s'efforce de calmer l'angoisse qui vient de l'envahir, la femme précise qu'elle s'appelle Simone Lavoie, qu'elle habite juste à côté et qu'Hubert lui a téléphoné un peu plus tôt pour lui demander de garder Bruno. Il avait reçu un appel de Laurent Bouvier disant qu'Agathe était chez lui et qu'il lui était arrivé quelque chose. Le comédien avait ajouté qu'il avait besoin de l'aide d'Hubert.

« Depuis combien de temps monsieur Fauvel est-il parti ?

— Une vingtaine de minutes, je dirais… »

Lysanne Thibodeau habite dans le quartier Pointe-aux-Trembles, à quelques rues de l'extrémité est de l'île de Montréal.

Normalement, il lui faudrait trois quarts d'heure pour arriver à Outremont, mais à cette heure matinale, et poussée par l'urgence de la situation, elle devrait pouvoir faire le trajet en trente minutes. Elle n'a toutefois pas un instant à perdre.

« Merci beaucoup, madame Lavoie. Je vous laisse mon numéro de cellulaire. Appelez-moi si vous avez des nouvelles d'Hubert…

— Il n'est pas en danger, j'espère.

— Je l'espère moi aussi.

— Et Agathe… »

Mais la policière l'interrompt. Elle n'a *vraiment* pas de temps à perdre. Elle donne son numéro de cellulaire à Simone Lavoie puis met fin à la conversation.

~

Agathe se réveille en sursaut. Aussi incroyable que cela puisse paraître, elle s'est assoupie. Malgré la musique tonitruante, malgré la peur, malgré l'inconfort, elle a glissé dans un demi-sommeil dont elle émerge le cœur battant, la gorge sèche, les mains moites. Combien de temps a-t-elle perdu contact avec la réalité ? Elle n'en a aucune idée. Elle n'a pas d'idée non plus de l'heure qu'il est.

Les yeux mi-clos, elle observe Laurent, qui arpente la pièce à grandes enjambées, comme il arpenterait une scène de théâtre, le pas assuré, la poitrine gonflée, la tête fièrement relevée. De temps à autre, ses lèvres s'agitent. Il accompagne l'opéra qui continue à se faire entendre, mais moins fort qu'avant. Ou alors il déclame des phrases décousues, des citations plus ou moins tronquées tirées de la Bible ou de *Lorenzaccio*, une pièce de Musset dans laquelle Agathe a tenu un tout petit rôle durant ses études. Peut-être cite-t-il aussi d'autres sources, qu'elle ne connaît pas… *L'épée, l'épée flamboyante de l'archange… Ô ma vengeance ! qu'il y a longtemps que tes ongles poussent !… La paix, la paix, l'heure va venir… Serpents, engeance de vipères ! Le salaire du péché, c'est la mort…*

Laurent veut-il les tuer, Nathalie et elle ? les tuer à coups de couteau ou d'épée ? Blessures infligées à l'arme blanche, dirait le rapport de police. La mort à l'arme blanche. À larmes blanches. Bon, ça y est, voilà qu'elle divague, elle aussi. Revenir à Laurent. Lorenzo. Lorenzo et son petit couteau… Non, pas Lorenzo. Laurent. Et Laurent n'a sûrement pas l'intention de les tuer. Si c'était le cas, il l'aurait déjà fait, non ? Au lieu de quoi il leur a rasé le crâne en plus de tracer sur leur chair des lignes très fines de la pointe de sa lame. Attend-il qu'elles finissent par mourir de faim et de soif ou cherche-t-il seulement à les humilier le plus possible, le plus longtemps possible, sans toutefois aller jusqu'à les faire mourir ? Dans ce cas, il ne faudrait pas qu'il tarde à libérer Nathalie, dont l'état inquiète vraiment Agathe. Elle se demande, une fois encore, depuis combien de temps Laurent retient sa femme prisonnière, et quels sévices il lui a fait subir, en plus de ceux qui sont immédiatement visibles. Elle n'ose même pas imaginer l'horreur que Nathalie a dû ressentir quand son mari, l'homme avec qui elle vit depuis trente ans et qui est le père de ses enfants, a entrepris de la torturer…

Soudain, Laurent s'arrête, l'oreille tendue. Attend-il quelqu'un ? Est-ce pour ne pas rater l'arrivée de cette personne qu'il a baissé le volume d'*Otello* ? Toujours lové contre Nathalie, le gros chat noir semble lui aussi aux aguets. Agathe, qui remarque que la porte du bureau est entrouverte, tend l'oreille à son tour. Au bout de quelques secondes, elle perçoit des pas qui s'approchent de la pièce où ils se trouvent.

« Enfin ! » murmure Laurent.

Il ouvre grand la porte et, d'un geste ample, invite le visiteur à entrer.

« On n'attendait plus que toi. »

Hubert Fauvel fait son apparition dans la pièce.

~

Lysanne Thibodeau a la désagréable impression que les feux de circulation se sont ligués contre elle. Dès qu'elle approche d'une intersection, le feu vire au rouge. Et elle jurerait qu'il reste au rouge deux fois, sinon trois fois plus longtemps que d'habitude. Dieu et ses supérieurs lui pardonneront si elle décide d'en brûler quelques-uns.

Jamais Outremont ne lui a paru aussi éloigné de Pointe-aux-Trembles. S'il fallait qu'elle arrive trop tard…

~

« Agathe ! Nathalie ! »

Hubert a l'impression de plonger en plein cauchemar lorsqu'il découvre les deux femmes tondues et ligotées dans un coin du bureau. Agathe semble terrifiée, mais bien vivante. Nathalie, par contre…

Le jeune homme veut s'approcher d'elles, mais Laurent le prend de vitesse. Il se précipite vers Agathe et la saisit par le cou.

« Un pas de plus, et je perce ce joli cou tout blanc », dit-il en posant la pointe de son couteau contre la gorge d'Agathe.

Hubert s'immobilise.

« Qu'est-ce qui se passe ? Vous êtes fou… Pourquoi… ?

— Je ne suis pas fou !!! »

Laurent Bouvier a hurlé ces mots avec rage, et Hubert juge plus prudent de se taire. Ne pas nuire à Agathe, surtout ne pas nuire à Agathe ! Tout en se répétant ces mots en boucle, comme une prière qu'il formulerait de toutes les cellules de son corps, Hubert soude son regard à celui de la jeune femme, où il lit la peur et l'horreur, mais aussi une confiance infinie. Agathe a confiance en lui et elle s'attend à ce qu'il la sorte de là. Le poids de cette confiance donne le vertige à Hubert, qui souhaite en être digne, tout en ayant douloureusement conscience de ne pas être un héros. Il est infirme, désarmé, paralysé par la crainte d'empirer les choses. Sa seule force, c'est son amour pour Agathe, et la certitude qu'il a d'être prêt à mourir pour elle.

« Qu'est-ce que vous voulez ? demande-t-il enfin à Laurent Bouvier. Il doit s'agir d'un malentendu… »

Bouvier éclate d'un rire méprisant.

« Un malentendu ! Tu me voles ma femme et ma maîtresse, et tu appelles ça un malentendu ? Moi, j'appelle ça une tromperie, une trahison, une perfidie, une infamie… *Serpents, engeance de vipères ! Un venin d'aspic est sous vos lèvres…* »

Il exerce une légère pression sur la pointe de son couteau, assez pour que le sang perle sur la gorge d'Agathe.

« Les traîtresses ont été tondues. Juste punition pour leur trahison. Mais toi, qu'est-ce que je vais faire avec toi ? *Œil pour œil, dent pour dent…* Qu'est-ce qui serait une juste punition pour toi ? *Si ton œil droit est pour toi une occasion de péché, arrache-le et jette-le loin de toi !* Si on coupe une main au voleur de poulets, qu'est-ce qu'on pourrait couper au voleur de femmes ? J'ai ma petite idée là-dessus… et je sens la lame de mon *wakizashi* qui frétille à la perspective d'entamer cet appendice qui fait tant saliver nos deux traîtresses… »

Le comédien éloigne son couteau de la gorge d'Agathe pour l'agiter en direction d'Hubert — plus précisément en direction de son bas-ventre.

Hubert est particulièrement conscient de la pulsation du sang dans son sexe, auquel Bouvier semble vouloir s'en prendre. Ce n'est pas possible, il doit mal comprendre, le comédien n'a quand même pas l'intention de le castrer…

« Ah, petit couteau, petit couteau, quel plaisir tu auras à croquer dans cette chair ferme, dans ce membre viril qui a déjà fait les délices de ma femme et de ma maîtresse… On en jouit déjà… *Ô ma vengeance ! qu'il y a longtemps que tes ongles poussent !* »

Un cri s'échappe de la gorge d'Agathe.

« Tu es fou ! Tu ne ferais pas une chose pareille ! »

Ricanement amusé de la part de Bouvier.

« Et pourquoi pas ? Pourquoi je me priverais de ce plaisir ? Vous ne vous êtes pas privées, Nathalie et toi, quand il s'est agi de *votre* plaisir…

— Tu te trompes ! Je ne sais pas où tu as pris cette idée-là, mais on n'a jamais, jamais… »

Agathe s'interrompt lorsque la lame du comédien se pose de nouveau contre sa gorge.

« Je ne me trompe pas. C'est *vous* qui m'avez trompé. *Aimer pour être toujours trahi…* »

Hubert intervient.

« Agathe dit vrai. Jamais je n'ai eu de relation intime avec elle ou avec Nathalie. »

Sa phrase provoque un éclat de rire chez Bouvier.

« On a déjà entendu ça de la bouche d'un président américain qui ne s'était pourtant pas gêné pour fourrer sa bite dans la bouche d'une certaine stagiaire… Et toi, ta bite, tu t'es contenté de la fourrer dans la bouche de mes femmes ou tu l'as promenée ailleurs aussi ? »

Hubert voit rouge. Littéralement. Le sang qui s'était concentré dans son bas-ventre reflue avec une violence inouïe dans le reste de son corps, dans sa poitrine, dans sa tête, devant ses yeux. Il avance d'un pas vers Laurent Bouvier.

« Du calme, l'infirme ! Sinon je tranche cette gorge si tendre… Ce n'était pas dans mes intentions, mais si tu ne me laisses pas le choix… »

Une fois de plus, la lame de son couteau fait naître de fines lignes rouges sur la gorge d'Agathe.

Au prix d'un immense effort, Hubert s'immobilise. Il a les yeux rivés sur ceux d'Agathe, qui s'emplissent de larmes. Il sent les larmes l'envahir, lui aussi. Dieu qu'il aime cette femme ! Jamais il n'aurait imaginé pouvoir aimer quelqu'un autant. Et il va tout faire pour éviter qu'elle souffre. Il était prêt à mourir pour elle. Il peut bien envisager la mutilation que veut lui infliger Bouvier — tout en faisant quand même tous les efforts possibles pour y échapper ! Le comédien est armé, massif et plus solide sur ses jambes que lui ; mais il est également plus vieux et sans doute moins en forme. S'ils s'affrontent directement, peut-être Hubert arrivera-t-il à le désarmer…

« Faites-moi ce que vous voulez, dit-il d'une voix sourde, mais laissez Agathe tranquille. »

Sa réaction lui attire un sourire méprisant de Laurent Bouvier.

« Oh ! qu'il est chevaleresque ! Tu entends ça, Agathe ? Ce type est prêt à se faire châtrer par amour pour toi… Après Héloïse et Abélard, Agathe et Hubert. Les mêmes initiales, mais à l'inverse…

Prédestination ! Agathe, femme castratrice… *La mariée est belle. Mais, je vous le dis à l'oreille, prenez garde à son petit couteau…* »

Agathe a les joues inondées de larmes.

« Tu ne peux pas faire ça, dit-elle d'une voix étranglée. C'est monstrueux…

— Oui, bien sûr, ce pauvre Hubert va être assez monstrueux. Déjà qu'il lui manque une jambe… Mais peut-être que cette mutilation est moins pire pour lui que pour un autre, finalement. Un membre de plus, un membre de moins, il doit commencer à être habitué… Évidemment, pour toi, ça risque d'être un peu désinspirant au début… »

De la pointe de sa lame, Laurent trace une mince estafilade qui va de la gorge d'Agathe à sa joue.

« Tant pis pour toi, ma belle. Tu n'avais qu'à me choisir, moi, si tu voulais conserver un amant doté d'attributs virils. À présent, tu devras te contenter de ton cul-de-jatte castré. J'espère pour toi qu'il est habile de ses mains… »

Il lâche Agathe et se dirige vers Hubert en agitant son couteau.

« Tu frétilles, petit couteau, tu frétilles, tu as hâte de mordre dans cette chair exquise. »

Agathe se met à hurler.

« Tu ne peux pas faire ça ! Tu vas le tuer. Il va saigner à mort… Arrête pendant qu'il est encore temps ! Tu ne veux pas être un assassin ! »

Laurent se tourne à demi vers elle.

« Sincèrement, ma belle, *je puis délibérer et choisir, mais non revenir sur mes pas quand j'ai choisi…* »

Agathe reconnaît une réplique de *Lorenzaccio.*

« Ce n'est pas vrai ! crie-t-elle. Tu *peux* revenir sur tes pas ! Ne gâche pas toute ta vie !

— *Ma vie entière est au bout de ma dague*, chantonne Laurent en agitant son *wakizashi.*

— Laisse tomber *Lorenzaccio* ! le presse Agathe. Réfléchis. Tu ne peux pas faire une chose pareille. Il va mourir. Tu ne pourras pas t'en tirer…

— Qui t'a dit que je voulais m'en tirer? J'ai tout prévu, crois-moi. Même des secours pour ton cul-de-jatte… Avec un peu de chance, il ne se videra pas de son sang avant l'arrivée de ceux-ci. Peut-être même qu'ils pourront lui recoudre sa bite coupée. Miracle de la médecine moderne… »

Bouvier recommence à avancer vers Hubert.

« Je m'occupe de cette petite intervention, dit-il, puis je téléphone à cette policière, tu sais, Sylviane Machin, en lui suggérant de venir faire un tour ici. À son arrivée, elle va avoir droit à ma scène d'adieu. Une représentation unique et inoubliable. L'apothéose de ma carrière et de ma vie. Je regrette seulement que mon talent ne puisse pas être apprécié par un auditoire plus vaste… et plus digne de mon génie… »

Il s'arrête devant Hubert.

« Oui, dit-il, je m'occupe de cette castration, puis je téléphone à Face de crapaud. »

La musique se tait brusquement, et une voix se fait entendre.

« Pas besoin de vous donner cette peine, je suis déjà là. »

Lysanne Thibodeau, debout près de la chaîne audio, pointe son neuf millimètres en direction de Laurent Bouvier.

« Laissez tomber votre couteau par terre et éloignez-vous lentement de monsieur Fauvel. »

Le comédien recule de trois pas. Ses lèvres s'étirent en un rictus méprisant tandis qu'il murmure :

« *Deus ex machina*… Plutôt éculé comme procédé. » Puis il éclate d'un rire glacial. « Que dis-je, *deus*… ? Crapaud *ex machina* ! Moins éculé, peut-être. Mais d'un vulgaire… L'art de rater sa sortie. J'avais pourtant préparé une scène sublime… Tant pis. »

Il lève le bras droit, qui tient toujours le *wakizashi*, et inspire profondément.

« *Tirer l'épée flamboyante de l'archange*… » déclame-t-il avant de s'enfoncer la lame en plein ventre.

Un cri sauvage s'échappe de sa gorge tandis qu'il se déchire les entrailles.

« … *tomber en cendres sur ma proie*… » râle-t-il en s'écroulant.

~

La puanteur est horrible. Laurent Bouvier gît dans une mare de sang, le ventre ouvert, les intestins crevés. Il a mis de longues minutes à agoniser, gémissant, le corps agité de tremblements et de soubresauts, le poignard toujours plongé dans le ventre.

« Oh mon Dieu ! a murmuré Agathe avant de fermer les yeux. Oh mon Dieu, mon Dieu, mon Dieu ! »

Lysanne Thibodeau a eu du mal à appeler des secours, tellement sa main tremblait.

« J'ai besoin d'une ambulance, vite. J'ai un homme qui s'est fait hara-kiri. Et aussi une femme en très mauvais point. Choc, déshydratation… Je… Faites vite, s'il vous plaît. »

Sans même avoir conscience de s'être déplacé, Hubert se retrouve agenouillé à côté d'Agathe, en train de défaire ses liens. Aussitôt après l'avoir libérée, il la serre contre lui, fort, très fort. Il ne sait pas si c'est son cœur à lui ou celui d'Agathe qu'il sent cogner violemment contre ses côtes.

« Je t'aime, chuchote Agathe. Si tu savais comme j'ai eu peur de mourir avant d'avoir pu te le dire. »

Hubert voudrait lui dire qu'il l'aime, lui aussi, mais il a la gorge tellement serrée qu'il est incapable de prononcer le moindre mot.

Il desserre son étreinte et prend la tête d'Agathe entre ses mains avant d'embrasser doucement le crâne ravagé.

« Nathalie, souffle Agathe. Il faut s'occuper de Nathalie. »

Une dernière caresse à la tête pelée, et Hubert se tourne vers la femme de Laurent Bouvier, sur laquelle se penche déjà Lysanne Thibodeau.

« Je sens un pouls, annonce celle-ci d'une voix rauque. Je sens un pouls. »

Les larmes coulent librement sur les joues de la policière.

Épilogue

Ville-Marie, au Témiscamingue
Lundi 15 août

L'église Notre-Dame-du-Rosaire, à Ville-Marie, est pleine à craquer pour les funérailles de Patrick O'Reilly, et la foule déborde sur le parvis.

Au premier rang, il y a Agathe, entourée de Mariette et d'Hubert. Ses cheveux ont commencé à repousser et, de l'avis d'Hubert, elle ressemble à un angelot avec ses courtes boucles d'or roux. Agathe a passé les onze dernières semaines à Ville-Marie, avec ses parents. Des heures durant, elle a fait la lecture à son père, écouté de la musique avec lui ou partagé ses silences pendant que sa mère se berçait près d'eux. Ensemble, Pat et Agathe ont choisi les textes et les musiques pour les funérailles. Les fleurs, aussi: des iris bleus (*confiance*), des véroniques (*fidélité*), des immortelles (*à jamais*). Agathe était aux côtés de son père quand il est mort, et elle lui tenait la main. Mariette était là aussi, sans trop comprendre ce qui se passait. Elle ne comprend pas non plus ce qui se passe aujourd'hui, ni qu'elle va partir dans quelques jours pour Montréal, où Agathe lui a trouvé une place dans un foyer paisible et bien tenu, mais elle sourit aimablement en saluant à gauche et à droite. C'est un de ses bons jours.

Hubert se tient tout près d'Agathe, dont la main frôle la sienne. Ils se sont vus souvent, au cours des derniers mois, et ils ont l'intention de se voir encore plus quand Agathe sera revenue à Montréal. Si tout se déroule comme prévu, ils devraient se marier avant Noël. Ils ne savent peut-être pas ce que la vie leur réserve, mais ils ont envie de le découvrir ensemble — de toutes les manières possibles et le plus longtemps possible.

Autour d'eux, il y a Bruno, Geneviève Imbeault et Frédéric Lapierre, ainsi que Kathleen MacIntosh, Mike Delaney et Bernie Stevens, qui sont arrivés du Cap-Breton quelques jours plus tôt, juste à temps pour faire leurs adieux à celui qu'ils ont toujours connu sous le nom de Tom Finnegan. « *Tom, Pat… Who cares?* a dit Kathleen en serrant Agathe dans ses bras. *Your father was a good man…* »

Dans la deuxième rangée se trouvent Florence et Simone Lavoie, Nathalie Salois et son amie Colette. Nathalie est encore fragile. Ses plaies se sont cicatrisées et de courtes mèches blanches lui recouvrent maintenant le crâne, mais elle a beaucoup de mal à se remettre de la mort de Laurent, et surtout des heures terribles qui ont précédé sa mort. Heureusement, il y a Marie Trempe pour l'aider à se relever, et Colette, et ses enfants, et l'espoir que représente le bébé à venir. Nathalie a mis la grande maison d'Outremont en vente. Elle va trouver quelque chose de plus petit, où les souvenirs ne l'étoufferont pas à tout instant. Du moment qu'elle a un jardin…

Plus loin dans l'église, on retrouve, pêle-mêle, des amis et des connaissances — Marc-André et Annie, Stéphane Courteau et une bonne partie de l'équipe de *La Forêt enchantée*, le personnel de la résidence Les Mésanges, où Patrick O'Reilly a passé les dernières semaines de sa vie et qui est en voie d'être rachetée par les employés regroupés en coopérative. Justin Francœur et Lysanne Thibodeau sont côte à côte, lui grand et maigre, elle courte et trapue, mais pourtant remarquablement bien assortis. Francœur avait raison : ils sont faits pour s'entendre. C'est ce qu'ils constatent, jour après jour, depuis que Lysanne est arrivée il y a deux semaines pour passer ses vacances au *shack* du lac aux Sables, où Justin l'initie aux plaisirs de la pêche.

Il y a aussi les autres, tous les autres. Ceux qui ont connu Patrick O'Reilly, dans le temps, et qui regrettent de l'avoir mal jugé. Ceux qui ont passé des années à le haïr et qui sont venus sur le tard s'excuser et lui tenir compagnie quelques instants. Ceux qui ne le connaissaient pas, mais qui ont été émus ou révoltés par son histoire. Ceux qui courent les funérailles comme d'autres courent les festivals ou les défilés militaires. Ceux qui n'ont pas grand-chose à faire le lundi matin. Ceux qui ne veulent rien rater d'important. Ceux qui sont curieux, tout simplement.

Après la communion, juste avant que le curé Sirois laisse aller les fidèles, Bruno tire la manche de Geneviève Imbeault.

« Il y a b...beaucoup de monde qui l'aimait, le p...père d'Agathe, hein ? L'église est p...pleine comme p...pour un roi ou un p...président... »

Geneviève hoche gravement la tête.

« C'était un homme très recherché », dit-elle.

Remerciements

Je tiens à remercier tous ceux et celles qui, de près ou de loin — et parfois même à leur insu ! —, m'ont aidée ou encouragée à écrire *La Troisième Lettre.* Après avoir tenté de répartir tout le monde dans différentes catégories (amicale, éditoriale, familiale, géographique, professionnelle ou autre), il m'a fallu me rendre à l'évidence : je ne suis pas aussi douée que Bruno pour la théorie des ensembles, ou alors c'est que les gens ne se classent pas aussi facilement que les lettres. J'ai donc résolu mon problème en présentant tout le monde par ordre alphabétique, ce qui a aussi l'immense avantage de ménager les susceptibilités. Normalement, chacun devrait savoir pourquoi il est là… Sinon, considérez la mention de votre nom dans la liste ci-dessous comme l'expression de ma gratitude pour votre présence dans ma vie. Et si j'ai oublié des gens (le contraire serait étonnant), voyez cette omission comme un signe d'étourderie et non d'ingratitude, et veuillez me pardonner !

Par ordre alphabétique, donc, merci à Shira Adriance, Valérie Blais, Réjean Boisjoli, Annette Boucher, Marie-Joanne Boucher, Marie-Hélène Brault, Jules Brunelle-Marineau, Ginette Cloutier, Cyrille Deveau, Zoé Deveau, Cécile Gaudet, Jeannine Gaudet-

Brault, Monique Giroux-Noël, Chantale Goupil, Mélissa Goupil-Landry, Élise Gravel, François Gravel, Simon Gravel, Sophie Gravel-Liačas, Jeannette Labelle, Annik Lafortune, Nelson Landry, Françoise Laplante, Isabelle Lépine, Alvina Lévesque et ses nièces Suzanne et Carol, Carolle Lévesque, Isabelle Longpré, Tom Liačas, Gérald Marineau, Jean-Claude Marineau, Catherine Marineau-Dufresne, Philippe Marineau-Dufresne, Diane Martin, Pierrette Mathieu, Carla Menza, Carl Pelletier, Josée St-Antoine, Anne-Marie Villeneuve. Merci aussi à la belle équipe de Québec Amérique – c'est un véritable bonheur de travailler avec vous.

Je suis également reconnaissante à tous les écrivains, compositeurs et interprètes que je mentionne dans le roman et qui sont pour moi une source d'inspiration constante, de même qu'aux nombreux artistes ayant collaboré aux disques qui m'ont accompagnée durant l'écriture — country, musique traditionnelle irlandaise, musique de mineurs… Une précision : la chorale Men of the Deeps existe réellement, mais c'est Nipper MacLeod qui interprète *She Loves Her Miner Lad* sur le disque *Coal Fire in Winter*, et non Tom Finnegan comme je l'ai écrit.

L'impression de cet ouvrage sur papier recyclé a permis de sauvegarder l'équivalent de 38 arbres de 15 à 20 cm de diamètre et de 12 m de hauteur.